D0811372

bazıları
kitap
sever

ROMAN DİZİSİ

kitap
deyince

Çatalçeşme Sokak No: 54 Kat: 2 34110 Cağaloğlu/İstanbul
Tel: (0212) 526 89 17 – 18 Fax: (0212) 526 89 19
www.eyayinlari.com bilgi@eyayinlari.com

CHRISTOPHER G. MOORE

İHANET RİSKİ REHBERİ

Çeviren:
Şen Süer Kaya

İHANET RİSKİ REHBERİ
CHRISTOPHER G. MOORE

Çeviren
Şen Süer Kaya

Kitabın Özgün Adı
The Risk of Infidelity Index

Kapak Düzenleme
Ahmet Söğütlüoğlu

Baskı ve Cilt
Özener Matbaası

Birinci Basım
Haziran 2009

Sertifika No: 10763

ISBN 978-975-390-249-6

CHRISTOPHER G. MOORE

İHANET RİSKİ REHBERİ

Çeviren:
Şen Süer Kaya

George Pipas ve Bak Wong için

BİR

Taylandlılar'ın bir atasözü, hindistancevizi kabuğunda yaşayan kurbağayla ilgilidir. Kurbağa, kabuğun içindeki dünyanın tüm evren olduğuna inanır. Özel dedektiflik işinde de Vincent Calvino'-nun bu kurbağaya benzeyen müşterileri vardı. Kendi kabuklarının içinden gördükleri şey onları kör ediyor, bir sorunu çözmelerini önlüyordu. Bu yüzden Calvino'yu tutuyorlardı. Calvino işi bilirdi. Kabuklar rahatlık ve güvenlik sunuyordu. Kabuktan çıkmak tehlikeli bir iş olabilirdi. Calvino'nun kurbağa gibi müşterileri ona, daha büyük alanda macera yaşaması, ilişkiler, yerler ve olayların bağlantısı, birbirleriyle nasıl ilişki kurdukları ve şebekelerde nasıl bir araya geldiklerini bulup rapor etmesi için para ödüyorlardı.

Bir hindistancevizi kabuğuna iki alfa örümceği atın ve işler inanılmaz ilginçleşirken durup izleyin. Orası hâlâ bir kabuktur, ama dinamikler, güvenlik ve rahatlıktan korku ve kuşkuya dönmüştür. Kabuk istediği kadar aynı görünsün; artık aynı yer değildir. Manzara, farklı duygularla renklenmiştir. İpeksi örümcek ağları, sahip çıkılan alanı işaretler ve örümcekler bölgelerinde devriye gezer. Calvino, örümcekler için araştırma yaparken avları tekrar kabuklarına sürüklemişti. Örümcekler iyi para ödüyordu. Calvino'nun çıkarabildiği kadarıyla, bir hindistancevizi kabuğu içinde birbirlerine zehir tüküren bir çift büyük, tüylü örümcek hakkında bir Tayland atasözü yoktu, ama bunu Taylandlılar'a anlattığında, adamlar güldüler ve ülke hakkında çok fazla şey bildiğini söylediler. Bir Taylandlı böyle diyorsa, bilin ki bu bir *farang** için iyi bir şey değildir. Bu bir iltifat değil; bir uyarıdır.

Bir potansiyel müşteri, bürosuna gelirse Calvino onun yüzünü ve vücut dilini işaret bulmak için incelerdi: Bu kişi bir örümcek mi, yoksa kurbağa mı? Bazen gözünü bir kez kırptıktan sonra yanıtı hemen bilirdi. Bazen de o kadar emin olamazdı. Danielson böyle bir vakaydı. Calvino bu müşteri için, ki Bangkok merkezli bir hukuk şirketinin ortaklarından Amerikalı bir avukattı, bir ilaç korsanlığı operasyonu için kanıt toplamıştı. Birileri Danielson'ın hindistancevizi kabuğunun kenarına küt diye çarpmış ve kabuğun kenarından iki korku dolu göz fırlayıp aralıktan bakmıştı. Kabuğun dışındaki hayat istikrarsız, tehlikeliydi ve karanlık güçlerce karartılmıştı. Andrew Danielson bir kurbağaydı, örümcek yuvasında bir diğer sınırda, sıradan, sıkıcı ve öngörülebilir bir kurbağa. Calvino'nun kafasını da bu karıştırmıştı. Danielson'ın ödemeyi kabul ettiği ücret mükemmeldi. Bir neden daha vardı üstelik: Bu iş, Calvino'nun üzerinde çalıştığı bir başvuruya yardımcı olacaktı. Annesi ona Dünya Sağlık Örgütü'ndeki bir iş başvurusu ilanını postalamıştı. WHO** üst düzey araştırmacı için ilan vermişti. Calvino, Birleşmiş Milletler'in özel dedektif aradığını hiç duymamıştı, ama anlamlı da geliyordu. Birilerinin, nerede salgın hastalık olduğunu, kimin sahte ilaç –tebeşir ve süt tozu doldurulmuş, insanlara zarar veren mallar– yaptığını ya da bölge merkezinde kimin uyuduğunu araştırması gerekiyordu. Annesi Calvino'nun bu iş için kusursuz olduğunu söylemişti. Düzenli bir geliri, düzenli bir işi

---

* Beyaz ırktan yabancı kişi –yn.

** Dünya Sağlık Örgütü –yn.

olacak ve New York'ta kendisinin ve ailesinin yakınında yaşayacaktı.

Annesi mektubu yaşlılar evinden göndermişti. Güçlü bir mektuptu, uzun zaman önce ölmüş İtalyan ressam Galileo Chini'nin anısına rahmet okutan bir mektup, on dört yaşındayken Calvino üzerinde hiç bitmeyecek bir etki bırakmış olan ressamın. Calvino WHO'yu araştırmıştı. Gerçekten de yasal bir pozisyondu. Çok büyük bir yasadışı ilaç korsanlığı operasyonunu çözmüşken, WHO nasıl olur da onu işe almamazlık edebilirdi? Öyle görünüyor ki, Vincent Calvino da Bangkok kabuğunun derinlerinde yaşıyordu. Calvino yalnız değildi; birçok yabancı oradan ayrılmaya can atıyordu.

Duvarında Galileo Chini'nin *Bangkok'ta Çin Yılının Son Günü, 1912* tablosunun çerçeveli bir reprodüksiyonu vardı. Devasa boyutlarda olan asıl yağlıboya resim, İtalya'nın Floransa kentindeki Pitti Sarayı'nda asılıydı. Albay Pratt, bu reprodüksiyonu ona bir önceki yıl doğum günü hediyesi olarak vermişti. Uzun yıllar önce, New York City'deyken, Galileo Chini ve Siyam resimleri üzerine verilen bir seminerde tanışmışlardı. Calvino mektuptan başını kaldırıp resme baktı. İnsanlar, sokak ve ejderha yanık kırmızı tonda parlıyor, alevlerin hemen ertesine yakalanmış gibi titreşiyor, ateşe tutulmuş gibi tropikal sıcaklıktaki kırmızı ejderha dans ediyordu. Domuz kuyruğu şekli almış Çinliler, dev ejderha başının önünde durmuşlar, sanki kaderlerine boyun eğip yutulmayı bekliyorlardı. Zihinleri, gongların ve davulların sesleriyle, ejderhanın her hareketiyle birlikte yüzlerce çanın çınlamasıyla yankılanıyordu.

Bangkok'un sokaklarında yeni bir ejderha vardı. Büyük bir kargaşa ve çatışma zamanıydı. Tiranların zamanı, uzak görüşlülerin zamanı, aptalların, gibi yapanların, keşke olsaydımcıların, kafası karışmış ve yalnızlaşmış nazik ruhların zamanıydı –hindistancevizi kabuklarının içinde dönüp duran, oraya buraya vuran yaşamlar. Calvino küçük bir zafer kazanmıştı, Andrew Danielson'ı memnun edecek bir zafer, ama WHO yetkilileriyle görüşünce dünya sağlığı için son zamanlarda ne yaptığını sordukları zaman çantada keklik olacak bir zafer. Bürosuna doğru dar çıkmaz sokak *sub-soi*'ye[*] girince, birilerini tuş etmiş gibi şu zafer danslarından birini yaptı. Saatine bakınca öğleden sonra 5'i biraz geçtiğini gördü. Danielson'ın ona vereceği parayı düşündü. Yalnızca peşin ödemeli bir anlaşma değildi bu. Tamam, korsanlık işleminin video kasetini verecek ve on papel alacaktı. Ama Andrew Danielson'dan antetli bir tavsiye mektubu da alacaktı, ayrıca WHO'ya onlar için araştırma yapmasına ihtiyaç duydukları kişinin kendisi olduğunu söyleyen ilaç şirketinden de bir mektup alacaktı.

Ama bu arada Calvino ücretlerle ilgili birinci kuralı ihlal etmişti. Calvino yasası: Her zaman paranı önceden al.

Müşterilerine bir konuşma bile hazırlamıştı:

Peşin para alırım. Peşin dövme isterseniz peşin parayı unutabilirim. Adım, altında ihanet için bir sürü kara büyü Çin sembolleriyle birlikte sol kolunuza dövme olarak kazınır. Dövmeye bakar ve adımın altındaki "hei mo fa"yı kabul ederim. Para peşin, kırmızı meşin yani.

Danielson dövme nutkunu hiç duymadı. O bir avukattı. On papel, bir Bangkok hukuk şirketi ortağı için devede kulaktı. Danielson da performans garantisi istiyordu. Calvino'nun annesi onun WHO işine girmesini istiyordu, bu yüzden iyice yutkundu ve nutkunu atmadı. Sorun yoktu. Her şey olması gerektiği gibi gitmişti ve elinde kanıtlar vardı.

*

Calvino bir kadın sesi duydu ve sinyali gürültüden ayırt etmeye

---

[*] Sokak –yn.

çalıştı. *Kadın neden ağlıyordu?* Durup sokağın iki tarafındaki binalara baktı; ağlama sesinin nereden geldiğini çıkaramıyordu. Uzaktan gelen ses birden hıçkırıklara dönüştü. Yeni ve daha da güçlü, yas dolu hüzün notaları için ciğerlerine hava çekerken titreyen bir kadın sesi. Bu yürekten gelen dişi çaresizlik iniltisi Calvino'yu rahatsız etti. Ağrıyan omzunu ovdu. Acıyla ilgili bir şeyler biliyordu.

Yaşlanıyorum. Fark edilmemeye çalışırken kamera ekipmanıyla yabancı bir mahallede gezinemeyecek kadar yaşlı. WHO'da masa başı işi, tam da doktorun reçetesini yazdığı şeydi. Rahatla, arkana yaslan, bırak araştırma işini bilgisayar yapsın, ayak işleri için yerel halkı kirala. Calvino işin tüm ayrıntısını kafasında tasarlamıştı. At tepmiş gibi ağrıyan omzuna karşın kendisini iyi hissediyordu. İyi ve umutlu, insanın büyük bir av vurduktan, avı eve getirdikten ve tüm kabileye "yaşlanıyor olabilirim ama hâlâ bende can var," diye gösterdikten sonra hissedeceği gibi tıpkı.

Kamera çantasının ağırlığını bir omuzdan öbürüne aldı. Ailesinin anne tarafında artirit vardı; sürpriz yapmak için doğru yaşı, yanlış zamanı bekleyen bir saatli bombanın mekaniği gibi, doğuştan gelen özelliklerden biri işte. Klik, patlama, sonra sürpriz: elektrik dalga dalga omzundan vurup geçiyor.

Ağlayan kadının sürpriz olması gibi. Sokaktan gelen trafik sesinin yarı boğduğu kadın hıçkırıkları bilincine girdi. İleriye yürüdü. Ses yaklaştı, bürosunun olduğu yerden geliyordu. Hiçbir ses, bir erkeği, bir kadının boğazının derinliklerinden gelen saf üzüntünün sesini duymak kadar altüst etmezdi. Evrensel üzüntü ve kayıp dilinde dünyaya bahşedilen lanetli figanlar. Her gece, uluslararası haberlerin fon müziğiydi. Ama televizyonda duymak, canlı duymakla aynı şey olmazdı asla. Calvino kamera çantasının ağırlığını bir kez daha öteki omzuna aldı. Bitiş çizgisine varıp, oracığa çökmeye can atan sakat bayrak yarışı ekibi gibi çalışan iki omuz. Video kamera, yedek piller ve öteki malzemeler onu yere gömecekmiş gibi geliyordu.

Polo gömlek ve bol pantolon giymiş genç bir *ying** gölgelerden önüne fırladı. Korkuyla kasılmış, gözyaşı izi dolu bir maske gibi, yüzü terörle çarpılmış gibiydi. Calvino'nun önünü kesti, sıkı sıkı yakaladı, kolunu çekti, büyük acı veren omzuna bağlı kolunu. Calvino acıyla bağırdı, ama çığlığı kadını durdurmadı. Uzun kırmızı tırnaklarını Calvino'nun koluna batırdı. Baskısını daha da artırarak onu yanı sıra sürükledi, ta ki masaj salonunun girişine kadar. Sonra onu girişten içeriye, bataklık yeşili fayansla kaplı kabul salonuna itti ve koridorda yürüterek üst kata çıkan merdivenlere götürdü. Koridor orkide desenli duvar kağıdı kaplıydı, yanıp sönen Noel ışıkları her yanı kaplamıştı. Dekor, McPhail'in odasından kopya edilmişti sanki, tıpkı arkadaşının evi gibi, bir gangsterin üç yüz altmış beş gün Noel yaşama yeteneğini sergiliyordu.

Calvino'nun bürosu aynı binanın dördüncü katındaydı. Altındaki büro bir yıldır boştu. *Tek Elle Alkış* masaj salonu, birinci katı müşterileri cezbetmek için kullanıyor, sonra onları masaj için ikinci kata çıkarıyordu. Karanlık çökünce kırmızı-mavi neon tabela, kapının üstünde süslü bir yazıyla salonun adını gösteriyordu. Bazıları buna sanatsal diyebilirdi. Bir kadın elinin neon görüntüsü, parmaklar açılmış; her parmak yanıyor, tırnaklar için kırmızı neon, birer birer yanarak en sonunda tüm el ışık içinde kalıyor, karanlıkta parlıyor. Bu seksi el, zarif parmaklarıyla müşterileri çağırıyor.

Tabelanın ışığı söndürüldüğü zaman el hareket etmiyordu. Ama neon ışık yandığı zaman bile el alkışlıyor gibi görünmüyordu; bunu görmek için hayal gücünde sıçrama yapmak gerekiyordu. Calvino'-

---

* Fahişe –yn.

nun dördüncü kattaki bürosuna çıkan merdivenin başında durdukları zaman müşterilerin gördüğü ilk şey salonun adı ve el oluyordu. Masaj salonu, kendisininki de dahil olmak üzere, mahalleliyi hangisinin sıcak mevsimin ortasında istim alacağını tahmin etmeye iten dayanıklı çiçeklerden bir bahçe gibi, birçok küçük işyerinden biriydi. Sekreteri Ratana, bu bağdaki en yeni tomurcuk olan masaj salonunun çiçek açmaması için dua ediyordu.

Bir dedektif bürosunun altında Tek Elle Alkış'ın bulunması bazı müşterilere eğlenceli geldi. Ötekiler yürürken birden durdular, döndüler ve *sub*-soi'den çıktılar. Daha sonra sorunlarını çözdüklerini söyleyip randevularını iptal etmek üzere telefon ettiler. Birinci katta bir masaj salonunun olması Calvino'nun işine zarar veriyordu. Salı günü masaj salonunun açılmasının üçüncü ay dönümüydü. Bu dönemde işler iyi gitmemişti. *Ying*'ler kapının önünde durup, potansiyel müşterilere indirim kuponları dağıtıyordu. Bazen Calvino'nun müşterileri, masasının üzerine bir kupon koyarak onun verdiği hizmet için de geçerli olup olmadığını sorarlardı. Hayat küçük aşağılanmalar dizisiydi.

Şimdi boş ve sessiz olan masaj salonunun önündeki alan, normalde hizmetlerinin reklamını yapan *ying*'lerle dolup taşardı. Ama o an alan terk edilmiş gibiydi; şimdi kolunu sıkı sıkı tutmuş, yardım etmesi için yalvaran bu *ying* dışında. Kadının gözleri yuvalarından çıkmış gibiydi, Calvino'nun üstüne atılırken saçları uçuşuyordu. Bir buzluktan fırlamış gibi titriyor, dişleri takırdıyordu.

Koridorda *mamasan* bekliyordu, titreyen ellerinin parmakları arasında yanık bir sigara. Tırnakları yeni kertenkele yeşiline boyanmıştı. *Mamasan,* Calvino'yu koridor boyunca sürükledikten sonra bir kapının önünde duran *ying*'i görmezden geldi. *Ying* kapıyı çalıp seslendi, ama içeriden kimse cevap vermedi.

"Kilitli," dedi.

"Anahtarın yok mu? Hadi ama. Bir yerlerde bir yedek anahtar olmalı." Calvino boş boş bakan yüzlere doğru döndü. Masaj salonunda işler kesattı, ama bu iflastan da öteydi. Calvino salonda tek bir müşterinin bile olmadığını fark etti. Terk edilmiş bir masaj salonu uğursuzluktur, dedi kendi kendine. Ne zaman evrenin işaretlerinden birini görmezden gelse, sonra pişman oluyordu.

Mamasan otuz beş yaştan bir gün almış olamazdı, ama saldırı için bekleyen bir savaş komutanının acı kararlılığına sahipti. "Kapı içeriden kilitlenmiş. Kapıyı açmama yardım edin."

"Neyle? Açmak için anahtar gerek." Calvino çantasını yere koydu ve hâlâ ağrı fırtınası estiren omzunu ovdu.

Mamasan sigarasını küllüğe bıraktı, sigara orada kendi kendine yandı. Sonra küllüğü beyaz havlu dolu bir masaya koydu. "Anahtar yok. Zaman yok. İçeride büyük bir problem var bence. Kapıyı kırmalıyız," dedi.

Kırmalıyız derken aslında yalnızca *farang*'ı kast ediyordu. Omuzu ağrısın ya da ağrımasın, o bir erkekti, değil mi? *Mamasan*'ların bir erkeğin değerini sınama yöntemleri incelikli değildi.

Calvino ona bakakaldı, sonra öteki *ying*'lere baktı. Hepsi onun bir şeyler yapmasını bekliyordu. Ağlayan *ying* sesini yükseltti. Calvino'nun canına yetmişti. Döndü, kamera çantasını bıraktı ve kapıya omzuyla yüklenerek açtı. Ağaç çatırdadı. İçeriye giren ilk kişi Calvino'ydu. Pencere yanındaki bir iskemlede kırmızı-mavi biblo bebek mantosu giymiş bir *ying* oturuyordu. Mantonun renkleri neon ışığının renklerine uyuyordu. Masaj salonunun adı zarif bir elle birlikte sağ göğsün üzerine hoş bir şekilde dikilmişti. Bu el alkış tutuyor gibi durmuyordu. *Mamasan, ying*'e bağırarak onu kapıyı açmadığı için aptal bir su bufalosuna benzetti. Verilen hasarı incelerken başını iki yana sallıyordu. Ağlayan *ying*'i işten atmakla ve tamirat bedelini ücretinden kesmekle tehdit etti. Calvino kapı parasıyla ilgili bu öfke gösterisini duymazdan geldi. Tek kişilik yatağın üzerinde, kollarıyla bacakları tuhaf bir açıyla kıvrılmış, hareketsiz, çıplak bir biçimde duruyordu. Calvino yatağın kenarında diz çökerken dizini kan gölüne koymamaya dikkat etti.

Kadının gözleri ardına kadar açıktı, hareketsiz ve cam gibi. Bileklerindeki damarlar kesilmişti ve yatak kanıyla sırılsıklamdı. Kadının küçücük bedenine bakınca insan içinde bu kadar çok kan olabileceğine inanamıyordu. Kız bileklerini keserken işi kusursuz yapmış görünüyordu. Kan biraz fışkırmış ve kadının çenesiyle ağzında kurumuştu. Yirmi santim kadar ötedeki bir iskemlenin üstünde başka bir kadın ileri geri sallanıyordu. Kendi üzüntüsünün içine iyice gömülmüş kadın *mamasan*'ın tehditlerini duymazdan geldi.

Calvino, *ying*'in vücut sıcaklığından bir saatten daha uzun süredir ölü olduğunu tahmin etti. Arkada klima alçak bir ses çıkarıyordu. Calvino, kadının boynuna taktığı, sicim kadar kalın, ağır bir kolyeyi incelerken *ying*'ler de onu inceledi. Kolye altın ya da altın kaplama olabilirdi. Kolye dışında çıplak olan kız hâlâ sıcaktı. Calvino yatağın öteki ucuna gitti. Kadının giysileri yatağın yanındaki bir masanın üzerinde düzgünce katlanmış duruyordu. Calvino cesedin yanında diz çökerken kan gölüne basmamaya dikkat etti. Yüzden başlayarak hiçbir şeye dokunmadan ya da cesedi hareket ettirmeden inceledi. Hiçbir yara bere göremedi. Mücadele izi yok. Hayatını kurtarmak için mücadele ediyor olsa, cesedin üzerinde izler olurdu. Tırnaklar altındaki deri ve siyah-mavi izler şiddetin alamet-i farikalarıydı. Calvino kadının kollarını, boynunu, yüzünü ve bacaklarını bir iz bulmak amacıyla inceledi. Cesedin üzerinde belli belirsiz parmak izleri aradı. Bulduğu tek şey, ölü *ying*'in cildinin pürüzsüz, yara beresiz, sivilcesiz göründüğü oldu. Şu ana kadar kusursuz derecede sağlıklı görünüyordu; genç, sağlıklı, güzel bir kadındı, her tarafında kan olmasa derin bir uykuya dalmış sanılabilirdi. Giysileri, uyanmasını bekliyormuş gibi düzgünce katlanmıştı.

Mamasan, Calvino'ya ölü *ying*'in tüm gün boyunca tek bir müşteri bile almadığını söyledi. Kendisini bu odaya kilitlemiş ve dışarıya çıkmayı reddetmişti. *Mamasan*'da yedek anahtar vardı, ama *ying* sürgüyü içeriden takmıştı. Pek de önemli değildi. Kız zaten ölüydü.

Calvino ayağa kalkarken keskin ağrı saldırı üstüne saldırı yaptı, sanki omzu bir atış sahasının içindeydi. Omzunu tutarak masaj yaptı. Kapı ağzından onu gözleyen bir *ying* sessizce yanına gelerek –*mamasan* ona işaret etmişti– Calvino'nin omzuna masaj yaptı. Onun arkasından odaya giren *ying*'lerden biri bir bardak su getirdi. Calvino *ying*'e bakıp suyu elinin tersiyle itti. Küçük yatakta dertop olmuş çarşaf yığınının ortasında yatan ölü kadına döndü. Calvino, pencere kenarında hıçkıran, yüzüne derin üzüntü çizgileri kazınmış *ying*'le daha çok ilgileniyordu. Küçük oda öteki masaj *ying*'leriyle dolmuştu.

"Mamasan, kızları buradan çıkar. Polisi ara."

Çevresine bakındı. Hiçbiri yerinden kıpırdamadı. Küçük odadan hepsinin çıkması için bağırdı Calvino. VIP odası *som tam,** yani acı biber, çiğ papaya, küçük domates ve mayalanmış balık ya da pavuryadan yapılan bir Isan yemeği kokuyordu. Ağır bir sarımsak kokusu odayı boğucu hale getirmişti.

Calvino *mamasan*'a, "Polise telefon ettiniz mi?" diye sordu. Sarımsak ve sigara dumanı gözlerini yaşartmıştı. Elinin tersiyle yaşları sildi.

---

* Acılı papaya salatası –yn.

Mamasan, "Polis iyi değil," dedi.

Bazen bir *mamasan* aynı anda hem çok doğru hem çok yanlış olabilirdi.

Ama polis soruşturması kaçınılmazdı. Bangkok'ta biri öldüğü zaman polis ve ceset-toplayıcılar olay yerine gönderilirdi. Ekip çalışması yerine geçen bir ritüelle polisler cesedi inceler, kanıtları toplar, olay yerinin fotoğraflarını çekerken ceset-toplayıcılar cesedi kaldırmadan önce tamam işaretini beklerdi. Ölen kişi önemli biriyse, her tür protokol uygulanırdı ve yetkililer devlet kurumları, komiteleri ve basın arasında koordinasyonu kurmak zorunda kalırdı. Bu olayda bunların hiçbiri olmayacaktı. Ölü bir masajcı *ying,* hiçbir yerden gelmemiş bu hiç kimse, ancak kırtasiye işlerinin arasında kalırdı.

Ama kurallar gene de bir soruşturmayı gerekli kılıyordu. Odanın içinde dolaşan, eşyaları yerlerinden oynatan, sabit olmayan ne varsa alan bir düzine aylak, ağlayan masajcı kızların tehlikeye attığı bir soruşturma. Yiyecek, altın zincir, kredi kartı, nakit para, ne varsa aldılar. Mantık her zaman aynıydı: Kurbanın artık bunlara ihtiyacı yoktu. Ölü *ying*'e yakın olmayanlar, ölüden bir şey almanın şanssızlık getireceği duygusuna en az direnci gösterenlerdi. Onların bakış açısına göre ölü *ying*'in dünyevi eşyaları ne kadar çabuk yeni bir eve kavuşursa, o kadar iyi olurdu. Hayalet korkusu daha sonra gelirdi.

Calvino, olaya bakmaya gelen ve iskemledeki kadının yanına giden iki masaj *ying*'ini odadan kovaladı. Kadın, oturduğu pencere bir ağlama duvarıymış gibi ileriye geriye sallanıyordu ve artık seyircisi de olduğuna göre daha da feryat figan olmuştu. İskemlesi açık pencerenin solunda duruyordu. Pencere, beyaz pamuklu perdenin ardına saklanmıştı. Calvino ona klima çalışırken neden pencereyi açtığını sordu. Kadın cevap vermedi. Sonra Calvino ona neden kapıyı açmadığını ve arkadaşının neden yatakta ölü olduğunu sordu. Uzanıp kadının ellerine dokundu, bir an ellerini tuttu, tırnaklarını kontrol ettikten sonra bıraktı. Eller kadının kucağına geri düştü. Yakın zamana kadar tarlalarda çalışmış ya da başka bir ağır iş yapmış bir *ying*'in elleriydi bunlar. Masaj salonunda birkaç ay çalıştıktan sonra eller yumuşardı. Calvino onun yeni gelmiş olduğunu düşündü.

Kısa bir "neden" listesi aklına geldi. Pencere kenarındaki kız bu sorulardan hiçbirine yanıt verecek durumda değildi, ama Calvino gene de sordu. Kız her birine aynı şekilde yanıt verdi: "Bilmiyorum."

Bilmiyor mu, yoksa söylemiyor mu? Calvino bir *farang*'dı ve onu sorgulamakla hiçbir yere varamayacaktı. Önemli değil ki. Bırakalım polis halletsin. Bu polisin işiydi, onun değil. Polis nasıl yanıt alacağını biliyordu ve *ying* her soruya omuz silkerek cevap vermese iyi olurdu. *Mamasan* kapıda dururken kırık tırnağını kemiriyordu.

Calvino *mamasan*'a, "Adı nedir?" diye sordu.

"Adı Metta."

Calvino, bacaklarını kavuşturmuş, geniş ve yayvan parmaklı kocaman ayaklarından biri kafasının içinde çalan bir şarkıyla sallanan Metta'ya baktı.

"Peki ölen kızın?"

"Herkes ona Jazz der."

Mamasan bir sigara daha yaktı. Kafasından neler geçiyordu. Bir düşünce: Masaj işinde intiharın asla iyi bir şey olmadığı. Bir hayaletin, solgun ama güzel bir genç kadının hayaletinin binaya yerleştiği söylentileri aylarca dolaşırdı. İntiharlar personeli korkutur, müşterileri sarsardı. *Mamasan,* salonu serseri bir hayaletten arındırmak için çağırması gereken keşiş sayısını hesaplıyordu. Yaşamanın yolu buydu. Ölüler yanan tütsüler ve ilahi okuyan keşişlerle ebedi istirahate yatırılırdı ki, yaşayanlar bir sonraki masaja geçebilsin.

Nedeni ne olursa olsun Jazz yaşama isteğini kaybetmişti. Izdırabına son vermiş, içinden çıkılmaz durumu temizlemeleri için ötekilere bırakmıştı. Kimse yetkilileri çağırmak için acele etmiyordu. Ama polis, geldiğinde yanında her ölüm sahnesinde ortaya çıkan gibi bir kalabalık da getirirdi. Seyirciler felce uğramış, şaşkınlık içinde, korkmuş ve kafası karışmış haldeydi, ama gene de ışığa koşan pervane gibiydi. Calvino, *som tam* tabağının üzerinde iki çatal gördü. Öyle görünüyor ki, Jazz ile Metta yemeklerini paylaşmışlardı. Bir şeylerde bir terslik olduğuna dair bir önsezi vardı içinde. *Bu işten hiç hayırlı bir şey çıkmayacak,* diye düşündü. Polis gelince ölümün pis kokusundan ve ağlama sesinden uzaklaşabileceği için rahatlık hissetti.

Masaj salonu personeli, onu kendi kişisel işlerine dahil etmişlerdi. Hayır, bu doğru değil. Calvino'nun kendisi durumu tam anlamadan onların dahil etmelerine izin vermişti. Dedikleri gibi, "her şey ona bağlıydı". İçeride bir ölü *ying* olduğunu bilmiyordu. Kapının öte tarafında ne olduğunu bilseydi, hemen polisi çağırırdı. Duvara yaslanıp Jazz'ın cesedine bakarken, bir sonraki adımda neler olacağı ve polis geldiğinde ne beklemesi gerektiği kusursuz bir açıklık kazandı.

Polis onu kapıyı neden kırdığı konusunda sorgulayacaktı. *Bu koşullar altında kim kırmazdı ki?* diye sordu kendi kendine. Ama herhangi bir seyirci olmadığı, fakat fiziksel ve şiddet içeren bir şey yapmış biri –yukarıda bürosu olan bir yabancı– olduğu anlamına geliyordu bu. Polis dedektifi buna nasıl tepki verecekti? Calvino, kendisi polis olsaydı aklından neler geçerdi, diye merak etti. Bir zanlı olur muydu? Düşünceleri, polisten omzundaki ağrıya kaydı. Ratana'nın kol çantasında biraz ağrı kesici kaldığını hatırladı. İlaç şişesini onun için saklamasını söylemişti, yoksa ilaçları bonbon gibi yutmak fazla çekici geliyordu. Mavi kapsüllerden dördü hâlâ şişenin içindeydi. İlaçları çok iyi hatırlıyordu ve şişenin kapağını açacağı anı dört gözle bekliyordu. İki ağrı kesici yutma düşüncesi, yüzünde bir gülümsemenin belirmesine yol açtı.

Mamasan genzini temizledi. Calvino başını kaldırınca bütün *ying*'lerin ona bakmakta olduğunu gördü. *Ying*'ler ağrının yüzüne yayılmasını, buruşturmasını, ağzını öfkeli ve çaresiz hale getirmesini izlediler. Bu bakışı müşterilerin sırtlarını çiğnemekten biliyorlardı. Onu mecbur etmişlerdi. Calvino, ölüm gecesi Tek Elle Alkış'ta bulunan tek *farang*'dı. Kendisini bu kadar kötü bir konuma soktuğuna şimdiden pişman olmuştu. Andrew Danielson'a telefon ediyor, ona video çekimini anlatıyor olmalıydı. Masasında WHO başvurusu için özgeçmişini süslüyor olmalıydı. Bunun yerine burnunda ekşi *som tam*, giysilerinde ölüm kokusu vardı.

İKİ

Dört üniformalı polisin masaj salonuna gelmesi çok sürmedi. Önce iki polis sokakta otelin karşı tarafına park ederken ceset-toplayıcıların minibüsü için dar *sub-soi*'de yer bıraktılar. Minibüsten birkaç adam çıkarak masaj salonunun girişine bir sedye taşıdılar. Minibüsün arkasına başka bir polis aracı park etti, mavi ışıkları birinin yaktığı neon tabelada yanıp sönüyordu. Titreşen ışık, neon elin hareket ediyormuş, alkışlamaya çalışıyormuş gibi görünmesine neden oluyordu.

Akşam 6:30'da yerel televizyon haber ekibi olay yerindeydi. Kameraman kapıdan zorlanarak geçerken neon tabelayı, girişi ve masaj salonunun karşı duvarındaki tabelayı –üzerinde "Vincent Calvino, Özel Dedektif, 4. Kat" yazıyordu– filme çekti. Tabelasını kapatmak, Calvino'nun hiç aklına gelmemişti. Şüpheli ölüm, masaj işi için kötüyse, bir özel dedektiflik işi için de iyi bir reklam değildi.

Calvino gün boyu süren takipten dönmüştü. Büyük bir ilaç korsanlığı operasyonu için kanıt kaydetmişti ve öğleden sonra Andrew Danielson'a telefon etmeye söz vermişti. Saatine baktı. Saat 6:40 olmuştu. Bürosuna geçti ve Ratana'dan ilaç şişesini istedi. Suyla birlikte iki ilaç yuttu. Yüzünü buruşturarak bölmenin ardındaki masasına gitti ve Danielson'ın hukuk bürosunu aradı. Bay Danielson'ın bürodan ayrıldığını söylediler.

Ani bir ürpermeye karşı kendisini kucaklıyormuş gibi kollarını kavuşturan Ratana, Calvino'nun bürosuna girerek kadınların aşırı yorgun ya da bilmenizi bekledikleri bir şey konusunda öfkeli oldukları zaman hep yaptıkları gibi onun tepesinde durdu. "Bay Danielson bir saattir telefon ediyor," dedi. Alnına sarı bir eşarbı bandana gibi takmıştı ve sağ kolunda sarı, plastik bir bileklik vardı. Daha önce Calvino'ya bürodan 5:30'da çıkmasının önemli olduğunu söylemiş, Calvino da kendisi dönene kadar beklemesinin daha da önemli olduğu cevabını vermişti. Lumpini Park'ta bir gösteri daha vardı. Ratana için yürüyüş ve gösterilere gitmek yeni bir yaşam biçimi olmuştu. Son günlerde daha da kararlı ve gür sesli hale gelmişti. Calvino, onun siyasete ilgisinin geçici bir moda olduğunu, çok geçmeden yok olacak iki haftalık bir eğilim olduğunu varsaymıştı. Ratana'nın davaya kendini adamasını küçümsemişti anlaşılan.

Belki Danielson arar diye büroda durmasını söylemişti ona; telefona cevap verecek birine ihtiyacı vardı. Bir müşterinin telefonuna cevap vermemek profesyonel değildir, demişti. Ratana da büroda kalmıştı.

"Geç kaldın," dedi. Gözlerinin çevresinde kaygı çizgileri oluştu. Öfkeyle karışık bir korku iması.

"Aşağıda bir sorun vardı."

"Yüksek bir ses duydum. Biri duvar yıkıyor gibi bir ses. Dışarıya çıktım ve bir kadının ağladığını duydum."

Ağlama sesi yukarıya sızmayı sürdürerek aralarındaki sessizliği dolduruyordu.

"Neler oluyor, Vinny? Aşağıdaki bütün o polisler."

Minibüsü görmüştü. Akbabaların varlığı gibi ceset-toplayıcıların gelişi de ölümün yakınlarda olduğu anlamına geliyordu. Merdivenlerde dururken aşağıya inip neler olduğunu görmek istemiş, ama kendisini durdurmuştu.

"Masaj yapan kızlardan biri intihar etti."

Ratana gözlerini kapayarak derin bir soluk aldı. "Korkunç bir şey bu."

"Bileklerini kesmiş," dedi Calvino. "Olur böyle şeyler."

Ratana'nin rengi solmuştu, eli boğazına değiyordu.

"Danielson'a ne söyledin?"

"Ona geri döndüğünde telefon edeceğini söyledim." Göz temasından kaçınıyordu. Bürodan olabildiğince uzakta olmayı her şeyden çok istiyordu. Ölü kadının ruhu yakınlarda olacak, öfkeyle hesaplaşmaya çalışacaktı.

"O ne dedi?"

"Gerçekten bilmek istiyor musun?"

Calvino başını salladı.

" 'Hangi cehennemde şimdi?' diye sordu."

"Bürosuna telefon et. O serseri seninle böyle konuşamaz." Danielson'ın bir hindistancevizi kabuğunda sıradan bir kurbağa daha olup olmadığını merak etmeye başlamıştı.

Ratana telefonu bağladı. Calvino'ya, Andrew Danielson'ın yıllık Oxford-Cambridge yemeğine gittiğini ve özel olarak cep telefonunu yanına almadığı söylendi. Sekreter, Danielson'ın alışkanlık ve davranışları hakkında epeyce bilgiye sahipti. Calvino'nun mesajını aldı. Calvino mesajını dikte etti: "İstediğiniz her şey elimde, daha fazlası da var. Bugün geciktiğim için özür dilerim. Sabah ilk iş sizi arayacağım." Sekreter doğru anlayana kadar mesajı tekrar etmesini söyledikten sonra telefonu kapattı.

Calvino büro penceresinden, *sub-soi*'nin sonunda toplanan küçük seyirci kalabalığına baktı. Ratana'nın kalabalığın arasından geçtiğini gördü. Ayrılmadan önce veda etmemişti. Calvino polislerin sorguya devam etmek üzere gelmelerini beklerken aşağıdaki insanları inceledi. Sokakta ilk müşteriler, adlarını ölü empresyonist ressamlardan alan bar sırasına girerken durmuşlardı: Renoir, Degas, Monet. Sokak satıcılarının arasından kıvrılarak geçen motosiklet-taksi sürücüleriyle işe giden *ying*'ler, hepsi sedyeyi çıkaran ceset-toplayıcılara ağızları açık bakakaldı. Bangkok'a neden geldiklerini hatırlatmak için geceye arkadaşlık, içki, yiyecek ve hepsinden önemlisi de heyecan arama niyetiyle başlamışlardı. Merak içindeydiler. Polis kalabalığa devam etmelerini işaret etti. Gazeteciler kameramanın küçük kalabalığı filme almasını istediler. Bu da onları harekete geçirmeye yetti.

Bulutların ardından görünen ince bir pembemsi ışık huzmesi, günden kalan tek şeydi. Tek Elle Alkış Masaj Salonu'nun üstündeki neon tabela parlak bir ışık saçıyor, parmaklar birbiri ardına yanarak alkışı yanıp sönerek gösteriyordu. Ceset-toplayıcılardan biri minibüsün arka kapısını kapattı. Sonra meslektaşlarıyla birlikte öne bindi. Sürücü farları yakarken omzunun üzerinden geriye baktı. Ayağı frene gitti, dar yolda geri geri gitmeye çalışırken kırmızı fren lambaları yanıp söndü. Polis megafonla kalabalığa yolu açmalarını bağırdı.

Albay Pratt merdivenlerden Calvino'nun bürosuna çıkarken birkaç polis memuru masaj salonunun içinde kaldı. Masaj salonunda *mamasan* bir saatlik sorgudan sonra mide bulantısı yaşıyordu ve kusmak için lavaboya koştu. Hiçbir şey çıkaramadı. Ekşimiş *som tam* olmalı, diye düşündü Calvino. Midesindeki yemek her neyse, polislerin olay yerine gelmesinden önce çıkarmış olmalıydı. *Mamasan sert kadını oynuyor, ama en sertlerin bile bu kadar çok kan görünce mideleri altüst olabilir.*

Albay Pratt, "Sorumlu polis memuru, benden, ifadeni almamı istedi," dedi. Pratt polis üniforması giyince resmî görünüyordu, Calvino'nun karşısındaki iskemlede otururken uygun askeri duruşu vardı. Bir kalem çıkardı, çalışıp çalışmadığını kontrol etmek için açıp kapadı, bir defter çıkardıktan sonra evrak çantasını kapattı. Sonra uyduruk bir yazı masası gibi evrak çantasını kucağına yerleştirdi.

Calvino, "Hazır mısın?" diye sordu.

Pratt başını salladı. "Tamam, Vincent, bana neler olduğunu anlat."

Nereden başlamalı? *Soi*'ye girerken bir *ying*'in ağladığını duyduğunu düşündü. Calvino dinlenmek istermiş gibi gözlerini kapattı. Pratt bekledi, seyretti, arkadaşının başka bir yerdeymiş gibi neden uzak durduğunu merak etti. Bu loş sessiz yerin içinde Calvino, tek elle alkışlayan elin uzun, açık parmaklarına neon ışığının çarptığını gördü. Cesetten birkaç adım ötede neon ışığı pencereden içeriye giriyor, odayı kırmızı ışıkla yıkıyordu. Arkadaşının cesedinin yanındaki masada otururken Metta'nın yüzünden büyük bir terör ifadesi geçti.

ÜÇ

John Lovell, ellerini suyun altına tutarak parmaklarını bir cerrah gibi ovdu. Şık ceketini ve beyaz gömleğini ıslatmamaya dikkat etti. Ceket ve gömlek kolları dirseğe kadar sıvanmıştı. Birçok virüs ve bakteri, çok iyi biliyordu ki, insanın kendisinin açtığı yaralar olarak ortaya çıkardı. Eliniz başka bir ele ya da bir merdiven tırabzanına veya bir insanın içki bardağına dokunur. Artık enfeksiyon kapmış olan el, hafif bir kaşıntıyı kaşımak için burnunuza ya da gözünüze dokunur. Bu küçük kaşıntı ve temiz olmayan el, bir mikrobun en sevdiği arkadaşlarıdır. Kendisi bir mikrop olsaydı, diye düşündü, bir ordu dolusu kaşıntıyı gündüz gece tüm nüfus arasında uzun bir yürüyüşe çıkarırdı. Yanında bir bambu sepet, yeni yerleştirilmiş beyaz el havlularıyla tıka basa doluydu. Bir mikrobun en iyi arkadaşı olmasa da kesinlikle onun işini yapma gücünde olan şu korkunç kağıt havlular ya da kurutucular. Yoksa pezevenkliğini mi demeli?

Lovell ellerini kurularken aynada kendisine baktı. Otuz bir yaşında, yirmi beş yaşlarında sanılabilirdi. Yüzünü aynaya daha da yaklaştırdı, papyonunda küçük bir kırışıklık fark ederken mavi gözleri kısıldı. Neden bunu daha önce görmemişti ki? Yemek salonundaki kimsenin papyonunun utancını görmemiş olmasını ciddi ciddi umut etti. Aklı nerelere kaçmıştı? Artık elleri kupkuru olunca papyonunu çözdü. Her yıl Amerika'da elli bin kişi mikroplardan ölüyor, diye hatırlattı kendisine. Peki mikropların başlıca beslenme yeri? Bir doktorun kravatı bir sanal ordu dolusu ölümcül bakteriyi her hastane koğuşuna sokarak hastaları kırandan geçiriyordu.

Bir an sonra, ceketine açık mavi Cambridge kurdelesi iğnelenmiş genç bir Taylandlı aynada Lovell ile göz göze geldi. Taylandlı'nın yüzünde geniş bir gülümseme belirdi.

"Bunları gerçekten bağlayabiliyor musunuz?" diye sordu.

Lovell papyonunun bir ucunu usta bir terzi gibi işleyerek uzmanlıkla iki ucu birleştirdi. Ötekinin yüzünü aynada inceledi. "O kadar da zor değil."

Taylandlı anında papyonunu çıkararak gizli kopçayı gösterdi. "Bu daha da kolay. Fazla zaman almıyor. Ve de zaman para demektir."

Lovell farkındaydı, Taylandlı'nın tavrı hiç de anormal değildi. Ama zaman daha da yavaş hareket ederken geçmişin küçük jestlerinin ve ritüellerinin düşmanıydı. Bunlar Lovell'ın düstur edindiği doğrulardı. Başkalarını papyon bağlama, keman çalma, Camus'nün *Yabancı*'sından pasajları ezbere okuma gibi küçük geleneksel becerileri öğrenme ve ustası olma istekleriyle değerlendirirdi. Müthiş bir belleği vardı: sayıları, olguları ya da resimleri en son önemsiz ayrıntısına kadar hatırlamak gibi nadir görülen bir yetenek. Beyni her zamanki dikkat ve bellek sınırlarıyla topallamıyordu; hatırlayabildiklerinin hiç sınırı yoktu sanki. Lovell hukuk fakültesindeyken böyle bir bellek çok işine yaradı. Sınavlar sırasında metnin tüm sayfalarını hatırlıyordu (zihni bir Google arama motoruydu adeta). Belleğinin dizinini karıştırır, zihnindeki sayfaya bakar, pasajı okur ve virgülüne kadar alırdı.

Zihninde kusursuz papyon imgesi vardı. Papyon görüntüsü sanal bir yoldan parmak uçlarına geçiyordu. Belleği az görülen bir yetenekse de, papyon bağlama becerisi kuşaktan kuşağa özellikle aktarılmıştı. Babayla oğul arasında bağ kuran bir ritüel. Papyon bağlama işi uygarlık, özdisiplin ve bir beyefendilik mirasıyla bağ demekti. Çevresindeki insanların çoğu, bu mirasın zamanının çoktan geçtiğine inanıyordu ve yanında duran adam da bu büyük ayrımın öte tarafında duranları temsil ediyordu. Lovell, kimse papyonun nasıl bağlanacağını hatırlamasa dünyanın sonunun gelmeyeceğini kabul etti. Pek fazla bir şey değişmezdi ve bunu çok az insan fark ederdi. Ama ona göre dünya kabalık, banallık ve evet, her şeye uyan salt para dramına giden yolda biraz daha aşağıya inmiş olacaktı.

Taylandlı, "Benim adım Apisak," dedi.

"Lovell. John Lovell."

"Oxford'sun."

Akşam ceketine iğnelenmiş koyu mavi kurdele, çözmesi pek zor bir ipucu değildi. Tüm şehirden ya da tüm üniversiteden değilim, diyecek oldu. Ama kendisini durdurdu. Lovell aynadan başını salladı ve papyonunun son rötuşlarını yaptı. Her bir buruşukluğu inceledi. Yalnızca kendi kendisine söylese bile, kusursuz bir papyondu bu. Apisak performansı gülümseyerek izledi, bir eli mermer tezgaha yaslanmıştı. Lovell'ı eğlendirici, demode ve yersiz buluyordu.

Apisak, "King's College'da hukuk okudum," dedi.

Lovell başını salladı. "Ben de St. John's okulunda hukuk okudum."

Apisak, "Hiç kuşku yok ki şeref listesinde," karşılığını verdi.

Lovell gülümsedi ve bu kez baş sallaması değil, çenesinin küçük bir hareketi şeklinde. "Bir hukuk şirketinde mi çalışıyorsunuz?"

"Jackson ve Gleason."

Bu Bangkok'taki en iyi hukuk firmalarından biriydi ve müşterileri arasında büyük bankalar, oto montaj şirketleri, emlak ve inşaat kodamanları vardı. Lovell'ın hukuk şirketinin rakibiydi.

"Peki siz? Siz nerede çalışıyorsunuz?" Apisak'ın belli belirsiz bir İngiliz aksanı vardı.

"Peron ve James."

Apisak iki eliyle kartvizitini uzattı. Lovell kartı aldı ve gümüş bir muhafaza çıkararak kendi kartını verdi. İki Japon işadamı gibi birbirlerinin kartlarını incelediler; kağıdın kalitesine, kabartmaya, yazı büyüklüğüne, konum ya da unvanı ele verecek bir ipucuna baktılar.

"Ne kadar zamandır Bangkok'tasınız?"

Lovell, "Beş aydır," dedi. "Neredeyse altı olacak."

"Ve de çoktan Tayland'ı çözdünüz."

"Sokak gösterilerinden uzak dur. Kimsenin başına dokunma ve ayağını kimseye uzatma."

Apisak, "Bilmeniz gereken hemen her şey bu kadar," dedi.

"Unutmuşum. Birçok Taylandlı ironide pek iyi değil."

"Affedersiniz, biraz gerginim de. Bu gece bir konuşma yapacağım." Apisak genzini temizledi. "Oxford'a kadeh kaldırma konuşmasını ben yapıyorum. Ne söyleyeceğimden tam emin değilim."

"Bir konuşma hazırlamadınız mı?" Lovell konuşmayı haftalar önceden yazmış ve günlerce üzerinde çalışmış olurdu.

"Hallederim bir şekilde." Apisak bir ilaç kutusu çıkarıp mermer tezgahın üstüne koydu. "Bunlar yardım eder." Kapağı açıp şişenin kenarına hafifçe vurdu. Avucuna kırmızı bir kapsül düştü. Bileğinin bir hareketiyle ilacı ağzına attı. "Mucize yaratır şimdi."

Lovell'ın beyninde bir fotoğraf belirdi: şişe, kapak, kırmızı kapsül ve ağza giden el. Bu diziyi ileri geri oynatabilir, görüntüyü hızlandırıp yavaşlatabilir ya da her an durdurabilirdi.

Andrew Danielson, saçlar gümüşî gri, ceketinin yakasında koyu mavi bir kurdele, Apisak ilacı yutarken içeriye girdi. Ellerini yıkarken soylu bir görüntüsü vardı, ama Lovell bir şeylerin ters olduğunu görebiliyordu. Danielson'ın yüzü, kül gibi ve çökmüş, biri midesine yumruk atmış gibi duruyordu. Sendeledi, kendini topladı.

Lovell, Danielson'ın düşeceğini ya da kusacağını, belki de ikisini birden yapacağını düşündü. Derin soluklar alan Danielson tezgaha yaslanarak doğruldu, gözler kapalı, yüzünden aşağıya, oradan da lavaboya ter akıyordu. Fiziksel olarak darmadağın durumdaydı. Lovell patronunu hiç böyle bir durumda görmemişti.

Lovell, "İyi misin, Andrew?" diye sordu.

Danielson derin derin soluklar alıyor, burnundan sümük kabarcıkları damlıyordu. Bunlar hiç olmuyormuş gibi davranmasını görmek tuhaftı. Vücut acil duruma girerken tümüyle inkar vakası.

"Yarın Khun* Weerewat büroya gelecek." Danielson kendini toplamak istermiş gibi durdu. "Seni de toplantıda görmek istiyorum." Danielson'ın ince, korkulu sesi gidip geliyordu. Normal güven ve enerjisi yok olmuştu.

Lovell, "Peki, efendim," dedi. "Ters bir şey mi var, Andrew?"

Danielson içini çekti, musluktan akan suyun altına ellerini sokup yüzüne çarptı. "Biraz rahatsız edici bir haber aldım." Danielson'ın sesi titredi, iki eliyle birden tezgahı tutmayı sürdürüyordu. Apisak'ın zarif kahverengi ilaç şişesini gördü ve etiketteki Zoloft adını okudu.

Apisak, "Bazen panik atak geçiriyorum. Bu ilaçlar etkisini biraz azaltıyor," dedi.

"Alabilir miyim?" Danielson'ın gözleri tezgahın üzerindeki küçük şişeden hiç ayrılmadı.

---

* Hitaplarda isimden önce gelen saygı ifadesi –yn.

Apisak plastik şişeden iki kapsül çıkararak Danielson'ın açık avcuna koydu. Kırmızı kapsüllerin ortasında testere dişi kesikler vardı. Danielson başını geriye itti ve iki kapsülü bir kerede yuttu. Danielson'ın hali neredeyse anında değişti. İlacın placebo etkisi üzerine koca bir literatür vardı. Danielson'ın iyileşme hızı, kitaplarda böyle bir etkinin kusursuz örneği olarak gösterilebilirdi. Lovell altı aydır Danielson'la birlikte çalışıyordu ve hatırı sayılır baskı altında olduğu durumları görmüştü. Hatta birkaç dosya üzerinde defalarca bütün gece çalışmışlardı, ama patronunun tuvalette panik atak geçirmesini gerektirecek bir nörolojik sorun yaşadığına dair en küçük bir belirti olmamıştı.

Danielson, "Harika bir papyon, John," dedi. Ellerini kuruladıktan sonra kabinlerden birine girip kapıyı kilitledi. Lovell aynada kendisine son bir kez baktı. Papyon gerçekten de harikaydı. Bu yorum, Danielson'ın normal halinde olduğunu göstermeye çalışan zayıf bir çaba olmuştu.

Apisak şişeyi uzattı. "Siz de ister misiniz? Bu papyon konusunda çok gergin görünüyorsunuz."

Lovell başını iki yana salladı. "Papyonda sorun yok. Almayacağım, teşekkürler."

Lovell bir anlığına patronunu beklemesi gerektiğini düşündü. Bir panik atağa yol açacak kadar kötü ne olmuştu? Danielson'ın kişisel bir yorum yapmaya en yaklaştığı olay, saatler boyu hiç durmadan bir sözleşme üzerinde çalıştıktan sonra olmuştu. Danielson masasından başını kaldırmıştı. "Ne zaman yaşlandığını tam olarak anlar insan," demişti. "Rüyaların ölmüş olan insanlarla dolar. Anne baban, okul arkadaşların ve meslekten tanıdığın insanlar. Seni bir gidiş salonunda bulurlar, ama orası bir havaalanı değildir. Rüyamda kapıların öteki tarafında binlerce kilometre yüksekliğinde kocaman bir dönmedolap vardı ve her gondol önceden tanıdığım insanlarla doluydu. Bir tanesi bile hayatta değildi." Ertesi gün rüyasından ya da yaşlanmayla ilgili duygularından söz ettiğine pişman oldu ve Lovell'a anlattıklarını unutmasını söyledi. Bu da bir insanın asla unutmamasını sağlamanın en kesin yoluydu.

Apisak ondan önce yemek salonuna dönmüştü. Lovell aynada kendisine son bir kez göz attı ve diz çöküp kapının altından kabine baktı. Danielson'ın pantolonunun bileklerine inmiş olduğunu gördü. Ayağa kalktı. "İçeride görüşürüz," dedi.

Danielson cevap vermedi. Lovell masadaki yerine döndü.

Garsonlar masaları temizleyip şarap bardaklarını doldurduktan sonra Apisak, Oxford'a geleneksel kadeh kaldırma konuşmasını yapmak üzere ayağa kalktı. "Tuvaletteyken aklıma Oxford'un geçmişe takılıp kaldığı düşüncesi geldi. Oxfordlular geçmişi sevmekle kalmazlar, geçmişte yaşarlar. Bir Oxford mezununun aynada papyonunu bağlamasını seyrettim. Oxford eğitimi ona bunu vermişti, bir beceri. Ama becerilerin çok sınırlı bir pazarı vardır ve kusursuz papyon bağlayamadığı için Bill Gates'e meydan okuyan birinin olduğundan kuşkuluyum. Görüyorsunuz ya, Oxford'un sorunu da bu: Mezunlarına ata binmeyi, model buharlı gemiler yapmayı, eyer ve üzengi gibi deri işleri yapmayı ve gemilerini kurtarmak için bir acil mesaj göndermeleri gerekir diye Mors alfabesini öğretirler. Bütün bunlar önemli yeteneklerdir. Ama daha çok eşitliğin on dokuzuncu yüzyıl tarafında olduğunu söyleyebilir miyim? Oxford'u düşündüğüm zaman, bilgisayar öncesi, cep telefonu öncesi, otomobil öncesi, dürüst ve görece zararsız papyon-severler aklıma geliyor. Biz Cambridge'de biraz daha farklıyız. Kopçalı bir papyon ellerimizi boş bırakıyor ki cep telefonuyla konuşalım ya da elektronik postamıza bakalım. Aynı anda birkaç iş yapmayı seviyoruz, iPod'larımızı dinlemeyi ve bir şeyler indirmek için internette gezinmeyi seviyoruz. Bu arada Oxford'daki kardeşlerimizin elleri neyle meşgul? Papyon bağlamakla. Kuşku yok ki soylu bir iş, Ortaçağ'ın okçusu gibi, o da saldıran orduya ok atarken arada papyon bağlama yeteneğine sahipti. Tüm Cambridge mezunlarından ayağa kalkıp Oxford için kadeh kaldırmalarını rica ediyorum, elle bağlanan papyonların ve incecik kesilmiş salatalık turşulu sandviçlerle 'garden party'lerin son kalesine."

Apisak kadehini kaldırıp dosdoğru ona bakarken Lovell'ın yüzü kıpkırmızı oldu. Zoloft'u almadığına pişman olmuştu. İlacın adı, anksiyete ve panik ataklar için reçeteyle verilen bir ilaçtan çok, bir Rus uydusunun adına benziyordu. Apisak kadehini ona doğru kaldırınca ve ötekilerin gözleri ona dönerek gülmeye başlayınca, ani bir anksiyetenin her yerini kapladığını hissetti. Apisak onu herkesin ortasında küçük düşürmek için epeyce çaba harcamıştı. Taylandlılar'ın kavga sevmeyen ve birini utandırmaktan kaçınmak için çok uğraşan insanlar olduğu inancının çürümesi. Lovell başını masaya eğdi, yüzü yanıyordu, sanki başından fırlayacakmış gibi geldi.

DÖRT

Son konuşmalar da yapıldıktan sonra sıkı bir arkadaş grubu ceketlerini çıkarıp papyonlarını gevşetti ve sigarayla brendi içmek için ötekilerin gitmesini bekledi. Lovell yanında birinin durduğunu hissetti. Konuşmalar durmuştu. İskemlesinde yana döndü. Üniformalı bir polis memuru nazikçe bazı sorulara cevap verip vermeyeceğini sordu. Lovell masadan kalkıp arka taraftaki boş bir masaya giden polisi izledi. Polis ona oturmasını işaret etti. Danielson'ın bir tuvalet kabininde ölü bulunduğunu söyledi. Öyle görünüyor ki birkaç saat önce ölmüştü. Siyah pantolonu aşağıya inikti.

Otel özel bir acil servis ekibine telefon etmiş, onlar da kimseye fark ettirmeden gelmişler ve Danielson'ın cesedini tuvaletten çıkarmadan önce dikkat çekmeden polisin gelmesini beklemişlerdi. Polis işini bitirdikten sonra acil servis ekibi, personel kapısından çıkıp gitmişti. Konukların neler olup bittiği hakkında hiçbir fikri yoktu, ama yakınlardaki boş masalara dağılmış birkaç üye arasında haber yıldırım hızıyla yayılmıştı.

Daha sonra otopsi Danielson'ın yemek yememiş olduğunu ortaya koydu. Kanında üç-dört kadeh şaraplık alkol bulundu. Kimyasal kalıntıları gösterecek başka testler de yapılacaktı.

Bir polis dedektifi yüksek sesle Lovell'ın, Danielson'ı canlı gören son kişi olup olmadığını sordu. Eski bir teknikti bu, bazen itiraf kazandıran bir teknik. Bir garson, polise Danielson'ın tuvalete gittiğini görmüş olduğunu söylemişti. Apisak'ın tuvaletten çıktığını, birkaç dakika sonra da Lovell'ın çıktığını görmüştü.

"Danielson hasta gibi mi görünüyordu?"

Lovell bir terslik olduğunu söylemişti. Danielson terliyordu ve bacakları titriyordu. "Telefonla rahatsız edici bir haber aldığını söyledi."

"Rahatsız edici mi?"

"Kullandığı kelime buydu."

"Danielson'ı kim aradı?"

"Bilmiyorum. Söylemedi."

"Sormadınız mı?"

"Beni ilgilendirmezdi. O benim patronum. Ona kişisel sorular sormam."

"Neden söz ettiniz?"

"Yarın bir müşteriyle yapılacak toplantıdan."

"Harika bir papyon." Patronunun son sözleri bunlar mı olmuştu? Ama bu sözleri polise söylemedi. Tekrarlamanın ne yararı vardı ki?

"Tuvalette başka birini gördünüz mü?"

"Khun Apisak. Andrew'a iki kırmızı hap verdi."

Polis başını not defterinden kaldırdı. "Ne tür bir ilaç olduğunu biliyor musunuz?

"Zoloft. Danielson iki tane aldı."

Sorgu memuru kalemini masanın üstüne koydu. Apisak'ın ifadesini çoktan almıştı ve ilacı biliyordu. Lovell, zaten bildiği bir şeyi doğrulamıştı yalnızca. "Danielson'ın ilacı aldığını gördünüz mü?"

Lovell başını salladı. "Danielson ilacı alıp alamayacağını sordu."

" 'İlacı alıp alamayacağını sormak' ne demek?"

Lovell polisin not defterine bir şeyler karaladığını gördü. Ama Tayland dilindeydi ve polisin ne yazdığını tersten okuyunca anlayamamıştı. "Tam Apisak ilaç aldığı sırada Danielson içeriye girdi. İlaç şişesini gördü. Ne olduğunu biliyordu. Bana göre bir tür anksiyete atağı geçiriyordu."

"Doktor musunuz siz?"

Lovell, "Hukukçuyum," dedi. "Hukuk doktoru."

Sanki bir şey fark ederdi. Polis Lovell'ın söylediklerini yazarken defterine baktı.

"Bir hukuk doktoru Zoloft'u bilir mi?"

"Yalnızca gördüğümü ve Khun Apisak'ın bana söylediğini biliyorum."

İlaçların bir Rus uzay aracının adı gibi durduğunu düşündüğünü söylemedi. "Otopsi raporu bunu doğrulayacaktır," diye ekledi. "Sanıyorum bir otopsi yapılacak."

Dedektif, Lovell'ın otopsiyle ilgili sorusunu yorumsuz bıraktı. İlacın adını defterine yazarken epeyce oyalandı. Lovell, polisin Apisak'ı sorgulamış olduğunu anlamıştı. İşini yapıyordu yalnızca, Danielson içeriye girerken bir tuvalet aynasının karşısında duran iki genç avukatın anlattıklarını birleştiriyordu. Şeker gibi dağıtılan ilaçlar. Büyük bir kalp krizi geçirmek üzere olan orta yaşlı bir *farang*, kabinin kapısını kilitleyip ölmeden önce iki kırmızı hap yutuyor. Dedektif kaleminin ucunu üst dudağına dayadı. Danielson'ın görmemesi gereken bir şeye baskın yapıp yapmadığını merak etti.

Lovell, "Kalp krizi olmadığını düşündüren bir şey var mı?" diye sordu. "Yaşlı bir adamdı, öyle değil mi?"

Polis, "Elli üç," dedi.

"Bu da pek genç değil." Lovell, Danielson'ın bir ay önce ölen insanları rüyasında gördüğünü itiraf etmesini de anlatmadı.

Otuz bir yaşındaysanız elli üç çok uzak bir dünyadır, başka bir galaksi, asla ulaşılmayabilecek bir galaksi. Danielson'ın birkaç bin kilometre yüksekliğinde, her bir gondolunun ölü insanlarla tıka basa dolu dönmedolabından söz edip etmemeyi düşündü. Hukuk fakültesinde, bir polis memuruna sorulmadan bilgi verilmemesi gerektiğini öğrenmişti. Bilgi edinmek için ağzını ararlarsa da yemi yutma.

"Khun Apisak ve siz ne kadar zamandır arkadaşsınız?"

Lovell saatine baktı. "Üç saatten daha az."

"Partiye Danielson'la birlikte mi geldiniz?"

Lovell başını iki yana salladı. "Kentin farklı kısımlarında oturuyoruz. Ayrı ayrı geldik."

"Birlikte çalışıyorsunuz, ama bu gece aynı masada oturmadınız. Aranızda bir sorun mu vardı?"

Lovell dedektifin son iki sorusunu sindirdi ve aldığı yönden hiç hoşlanmadı. Sanki nedense zanlıydı. Danielson'ın ölümüyle bir şekilde ilgisi olduğunu mu düşünüyordu? Bu polis deli mi? Bu sorgu çizgisini başka nasıl açıklayabilirdi? Kalp kriziydi, öyle değil mi?

"Hayır, aynı masada oturmadık. Birlikte gelmedik. Birlikte çıkmak için de plan yapmadık. Danielson benim patronumdur. Daha doğrusu patronumdu. Ama, efendim değildi. Bu önemli bir ayrımdır. Nasıl öldüğünü ya da neden öldüğünü bilmiyorum. Öldüğü için çok üzgünüm. Ama söylediklerimden başka ne söyleyebilirim bilmiyorum."

Lovell masadan kalkarken, bunun olayın sonu olmadığını hissetti. Polis kalemi dudağına vurarak Lovell'ın geriye gidişini izledi. Şimdi Lovell'ın hukuk şirketinde yeni bir işi vardı: Danielson'ın son anlarının ayrıntılarını anlatmak için şirket başkanıyla konuşmak üzere atanmıştı. Hiç adil değildi bu. Bir randevudan ve papyonunun kusursuzluğundan söz etmenin sıradanlığı kimseyi tatmin etmeye yetmezdi. Polis ondan daha çok şey istiyordu. Polis dedektifi, Lovell'ın bir şey sakladığını düşündüğü izlenimini vermişti. Peki başka bir şeyin konuşulmamasını nasıl açıklıyorsunuz?

BEŞ

Ratana bir spirit house'un* önünde dua ediyordu, baş öne eğik, gözler kapalı, dudaklar kıpırtılı. Ruh evi, küçük pencereleri ve giriş kapısıyla tıpkı bir oyuncak ev gibi, ama daha büyük, kalın beyaz mermer ayağın üzerine tünemişti. Yapı sağlam, zengin görünümlüydü; kalıcılık, ruh evine yaşsızlık özelliği veriyordu. Biri bu eve hatırı sayılır bir para harcamıştı. Ruh evinin arka tarafı *sub-soi*'nin çıkmaz ucundaki bir çite yaslanıyordu. Çitin ardındaki gözlerden uzak üç katlı binanın sahibi, ruh evini birkaç yıl önce yaptırdı. Bir Dünya Kupası zaferini kutlarken yarım şişe Mekong devirmiş bir motosikletli, motosikletini eski ruh evine çarparak evi devirmişti. Şarapneli yirmi metre yukarıya savuracak şiddetteki çarpma, eski ruh evini tuzla buz ederken, evin çatısını çitin ardındaki binanın ikinci kat balkonuna fırlatmıştı. Çatı bir futbol topu olsaydı, motosikletli bunu gol sayabilirdi.

Çarpmanın şiddeti eski ruh evini paramparça etmiş, yola parçalarını saçmıştı. Bayılan motosikletli bir bacağını kırmıştı. Yaralı adamın kortejinden öteki motosikletliler onu bir *tuk-tuk*'a bindirerek hastaneye götürmüştü. *Sub-soi*'de oturan birçok kişi bu kazadan

---

* Ruh Evi: Binaların önlerine konulan ve ruhların kullandığına inanılan minyatür evler.

sonra, böyle bir kazanın ardından uğursuzluk geleceğine inanıyordu. O evde yaşayan bir ruh öç alırdı onlara göre. Evsiz bir ruh, öfkeli ve intikamcı olurdu.

Üç katlı evde oturan yaşlı kadın, kazada eski ruh evinin parçalarının çoğunu ele geçirdi. Komşuların bunun anlamı üzerine dedikodu yaptıklarının farkındaydı. Söylentileri duymuştu ya da belki de bu söylentileri başlatan kendisiydi –bu konuda bulgular net değildi. Kadın komşuları arasında güvensizlik hissetmişti ve kendisi de korkuyordu. Her neyse, kadın yeni, daha güzel ve daha sağlam bir ruh evinin parasını ödedi. Mahalledeki dedikoduya göre epeyce fazla para ödemişti. Bazıları, yeni ruh evinde eskisinin çatısının kullanıldığını ve ruh evi müteahhidinin kadına kişisel bir garanti verdiğini söylediler. Kimse bu garantinin içine neler girdiğini söylemedi. Bunun en büyük yararı, *sub-soi*'de uyum duygusunun tekrar sağlanması oldu. Herkes yaşlı kadına minnettardı; insan yaşlandığı ve bir çit ardında yaşadığı zaman, ruhlar dünyasıyla arayı düzeltmenin kolektif iç huzuru karşılığında küçük bir bedel olduğunu biliyorlardı aslında.

Çiçekler, tütsüler ve meyve tabakları tapınağın önüne konulmuştu. Ayakta duran ya da oturan, bazıları kendinden geçmiş sarhoşlar gibi devrilmiş küçük plastik figürler türbenin arka planını kaplamıştı. *Sub-soi*'deki modern, yeni Taylandlılar çoğu zaman ruh evini fazla düşünmeden işine gücüne bakardı. Ratana da modern bir kadındı. Bir şey sunmak için ruh evine gittiği az görülürdü. Bir keresinde annesi hastayken, bir keresinde de bir müşteri para ödemeyi reddettiği zaman.

Masaj salonundaki intihardan sonraki sabah ruh evine tek başına gitmişti. *Sub-soi*'de çalışan öteki kişiler adaklarını çoktan bırakmıştı. Meyve suyu bardaklarının, muz, portakal ve mangoların üzerinde sinekler açgözlüce vızıldıyordu. Masajcı kızın ölümünün, birden *sub-soi*'deki herkesin, mahallenin ruhunu yatıştırma isteği duymasına, Jazz'ın hayaletinin tenor saksafonun yumuşak çıktığı başka, uzak bir yere yerleşmesi isteği duymasına neden olduğundan kimse söz etmedi.

Ratana plastik bir çakmak kullanarak üç tütsü çubuğu alev alana kadar altlarına ateş tuttu. Alevleri söndürdü, dumanın yukarıya doğru çıkmasını seyretti, sonra tütsü çubuklarını birer birer küçük bir alüminyum kabın tabanında duran kuma soktu. Erkek ruhun Jazz'ın hayaletini *soi*'den çekip alması için dua etti –yoksa ruh dişi miydi? Tanrı ya da ruh, kadın ya da erkek, Ratana için önemli değildi. Sonra tek bir kalın sarı mum yaktı, mum parıl parıl yanıyordu. Ratana eğilip mumu tütsü çubuklarının yanına koydu. Sırtı büroya dönüktü. Patronunun onu uzaktan seyrettiğinin farkında değildi, hiç kıpırtısız durdu. Yalnızca dudakları kıpırdıyor, parmakları *wai** şeklinde dokunuyordu. Savaşın eşiğinde bir yerli kabilesinin duman sinyalleri gibi Ratana'nın ruhlar evine gidişi de bir anlam, bir mesaj, Calvino'nun anlamak istediği bir mesaj sinyali veriyordu.

Calvino yürümeye devam etti. Merdivenin başında durdu, yarım düzine masajcı *ying* Tek Elle Alkış üniformalarıyla durmuş sigara içiyordu orada. Taburelere oturmuş ya da tırabzana yaslanmış kadınlar birbirleriyle sohbet ediyor ve kedi gibi geriniyorlardı. Gözleri ağlamaktan kıpkırmızı olmuştu. Çoğu ilk kez kendi yaşlarında bir ölü *ying* görmüştü. En sertlerini bile sarsmıştı bu olay.

Calvino, Ratana'nın meditasyonunu bitirmesini bekledi. Onun, kendisini seyrederken gördüğünü biliyordu. Üst katta belli belirsiz bir telefon sesi duydu. Telefonu boş verip *sub-soi*'nin sonuna doğru

---

* Elleri göğüs hizasında birleştirip başı eğerek verilen geleneksel Tayland selamı –yn.

yürüyüp ruh evine az kala durdu. Ratana onu fark etmemiş gibi yaptı. Kaldı ki Calvino onun özel yerini, ruhlarla mahrem pazarlık anını ihlal ediyordu. Konuşmak için bir başlangıç noktası bulmak kolay değildi. Ratana'nın sessizliği bunu daha da zorlaştırıyordu. Yanan tütsü ve balmumundan çıkan ince beyaz duman ruh evinin üstünde dağıldı. Calvino birkaç kez bir şey söylemeye kalkıştı, ama uygun sözcükleri bulamadı. Tekrar başladı, tekrar sustu.

"Seni rahatsız etmek istemem," dedi, "ama yapabileceğim bir şey var mı?"

Ratana başını çevirdi, uzun uzun onu inceledi.

Calvino devam etti. "Dün olanlar için üzgünüm. Herkes için korkunç bir şey."

Ratana, "Olanlardan dolayı burada değilim," dedi.

Her ikisi de doğrudan Jazz'dan ya da anlaşıldığına göre kendini öldürmüş olmasından söz etmekten kaçınıyordu. Calvino, ölü *ying*'in odasına girmişti. Ölüm onu kuşatmıştı. Calvino VIP salonunun ölümle örülü örümcek ağını dağıtınca bir şeyler değişmişti. Calvino epeyce şiddetli ölümlere tanık olmuştu. Ama hiçbir şiddet içeren ölüm bürosuna bu kadar yakında yaşanmamıştı. Ratana bunu bir tür uğursuzluk olarak yorumladı.

Calvino, Ratana'dan ne beklediğinden emin değildi. Her tarafına çiçek asılı ruh evi, sabah erkenden gelen ziyaretçilerin adaklarıyla gösteriş yapıyordu. Çiçek, meyve, mum ve tütsüye epeyce para harcanmıştı. Genç bir *ying*'in ölümü bir zincirleme etki yaratmıştı. Bütün sabah boyunca Taylandlılar'ın aklındaki tek şey onun ruhunu yatıştırmak olmuştu. Kendi sekreteri ise başka nedenlerle saygı sunmak üzere gelmişti.

Calvino, "Kafam karıştı," dedi.

"Gazeteyi görmedin," dedi Ratana. Bir soru değildi bu; belli ki bu konudaki bilgisizliği kesin bir olguydu.

Calvino, "Başka sokak gösterileri mi?" diye sordu. "Gazete okumaktan yoruldum."

"Danielson ölmüş."

Calvino ne dediğini anlamıyormuş gibi ona bakakaldı.

"Müşterin. Ölü kızın kapısını kırmak için durman yüzünden dün telefonla ulaşamadığın kişi. O Danielson. Dördüncü sayfada bir yazı var, bir de fotoğrafı. Bu adak onun için."

"Öldü mü?"

"Kalbi durmuş."

"Bu tam magazin ağzı. Elbette kalbi durmuştur. Ama neden durmuş?" diye sordu Calvino. Derin bir nefes aldı ve nefesini verirken omzundaki ağrı neredeyse inlemesine neden oldu.

"Senin büyük umudundu o." Aslında "bizim büyük umudumuz" demek istiyordu. Danielson, Ratana'nın çalıştığı yerin altında bir masaj salonu olması gibi katlanılamaz bir durumda bir tür kurtarıcı haline gelmişti. Danielson'ın vereceği paranın, masaj salonunun kirasını devralma maliyetini karşılayacağını hesaplamışlardı. İşler çok kötüydü ve salonu satmaya hazırdılar.

Ratana, Danielson'ın ölümünün bir darbe daha indirdiğinin farkında değildi; WHO'nun aradığı araştırma müdürü için tavsiye mektubu da olmayacaktı. Calvino planını gizli tutarken bu işi alma şansının çok düşük olduğunu düşünmüştü. Bir mucize eseri işi alırsa da bir sekretere ihtiyacı olacaktı. Ratana onunla gidecekti. Her şey bu kadar basit görünüyordu.

Calvino, "Danielson için mi dua ediyorsun, yoksa onun yerini alacak başka bir müşteri için mi?" diye sordu. Danielson'ın ölümünün tam etkisi kendisini yavaş yavaş hissettirmeye başladıkça, her yanı uyuşmuştu.

"Her ikisi için de."

Calvino tütsü ve mumları yaktı.

Ratana, "Sen bunlara inanmazsın," dedi.

Calvino, "Göz çıkarmaz," cevabını verdi.

Ratana başını öne eğerek gözlerini kapadı, dudakları bir Pali ilahisiyle kıpırdıyordu. Calvino gözlerini açtığında Ratana ortadan yok olmuştu. Dönünce onun Tek Elle Alkış'ın önünden hızla geçip büroya giden merdivenleri çıktığını gördü. Calvino, Ratana'nın duygusal olarak kendisini kapadığını hiç görmemişti; kendi sistemi, tüm birlikte çalışma tarihleri ve zihninin bütün pencere ve kapıları sıkı sıkıya kapanmıştı sanki. İyi bir işaret değildi bu. Karanlık günler vardı, bir de karanlığın bir umut gölgesi yaratıyor gibi görüneceği kadar kara günler vardı.

Calvino kendisine bir çıkış yolu bulacağını söyledi. Her zaman bulmuştu. Bangkok'ta yaşarken, hayatta kalmanın başka bir düşünme, yapma ve dua etme yöntemine adapte olmayı öğrenme anlamına geldiğini keşfetmişti.

ALTI

Bangkok'taki eleman bulma kurumlarından bir yetkili, Ratana'ya bir saattir telefon etmekte olduğundan yakınıyordu. Bir iş teklifi için aramıştı. Ratana önce yumuşak satışı, sonra sert satışı dinledi. "Bu kariyerinde yükselmek için büyük bir fırsat." Sonra bir duruş. "Gitgide gençleşmiyorsun ve bu işi isteyen çok insan var."

Ratana, Vincent Calvino'nun ruh evinin önünde beceriksizce, ne söyleyeceğini bilemeden, başlayıp başlayıp susarak dururken, yenilmiş, çaresiz ve çok yalnız göründüğünü hatırladı. Calvino her zaman Ratana'nın duygularını dikkate almaya özen göstermişti. Ama bu bir eleman bulma kurumuna söylenecek şey değildi.

Masaj salonunun alt katta açıldığı ilk günden itibaren spiralin aşağıya doğru inişinin başladığını hissetti. İş, siyasal durum, kendi kişisel yaşamı –yaşam çantasındaki tüm çamaşır çıkını– bir çöp kamyonunun arkasına atılmıştı ve Ratana da onu oradan almaya çalışıyordu. Ne zaman Tek Elle Alkış'ın önünden geçse, bakışların ve fısıltıların farkına vararak acı duyuyordu. Masaj salonunun varlığı ona derin bir aşağılama gibi geliyordu, iyileşmeyecek bir yara. Yanından çarçabuk geçerdi, dışarıda taburelere oturmuş *ying*'leri görmezden gelirdi, ama hiçbir zaman bu taktik işe yaramadı. Midesi düğüm düğüm olurdu: güceniklik, üzüntü ve öfke karışımı bir fırtına tehdidi.

Ya annesi onu ziyaret etmek için büroya gelir de dışarıda toplanmış bir grup masajcı kızı dirsekleyerek geçmek zorunda kalırsa? Annesi kızının Tek Elle Alkış Masaj Salonu'nun üstündeki bir büroda çalıştığını düşünse kalp krizi geçirirdi. Ailenin öteki üyelerine ne derdi? Ya da arkadaşlarına ve komşularına? Düşünmesi bile aklını dumura uğratıyordu. Onlara yalan söylemek zorunda kalacaktı. Babasının tepkisi daha öngörülebilir ve pratikti. Öfkeden deliye dönüp Ratana'yı aile evine kilitledikten sonra anahtarı fırlatıp atacaktı. Üstelik Ratana ne annesini ne de babasını suçlayabilirdi. Onların yerinde kendisi olsa aynı şeyi yapardı. Tek çıkış yolu ya masaj salonunun kapanması ya da kendisinin başka bir iş bulmasıydı.

İş bulma kurumundaki kadın onun uzun sessizliklerinden rahatsız oldu. "Hey, hâlâ orada mısın? Söylediklerimi dinledin mi? Yabancı ortağı olan Bilim Parkı'ndaki bu iş kusursuz bence. Şu andaki ücretinin iki katını alabilirim. Hayli profesyonel ve uluslararası bir ortamda çalışacaksın. Terfi ve yurtdışı eğitim şansın olacak. İkinci bir kez düşünecek ne var?"

Bu soru vadideki bir zil gibi çaldı. Ama Ratana kararını vermeden önce ikinci, üçüncü kez düşünüyordu. Vincent Calvino'nun yanında çalışmak bir iş değildi yalnızca. Ama en iyi zamanlarda bile hayli profesyonel bir ortam değildi. Terfi mi? Tek kişilik bir işte çalışırken nasıl böyle bir şansı olabilirdi ki? Hele de Danielson ölmüşken Calvino'nun yanında çalışmanın geleceği hiç bu kadar kırılgan ve alarm zillerini çalıcı olmamıştı. Bu kadına şu anda içinde bulunduğu durumun salt işten öte bir şey olduğunu nasıl anlatabilirdi; yılların üzerine inşa edilmiş bir ilişkiydi bu. İşi bırakmak her zaman kolaydı, ama bir ilişkiden çekip gitmek tümüyle farklı bir olaydı.

Ratana konuşmayı bitirdiği sırada Calvino bölmenin öte tarafındaki masasına geçmişti. Kadınla konuşurken telefonda sesini alçaltmak için hiç çaba harcamamıştı. İkili mesaj iletmenin Tayland yoluydu bu. Konuşma bittikten sonra Calvino gazetedeki Danielson haberini bir kez daha okudu. Ratana yazıyı ve resmi sarı fosforlu kalemle daire içine almıştı. İlan bölümünde deneyimli yönetici sekreteri için verilmiş iki ilan vardı ve onlar da daire içine alınmıştı. Sekreteri aktif şekilde iş kovalıyor ve gazetede niyetinin mesajını bırakıyordu. *Gidebilir.* Calvino, bu düşüncenin zihninin kenarlarında dolaşmasına izin verdi.

Bölmenin öteki tarafında Ratana'nın kağıtları karıştırdığını duydu. Takibin ayrıntılarını verdiği raporu okuyordu. Raporda takibin saati, araçların plaka numaraları, gelip giden insanların tanımları vardı. Danielson işin bu kadar kusursuz olmasından memnun olurdu. Ama yaşayanlar dünyasında "memnun olurdu" hiçbir anlam taşımıyordu. İskemlesi yerde gırç diye bir ses çıkardı. Ratana, elinde Danielson dosyası, bürosunda belirdi.

"Beni terk mi ediyorsun?"

"Bir teklif geldi," dedi Ratana. "Çok iyi bir teklif."

"Daha çok para." Çalışanlar için verilen savaşta bunun anlamı, teslim bayrağını çekmekti. Calvino, düzenli gelir akışı olan büyük bir şirketin verdiği maaşa ulaşmayı hayal bile edemezdi. Bu ırmakta su seviyesi ancak zaman zaman iki balığın yüzmesine yetecek kadar derindi.

Ratana başını iki yana salladı. "Sorun para değil."

"Masaj salonu kapısı mı?" Calvino, zamanlama doğru olsaydı Danielson'ın telefonda onunla konuşmuş ve Calvino'nun çakı gibi bir korsanlık dosyası hazırlamış olduğunu öğrenerek rahatlayacağını hissetti. Belki de, ama belki de bir fark yaratabilirdi bu. Danielson kalp krizinden ölmeyebilirdi. Calvino açıklama bulmaya çalıştığını biliyordu.

"Kapıyla ilgili de değil."

Ratana, Calvino'nun aşağıdaki intihar olayına karışmış olmasından hoşlanmamıştı. Yaptığı şeyin aptalca olduğunu söylememişti, ama Calvino bunu kendi kendisine söylemişti. Kapıyı kırma işini şimdi düşününce, sağlam omzunu kapıya çarparkenki görüntüsü onu irkiltiyordu. Bunu nasıl yapabilmişti? Bir an kapıyı açmaktan başka *hiçbir seçeneği* olmadığını düşündü. O sırada başka bir yol yok gibi görünmüştü. Aslında bir yol vardı: Metta, pencere kenarındaki kız, kapının kilidini açabilirdi. Ama o sırada Calvino bunu bilmiyordu.

Ratana sabırla iskemlede, elinde dosyayla oturdu. Suskunlaşmıştı.

Kadınlar, erkeklerden zihinlerinde olan şeyi bilmelerini bekliyordu. İkisi birbirlerine baktılar. Ratana bu kadar açık seçik biliyorsa, tabii ki Calvino da açık seçik bilmek zorundaydı. Calvino bu mantık çizgisini anlıyordu. Ratana'nın neden ayrılmayı planladığını tahmin etmeye çalıştı, ama sekreteri ona bir ipucu bile vermiyordu. WHO'daki işe başvurmayı planladığını mı keşfetmişti ve bu konuyu ele alışı böyle miydi? Bu fazlasıyla kolay olurdu. *İş teklifini neden düşündüğüyle ilgili uzun listeyi tahmin etmek bana kalmış.* Ratana en nihayet Danielson dosyasını masanın üstüne koydu. İskemlede geriye yaslandı, bacaklar birbirinin üstünde, kollar dizlerini sarmış, kafasında olanları tam olarak anladığını söylemesini bekliyor.

"Tekrar üstünden geçelim. Parayla ilgili değil. Kapıyla ilgili de değil. Şeyle ilgili değil... bana biraz yardım edebilir misin?"

Ratana ona bir annenin, odasını darmadağın bırakan ama yere ve mobilyaların üstüne dağılmış giysileri, çorapları, kitapları, tabakları ve kağıtları göremeyen çocuğuna baktığı gibi baktı. Müşteriler için özel olarak ayrılmış bu iskemleye pek oturmazdı. Alışılmadık olaylar zamanıydı şimdi. Ayrıca Ratana *soi*'deki ruh evine pek adak da adamazdı. Ender görülen olaylar, kazalar ve görüntülerden oluşan bir yirmi dört saat olmuştu. Bu da onun sahte ilaçlar yapan işçileri çektiği video kasetini düşünmesine neden oldu. Bu kaseti Danielson'a vermesi gerekiyordu. Ama ölüler para ödemez.

Calvino, "Birileri Danielson'dan işi devralır," dedi. "Paramı alacağım."

Ratana omzunu silkti. "Umarım." Yanıtında pek inanmışlık yoktu.

Ayrılma nedenleri her neyse, onları kendisine saklıyordu. Calvino'nun tahmin ettiği bir şey değildi, öyleyse onu kızdıracak bir şey yapmış olmalıydı.

"Ortayaş bunalımı mı?"

"Her gün önünden geçiyorsun. Ama görmüyorsun."

Calvino bürosuna bakındı. "Masamın üstündeki bir şey mi?"

"Hayır, masanın üstünde değil. Alt kattaki bir şey."

"Masaj salonu." Yüzü aydınlandı.

Ratana, "Komik olduğunu hiç sanmıyorum," dedi.

Calvino'nun gülümsemesi birden yok oldu. "Komik olmadığını biliyorum. Beni gülümseteceğini hiç düşünmedim. Gülümsedim, çünkü gazetede neden ilanları işaretlediğini biliyorum artık. Masaj salonunun komşu olmasından hoşlanmıyorsun."

Sekreterinin gülümsemesi haftalardır biriken huzursuzluğu maskeliyordu. "Bana hissettiriyor ki..." Sustu, sözlerini dikkatle seçmeye çalıştı. "Kendim hakkında iyi şeyler hissetmiyorum. Her gün kötü hissetmeme neden olan bir şey görüyorum. Bunu anlayabilir misin?"

Kalkıp masasına döndü. Birkaç dakika sonra da Calvino arkasından gitti. "Orayı devralacağım."

Ratana içini çekti, hâlâ gülümsüyordu. "İyi olurdu. Ama herhalde çok pahalıdır."

"Parayı borç alırım."

Her ikisi de bunun pek mümkün olmadığını biliyordu. Bangkok'ta kredi almaktansa bir bombanın koordinasyonunu ayarlamak daha kolaydı.

"Bir *farang*'ın kredi alması zor bence, Vinny."

Calvino sekreterinin anlayışlı olmak için çaba harcadığını gördü, ama gerçek duyguları su yüzüne çıkmaya başlamıştı. Keşke bir *farang* olmasaydı. O zaman anlardı. O zaman kredi alabilirdi. Bu durum Ratana'ya, Calvino'nun pişmanlık duyduğu bir şekilde acı veriyordu.

Taylandlılar'ın çatışmadan kaçınmak için ellerinden geleni yaptığını söylemek doğruydu, ama çatışmayla dolu olmadıklarını söylemek yalan olurdu. Ratana'nın içindeki çatışma bir oda dolusu gaza bulanmış pılı pırtı ve pişmanlık kağıtlarını tutuşturmuştu, ta ki alev alana kadar. İçten içe öfkeden kuduruyor, yanıyor, koşuyor, bağırıyordu, dıştan iç kargaşasını bir sakinlik duvarı önlüyordu. İşleri daha da kötü kılansa, Calvino'nun büyük miktarda para bulmaya çalışmasıydı. Çaresizliği, Ratana'nın üstüne benzin döktüğü için kendisinden nefret ettiği bir tür kişisel aşağılanmaydı. Keşke ruhlar dualarına cevap verseydi. Keşke tütsülere, mumlara, çiçeklere ve dualara karşılık verenlerin ötesinde güçler olsaydı –ve bir *farang* dedektife, bilançosu kırmızı mürekkeple yazılmış krediyi verseydi.

Tanrıların böyle bir işi kurtaracak zamanı yok muydu? Ratana ertesi gün ve ertesi gün adak adamaya, adağını güçlendirmeye söz verdi.

Calvino elinin tersiyle yanağını sıvazlayarak, "Parayı alamazsam, başka bir yol olabilir," dedi. Çalışmalarımızı BM içine kaydırmaya ne dersin?"

Ratana rüya görüyormuş gibi gözlerini kırpıştırdı. "Sen iyi misin, Vinny?"

"Ciddiyim. WHO bir araştırma müdürü arıyor. Başvurmayı düşünüyorum. Elbette sen de benimle geleceksin."

"Nereye?"

"New York'a."

Ratana gülmeye başladı.

"Ailemi ve arkadaşlarımı bırakarak mı? Tayland'dan ayrılarak mı?"

Calvino tezini savundu. "Ben bunun bir seçenek olduğunu söyledim. Kabul edeceğini söylemedim." Bir dakika sonra WHO'nun sitesine girmişti ve iş tanımını yeniden okurken kaçırmış olabileceği bir ayrıntı arıyordu.

YEDİ

Lovell birkaç dakikadır bürosunda e-postasını kontrol ediyordu ki, şirketin büyük ortağı Cameron ona konferans odasına kadar eşlik etmesi için sekreterini gönderdi. Bunu beklemiyor değildi. Bir gece önce bir bölüm başkanı ölmüştü. Büro altüst olmuştu. Bilgisayar ekranı, yapılmayan telefon konuşmalarının mesajlarıyla doluydu. Birkaç mesajı aldı, ama büyük patron çağırınca e-postasını tamamlayamadı. Elinde ne varsa hepsini hemen bırakması gerektiği açıktı.

Kız arkadaşı Siri bürosuna geldi. Lovell masaya doğru çökmüştü, elleri yüzündeydi. Siri, "John, iyi misin?" diye sordu.

Lovell başını kaldırdı. "Cameron beni şimdi görmek istiyor," dedi.

Siri normal bir günmüş gibi gülümsedi. Saçları omuzlarından geriye itilmişti, tek bir saç teli bile sürüden kaçmış gibi görünmüyordu. Makyajı bir portre ressamının en iyi fırçasıyla çizilmiş gibiydi, en küçük bir bozukluk bile yoktu. Siri bir model ya da film yıldızı olabilirdi. Ona yardım etmek için bir şey yapıp yapamayacağını sordu. Lovell yavaşça başını iki yana salladı. Ne yapabilirdi ki? Kim ne yapabilirdi? Siri iyi niyetliydi ve bu da önemli bir şeydi. Cameron'ın sekreteri büroya geri döndü ve randevusuna gidene kadar beklemeye niyetli olduğunu açık seçik gösterdi.

Lovell'ın, Cameron'ın sekreterinin tuzağına düştüğünü gören Siri içini çekti. "İşin bitince beni ara," dedi.

"Ararım."

"Kötü görünüyorsun. Ben olsam, ben de kötü olurdum. Ama her şey yoluna girecek," dedi Siri.

"Elbette." Lovell takımının ceketini giydi.

Durumun elinden kayıp gittiğini hissediyordu. Ama gene de dengesini kaybetmemişti ve geçmişten sıyrılmanın bir yolunu her zaman bulmuştu. Bu nitelik onu iyi bir avukat yapmıştı. Bürodan çıkmak üzereyken bir mesaj dikkatini çekti: Danielson'ın ölümünden sonra onu sorgulayan polis dedektifinin mesajı. Dedektif yirmi dakika önce telefon etmiş, onu acilen aramasını söylemişti. Lovell, şimdi herkesin acilen onunla konuşmaya ihtiyaç duymasına teslim olmuştu. Üçü polisten olmak üzere dağ gibi yığılan mesajlara bakınca, hukuk işlerini bir yana bırakıp günlerce sorulara cevap vermek, görüşmeler yapmak ve ifade vermek zorunda kalacağını anladı. Belleği en küçük ayrıntıları bir kamera lensi gibi aldığı için, bir gece önce tuvalette gördüklerini son karesine kadar anlatabileceğinden emindi.

Polislik işinde her dedektifin eğitim elkitabındaki başkural, ölmüş bir insanı canlı gören son kişinin en azından elle tutulur bir tanık olduğuydu. Teker teker alındığında olayın yapbozunun parçaları olduğunu gösteren önemli olaylar görmüş olabilirdi. Bir cinayet vakasında ölüyü ölümünden önce gören son kişi, tanım gereği başzanlı da olurdu. Bir kalp krizi durumunda son adam kurbanın durumunu anlatabilir ve yaşanan tıbbi olayı doğrulayabilirdi. Adam terledi, göğsünü tuttu ve zor nefes alıyordu. Kalp krizi, panik atak: ikizler gibi benzer ayak izleri vardı bunların da.

Bilgisayarındaki başka bir mesaj da, Vincent Calvino adlı bir özel dedektiften geliyordu. Aynı dedektiften ikinci, üçüncü ve dördüncü mesajlar da gelmişti. Ayrıca dört müşteri ve şirketteki öteki iki avukat da aramıştı. Cameron onu konferans salonunda beklediği sürece bunların hiçbiri önemli değildi. Hukuk şirketindeki geleceği polisin değil, şirketin büyük ortağının ellerindeydi.

Lovell konferans salonuna girdiği zaman Cameron'ın sırtı kapıya dönüktü. Cameron'ın çalı gibi aslan yelesi, uzun beyaz saçları başının kocaman görünmesine neden oluyordu. Yerden tavana kadar yükselen pencerelerin önünde odayı arşınlıyordu. Otuz yedi kat aşağıda trafik tam anlamıyla durmuştu. Tamponların arasına bir kalem bile sokulamazdı. Motosikletliler kaldırımları kullanmaya karar verdiler, ta ki onlar da insan seliyle durdurulana kadar. Yüzlerce gösterici pankartlarla yolda yürüyüş yapıyor, kaldırımlara taşıyordu. Cameron, *en iyi zaman şimdi, en kötü zaman şimdi,* diye düşündü. Charles Dickens burada kendini evinde hissederdi.

Lovell konferans salonuna o kadar sessizce girmişti ki, Cameron'ın odaya dönmesi için genzini temizlemek zorunda kaldı. Koca saçlı, hatta daha da kocaman egolu adam hukuk şirketinin ve içindeki her şeyin sahibiydi. Terzi elinden çıkma, çift cepli gri bir takım elbise giymiş Cameron, elli yaşında da olabilirdi, yetmiş de. Kimse onun yaşından emin değildi. Ayrıca alışılmadık ölçüde uzun boyluydu: en az iki metre. Emekli olmuş bir basketbolcuyla karıştırılamayacak kadar soylu görünen Cameron, kuantum dünyasında bir sırrı keşfetmiş bir Nobel ödüllü bilimciye benziyordu daha çok. Müşteriler Cameron'a gurulara güvenildiği gibi güvenirdi –sorgusuz sualsiz– ve Cameron da bu gücü onun otoritesinden kuşku duyan ya da sorgulayan herkese haddini bildirmek için kullanırdı.

"Adli tıptan biri Danielson'ın öldürülmüş olabileceğini söylüyor," dedi. Sesi hiçbir zaman fısıltının üstüne çıkmazdı. Fısıltıya benzer bir ses geliştirmişti, çünkü bu ses tonu insanları tek bir sözü kaçırmamak için eğilmek zorunda bırakıyordu. Denetimli, sabit, değişmeyen bir kesinlik ve inançta olan bu ses, kahve sunarken bile On Emir'i veriyormuş gibi çıkardı.

Lovell, "Dün gece sağlık uzmanları kalp krizi olduğunu söylediler," dedi.

Konferans masasına oturdu.

"Tayland'da sağlık uzmanları yoktur. Cesetleri toplayan gönüllüler vardır."

"Öyleyse polis söyledi."

"Emin değil misin?" Cameron, pankartları ve el yapımı dövizleriyle sokakta hareket eden karınca gibi insanlara şöyle bir baktı.

Onun en becerikli tekniklerinden biriydi bu: başkalarının kendilerinden kuşku duyması ve bu yüzden bu kuşkuyu dağıtmak için çözüm sunmak.

"Kimse Andrew'un kalp krizinden başka bir nedenden öldüğü konusunda bir şey söylemedi."

"O dün geceydi. Bugün akut miyokardial enfarktüs olup olmadığını sorguluyorlar." Cameron'ın sesi fısıltının biraz üstündeydi.

"Onu öldüren neydi?"

"Kanında bazı ilaç kalıntıları buldular."

Lovell gülümsedi. "Anksiyete için iki Zoloft ilacı aldı. İlaçları yuttuğunu gördüm."

Cameron kaşlarını kaldırdı. "İnsan dolu bir balo salonunda ilaç mı yuttu?"

"O sırada tuvaletteydi. Kendisini iyi hissetmiyordu. Lavabonun orada bir avukat daha vardı. Adı Apisak."

Cameron, "Jackson ve Gleason'da mı çalışıyor?" diye sordu.

Lovell, *Cameron'ın bilmediği bir şey yok mu,* diye düşündü. "Doğrusunu isterseniz evet." Cameron'a baktı. Belki gerçekten de Tanrı'ydı.

"Devam et."

Lovell derin bir soluk aldı. "Apisak ilaç şişesini cebinden çıkartmıştı. Andrew titriyordu. Onu sarsan kötü bir haber almıştı. İlacı alıp alamayacağını sordu."

Cameron, "Ya ben sana Andrew'un Zoloft'dan değil de başka bir şeyden öldüğünü söylesem?" diye sordu.

"Ne demek istiyorsunuz?" Lovell konferans masasına oturdu, hüküm günündeki bir öğrenci gibi ellerini önünde kavuşturmuştu.

Cameron pencereden odaya döndü, konferans masasının yanına geldi ve eğildi. Parmakları kendisini dengelemek için iyice açılmıştı. "Birini öldürmek için daha iyi bir yer var mı? Tayland toplumunun iki yüz üst düzey yetkilisi ve planlayıcısı yakınlardayken. Birini öldürmek istesen, kusursuz bir yer olmaz mıydı? Polis işe nereden başlardı? Nüfuzlu ailelerden gelen insanları, unvan sahibi insanları, hükümetin, bankaların ve ticaretin en yüksek düzeyinde çalışan insanları sorgulayarak mı? Sen nereden başlardın?"

"Onu canlı gören son insanla."

Cameron gülümsedi, Lovell'a bakarken gözlerini kırpmıyordu. "Müşterilerimiz bize onları zor durumlardan kurtaralım diye para ödüyor. Onları huzursuz eden, karışık, pahalı ya da utanç verici olabilecek durumlardan. Sen bu şirketin bir avukatısın ve zor bir durumun içindesin. Hukuk şirketi müşterileri için çalışır. Sen bu durumu benim için zorlaştırdın. Bir karar vermem gerek." O anda Lovell masanın üzerinden Cameron'a baktı. Cameron, "Bu büroda avukat olarak çalışmaya devam edip etmeyeceğin konusunda karar vermek bana düşüyor," dedi.

"Ben bir şey yapmadım."

Cameron, sesi gök gürültüsü gibi, "Bu ne kadar geçerli ki?" diye sordu. "Müşterilerimiz senin bir şey yapıp yapmadığınla ilgilenir mi? Hayır, hukuk şirketlerinde ücretli saatlerini suçlamalardan kendilerini kurtarmaya çalışarak harcayan avukatlar olmasıyla ilgilenirler yalnızca." Hoşnutsuz bir tanrının sesi gibi, yavaşça sessiz hayal kırıklığına doğru uzanan sesi tekrar kısıldı.

Lovell hiçbir şey söylemedi, ama Cameron'ın fısıltısının tüm ağırlığının, onu oturduğu koltuktan kaldırıp otuz yedinci katın penceresine taşımasını bekledi. Oradan bir yaprak gibi tersine süzülerek aşağıya inmeyecek, düşecekti. Cameron'ın yüzünde mahrem bir fıkra hatırlamış gibi belli belirsiz bir gülümseme oluştu. Başını sallayıp tekrar gülümsedi. "Danielson'ı özleyeceğiz. Ama yapmamız gereken bir işimiz var. Müşteriler *onların* çıkarlarını gözetmemizi bekliyor. Senin çıkarların onları ilgilendirmiyor. Soru, hatırı sayılır kişisel sorunlarına karşın müşterilerimize hizmet edip edemeyeceğindir."

"Edebilirim, efendim. Edeceğim de."

"Sırayla gidelim öyleyse." Lovell'ın karşısındaki iskemleye oturdu. "Danielson'ın son iki aydır üstünde çalıştığı bütün vakalarla ilgili tam bir liste istiyorum. Dosyaları öteki avukatlara aktarmamız gerekiyor. Senin vakalarınla ilgili de liste istiyorum. Hiçbir müşterinin canı sıkılmamalı, belirsiz ya da kafası karışmış olmamalı, anlaşıldı mı? Danielson'ın ölümünün bu şirkete verdiği zararı onarmalıyız. Ve de hızla onarmalıyız."

"Danielson'da bir ilaç bulundu dediniz. Hangi ilaç?"

"Zoloft ve öteki maddeler."

"Hangi öteki maddeler?"

Cameron soruyu duymazdan geldi ve pencereden bakma işine

döndü. "Sokaklarda yürüyüş yapan insanlar adalete inanmak istiyor. Bu onların umudu ve dileği. Ama adalet, tıpkı bir takım elbise gibi, birçok farklı boy ve tarzda gelir. Hiçbir zaman herkese uyan tek bir boy olmaz. Kişisel olarak onay verene kadar Danielson'ın bürosundan tek bir müşteri listesi polise sızmayacak. Tümüyle anlaşıldı mı?"

Dev adam yanıt beklemeden odadan çıktı.

SEKİZ

Konferans salonunda tek başına kalan Lovell, iskemleye çökerek başını konferans masasına yasladı. Zihnini, Cameron'ın yarı fısıltıyla söylediği sözlerin hepsini hatırlamaya odakladı. Cameron'ın sesinin taze anısı -ara sıra iyice kısılan, tehdit eden, yem atan, rahatlatan, soğuk ve göz korkutan- peşini bırakmıyordu. Danielson, Cameron ile Lovell arasında tampon olmuştu. Birbirleriyle nadiren konuşmuşlardı. Lovell, Cameron'ı huzursuz edici ve zorba buluyordu. Andrew, hukuk şirketinin Cameron'ın özel otobüsü olduğunu, Cameron'ın sürücü ve sahip olduğunu ve iyi iş çıkaranların başlarını eğdiklerini söylemişti. Kimin yazdığı bilinmeyen kitabeler gibi ellerindeki vakaya odaklanırlardı. Danielson, Cameron'a karşı asla korku belirtisi göstermeyen, hatta toplantı ve konferanslarda ona karşı çıkan tek avukat olmuştu. Cameron, Danielson'a iki nedenle hoşgörü gösteriyordu: Cameron'ı hiçbir zaman bir müşteri önünde bozmamıştı ve Danielson'ın ünü müşteri çekiyordu.

Lovell bürosuna dönünce, daha da fazla mesajın bilgisayar ekranına geldiğini gördü. Mesajlara bakınca bile midesi bulandı. Cameron önceliklerini açık seçik belirtmişti, Lovell da ona söyleneni yaptı: Danielson'ın vaka listesini düzenledi. Vakaların çoğu belleğindeydi. Bilgisayar dosyalarını iki kez kontrol ederken müşterileri, konumlarını ve faturaları düzenledi. Lovell şirkette çalıştığı kısa sürede kendi müşterilerine sahip olamayacak kadar deneyimsizdi. Cameron bunu biliyordu. Şirkete kimin para getirdiğini, kimin götürdüğünü bilmek onun işiydi.

Konum: yeni müşteri yok. Danielson'ın dosyaları üzerinde çalışmıştı. Hepsini belleğine dikkatle depolamıştı. Bu da bilgisayarın veri tabanını kontrol edip liste çıkarmayı kolaylaştırıyordu. Bilgisayarda bir dosya açarak müşteri adlarıyla dosya numaralarını kopyalayıp yapıştırdı ve Cameron adresli bir rapora koydu.

Raporun ilk taslağını bitirmesinden hemen sonra şirket içi telgraf sistemi, Lovell'ın döndüğü ve kendisini bürosuna kilitlediği mesajını geçmişti. Siri ona birkaç kez telefon etmişti. Sekreteri her telefonu engellemişti. Lovell en sonunda Siri'ye telefon edince, onu sinirlenmiş, bozulmuş buldu. Sesinde bir soğukluk, bir mesafe vardı. Lovell, konferans odasında Cameron'la olanları anlatabilmek için onu bürosuna davet etti.

Siri'nin öfkesi bürosuna gelince sempatiye dönüştü. "İyi misin? Berbat görünüyorsun," dedi.

"Cameron, Danielson'ın müşteri listesini istiyor."

"Sekreteri yapsın. Bu senin sorumluluğun değil."

Lovell bağırmamak için kendisini zor tuttu. "Benim yapmamı söyledi." *O fısıltılı sesiyle,* diye düşündü. Taylandlılar'a göre her görev, hiyerarşiye uygun olmalıydı. Her arının belirli işleri yapma görevinin olduğu bir arı kovanı gibi. Yanlış arıya bir işi yapmasını söylemek tüm kovanı hoşnutsuzlukla vızıldatırdı.

Lovell, "Tüm müşterilerimizin bir veri tabanı var," dedi. "Neden kendisi bu tabanı kontrol etmiyor?"

"Ya Danielson'ın veri tabanında bulunmayan müşterileri olduğundan kuşkulanıyorsa?"

"Ha, Danielson, Bill Gates için bir kara operasyon yürütüyor sanki." Cameron'ın fısıltısını taklit etti.

"Hiç komik değil. Cameron gibi konuşmaya da kalkma." Siri masanın yanından geçip pencereden dışarıya baktı. Yarı dönerek Lovell'a bakışlarını dikti. "Kendin ol yeter, John."

"Kavga etmek istemiyorum ve yapacak çok işim var. Akşam yemeğinde konuşabiliriz," dedi Lovell.

"Seni suçladı mı?"

"Beni ne için suçladı mı?"

Siri, Lovell'ın yüzündeki şaşkın ifadeyi inceledi, gülümsedi ve eline uzandı. "Müşterilerin kaçıp gitmesinden kaygı duyuyor."

"Yaşlı insanlar ölür zaten. Müşteriler anlayacaktır."

"Umarım."

Bileziğiyle oynayarak bir tür topaç gibi çevirdi ve hangi frekansa ayarlanmışsa daha da soğuklaştı ve mesafeli oldu. Danielson'ın fotoğrafının olduğu gazete Lovell'ın masasının üzerindeydi. Siri uzanıp gazeteyi aldı. "O kadar da yaşlı değildi, John."

"Elli üç yaşındaydı. Babam elli iki."

Telefon çalınca açtı. Siri bürodan çıkarken kapıyı ardından kapattı. "Vincent Calvino mu?" Lovell adı tekrarladı.

"Danielson beni bir ilaç korsanlığı işini araştırmam için tuttu. Kanıtlar konusunda sizinle buluşmak istiyorum. Operasyonu videoya aldım."

Calvino, Gould'un adını dile getirmediği için, Lovell onun Danielson'ın müşterisini bilmediğini varsaydı. "İşin kime ait olduğunu size söyledi mi?"

"Danielson bana bu bilgiye ihtiyacım olmadığını söyledi."

Lovell rastlantı eseri dosyayı görmüş, Danielson da ona bunun kişisel bir iş olduğunu söylemişti. Gould, birkaç büyük ilaç şirketinin yerel dağıtım şirketinin işletme müdürüydü. Yüksek tansiyon ve şeker hastalıkları için yüksek kârlı ilaçların satışları düşüyordu, üstelik tüm tıbbi istatistikler bu hastalıklardan çeken Taylandlılar'ın sayısında hatırı sayılır bir artış gösterirken. Doktorlar yeni mucize ilaçları reçetelerine yazıyordu ve hastanelerde yapılan araştırma, reçetelerin %32 arttığını göstermişti. Ama ithal, tescilli marka ilaçların satışları %14 düşmüştü.

Danielson ona dosyayla ilgili hiçbir şey konuşmamasını söylemişti. Lovell'ın sezileri, patronunun gizlilik ihtiyacının Calvino'yu tutmasıyla ilgisi olduğunu söylüyordu. Danielson bir özel dedektif tutarken ona açıklama yapmamıştı.

"Bildiğiniz gibi bir arkadaşımı ve patronumu kaybettim. Bu hafta sizinle buluşacak zamanım hiç yok."

Calvino, "Elimdekiler müşterinizi memnun edecektir," dedi. "Operasyonun videosu elimde. İlaçlar kamyonla geliyor. Plakalarını kontrol ettim ve kamyonların Chiang Rai'den geldiğini buldum. Tıpkı Danielson'ın düşündüğü gibi. Mallar Çin'den gemilerle geliyor. Tonlarca malı yüklerken çektim onları. Tam olarak Danielson'ın istediği gibi."

"Bunu aklımda tutacağım. Şu anda yangın söndürüyorum. Danielson'ın ölümü birçok müşteriyi mutsuz etti." Cameron'ın senaryosundan okuduğunu fark etti.

Telefonun öteki ucunda bir sessizlik oldu. "Boş kaldığınızda beni arayın. Bu konuda çabuk harekete geçmemiz gerek."

Lovell, "Kesinlikle," derken, Calvino'ya duymak istediği şeyi söylediğini ve bunun da ona zaman kazandıracağını biliyordu.

Konuşmayı bitirdikten sonra Lovell sekreterine Avenant Pharma dosyasını getirmesini söyledi. Dosyayı inceleyince hesabın şimdiye kadar on bin doları bulduğunu ve çoğunu Stiles'ın yaptığını gördü. Ama Andrew Danielson'ın bir korsanlık işini yürüttüğünü gösteren hiçbir şey yoktu. Dosyada Vincent Calvino'nun adı da geçmiyordu. Şaşırtıcı değildi bu. Gould, Danielson'ın özel müşterisi olarak, hukuk şirketinin bilgisayar sisteminde değildi; mali düzenlemeyi bilmenin hiçbir yolu yoktu. Lovell iskemlesinde geriye yaslandı, bilgisayar ekranından başını kaldırdı ve dönerek anne babasının raftaki fotoğraflarına baktı. Babası fotoğrafta yakışıklı duruyordu. Güçlü, dişler tam, koyu renk saç ve ince uzun. Ama bu, birkaç yıl önce çekilmişti. Annesinin ağzının ve özellikle de, güneşe baktığı için gözlerinin çevresinde kırışıklıklar vardı, gözleri mermi delikleri gibi duruyordu.

Lovell, Danielson'ın vaka dosyasının üzerinden geçerken kişisel dosyasında bir mektup kopyası buldu, mektupta Gould'a ek para göndermesini söylüyordu. Paranın nereye gideceği konusunda hiçbir açıklama yoktu. Ayrıca Gould'un e-postasının bir çıktısı da vardı, davanın yalnızca ikisi arasında kalmasının önemini vurguluyordu. Para isteği ve Gould'un e-postası bir hafta öncedendi. Şirketin politikası, müşteri ödeme konusunda sıkıntı verirse tüm işin durdurulması olduğu halde, Danielson bu iş üzerinde çalışmaya devam etmişti anlaşılan.

Bu önemsiz bir konuydu. Bir iş alıp bunu şirketten gizli tutmaksa tümüyle farklı bir durumdu. Danielson birden fazla kuralı ihlal etmişti. Telefon tekrar çaldı. Lovell'ın sekreteriydi, orta yaşlı, geniş kalçalı ve parlak mücevherler takan, hiç evlenmemiş bir kadın. Lovell'a bir müşteriyle toplantısı olduğunu hatırlatıyordu. Masasında hiç durmadan abur cubur yer, ayda bir klavyesini tıkayan kırıntı izleri bırakırdı. Lakabı Wan, yani Tatlı'ydı. Lovell, kadın ona sekreter olarak verilince asıl görevinin onu izleyip Danielson'a rapor etmek olduğundan kuşkulanmıştı. Şimdi bu komuta zincirini yanlış anlayıp anlamadığını merak ediyordu. Siri'ye, Wan'ın Tayland dilindeki adının kişiliğinden çok şekerli yiyecek alışkanlığından gelmiş olması gerektiğini söylemişti, kadının kişiliği somurtkan ve esrarlıydı zira. Siri öfkelenmiş, Cameron'ın yirmi iki yıl önce şirketi kurduğundan beri kadının orada çalıştığını söylemişti. Üniversiteden çıkar çıkmaz şirkete girmişti.

Lovell, Wan'ın masasının yanından geçerken, kadın ona Cameron'ın da toplantıya gireceğini söyledi. Sesinde hafif bir tehdit, dikkatle gözetlendiğini ileten örtülü bir mesaj vardı. Bürodaki diğer kişiler de nedense suskunlaşmıştı. Yoksa sırf kendisi mi öyle sanmıştı? Sessizlik ve tehdit durumları arasında Lovell dosyadaki açıklanamayan yazışmanın ne anlama geldiğini düşünebileceği bir zihinsel yer aradı.

DOKUZ

Cameron, tik ağacından yapılmış, cilalı uzun konferans masasının başında oturmuştu, Tanrı gibi duruyordu –kendisini her nedense bir avukat olarak göstermeyi seçerse, ancak ve ancak Cameron'ın cisminde gösterebilecek bir Tanrı. Masada yanında pahalı bir İtalyan takım giymiş, bir Liberty kravat ve üç karat yakut yüzük takmış bir Taylandlı-Çinli oturuyordu. Adamın jöleli saçları parıl parıl parlayan çiviler halinde yukarıya dikilmişti. Ama saç kesimi, bu başın kırklı yaşların başındaki bir adama ait olduğunu tam olarak gizleyemiyordu. Weerewat yakut süslü elinin parmaklarını ince porselen fincanın etrafında gezdiriyor, yüzüğünü fincana çarpıyordu. Weerewat'in kahve fincanıyla tabağının yanında yanıp sönen kırmızı ışıklarıyla kırsal kesimdeki tek pistli havaalanlarındaki fenerler gibi duran iki incecik siyah cep telefonu vardı.

Telefonlarından biri ne zaman çalsa Weerewat arayanın numarasına bakıyor, gülümsüyor, sonra meşgul sinyali gönderiyordu. Ne de çok telefon geliyor, diye düşündü Lovell. Tik ağacı, bir eğlence parkındaki herkesi çarpık çurpuk gösteren aynalarda yansıyormuş gibi görüntüleri bozacak ölçüde cilalanmıştı. İkisi masada sohbet ederken masanın üzerinde tuhaf bir optik yanılsama yaratıyorlardı. Cameron başını geriye doğru iterken beyaz aslan yelesi havada uçuştu, ağzı iyice açılarak içinden odada yankılanan, genizden bir kahkaha çıktı. Lovell konferans salonuna girip masaya otururken kahkaha dindi. Ceviz büyüklüğünde yakut takan adamın Weerewat olduğunu gördü Lovell. Yüzü sık sık *Bangkok Post* ya da *The Nation*'ın iş dünyası sayfasında çıkıyordu. Çocuksu yakışıklılığı sosyete sayfalarını dolduruyor ve dergi kapaklarından fırlıyordu. Weerewat, hükümetle yakın ilişkisiyle tanınan önemli bir yerel ünlüydü. Danielson ondan birçok kez hassas ve iyi bağlantıları olan bir müşteri olarak söz etmişti. Bir keresinde, "Amazon gücünde bir gelir nehridir," demişti. *Çok komik*, diye düşündü Lovell. *Adam daha yeni öldü ve ben şimdiden ondan geçmişten bir şeymiş gibi söz ediyorum.*

Odada belli belirsiz baharatlı bir koku vardı. Kokunun Weerewat'ın kolonyasından kaynaklandığını bulmak biraz zaman aldı; kolonyada pahalı maddeler, tarçın ve ıslak kitap kokusu vardı. Weerewat, kadınları cezbedenin parfüm değil para kokusu olduğunu bilecek kadar akıllıydı. Danielson, Weerewat'ın birbirine bağlı aile, arkadaş ve meslektaş ağlarına mercan takımadası adını takmıştı –çeşitli odalarıyla bal peteği gibi, birbirinin üstüne binen, zaman içinde yeni bacalar çıkaran. Takımada geçmişten gelen denizin derinliklerine uzanıyor, her yeni katman bir merdiven boşluğu yaratıyor, merdivenin tepesinde de Weerewat ya da Weerewat'ın amcası Suvit gibi insanlar duruyordu. Amca, hukuk şirketinin onursal üyesi de olan eski bir bakandı. Amca Suvit, aile imparatorluğunun kıdemli muhafızıydı ve şirkette kendi bürosu ve sekreteri vardı.

Danielson, "Soy ağaçları çiz. İngilizce öğrenen bir çocuk gibi cümleleri nasıl kuruyorsan öyle kur bu ağacı. Ve de aynı nedenle. Gramerin yapısını nasıl anlarsan, bir kültürün yapısını da aynı şekilde kavrarsın. Bu kültürde yalnızca tek bir kutsal emir vardır: önemli takımadaları besle. Onlar canlı bir varlıktır. Zarar görürlerse sen de ölürsün. Taylandlılar bunu bilir. Khun Suvit bunu bilir, tıpkı Cameron gibi," demişti.

Gene de Weerewat'ın kişisel ziyareti alışılmadık bir şeydi. Hatta Suvit toplantıya katılmadığı için daha da tuhaf. Ünlü yeğeninin yanında masa başında olmalıydı, gerçi son zamanlarda yaşlı adamın hasta olduğuna dair söylentiler dolaşıyordu. Haftalardır onu büroda gören yoktu. Weerewat'ın şirketler imparatorluğu hukuk şirketine hatırı sayılır miktarda iş getiriyordu. Lovell ellerini tik masanın üzerinde kavuştururken, Tanrı bile yağmur yağdıran fıkralarına gülüyor, diye düşündü.

Cameron, "Khun Weerewat bize yardım etmeye gönüllü oldu," dedi.

Weerewat, Lovell alması gereken bir bölgede potansiyel bir seçmenmiş gibi gülümseyip başını salladı.

Bu ifade tam Cameron'a özgüydü: umarsız derecede belirsiz, şeffaf olmayan ve tehlikeli görev iması taşıyan. Zor, tehlikeli görevler için gönüllüler gerekirdi. Filmlerde soylu ve cesurlar, alçak ağaç dallarından fırlamaya hazır bekleyen, kıyılarda görünmeyen düşmanların pusuya yatmış olduğu, yılanlarla dolu bataklıklardan yürüyüp geçerdi. Lovell'ın asker olan babası ona daha küçük yaştan "gönüllü"nün yedi harfli en pis sözcük olduğunu ve ne pahasına olursa olsun kaçınması gerektiğini öğretmişti. İki adam onu tartıyormuş gibi incelediler. Lovell ne demesi gerektiğinden emin değildi. "Çok iyi. Alabileceğimiz her tür yardıma ihtiyacımız var."

Cameron'ın kaşları açık bir kelepçe biçimine büründü. Bir dosya açtı, içinden bir belge çıkardı ve masanın üzerinden Lovell'a doğru itti. "Gizli bir rapor bu. Yalnızca bizim gözlerimiz için. Öyle görünüyor ki adli tıpta çalışan biri bir hata yapmış. Zoloft'u buldular. Ama başka tuhaf bir madde daha buldular. HIV tedavisi için kullanılan bazı ilaçlar ve öldürücü dozda arı zehri."

Rapordan başını kaldıran Lovell'ın kafası karışmış gibiydi. "İki Zoloft aldı. Onu gördüm."

Cameron sinirli sinirli genzini temizledi, boynunu iki yana oynattı –mutsuzluğunun alamet-i farikası hareketlerden biri. "Rapor, Danielson'ın kanında Zoloft kalıntıları bulunduğunu belirtecek şekilde düzeltildi. Senin ifaden kuşkusuz büyük önem taşıyor. Yarın son hüküm verilecek. Andrew kalp krizinden öldü. Çok gençti. Bu da insanı düşündürüyor. Kalp krizi herkesin başına gelebilir. Gerçi büyük bir sürpriz de olmadı. Tansiyonu için ilaç kullanıyordu. Onları şaşırtan bu ilaç oldu. Doktorlardan biri sonuçları yanlış değerlendirdi. Khun Suvit, Khun Weerewat'a telefon edip onun görüşünü sordu. Şöyle diyebiliriz, Khun Weerewat sorunu başarıyla çözdü."

Lovell, "Çok iyi," dedi. Weerewat'a, sonra Cameron'a bakarken doğru şeyi söyleyip söylemediğini merak ediyordu.

Cameron dönüp Weerewat'a hitap ederek, "Takım adamıdır, tıpkı sana söylemiş olduğum gibi," dedi. Weerewat çalan telefonlarından birini kaldırıyordu. Zil sesi normal bir ses değil, uçan kaz sürüsü sesi gibiydi. Weerewat, adres defterindeki herkese ayrı bir zil sesi vermişti. Cameron'a susması için parmağını kaldırdı. Döndü, elini ağzına siper etti ve hızlı hızlı Taylandca bir şeyler konuştu. Ekmeğin içinde kocaman ölü bir fare bulmuş gibi afallamış bir halde telefonu kapattı.

"Khun Weerewat bizim de ona yardım etmemizi istiyor."

Lovell, Weerewat'ın yüzündeki gülümsemenin silinmiş olduğunu fark etti. Weerewat, ailesi ve arkadaşlarıyla turuncu güneş altında şampanya keyfi yapılan bir yata kaptanlık etmek üzere doğmuş birine benziyordu. Yüzlerce iyi dostla sıkı fıkı olan, yumuşak, sözü sohbetine bayılınır bir adamdı. Weerewat'ı bağırırken düşünmek zordu.

"Khun Weerewat'a yardım etmek için ne yapabiliriz?"

"Çok yakın dostumun –onu okuldan beri tanıyorum– bir sorunu var. Ona yardım etmek istiyorum. Ona sıkıntı yaratan bir Amerikalı var. Büyük bir sorun değil. Çok basit. Danielson'ın bir dosyası üzerinde çalışmayı bırakacaksın. Küçük bir dosya, ama arkadaşıma büyük baş ağrısı veriyor." Gülümsemesi bir mutfak saatine kurulmuş gibi belirdikten sonra, arkadaşının hissettiği acıyı ifade edermiş gibi yüzünü buruştururken yok oldu. Hâlâ Lovell'ın sorusuna doğrudan cevap vermemiş, etrafında dolanmıştı. Lovell'dan on yaş daha büyük olan Weerewat, geleneksel Çin yüz okuma sanatını kullanarak genç avukatın tepkisini inceledi. Damarlarında yarı Çin kanı akan Weerewat, bir insanın yüzünün, gözlerinin ve burnunun, gerçek karakteriyle ilgili önemli her şeyi ortaya koyduğu yolundaki sınanmış ata ilkesini uyguluyordu. Bir yüz, doğru okunursa, gerçeği gizleyemezdi.

Cameron, "Gould dosyası," diye fısıldadı. "Bu dosyayı nasıl aldığımız konusunda emin değilim. Hukuk şirketinin resmi dosyalarından biri olmadığını söyledim. Belki bu konuda bana yardım edebilirsiniz, Bay Lovell."

"Bay Danielson..."

"İşi alma konusunda birini suçlamanın hiç anlamı yok. Ama anladığım kadarıyla Andrew'un kişisel müşterisi. Aslında Bay Gould, her nedense Andrew'dan dosyayı şirketin işleri arasına koymamasını istedi. Doğru mu?"

Lovell başını sallarken bunun müşterinin kaderini belirleyeceğini düşünüyordu.

"Bay Gould'a bir mektup yazarak şirketin Andrew'un bu dosyayla ilgili özel anlaşmayı devam ettirmeyeceğini bildirin. Gün bitmeden bu mektubun bir kopyasını masamda görmek istiyorum. Ayrıca bir kopya da Khun Weerewat'ın bürosuna gönderilsin."

Cameron sihirli müzik kutusunun kapağını açmıştı, Weerewat da müziğin sesinden hoşlanmıştı. Gülümsedi, iskemlesinden kalktı, Cameron'a *wai* yaptı, sonra dönerek Lovell'a *wai*'nin bozulmuş bir versiyonunu yaptı –*wai* yapan hizmetçiler, önemsiz temizlikçiler ve ayakkabı boyayan çocuklara karşılığında yapılan gönülsüz *wai*.

Lovell konferans odasının dışında duvara yaslandı ve derin bir iç geçirdi. Kalbi güm güm atıyordu. Otuz bir yaşında kalp krizi mi geçirdiğini merak etti. *Aman allahım, Andrew HIV ilacı kullanıyormuş*, diye düşündü. *Hiç fikrim yoktu.* Asıl olay, dedi kendi kendisine, Cameron'ın kesin infaz gününde son dakikada onu kurtarması gibi hissettiği bir rahatlık vermesiydi. Başka sorular sormak için bürosuna polis gelmeyecekti artık. Kariyerine devam edebilir ve Siri'yle iyi bir yaşam kurabilirdi. Koridorda dururken yeniden doğmuş gibiydi. Yanından memurlarla öteki avukatlar geçip gidiyordu. En iyi kısmı da ödemesi gereken bedelin düşüklüğüydü: Gould'dan kurtulmak pek de zor bir iş değildi. Hukuk şirketinin resmi müşterisi değildi artık. Konumunu değiştirip Danielson'ın özel müşterisi olunca, Gould yabancı biri haline gelmişti.

Ama Lovell onunla ilgili kaygıları olduğunu sezmişti. Gould, gözlenmesi ve denetlenmesi gereken eski bir müşteriydi. Sonra telefon eden özel dedektifi hatırladı. *Ne olmuş?* diye düşündü. Vincent Calvino'yla nasıl ilgileneceğini planladı.

Weerewat, Cameron'a baskı uygulamıştı. O zarif *wai*'yi yapan el, Cameron'ın hayalarını kavrayıp sıkan eldi. Bunda yeni ne var ki? İş ve hukuk dünyasında yaşayanların kurduğu ortamın doğasıydı bu.

Portakal suyu sıkmak gibiydi, masaya ve yerlere sıçratmadan

meyvenin suyunu sıkmak için gereken baskıyı uygulamakla ilgiliydi her şey. Portakalı mahvetmek istemezsin; suyunu sıkmak istersin.

Hukuk şirketi ayakta kalacaktı; kendisi ayakta kalacaktı. Ceketini çıkarıp iskemlenin arkasına koydu, oturdu ve e-postalarını kontrol etti. Sil, sil, oku ve cevapla.

Bürosu iki kat aşağıda olan Graham Stiles kapıyı çalmadan içeriye girip iskemleye tünediğinde, Lovell masasında çalışıyordu. Şirketler hukuku bölümünde beş yıldır çalışan Stiles ayaklarını kaldırıp Lovell'ın masasının üstüne koydu, ayakkabıları Lovell'a dönüktü.

Lovell, "Tayland'da ayaklarını insanlara doğru uzatmaman gerekiyor," dedi.

"Bütün kültürlerarası kitaplarda yer alır bu."

"Küçük yazıları oku. Yalnızca Taylandlılar için geçerli."

Stiles açıklamasını yaptıktan sonra bacaklarını yere indirdi. Stiles'ın saçlarının erken dökülmesi onu olduğundan daha yaşlı gösteriyordu. Atletik vücut yapısı ise hayaletimsi bir gençlik veriyordu. Son moda takım elbisesiyle gür kahverengi saçları, başarı ve gücü temsil eden şehirli bir mesaj gönderiyordu. Kadınlar onun çok yaşlı olduğunu düşünüyordu; müşteriler ise fazla genç. Stiles'ın savaşçı bir karakteri vardı. Taylandlı avukatları, birkaç yargıcı ve üç müşteriyi firmadan uzaklaştırdığı için üç ay sonra şirket tasfiye bölümünden atıldı. Ama Cameron ona ancak Tanrı'nın ve Cameron'ın bildiği nedenlerle hoşgörü gösteriyordu. Stiles'ın misyonu her gün bir kavgaya katılmaktı.

"Danielson otelden çıkarken sen oteldeymişsin."

Lovell bu yorumu duymazdan gelmeye çalıştı. Ama Stiles izin vermedi. Kendi aptalca şakasına kendisi güldü. "Çıkmak. Otel. Anlamadın mı?"

Lovell, "Tuvaletteydi," dedi.

Stiles, "Çöpü boşaltırken birden kalbi durdu," dedi.

"Yapacak çok işim var, Graham."

"Bir düşünsene. Son sözleri, 'Ikın, ıkın' olmuş."

"Bana hiç de komik gelmiyor."

Stiles'ın öyle bir mizah anlayışı vardı ki, cep çakılarını bile komik bulabiliyordu.

"Hâlâ anlamadın, değil mi? Burada çalışmak istiyorsan bazı şakaları öğrensen iyi olur, yoksa günlerin sayılı. Cameron, biri onu güldürürse orijinal olduğunu anlarım, der hep. Çünkü hemen her şeyi daha önceden duymuştur."

Stiles aynı şakacı tonla, "Bu ay fatura toplamın kaç?" diye sordu. Golfte yaptığın sayı kaç ya da kaç mekik çektin diye sormak gibi bir şeydi bu. Rekabet, sonuçların rapor edilmesini ve karşılaştırılmasını gerektiriyordu.

Lovell, "Benim için iyi bir aydı," dedi. "Ya seninkiler?"

"Taa nerelere kadar uzanıyor bir bilsen."

Cameron, büyük ortak sıfatıyla, haftada bir kez, tüm avukatların faturalarını toplamalarını tavsiye ederdi, ama bir denge kurmaları gerekiyordu. Andrew Danielson neden Gould'dan gelen ücreti bilançosuna eklememişti? Açgözlü ya da sahtekâr değildi; şirketi dolandırmak için planlar yapmak karakterinde yoktu. Lovell konuyu birçok açıdan inceledi ve hep aynı sonuca vardı. *Gould, Andrew'a peşin ödeme yapmıştı.* Kimse görmeden ve Cameron'ın ödemeyi asla keşfedemeyeceği bir şekilde yapılmış olmalıydı.

Bir keresinde bir toplantıdan sonra, Stiles'a, Cameron'la Suvit arasındaki ilişkiyi sormuştu. Suvit'in, Weerewat'ın temsil ettiği aile imparatorluğunun sessiz, istikrarlı eli olduğunu zaten biliyordu. Ama aile imparatorluğu hakkında kimsenin şirkette açıkça konuşmadığı çok daha fazla şey olduğunu da biliyordu.

Stiles ona, Cameron'a bildiği her şeyi Suvit'in öğrettiğini anlattı. Müşteriye bir ilerleme kaydedildiğini düşündürterek oyunda sağlam kalma ihtiyacı. Pratik olmalısın. İki tarafa da yardım etme yolları vardır. Öteki tarafı yamyassı edeceksen var olan tüm kaynakları kullanırsın. Sert darbe indir, hızlı darbe indir. Yapman gereken ne varsa hepsini yap, ama başarısız olma. Müşteriyi mutlu et, polisi mutlu et, o zaman iktidardaki ve iş dünyasındaki insanlar da mutlu olur. Her zaman müşterin olacak. Hiçbir zaman başarısız olmayacaksın. "Bu, yaşamda her şeye değecek bir amaç değil mi?" diye sormuştu.

Stiles, "Bu ay ekstra olarak getirdiklerimle neden bu akşam seni işten sonra içki içmeye götürmüyorum?" diye sordu.

"Akşam yemeğine sözüm var."

"O zaman yemekten sonra. Yaşadıklarından sonra gerginliğini atman gerekiyor."

Lovell akşam yemeğini, sonra da Siri'ye Stiles'la içki içmek üzere sözleştiklerini açıklamayı düşündü. Barlara gitmeme konusunda bir tek kendi kanıyla taahhütname imzalamadığı kalmıştı.

"Cameron'ı gördüğümü dedikodu telgrafından kim yumurtladı?"

"Gizli miydi?"

Dünyadaki en eski avukat hilesi, bir soruya başka bir soru sorarak yanıt vermektir.

Cameron'la biraz önce yaptığı sözlü anlaşma çoktan Stiles'a sızdırılmıştı bile. Şirket içinde sır saklamak zordu. Lovell haftada birkaç kez Stiles'ı bürosunun kapısında sekreterine bir torba kurabiye ya da kremalı kek verirken yakalıyordu. Sekreter belli ki Stiles'dan hoşlanıyordu. Lovell, Wan'ın Stiles'a fısıltıyla bilgi aktardığından kuşkulanıyordu. Yaşlı kuş bürodaki ilk gününden itibaren ondan hoşlanmamıştı ve Lovell, Danielson'dan onun değiştirilmesini isteyince de Amerika'dan gelmiş acemi çaylak bir *farang*'a karşı antipatisini saklamak için hiç çaba harcamamıştı.

Lovell, Stiles'ın Cameron ve Weerewat'la yaptığı toplantıyı nasıl öğrendiğinin önemli olmadığını hatırlayarak kendini rahatlattı. Küçük bir büroda –aslını sorarsanız büyüktü– bir ünlünün gelip de büyük patronla bir konferans odasına girmesi hiçbir şekilde gizli kalamazdı. Bir olasılık daha vardı. Söylentiye göre Stiles, her fetişin tatmin edilebileceği Bangkok gece hayatında Cameron'ın rehberiydi. Stiles, Cameron'ın cinsel tercihleriyle ilgili içten edindiği bilgileri, bir öğleden sonra toplantısı için patronunu kimse farkında olmadan arka kapıdan sokabilme yeteneğiyle birleştiriyordu. Bu beceriler başarının bileti olmuştu, başarı da güçtü.

Lovell'ın telefonu çalarken Stiles da ayağa kalktı. "On birde buluşuruz. Sana telefon eder, nerede buluşacağımızı söylerim."

Lovell, "Bir şey daha," dedi. "Avenant Pharma işini hâlâ sen mi yapıyorsun?"

Stiles ona dik dik baktı. "Bu ilginç bir soru."

"Bu da ilginç bir cevap."

"Görüşürüz, Lovell." Lovell cevap veremeden Stiles gitmişti bile, kapıyı da açık bırakmıştı. Kapının önünde duran Wan, Lovell'ın yapabileceğini sanmadığı bir şey yaptı: annelere yakışır bir gülümsemeyle dudakları açıldı.

*

Lovell telefonu açtığında Vincent Calvino'nun sesini duydu: "Daha önce de konuşmuştuk. Galiba açık seçik anlatamadım. Müşterinizin mallarının korsanları yapılması konusunda elimde kanıtlar var."

"Bu dosya artık aktif değil."

"Ne demek istiyorsunuz?"

"Söz konusu kişi artık şirketin bir müşterisi değil. Andrew ile özel bir anlaşma yapmıştı. Ne yaptıkları hakkında hiçbir fikrim yok. Bilmek de istemiyorum. Şirketimizin politikası budur –bir avukatın özel müşterileri olamaz. Buna izin verilmemesinin nedenlerini tek tek saymama gerek yok herhalde."

"Ya benim faturam ne olacak? Danielson halledeceğini söylemişti."

"Kusura bakmayın, Bay Calvino. Ama bu sizinle Danielson arasında."

Calvino sustu, bir sonraki adımını düşünüyordu. Birden kravatı onu boğmaya başladı. Yakasını gevşetmek için serbest elini kullandı. Bilgisayar ekranına bakınca miktarı görüyordu. Büyük bir paraydı.

"Danielson'ın müşterisinin adını verin bana. Onunla doğrudan ilişki kurarım."

"Bunu yapamam. Kusura bakmayın, ama size gerçekten yardımcı olamam."

Lovell'la konuşmak, kör bir adamın önüne ayna tutup yüzünü tarif etmesini istemek kadar yararsızdı. Calvino çıkmaz sokağa girmişti. Ekrandaki dört yüz bin Baht'a* baktı, midesi düğüm düğüm olmuştu, alnından terler boşalıyordu. "Şaka yapıyorsunuz, değil mi?"

"Neden şaka yapayım, Bay Calvino?"

"Danielson bana sizin hukuk şirketinizden telefon etti."

"Andrew'un yaptığı yanlıştı."

Calvino, "Bana söz verilen parayı istiyorum," dedi.

---

* Tayland para birimi. 1 Amerikan Doları yaklaşık 37 Baht –yn.

"Açık seçik konuştuğumu sanıyorum. Tekrar edeyim. Andrew'un bu durumda yaptığı şey hukuk şirketinin kurallarının çok dışındaydı."

"Belki de beni işitmediniz. Ben paramı istiyorum."

"Şirketin size paranızı ödemesini mi istiyorsunuz?"

"Hayır, Danielson'ın beni tuttuğu işin karşılığında ödenmesi gereken parayı istiyorum. Bu işi yaptım. Videoya çektim. İşimi yaptım. Bana ödeme yapın."

Telefonu kapattıktan uzun süre sonra Calvino'nun kulağında çın çın çalan da Lovell'ın şu sözleri oldu: "Size gerçekten yardımcı olamam." Gecenin kör karanlığında silah sesi gibi patlayan, soğuk, kesin, patavatsız sözler.

Andrew Danielson öldüğüne göre, Danielson'ın hukuk şirketi açısından korsanlık olayı hiçbir zaman var olmamıştı. Hiçbir dosya açılmamıştı, hiçbir dosyanın kapanması da gerekmiyordu. Para yok, keyif yok, hiçbir şey yok. Lovell'a tekrar telefon edip Danielson'ın müşterisinin izini sürmek için yöntemleri olduğunu söylemeyi düşündü. Oysa gerçek bambaşkaydı. Danielson, hiçbir yetkiye sahip olmayan biri adına çalışıyor olabilirdi. Doğru düzgün bir işlem olsaydı, ilişkiyi şirketten gizli tutmanın hiç gereği olmazdı. *Kimi arayacaksın? Ne diyeceksin? Kimi temsil ettiğini bilmeyen bir enayiyim ben mi? Anan kim senin?*

Calvino çocukken, annesinin babasına önceden para almadığı için *schemiel** dediğini duymuştu. "Bu yüzden ailen gangster. Zaten bankada olması gereken bir paranın peşinden koşmak zorundalar. Parayı önceden al. Parayı önceden almazsan gece rahat uyuyamazsın. Sen uyuyamayınca ben de uyuyamam," derken sesi yükselmişti.

---

* Ahmak –yn.

Calvino'nun anladığı kadarıyla, Danielson'ın söz verdiği on papele giden temiz bir yol yoktu. Peki Danielson'ın WHO başvurusunu desteklemek için yazmaya söz verdiği mektup ne olacak? Danielson'ın ölümüyle tuzla buz olan bir vaat daha. Calvino öfkeliydi. Parasına kavuşmak için, temiz ya da değil, bir yol bulana kadar vazgeçmeyecekti. Biri size borçluysa, bu parayı almak kuraldı. Kayba boşvermek alternatif değildi. Parayı bul. Paranın bir amacı vardı. WHO başvurusu gerçekleşmezse Calvino bu parayı Tek Elle Alkış'ın *mamasan*'ından kira hakkını almak için kullanmayı planlamıştı. Kadının işleri pek iyi gitmiyordu; *ying*'ler huzursuz, asık suratlıydı, kendilerini öldürüyorlardı. Kira bedeli düşmüştü. Hatta *mamasan* Calvino'ya gelip kira konusunda ciddi olup olmadığını sormuştu. Calvino bu paranın elinde olduğunu söylemişti. Nakit ödenecek bir anlaşma olacaktı. Kadın mutlu mutlu bakmıştı, yerkürenin mağmasından yalnızca isilik dökerek çıkan, hayatta kalacağını bilen biri gibi. Şimdi Calvino ona gidip parası olmadığını söylemek zorundaydı. Parayı alacaktı, ama biraz zamana ihtiyacı vardı. Kadına, ona zaman vermesini söyleyecekti. *Mamasan* bir yere gidiyor da değildi, işleri uzun zamandır komada olan bir hasta gibiyken hele. Calvino omzundaki kılıfından 38'lik polis tabancasını çıkarıp emniyetini kontrol etti. Emniyeti açıktı. Elinde sert, soğuk çeliği hissetmek, fiziksel zarar vermek için ciddi bir niyet düşünmesine neden oldu. Parasızlık Ratana için büyük bir hayal kırıklığı demekti. 38'liği tekrar kılıfına soktu, masasından kalktı, ceketini giydi ve tabanca kılıfını gizleyerek öğle yemeğine gitti.

ON

İhtiyar George, her zamanki gibi, doldurulmuş, devasa bir su bufalosu kafasının altındaki bölmenin ucuna tünemiş, bir şişe Singha birası içiyordu. Bir yudum aldı, yüzünü buruşturdu, sonra dudaklarını yaladı. "Orada ne yapıyorsun bilmiyorum, ama her ne haltsa yapma."

Yalnız Şahin'in garsonu Oy, George'un arkasında dizlerinin üstünde dengede dururken, George'un uzun siyah saçlarını tarayıp atkuyruğu yapıyordu. Seksen dört yaşındayken atkuyruğu yapacak kadar gür saça sahip olmak mucizeyse, sırf onun için oraya gelenlerle bir barı doldurmak, bir tanrının olduğunu kanıtlıyordu.

Garson, İhtiyar George'un saçlarını tararken, George, "İlk sahip olduğum ev Berlin'deydi. 1945'te satın aldım. İki yüz karton sigaraya aldım onu. Hâlâ da duruyor. Lanet olsun, biri müziği değiştirmeyecek mi? Ben country western istiyorum. Şu CD'yi yakın gitsin. Bu pisliği bir daha duymak istemiyorum," dedi. George, Elton John'un müziğinden nefret ediyordu. Yalnız Şahin'in *mamasan*'ı Elton John'a bayılıyordu ve ikisi arasındaki müzik savaşları her gün yaşanan bir olaydı. DJ, çapraz ateşe tutulmuş gibi arada kalakalıyordu.

Barın arka tarafında tuvalet vardı. McPhail, büyük buz parçaları dolu bir pisuvara çişini yapıyordu. Artık bir şey çıkmayınca bile devam etmekten vazgeçmedi. Eserini inceledi, at büyüklüğünde bir buz parçasının üzerinde küçük bir eyer yaratmışa benziyordu. Bu pisuvar-buz-heykeli ona bir başarı duygusu verdi. Bara dönünce Calvino'yu George'dan iki bölme ötede otururken buldu.

"George, bu büyüklükte buzları da nereden buldun?"

"Antartika," dedi İhtiyar George. "Sırf sen üstüne işeyesin diye geldi."

"Ha, ha."

Calvino garsona aç olmadığını söyledi. Garson kız surat asıp plastik servisini geri aldı. Calvino soğuk bir bira istedi. Omzunu ovuştururken biranın ağrıyı hafifletmeye yardımcı olup olmayacağını merak etti. Barda birkaç müdavim yabancı sarhoş bir İngiliz'le oturuyordu. Adam hayatında hiç prezervatif kullanmamış olmakla övünüyordu. Müdavimlerden Jack'le şakalaştı. Arkadaşlarmış gibi görünüyordu. Görünüşlerine bakılırsa sabahtan beri içiyor olduklarını düşünmek yanlış bir tahmin olmazdı. Sözleri yuvarlamalarına ani felçler neden olmuyorsa tabii. Kırkına merdiven dayamış İngiliz, Calvino'ya gözlerini dikti. Jack'e bir şeyler fısıldadı, o da ona bir şeyler fısıldadı, sonra yabancı bira şişesini kaldırıp Jack'in şişesiyle tokuşturdu. İngiliz adam, sakin duramayan sarhoşlardandı. Taburenin üstünde oturuyor, tabureden iniyor, tezgaha yumruğunu vurup, "Maliyeci, maliyeci! Maliyeciyi siktir gitsin!" diye bağırıyordu. Söylediklerinde bir anlam yoktu. Sonra tekrar tabureden inip Calvino'nun masasına doğru eğildi.

"Calvino, dünyada bürosu bir masaj salonunun üstünde olan tek özel dedektif sen misin? Tek Elle Alkış ve tek gözle casusluk." Calvino onu duymazdan geldi. Sarhoşlar ve havlayan köpekler kendi hallerine bırakılırsa daha iyi olurdu. Adam dönüp taburesine geri gitti ve birasını tekrar eline alıp içti. Tekrar dönerek gözlerini Calvino'ya dikti. Gene bölmeye geri döndü.

"Birileri senin dedektif olarak berbat olduğunu söylüyor."

Calvino başını kaldırınca İngiliz'in gözlerini üzerine diktiğini gördü.

"Diyorlar ki, bir domuz çifliğinde domuz pisliğini bulamazmışsın."

Calvino öne eğilerek bacaklarını bölmeden dışarıya çıkardı. İngiliz kendi şakasına kendisi güldü. Alkış bekliyormuş gibi bara baktı, ama Jack'in sırtı İngiliz'e dönüktü ve doğrudan bira şişesinden içiyordu. İngiliz işini bitirmişti ve hâlâ gülme sesleri çıkararak bara doğru döner gibi oldu. Calvino yumruğunu İngiliz'in omzuna indirdi ve boynunu çevirmesini bekledi. Sonra Calvino'nun kafası adama öyle bir vurdu ki, bar tezgahının üzerinden Jack'in üstüne kan sıçradı. İngiliz ağzını açtı, ama üç saniye kadar hiç ses çıkmadı. Bardaki müşteriler ölümcül sessizliği sonuna kadar bekledi. Artık kahkaha ya da alay yoktu. İngiliz'in gözleri yukarıya kaydı ve adam öne doğru devrilerek başını tezgahın üstüne vurdu. Kan içindeydi. Jack yere düşmeden adamı tuttu.

"Lanet olsun, Calvino, barımda insanları dövemezsin," dedi İhtiyar George.

"Ben kimseyi dövmüyorum. Bir İngiliz'e vuruyorum. Aynı şey değil."

Bar sahipleri, İngiliz adam ve Jack gibi sarhoşlardan kâr ediyordu. Sabah ayyaşları tanrının lütfu gibiydi. Ağzı burnu böyle darmadağın olmuş bir yüz görmek işlere zarar veriyordu.

Calvino, "Artık spesiyal içmek istediğime karar verdim," dedi.

İhtiyar George başını sallayarak içini çekti. "Ona bir spesiyal ver, şuna da, adı her ne haltsa, bir torba buz getir."

Heyecan, dehşet ve sempati karışımı bir tavır sergileyen garson, İngiliz'in yanına giderek adamı ayağa kaldırdı. Adam şimdi daha ufak tefek, daha kırılgan görünüyordu, kafasına hızla inen sağ kroşeyi göremeyen bir tüy sıklet boksör gibi.

Jack hiç durmadan, "Eric, beni duyuyor musun?" diye soruyordu. Bunu İngiliz'in kulağına bağırıyordu. Kargaşa kalabalığı kendisine çekmiş, Jack de resmi sözcü rolünü üstlenmişti. Aşçı ellerini önlüğüne kurulayarak mutfaktan çıktı. İhtiyar George aşçı kadına işaret etti. "Biraz buz getirin dedim, Tanrı'nın cezaları! Buraya buz istiyorum."

İsteği küçük bir soruna yol açtı. Buzun hepsini erkek tuvaletinin pisuvarına dökmüşlerdi. McPhail, erkek tuvaletine kovayla giden aşçıyı seyretti. Bir şey söylemeyi düşündü, ama sonra, *Siktir et gitsin,* dedi. Aşçı buz kovasını getirip barın üstüne koydu. Havluya bir buz parçası sararak İngiliz'in yüzüne koydu.

McPhail, "Bu İngiliz'in sidik suratlı olduğunu söylemiştim sana," dedi.

Aşçı kaşlarını çatarak ona bir bakış fırlattı.

Jack, "Sana suni teneffüs yapmayacağım, Eric," dedi.

İngiliz inlerken bar tezgahının üstüne kan sızdırdı. Barın öteki tarafındaki barmen, adamın başının altına havlu koymaya çalıştı, ama İngiliz daha da yüksek sesle inledi.

Jack, "Bunu yapmamalıydın, Calvino," dedi. "Onu yaraladın."

Calvino bir şey söylemedi. Dönüp bölmesine gitti. Onun olmadığı sırada bir tabak spagetti gelmişti. Tabağı itip bir bira daha söyledi. Garson kıza çanı çalması için yirmi baht verdi. Bu da İhtiyar George'u, Calvino'yu affedecek kadar mutlu etti. İki barmen bardaki sekiz kişiye içki servisi yaptıktan sonra içkileri Calvino'nun hesabına yazdı.

McPhail, Calvino'nun bölmesine gitti, ayaklarını yandan sallandırmış bara bakıyordu. İngiliz'in inlemelerini duymazdan geldi, gerçi inlemeler artık tekmelenmiş bir köpeğin alçak sesli ulumalarına dönüşmüştü. McPhail başını iki yana sallayarak İngiliz'in yüzünde buzun erimesini seyretti.

"Ona çok sert vurdun," dedi. "Galiba burnunu kırdın."

Barın oradan bir müdavim, "Eric gibi bir ötleğen kuşu ne zaman uçacağını öğrenmek zorunda," karşılığını verdi.

Garsonlar bedava biraları dağıttıktan sonra –İhtiyar George da bir tane almıştı– George, "Bir dahaki sefere bu kadar hassas falan olma be, Calvino," diye bağırdı. "Benim müşterilerimi düzerek yeni müşteri bulamazsın."

Calvino, "Bunu hatırlayacağım, George," dedi.

"Hatırlasan iyi olur."

Jack, İngiliz'in barın öteki tarafına geçmesine yardım etti. Adam boş bölmelerden birinde sırtüstü yatarak tüm bir sırayı kapladı. Üstüne işenmiş buz dolu havluyu burnuna bastırdı.

Bir bölme ötede Howard laptop'ının üstüne eğilmiş web sayfasını güncelliyordu. Ağzından sigarayı çekti, burnundan duman çıkararak ekranın üstünden İngiliz'e baktı. Viski-sodasından büyük bir yudum aldı. "Bahse girerim burnun kırılmıştır. Bunun resmini çekip web sayfama koyacağım."

Jack arkasına yaslanıp Calvino'nun ısmarladığı birayı içti. İngiliz buza sarılı havluyu burnunun üstünde tuttu. Artık inlemiyordu. McPhail, İngiliz'in havludan sızan idrarının kokusunu alıp almadığını merak etti. Herhalde almıyordur, diye karar verdi.

Howard dijital kamerasıyla iki fotoğraf çekti. Fotoğrafları garson kadına gösterdi, kadın da tamamdır anlamına başparmağını kaldırdı.

İngiliz havluyu hareket ettirirken yüzünü ortaya çıkarınca bir resim daha çeken Howard, "O burna baktırman gerekiyor," dedi. Adamın gözlerinin çevresi kırışmıştı, cildi soluk maviydi. Burun bir tarafa yatmıştı. "Bir zamanlar burnunu kıran bir arkadaşım vardı. Burnu kendisi yerine oturtmaya çalıştı ve yüzünün görüntüsünü berbat etti. Ne zaman ona baksam, sağ eliyle dönüş sinyali veriyordu sanki."

McPhail'in buzlu Jameson'ı, kehribar rengi içkide yüzen iki buz küpüyle geldi. McPhail buzları parmağıyla kenara itti ve parmak uçlarını yaladı. Barın üzerinden, tabureden ve yerden kanlar temizlenmişti. *Mamasan* DJ'i dürterek kenara çekti ve Johnny Cash'in "A Boy Named Sue" şarkısını koydu. Müşteriler bu şarkıyla sakinleşmiş görünüyordu. McPhail bir garsona Calvino'ya bir bira daha getirmesini işaret etti. Kendisi Jameson'ı yudumladı. Calvino sohbet havasındaymış gibi durmuyordu. McPhail bir sigara yakıp bölmede uzanarak "Folsom Prison"ı söyleyen Johnny Cash'i dinledi. İngiliz adam bir keresinde yedi yıl cezaevinde kalmıştı –silahlı soygun.

Calvino transa geçmiş gibi, gözlerini kırpmadan dümdüz önüne bakıyordu, garson yeni birasını getirirken hiçbir şey söylemedi. Yüzünün iki tarafından soğuk ter masaya akıyordu. Buna dikkat bile etmedi. Bunun yerine kafasının içinde Ratana'nın sözleri sonu gelmeyen bir daire gibi hep aynı şeyleri söylüyordu. *Danielson senin büyük umudundu. Bizim büyük umudumuzdu. Şimdi ise ölü. Umutlanacak ne var?* Ratana haklıydı. Başvurmaya niyetlendiği WHO işini anlatmasından önceydi bu olanlar. Ratana başını iki yana sallamıştı. *Demek istiyorum ki, ne kadar gerçek umut kaldı ki?*

Calvino ilaç korsanlığı operasyonunda her şeyi kusursuz yapmıştı. Tam düşündüğü gibiydi, dükkana çevrilmiş sıra sıra evler Çin'de üretilen korsan ürünlerin transit noktasıydı. Kendi sahte ürünlerini yapıyorlardı. Tayland'da özel dedektif olarak çalıştığı bütün bu yıllar içinde böyle yasadışı bir operasyonu asla bu denli yakalamamıştı. Banka memurunun karşısında duran bir soyguncuyu çeken güvenlik kameraları gibi, maskesiz, şapkasız, hiçbir şeysiz, yüzü kameraya dönük.

Calvino yaptığı işin değerli ve patlamaya hazır bomba gibi olduğunu biliyordu. On papel, satışları düşen büyük ilaç şirketleri için devede kulaktı. Malzemeleri almak için nakit paraya ihtiyaç duyan imalatçısını dolandıran bir Taylandlı'nın sesini kaydeden vericisini deşifre etmişti. Bu adamlar büyük iş yapıyorlardı. Sesler, kayıtlı kaset ve video kaset –paket daha iyi olamazdı. Piston iyiydi, ama görüntülü ve sesli kasetler: bu sizi aya ve yıldızlara uçuracak bir manivelaydı.

"A Boy Named Sue" ile hapishane ahalisini deliye döndüren Johnny Cash çalarken, Calvino kendisine sorular sormadan edemiyordu: Neden Danielson normal kanallar dışında davrandığını söylememişti? Calvino'ya gizli iş çevirdiğini söylemeliydi. O zaman kendisini bir şeylerin ters gitmesine hazırlamış olurdu en azından. Telefon ettiği avukatı düşündü, söylediklerini zihninde evirip çevirdi. Her seferinde önsezileri ona kendisine söylenenden daha başka şeylerin de olduğunu söylüyordu. Lovell neden Danielson'ın müşterisinin adını söylememişti? Calvino ilaç işindeki belli başlı oyuncuları biliyordu. Doğru olanın izini nasıl bulacağını bilmiyordu yalnızca. Bir düzine insanı damdan düşer gibi aramak, parayı almanın yöntemi değildi, ama elini açığa çıkarıp öldürülmek için iyi bir yöntem olabilirdi.

Sırlar ve yarım doğrular, merak ve korku, aldatma ve öfke zamanıydı şimdi. Yasal iş dünyası, ülkedeki bütün öteki işler gibi, kuruyup kalmıştı. Uzayıp giden siyasal fırtına dinene kadar herkes mola halindeydi. Korku elle tutulur gibiydi, neler olacağını bilmemenin korkusu.

İngiliz'in burnundan geriye kalanlar havluda titreşti. "Berbat kokuyor," diye inledi. Havluda üzerine işenmiş buzlu suyu koklayınca suçlu suçlu bakan aşçı kıpkırmızı oldu, dönüp mutfağına kaçtı. Garson kadınlardan hiçbiri onu ispiyonlamamıştı. Bu tür bir bilginin değerli olabileceğini ve boş yere patavatsızca söylemenin yazık olacağını düşünmüşlerdi.

McPhail, Jameson bardağının kenarını Calvino'nun bira şişesine tokuşturdu. "Vinny, biran ısınıyor."

Calvino ona bakıp gülümsedi. Bardağa boş verip şişeden içti.

McPhail, "Şu köpek herife iyi kafa attın," dedi. "Garsonlar beş bin bahta nereden yeni burun alacağını söylüyorlar ona. Neden onlar açısından her şey parada düğümleniyor?"

"Aşağı katın kira hakkını satın almak için dört yüz bin bahta ihtiyacım var."

"Yeni müşterinin bu parayı sana ödediğini sanıyordum."

"Adam öldü."

"Aaaa!"

"Dün gece, kalp krizi."

"Hadi be adamım."

Calvino gene şişeden içti.

Bir garson kız, tırnaklarını McPhail'in önü açık Hawaii gömleğinden taşan sevimli Buda göbeğinde gezdirdi. Kendi ıslak ellerine baktı –tırnaklarının her biri koyu bir yeşile boyanmıştı– ve bir havluya sildi. "Çok sıcaksın," dedi. "Fazla terliyorsun."

"Sen de, küçük kurtçuk, fazla konuşuyorsun."

Bölmenin önünden yavaş yavaş geçen George, Calvino'nun omzuna pat pat vurdu. "Sözünü ettiğin miktar, Calvino, çok para."

Calvino, "Bir de bana sor," karşılığını verdi.

McPhail, "Dört parçaya bölmezsen tabii," dedi.

Tam olarak dört yüz bin baht değil, ama ilgisini çekmeye yetecek kadar yakın. Calvino birasından başını kaldırdı. Başının kenarını sıvazladı, alnının üstünde tam saç çizgisinde yumurta büyüklüğünde bir yumru geldi eline. Attığı kafa, büyüyen bir boynuz varmış hissi bırakmıştı. "Bu ne demek şimdi?"

"Bir yemek pişirme kursuna gidiyorum." McPhail masada öne doğru eğildi.

"Yemek mi?"

McPhail başını salladı. "Ve de sınıfımda dört *mem-farang** var."

"Her biri bana iki bin dolar mı verecek yani?" İki parçalı bir ağrı uyumuyla başı zonkluyor, omzu ağrıyordu.

McPhail, dirsekleri masanın üzerinde, ileri geri sallandı. "Zengin kocaları var. Sana diyorum, Vinny, bu kadınların paraları o kadar çok ki yakabilirler. İki papel ücret çıkar, gözlerini bile kırpmazlar. Nasıl yönlendireceğini bilirsen enayi parası yani."

"Sen de öyle mi yapıyorsun?" Calvino bira şişesinden içti ve iki ağrı kesici almayı düşündü.

"Vinny, sana yardım etmeye çalışıyorum, Tanrı aşkına. Makarna pişirmeyi öğrenirken onlar da her zamanki kadınca konularda konuşup duruyorlar. Her zamanki yaşlanmayla ilgili saçma kaygılar, ayrıca spa'lardan, güzellik ürünlerinden, trafik sıkışıklıklarından, hizmetçi sorunlarından söz ediyorlar, ama sohbet her zaman dönüp dolaşıp aynı yere geliyor. Kocalarının genç bir Taylandlı kızla gönül eğlendirdiğinden korkuyorlar. Bu korku şişelenebilseydi, çölde bıraktığın yapış yapış bir siyah gömleği bir gecede petrole çevirecek kadar dönüştürülmüş enerji olurdu."

---

* Yabancı beyaz kadın –yn.

Bir Calvino kuralı derdi ki, "Temiz bir yenilgi, kirli bir zaferden iyidir," ama bu yasanın biraz değiştirildiği bir dünyada yaşıyordu. Yeni hali şöyle olmuştu: "Kirli bir zafer, temiz bir yenilgiden daha iyidir."

ON BİR

Calvino kapının önünde dolandı. Bee Gees'in "Stayin' Alive"ını mırıldanan McPhail, mutfağa girdi. Askıdan bir önlük alarak, yürüme hızını bozmadan beline sardı. Bir sıra evye ve fırının önünden geçti. Omzunun üzerinden geriye bakıp Calvino'yu işaret etti, sonra eğilip aşçıbaşına fısıltıyla bir şeyler söyledi. Aşçıbaşı iri kemikli bir adamdı, kare şeklindeki çenesinde bir günlük sakal vardı, aşçı şapkasının altındaki kafası keşişler gibi sıfır numara tıraş edilmişti. Calvino'ya gözlerini dikerek onu iyice incelerken, McPhail'in söylediklerine başını sallıyordu. McPhail söylediği yalanlar her neyse bitirdikten sonra aşçıbaşı göz kırptı ve Calvino'ya içeriye girmesini işaret etti. Calvino kapı ağzından mutfağa girdi. Domates, sarımsak ve karabiber kokusu, daha hafif parfüm ve ter kokularına karışmıştı.

McPhail, Aşçıbaşı Elmo Valerio'yu tanıştırdı.

Elmo, Calvino'nun elini sıkarken, "Sizinle tanıştığıma çok memnun oldum," dedi. "Ünlü dedeniz size çok şey öğretmiş olmalı."

Calvino'nun eli dondu kaldı, elini çekti. McPhail'e sert bir bakış attı.

"Dedem bana çok şey öğretti. Doğruyu söylemek de bunlardan biri."

McPhail, aşçıbaşına Calvino'nun büyük büyükbabasının Floransa'da ünlü bir ressam olduğunu ve Puccini'nin operası *Turandot*'un sahne tasarımını yaptığını söylemişti. New York'ta da Vincent'ın dedesinin ünlü bir aşçıbaşı olduğunu. Kent, Union Meydanı'na üzerinde Calvino'nun adı yazılı bir bronz plaket koymuştu. Kentin bir İtalyan aşçıbaşını onurlandırmak için neden böyle bir saygı gösterisi yaptığı (ve meydanın nerede olduğu) belirsiz kalmıştı.

Elmo, McPhail'in açıklamasını olduğu gibi kabul etti.

Elmo, Detroit'te doğmuştu. Sonradan edinilmiş İtalyan aksanı, tıpkı aşçı şapkası, bembeyaz ve ütülü önlüğü gibi, görüntüsünün son rötuşlarıydı. Bir aşçıbaşına, bir filmde aşçıbaşını oynayabilecek birine benziyordu.

Odada ayrıca üç kadın vardı, otuzlarının ya da kırklarının sonunda –ama bu isabetliliği su götürür bir tahmindi– iki sarışın ve bir kızıl. Yılların botoksa bağlı olarak evrensel orta yaş aralığında toplandığı bir yaşa varmışlardı. Kız kardeş bile olabilirlerdi –aynı anne ama farklı baba. Açık, samimi ve çekici, başka bir şehirde çok aranılan kadınlar olurlardı. Erkekler onlara yaklaşmak için birbirleriyle yarışır, onları paraya, hediyeye ve zamana boğarlar, sözler verip taahhütlerde bulunurlardı. Ama onlar başka bir şehirde değildi; Bangkok'taydılar. Burada bütün bahisler kapalıydı. İçinde büyüdükleri sistem dağılmıştı. McPhail'e, onları arkadaşına, özel dedektife tanıştırmanın kendi düşüncesi olduğu izlenimini vermişlerdi. Bunun harika bir düşünce olduğunu söylemişlerdi. Bu düşüncenin özgün olmadığını söylemeyi ihmal etmişlerdi.

McPhail, uzun, derin bir soluk alarak Jameson'ın toksik dumanlarını içinde tuttu ve aynı zorlama havayla, "İşte Harika Dörtlü," dedi.

Janet, "O Beatles'dı," dedi. "Biz o kadar yaşlı değiliz." Gizliden gizliye McPhail'in kıyaslamasıyla gururlandığı açıktı. Üçünün içinde en çekicisi oydu ve erkekleri cezbeden, dürüst, doğal bir yüzü vardı.

"Tamam, öyleyse Yeni Harika Dörtlü."

Debra, "Harika Dörtlü iyidir," dedi. "Benim bu konuda bir sorunum yok." Şeker gibi yüzü, hemen beliren gülümsemesiyle, kahverengi kökleri olmayan sarı saçları vardı; doğal sarışındı.

McPhail hemen kadınları tanıştırdı, bir toplantıda adları okuyan okul öğretmeni gibiydi: Janet, Debra ve Ruth. Çevresine bakındı, "Millie nerede?"

Ruth gözlerini kırpıştırarak gözyaşlarını engelledi, sonra yanağından akan birkaç damlayı silmek için elini kullandı. "Kocası öldü. Sınıfa bir süre gelmeyecek." Uzunca bir yüzü, ince dudakları, uzun bir boynu ve şimdi yaşlarla dolu küçük mavi gözleri vardı. Geniş kenarlı pembe şapkası alnına kadar inmişti. Şapka ve beyaz önlük ona anne gibi, ev kadını gibi bir hava veriyordu.

Ötekiler başını salladılar. "Geri gelmeyebilir. Emin değiliz. Andrew'un cenazesi için o kadar çok ayrıntıyla ilgilenmek zorunda ki," dedi Ruth. Gözlerindeki bir şey, onun söylediği her şeye inanmanıza neden oluyordu.

Calvino boğazını temizledi. "Andrew Danielson mı?"

Ruth burnunu çekerek başını salladı. Sahte isteriyi düşündürecek hiçbir şey yoktu; Danielson'ın ölümünden gerçekten etkilenmişti. Debra onun elini sıktı. Bir anne figürü tam da Ruth'un ihtiyaç duyduğu şeydi.

Janet, "Andrew'u tanıyor musunuz?" diye sordu.

"Müşterimdi."

O zaman Janet, Calvino'ya elini uzattı. "İnsanın kocasını kaybetmesi üzücü."

Calvino onun elini sıktı, gerçi kadının elini uzatma şekli öpmeye davet edildiğinizi düşündürüyordu. Kadının elini tutarken Calvino, *size çok para borçlu olan bir müşteriyi kaybetmek kadar üzücü neredeyse,* diye düşündü. Janet'ın arka taraftaki dolguları gösterecek kadar her kasını kullanan bir gülümsemesi vardı. Yüzünde en küçük bir çizgi ya da kırışıklık yoktu. Doğal olmayacak kadar pürüzsüzdü. Parmakları iğne kadar inceydi, tırnakları da renksiz cilayla parlıyordu. Çıplak bir sırtta iz bırakan pençelere kolaylıkla dönüşebilirdi. "Kapı Komşusu Amerikalı Sevgili" yarışması olsa, Janet finale kalırdı.

McPhail, Calvino'nun yanına gelerek fısıldadı, "Millie'nin kocasını tanıyor muydun? Neden bana söylemedin adamım?"

"Sana söyledim ya. Ölen müşterim oydu."

"Kusura bakma ahbap, adları unuturum hep, bilirsin. Hiçbir zaman hatırlayamam."

Aşçıbaşı Elmo ellerini çırptı, "İtalyan yemeği yapmayı öğrenmek için mutfağımdasınız. İşe marş marş," dedi. Kadınlar kesme tahtaları, kap kacaklar, paslanmaz çelik evyeler, ithal fırınlar ve ankastre ocaklar arasında dolaştı. Pilotun kalkış hazırlıkları için yerlerine gitmelerini emreden sesi hoparlörden duyulunca ortalıkta dolaşmaya başlayan hostesleri izlemek gibiydi. McPhail, Janet'ı, birinci sınıfta mı yoksa ekonomi sınıfında mı çalıştığını unutan bir hostes gibi takip etti.

Aşçıbaşı Elmo, aralarında dolaşırken aşçı şapkasını düzeltti. Elden düşme otomobil galerisinde öğrendiği bir yürüyüş tarzı. Beyaz tişörtüyle pantolonu yeni ütülenmişti ve lekesizdi. Öğrencilerinin arasında dolaşırken, yaptıklarını askeri kesinlikle denetliyordu. Bu arada da onlara yakın duruyor, ellerine dokunuyor, doğru doğrama, kesme ve küp küp doğrama şeklini gösteriyordu. Soğanlar, havuçlar, beyaz kuşkonmazlar ve kereviz o günün kurbanlarıydı. Suç yeri: kesme tahtaları. Her kadına bir görev, bir bıçak, bir savaş istasyonu ve bir önlük verilmişti. Bıçağın uçları parlayıp sönüyordu. Janet bir kasenin içinden çam fıstığı atıştırıyordu. Ortam, kadınlara bir amaç ve mutluluk vermişti adeta.

Aşçıbaşı Elmo üç tavayla karnavaldaki jonglörler gibi uğraşıyordu. Ter boynundan aşağıya kıvrımlı dereler gibi akıyordu. Yakasında ve koltuk altlarında ter izleri belirmişti. Sahne hareketlerinde uzmandı ve bir profesyonel gibi duruyordu. Aşçıbaşı Elmo komuta etmeyi de, eğlendirmeyi de biliyordu. Detroit'i çoktan ardında bırakmıştı. McPhail, Aşçıbaşı Elmo'nun kendini gizlice yarattığını ve Detroit'deki elden düşme otomobil satışları hikayesini biliyordu.

Calvino, kadınların kolektif bir kişilik geliştirmiş olduğunu fark etti. Grubun belkemiği Janet, Aşçıbaşı Elmo'nun –aynı anda her yerdeydi– tavuk suyuna çorbayı bir elle karıştırırken, ötekiyle Debra'ya nasıl havuç doğrandığını öğretmesini izledi.

Aşçıbaşı Elmo, "Şanslısınız," dedi. "Bugün *osso buco* yapıyoruz. *Osso buco* sever misiniz?"

"Vorrei un piatoo con il manzo," dedi Calvino.

Aşçıbaşı Elmo'nun gülümseyişi dudaklarında dondu. "Anlamadım."

Debra boğazını tuttu. "İtalyanca konuşuyorsunuz. Çok, çok romantik."

Calvino, "*Osso buco*'nun tavuk suyunun kalitesine bağlı olduğunu söyledim," dedi. Aslında İtalyanca söylediği şey, biftekli bir yemek istediğiydi. Elmo bunu anlamamıştı. Bunu artık bir kenara bıraktığına göre Calvino hangi başka yalanların söylendiğine konsantre olabilirdi. Aşçıbaşı Elmo'nun İtalyan kökeniyle ilgili aldatmacasına yoğunlaşmak yerine, aklı, Andrew Danielson'ın dul eşinin bu yabancı kadınlar grubunun içinde olduğu gerçeğini ele aldı. Kadınlar onu tanıyordu ve Calvino kartlarını doğru oynarsa, ölü kocasının ona borçlu olduğu parayı almak için tek şansına ulaşabilirdi.

"Posso avere una bottiglia di il succo?" Calvino aşçıbaşından bir şişe meyve suyu istemişti. Ama karşılığında boş boş bakışlar aldı.

Hedef aşçıbaşı değil, buna bayılan kadınlardı.

Aşçıbaşı cikcikledi. "Çok haklısınız. Bunu dedenizden öğrendiniz."

Calvino onu tasdik etmedi, aşçıbaşının havalı olduğunu biliyordu, hava var ama altı boş. Aşçıbaşı Elmo'nun İtalyancayla sıkıntı yaşadığını gösterme konusunda fazla istekli görünmemenin iyi olacağına karar verdi. Böyle yaparsa ev sahibi suratını asar ve bir daha oraya gelme şansını yok ederdi. Yabancı yemek okulları dünyasında herkesi mutlu etmek amaçtı –özellikle de kadınları, özellikle de kocalarının takip hedefleri haline gelme olasılığı ışığında. Sen benim sırtımı kaşırsan, ben de senin makarna sosunu servis ederim, dersten sonra kadınlar da senin olabilir. Calvino aşçıbaşının mesajını aldı, buram buram açgözlülük ve çıkar kokan sessiz bir mesaj.

Aşçıbaşı Elmo, Debra'nın çalışma alanına gitti. Debra soğanlarda ter dökerken at kuyruğunu geriye itti. Bebek mavisi gözlerinde yaşlar birikmişti. Elinin tersiyle yaşları silmeye çalıştı, ama bir yararı olmadı. Yaşlar her iki yanağından yağmur gibi akarak metal yüzeye dökülürken ışığı yansıtıp inci gibi parlıyordu. "Debra soğanları şöyle kes ve küp küp doğra. Böyle." Aşçıbaşı soğanlardan birini aldığı anda eli hızdan görünmez oldu. Soğan milyonlarca küçük parça halinde yok oldu.

Debra tezgahın üzerindeki kutudan bir kağıt mendil alıp burnunu temizledi. "O kadar yeteneklisiniz ki," dedi.

Aşçıbaşı Elmo omzunu silkti. "Pratik yapmayla ilgili. Siz de öğrenebilirsiniz."

"Denerim," dedi Debra hıçkırarak, alt dudağı titriyordu.

Üçü de Millie'nin kocasının ölümüne ağlayıp duruyorlardı.

Lokanta mutfağı onların özel sığınağı, Bangkok'un temsil ettiği çırılçıplak yalnızlık ve ucuz tehditlerden uzak bir vaha olmuştu. Çocukları uluslararası okullara gidiyor, kocaları saatlerini evden uzakta, büroda geçiriyor ve hizmetçileri şirketin verdiği evleri temizlermiş gibi yaparak ortalıkta dolanıyordu. Bu durum, sabahın erken saatinde başlayıp akşamüstü çocukların okuldan eve dönmesine, kocalarının toplantıda olduğunu ve geç geleceğini söylemek için aramasına kadar süren hatırı sayılır bir ölü zaman demekti.

Ya da Millie'nin durumunda (istisnai bir durum ama hiç duyulmamış bir şey de değil) kocasının öldüğünü söyleyen bir telefona kadar.

Eşler, senaryosu önceden yazılmış gündelik yaşamlarda küçük roller almışken, kocaları yıldızlı pekiyiler alıyordu. Kadınların senaryoda birkaç satırı vardı yalnızca. Bir kamera onları sabahın erken saatinde hızlıca yürürken, bir de gece geç vakit çekebilirdi. Göz kırpışı kadar kısa sürede kaybolabilirlerdi. Harika Dörtlü, bütün bunların karşılığında lüks ve rahatlıkla kuşatılmış yalnız bir yaşam sürüyordu. Ama gündüz ve geceleri, mutluluk ve doyum yerine kocalarının ihanetiyle ilgili için için kemiren kuşkularla doluydu. Aşçıbaşı onların katettiği ilerlemeyi gözlerken Calvino'nun kafasında Millie adı dönüp duruyor, konuşmada punduna getirip konuyu açabileceği bir boşluk arıyordu.

Debra, Ruth ve Janet kardeş değilse bile, yirmi yıl önce bitmiş bir maçın ponpon kızları olarak görülebilirdi. Takım sahadan ayrılmış, sokak giysilerini giymiş, otomobillerine binip uzaklaşmış, ardlarında stadyum ışıklarını kapatacak hademeyi bırakmışlardı yalnızca. Ama nedense üç ponpon kız sahada kalmıştı. Bekliyorlardı.

Saçları hâlâ at kuyruğuydu. Şık giysiler. Boyunlarında Hindistan, Çin ya da Nepal'dan alınmış bilye büyüklüğünde taş kolyeler –içlerinden birinin kocasıyla yaptığı bir gezide herkese aldığı kolyeler. Belde ve kalçalarda hafif bir kalınlık, orta yaş güzel yaşamın alamet-i farikaları, bir dövme denizciyi nasıl ele verirse, onları da öyle ele veriyordu.

Aşçıbaşı Elmo'nun mutfağında evlerine geri dönmüşlerdi. Karıştırıyor, doğruyor, çırpıyor, tadına bakıyor ve fırının sıcaklığını kontrol ediyorlardı. Aşçıbaşı Elmo'nun kucağında kolayca dahil olabilecekleri, trafikten ve ezici kalabalıklardan kaçabilecekleri ve birlikte sığınabilecekleri bir yer bulmuşlardı. Aşçıbaşı Elmo'nun mutfağında üretken olmuşlardı. Dikkate alındıkları bir yer işgal ediyorlardı. Mutfakta yaptıklari, anlam ve amaç taşıyan bir faaliyet olarak görülebilirdi.

Calvino kadınlar için tıpkı onlar gibi çalışmıştı. Görev, kocalarını on altı yaşa geri dönmüşken, lise futbol yıldızı gibi hissettiren *ying*'lerle kıkırdayıp şakacıktan itişip kakışırken yakalamaktı. Ama benzerlik yalnızca yüzeyseldi. Altında her vakanın kendi üzüntü, çatışma, tehdit ve taciz seti vardı. Kimse, polislerden özel dedektiflere kadar, aile olaylarına fazla karışmak istemezdi.

Yemek dersi bittikten sonra kadınlar hep birlikte sofrayı kurdular. *Osso buco,* salata, ekmek ve şarap mucize yaratmıştı. Kadınlar rahatlamıştı, McPhail ile Calvino orada değilmiş gibi konuşuyorlardı. *Bu da iyi bir şey,* diye düşündü Calvino. Aşçı ortadan kaybolmuştu, Calvino'nun bir İtalyanca konuşma daha yapacağından korkuyordu anlaşılan.

Bu kadınların bir zamanlar cinsiyetleri vardı. Bir tekele, bir silaha, bir alete sahiptiler –kol demiri, ingilizanahtarı, delgi. Ama Bangkok'a geldiklerinden birkaç hafta sonra alet kutusunu toptan kaybetmişlerdi. Zengin bir toprak sahibinin bir sabah uyanınca ancak maraba olduğunu görmesi gibiydi. Birkaç hafta sonra bastırdıkları kızgınlıkları tam bir öfkeye dönüşmüştü.

Belki de McPhail grup psikolojisini doğru okudu, diye düşündü Calvino. Anahtar, dedi kendi kendine, Janet'ın kocasını takip etme programını kabul etmesiydi. O zaman öteki iki kadın da, yolda karşıdan karşıya geçen anne ördeği takip eden yavru ördekler gibi onun peşinden gelirdi. Janet ponpon kızların başıydı sanki, hangi slogan ve dansların olacağına karar veren kişi.

McPhail, "Vincent özel dedektiftir," dedi. "Aile takiplerinde uzmandır. Yabancı kadınları temsil eder. Acı nedir bilir."

Janet Herron şarabı bardağın içinde çevirdi.

"Gerçekten mi?"

"Birkaç aile vakası aldım." Ama onları kabul etmemeye çalışmıştı. *Omerta** kodu yabancı topluluğunun mensupları arasında geçerliydi. Cinsel konularda yabancıların suskun kalma kuralı, ihlal edilirse, ihbarcıya zarar getirirdi. Adam öldürülebilirdi.

"Bangkok'taki en iyi özel dedektiftir."

McPhail ne zaman abartılı bir iddiada bulunsa Calvino irkiliyordu. En iyi özel dedektif göze görünmezdi, saygındı, çamurun içinden hiç şikayetsiz yürür geçerdi ve çamuru oturma odanıza taşımazdı. Yabancı kocaları ucuz otellere kadar takip etmek tam bir çamurdu, kalçalarınıza kadar çıkardı. Calvino kendisinden memnun değildi.

Debra, "Bunu daha önce de duymuştum," dedi. "Ama herkes en iyinin en iyisi olduğunu söyler. Öyle değil mi, Bay Calvino?"

---

* Mafia'nın suskunluk yasası –yn.

"Bu işi alıp almayacağıma karar vermedim, Debra." Aile sorunlarıyla gelen müşteriler çoğunlukla çelişkili, duygusal ve mantıksızdı. Kendilerinden çok fazla şey vermişlerdi ve bu işler nasıl sonuçlanırsa sonuçlansın, doğruyla yanlış arasındaki çizgi muğlak kalırdı.

Debra makyajını düzeltirken, "Ama o kadar meşgulsünüz ki, yemek kursumuza gelecek zamanınız var," dedi. Cep aynasını çıkarmaya üşenmişti.

Janet, "Bizi sorguya mı çekiyor?" diye sordu.

"Ona gelmesini ben söyledim, bayanlar. Buraya gelmek için öğleden sonraki işini iptal etti. Ben sadece yardım etmeye çalışıyorum. Bu derse ne zaman gelsem, genç bir bar *ying*'inden ya da bir sekreterden veya kendini kocanızın kollarına atan birinden söz ediyorsunuz hep. En kötü olanın bilmemek olduğunu söyleyen Debra'ydı," dedi McPhail. "Haklı da. Ben olsam bilmek isterdim. Öyle değil mi?"

Janet şaraptan bir yudum aldı. "Ed haklı."

Ruth, "Jack beni asla aldatmaz," dedi. Gri gözleri ona mesafeli, üzüntülü bir görüntü veriyor, kocaman göğüsleri ise yerel halk üzerinde kesin bir üstünlük sağlıyordu.

Debra gözlerini devirdi. Soğan doğramaktan dolayı hâlâ kan çanağıydı gözleri.

Debra, "Ne kadar alıyorsunuz?" diye sordu.

Calvino, "İki bin," cevabını verdi. "Yani ABD doları." Onu geri çevirmelerine, kendisinin de ölü bir avukatın ona borçlu olduğu parayı bulma işine devam etmesine yetecek kadar bir miktardı bu.

"Karşılığında ne alacağım?" Kolyesiyle oynadı.

"İki papel karşılığında mı? Bir profesyonel alacaksınız. Size fotoğraflar, video ve takiple ilgili rapor göndereceğim. Normal olarak bu iş iki ya da üç hafta sürer. Bazen işin birkaç ay sürdüğü de olur.

Ama sonuna kadar giderim. Kocanız aldatıyorsa nerede, ne zaman olduğunu ve kadınların adlarını bulurum."

Ruth burnundan şarap fışkırttı. "Birden fazla kadın mı yani?"

Onlara bir savaş hikayesi anlatma zamanı gelmişti. "Takip ettiğim bir adam beş kadınla birden yatıyordu. Hepsiyle aynı anda değil. Aynı anda iki ya da üç olabilirdi. Ama hiçbir zaman aynı anda beşi birden olmadı. En azından ben onu beşiyle birden yakalamadım. Tüketici bir işti."

Mutfak, ocağın üzerinde kaynayan çorbanın dışında sessizdi. Hiçbiri nasıl tepki vereceklerini, ne diyeceklerini bilmiyordu.

Ruth, "Ne kadar çok enerji tüketmiş olmalı," dedi. İçlerindeki pembe şapkalı, sessiz olanıydı.

Calvino, "Adam sağlıklıydı," diye kabul etti. Ruth'un sevişirken hiç bu şapkayı takıp takmadığını merak etti. İçindeki bir ses kapıdan çıkıp gitmesini söylüyordu. İşin pis kısmından para almayı gerçekten istiyor muydu? İstemekle ilgisi yoktu. Çekip gitmezdi –gidemezdi. Sırtı duvara dayalıydı.

"Yo, demek istedim ki, onu takip etmek, bütün o fahişeleri videoya kaydetmek. Tüketici olmalı," dedi Ruth.

Debra, "Zaten tüketici olduğunu söylemişti, Ruth" diye araya girdi.

Janet, "Ben sayılara takılmamayı tercih ederim," dedi.

Kadınlar suskunlaştı. Ayakkabı numarasını mı merak ediyorlardı, yoksa hikayedeki kadınların sayısını mı? Anlamak zordu.

McPhail, Calvino'ya bakıp başını salladı. Kadınların yunuslar gibi konuşmadan düşündüklerini iletme yöntemleri vardı. Hangi güneş sistemini kullanıyorlarsa, bu birkaç dakikalık sessizlikte geçici bir anlaşmaya varmışlardı.

Debra, "Kim ilk olmak istiyor?" diye sordu.

Ruth şarap kadehini ileriye itti. "Bence çöp çekmeliyiz."

Debra, "Adilce olur," dedi.

Ruth, "Grup indirimi alamaz mıyız?" diye sordu.

Kocası ikinci turundaydı. Kıdemli bir kadındı, bu yüzden yerel ahaliyle pazarlık etmek ikinci kişilik gibi olmuştu.

McPhail sırıttı, yüzünü komik bir şekilde buruşturdu. "Size zaten indirim yapıyor," dedi.

Calvino, "Başka özel dedektifler de var. Bazıları daha az para talep eder," dedi. "Size bazılarının isimlerini vereyim." Bir an yemi yutacakmış gibi durdular. Calvino rahatlamaya başladı, gülümsediğini hissetti. Bürosuna gidecek ve Danielson'a ilaç korsanlığı operasyonu için kanıt bulması konusunda başvuran müşteriyi bulmanın bir yolunu keşfedecekti. Evet, annesi, "Parayı eline al. Sonra kapıdan çık," demişti. İşlerin en sonunda iyiye döneceğine inancı her zaman tamdı.

Janet şarap şişesini gösterdi. "Buna gerek yok, Bay Calvino. Bangkok'taki öteki özel dedektiflerin hepsini biliyoruz. Onlardan pek etkilenmedik."

Öteki iki kadın da aynı fikirde olduklarını göstermek için başlarını salladılar. "Yeni bir şarap şişesi açmalıyız."

"Bir şişe daha mı, Janet? Emin misin?" diye sordu Debra.

"Sonunda yeni bir projemiz var. Neden kutlamayalım öyleyse?"

Calvino'nun kuralı: Bir adam bir kadını saatle kiralanan bir otele götürürse, otel odasında olanlar o odada kalmalıdır. Bir erkekle kadın arasında yaşananların onlardan başkasını ilgilendirmeyeceğine inanırdı. Bir erkeğin yatak odası faaliyetlerinden kâr elde etmek, pezevenklik yapmaktan pek de farklı değildi. İş yapmanın yolu hiç değildi. Ama şimdi kentte daha çok özel dedektif vardı ve eski yöntemler terk ediliyordu. *Omerta* artık erkekler arasında sır tutulmasını sağlayamıyordu. Yabancı topluluğunun değiştiğini, fraksiyonlara bölündüğünü ve sadakat farklılıkları yaşadığını söyledi kendine. Paketlenmiş *farang*'lar yabancı olma oyunu oynayabilirdi ancak. Aslında hiçbir zaman oyunun içinde değillerdi. Seyirciler, amatörler ya da kariyer meraklılarıydı. Calvino onlara bir şey borçlu olup olmadığını düşündü. Rahat, tüm harcamaların şirketçe karşılandığı yuvalarıyla göçmen kuşlar, derin yasayı yani harcırah ve ücretleri olsa da aslında yabancı oldukları yasasını öğrenmişti. Calvino savların üzerinden geçti. Beyninin içindeki bir şey bunun gene de doğru olmadığını söylüyordu.

Kadınlar açısından, iki bin dolar, görünmez, kocalarının yaşamında önceden kalma bir imgeden başka bir şey olmayı önlemenin karşılığında küçük bir bedeldi. Yeni bir günün doğmasına, taze bir başlangıca, Bangkok'ta hayatta kalma umudunun artmasına nasıl bir bedel ödenebilirdi ki? Birbirlerine sarılmış duran kadınlar, Ruth ortada, pembe şapkası fotoğrafı tamamlıyor, Calvino'ya gülümsediler. "Tamam, iki bin dolar iyidir. Ödeyeceğiz," dediler eşzamanlı olarak.

Calvino kendi kendini tuzağa düşürmüştü. "Önce temizlemem gereken bazı işler var."

Çok paraydı bu. Calvino, Tek Elle Alkış tabelasının indirildiğini gördü.

"Bunlara ihtiyacınız olacak." Janet, iskambil kağıdı dağıtıyormuş gibi dört fotoğrafı masaya hızla yayıverdi. Fotoğraflar pasaport resimlerine benziyordu. Takım elbise ve kravatlıydılar, dosdoğru kamera lensine "ısır beni" der gibi bir görüntüyle bakıyorlardı. Andrew Danielson'ın yüzü bir fotoğraf karesinden ona baktı.

Dört orta yaşlı *farang*'ın resimlerine bakan Calvino, "Başka biri daha var," dedi. Bir polis teşhiri sırasında ya da karanlık bir barın tabureleri üzerinden adamları birbirinden ayırmak zor olacaktı. Calvino, Danielson'ın resminin kenarına dokunarak parmağıyla gruptan ayırdı. "Bu Andrew Danielson değil mi?"

McPhail omzunun üzerinden baktı. "Danielson bu mu?"

Calvino başını salladı. Janet'ın yüzü kızardı. "Evet, Andrew'un resmi. Bu resmi çıkarmayı unutmuşum."

McPhail, "Alec Baldwin'e benziyor," dedi. "Bu kadar genç görünen biri nasıl olur da kalp krizinden ölür?"

Ruth, "Elli üç yaşındaydı," dedi.

"Aman, ben de elli üç yaşında bu kadar iyi gözüksem keşke."

Calvino, "Sen otuz üçünde de bu kadar iyi göstermiyordun," dedi. Gözlerini Danielson'ın fotoğrafından alamıyordu. "Danielson kocalarınızla takılır mıydı?"

Üç kadın birbirlerine baktılar, köşedeki metal borudan kaçmak için bir yol ararmış gibi gri fayans kaplı zemine gözlerini diktiler. Janet, Andrew Danielson'ın fotoğrafına uzandı.

"Benim hatam. Andrew'un fotoğrafını ötekilerin arasına karıştırmışım," dedi Janet. Sanki bu hepsinin fotoğrafının onda olmasını açıklıyormuş gibi.

Ruth, "Biz çift olarak görüşürüz," dedi.

Calvino, "O halde kocanız da onu tanıyor muydu?" diye sordu.

"Elbette. Neden soruyorsunuz?"

Calvino gülümsedi. Bu kadınların kocaları, onu parasını bulmaya götürebilirdi. "Soru sormak benim işim. Örneğin, neden siz bayanlar birbirinizin kocalarının resimlerini yanınızda taşıyorsunuz? Bir özel dedektife rastlarım da hemen bilgi verebilirim diye mi? Şunu takip et, bir de bunu. Ha, bu öldü. Onu takip etmeye gerek yok."

Janet, "Lütfen acımasız olmayın," dedi.

Muhteşem Dörtlü yenilmiş, utanmış görünüyordu. Debra, "Üzülmeyin. Böyle olmamalıydı. Ama oldu. Toplayın kendinizi," dedi. Janet alamadan fotoğrafı kaptı. Danielson'ın resmini çantasına koyup çantayı kapattı. Calvino üzülmemişti. Danielson'ın ona borçlu olduğu parayı takip etmek için önüne bir yolun açıldığını hissederek gülümsedi. Fotoğraflarına baktığı kocalardan biri, Danielson'ın normal yolların dışında iş yaptığı müşterinin adını biliyor olabilirdi. Calvino'nun koşa koşa gideceği bir iş değildi bu; kutlama yapmadan önce ihtiyaç duyduğu mühimmata hangi kocanın sahip olduğunu öğrenmesi gerekiyordu.

Janet, "Andrew'un fotoğrafı karışmış, dedim," dedi, sanki bu kadınların ölü bir adamın fotoğrafı üzerine kavga etmelerini açıklıyormuş gibi.

Calvino, "Pizza gibi dağıttığınız başka fotoğraf var mı?" diye sordu.

"Hayır," dediler gene. Savunmaya geçmişlerdi.

"Bana Millie Danielson'ın telefon numarasını verebilir misiniz? Kocasının fotoğrafını ona geri verebilirim." Kadınları köşeye sıkıştırmıştı.

Janet, "Herhalde önce ona sormamız gerekir," dedi. Zayıf savunma, duygusal horozlanmaya dönüşmüştü. "O kadar çok şey yaşadı ki."

Ruth, "Neden onun numarasını istiyorsunuz?" diye sordu.

Calvino, Andrew Danielson'ı tanıyarak kalitesini kanıtlamıştı. "Andrew'u tanıyordum. Kaybından dolayı ne kadar üzgün olduğumu söylemek isterim." *Ve de bana borçlu olduğunu.*

Debra, bir çocuk tam olarak doğru bir şey söylediği zaman annelerin yaptığı şekilde başını yana eğdi. "Size Millie'nin numarasını vereyim. Çantasına uzanıp iyice yıpranmış bir kitapçık çıkardı. Debra kitapçığın arkasını çevirip üstüne bir numara yazarken Calvino "Rehberi" kelimesini yakaladı. Debra kitapçığı Calvino'ya verdi.

*

Calvino bürosuna dönerken kitapçığa baktı. Kalınca bir şeydi. Sarı kapağın üstüne "İhanet Riski Rehberi" yazılmıştı. Kitapçığı karıştırınca şehirler, mahalleler ve coğrafi bölgeleri sıralayan şemalar ve tablolarla dolu sayfalar gördü. Masaj salonu kültürü hakkında bir sayfayı açmıştı. Tayland'ın tarihini, kültürünü ve ritüellerini anlatan yüz yirmi üç yıpranmış sayfa. Şöyle bir bakınca bile sayfadan baltanın vurdukça çıkardığı kıvılcımlar görülebiliyordu. Kırış kırış kitapçığı kapatıp ceketinin cebine koydu. Eli 38'lik polis tabancasına değdi.

Epeyce milyoner, servetini Taylandlılar'ın *ruang tai sadue** dediği şeye borçluydu: göbek deliğinin güneyinin başına gelenler hakkında masallar, söylentiler, şakalar ve dedikodu. Yarı kendi-kendine-yardım, yarı nasıl-yapmalı, yarı almanak ve yarı yemek tarifi kitabı olan *Rehber,* kadınlara sekse düşkün kocalarını denetlemek için yiyecekleri nasıl kullanacaklarını anlatıyordu: "Onu duygusal olarak yakalamalısınız –midesinden. Ahlakla ilgili duyduğunuz bütün o nutukları, mantık ya da bağlılıkla ilgili argümanları unutun. Bu soğukkanlı, kısır konuşmalar, düzinelerce genç, her an hazır kadın, kocanızı kendisine çekiyorken hiçbir işe yaramaz. Kocanız eve gelince, yemeği onu bekler bulsun. Ona dört gözle bekleyeceği özel bir şey hazırlayın

---

* Göbek deliğinin güneyi. Seks anlamında kullanılır –yn.

–sarı tuna iyi olur. Neden *wasabi guacamole*'yi denemiyorsunuz? Yavaş yavaş kızaran domatesler, kıtır kıtır limonlu omlet ve iyice kızarmış balkabağının yaratacağı cinsellik garantidir. Bir şişe Dom Perignon'u soğuk tutun. Yemek pişirme becerilerinizi sürekli geliştirin, öteki yetenekler ardından gelecektir."

Calvino, *İhanet Riski Rehberi*'nin, göbek deliği ya da *tai sadue* para kazanma makinesinin en son icadı olduğunu düşündü. Calvino'nun yasalarından biri daha oyuna katılmıştı: Göbek deliğinin güneyinde yaşanan faaliyetlerle ilgili kuşku yaratan biri servet kazanırken, kanıt bulmak için ayak işini yapan bir özel dedektiften indirim yapması isteniyor. Bütün pazarlarda olduğu gibi, söylentileri satın alıp gerçekleri satmak en iyisiydi.

ON İKİ

Siri şarap rafının kenarındaki görünmez çizgiyi izledi. Sıkılmış, mesafeli duruyordu. Lovell'a ne zaman baksa duyguları su yüzüne çıkıyor ve başını çeviriyordu. Tiksindirici bulduğu bir erkeğe bakan bir kadın gibi bakıyordu. Lovell mahzenin soluk ışığında bunu fark etmedi. Şarap mahzeninin dört duvarı yerden tavana kadar raf kaplıydı. Fransa, Avustralya, İtalya, İspanya ve California'dan kaliteli şaraplar. Lovell, raftan bir Chateau de Vialle şişesi çekti. Etiketi dikkatle inceledi. Siri daha önce de Lovell'ın şarap seçme ritüeline tanık olmuştu; ama o zaman bunu sevimli, yüksek bir eğitim ve kültürü gösteren bir şey olarak görürdü. Şimdi Lovell'ın bu alışkanlığı onu sinirlendiriyordu.

Siri, etikette gizli bir anlam ararmış gibi etiketi okumasını izledi. Lovell yanaklarını şişirdi, içini çekti ve dudaklarını büzdükten sonra şişeyi çevirip arka taraftaki etiketi okumaya başladı. Böyle bir belleği varken Siri onun etiketteki her ayrıntıyı zaten beynine kazımış olduğunu biliyordu. Zaten ne yazdığını biliyorsa neden etiketi tekrar okuyordu ki? Onu etkilemeye mi çalışıyordu? Ani bir vurma isteğine karşı koydu. Kendini pek üstün bulan havası Siri'ye saldırma, kan çıkartma duygusu veriyordu. Bu duygudan dolayı kendinden nefret etti.

Lovell, başı öne eğik, ceketinin cebinden Robert Parker'ın şarap puanlama çizelgesini çıkardı. Lovell'ın artık sevimli gelmeyen ritüellerinden biri daha. Parker, bu şarabın "kayış gibi" olduğunu ve içinde kurumuş incir olduğunu söylüyordu. Lovell soluk ışıkta listeyi ve etiketi bir kez daha inceledikten sonra şişeyi tekrar rafa koydu. Bütçesini aşıyordu bu şarap. Fazla uzak olmayan bir gelecekte özel bir kutlama için Chateau de Vialle sipariş etmeyi planladı. Bu akşam için bu seçenek kapalıydı. Şarapların İtalya bölümüne geçip bir şişe Merlot seçti. Robert Parker'ın asla koklamayacağı bir Merlot.

Siri, bu şarabın yanmış tost ve zeytin koktuğu yorumunu yapmıştı. Bir ay önce içtikleri şaraptı bu. Lovell'ın hoşuna gitmişti.

Dönüp de Siri'nin onu seyrettiğini görünce gülümsedi ve Merlot şişesini gösterdi. "Bu güzel olmalı."

"Ben bunu istemiyorum. Hastane gibi kokuyor ve öyle bir tadı var," dedi Siri. Odanın ortasındaki masaya yaslandı. Şef şarap mahzeninde yalnız olmalarına izin vermişti.

Lovell, Siri'nin dediklerine inanamıyormuş gibi gözlerini kırpıştırdı. "Hastane mi?" Parker hiçbir zaman bir şarabı hastane kokularıyla kıyaslamamıştır. Ayrıca hastane tadı nasıl bir şey? Ama daha soruyu soramadan Siri şişeyi elinden alıp yerine koydu.

"Neden başka bir şey denemiyoruz? Neden ne zaman bu lokantaya gelsek aynı şarabı seçiyorsun? Listeye bakıyorsun, ama hiçbir zaman listeden bir şarap seçmiyorsun. Bunu neden yapıyorsun? Normal bir şey olmadığını anlamıyor musun?"

"Altüst oldun sen," dedi Lovell.

"Altüst falan değilim."

"Kızgınsın."

Siri kollarını kavuşturmuş olarak duruyordu. "Lütfen bir şarap seç. Üşüdüm."

"Seçtiğimi sanıyordum."

"O şarabı istemiyorum. O şarap... o şarap benim için hoş değil."

"Siri, olay şarapla ilgili değil, değil mi?"

Siri iç çekerek yere baktı.

"Nedir?"

"Şarabı boş ver. Su içerim daha iyi. Ayrıca yemekten sonra Stiles ile bar bar dolaşacaksın."

Lovell şarap rafından bir şişe daha aldı, Siri'nin yanına gidip elini tutmaya çalıştı, ama Siri elini çekti. Lovell etiketi okuma zahmetine bile katlanmamıştı. "Bara gitmiyoruz."

"Stiles ile çıkıyorsun. Onun gitmek istediği yer bardır."

"Ona bara gitmeyeceğimi söyledim."

Siri dilini şaklattı. "Ona başka neler söyledin?"

"Senin bara gitmemi istemediğini."

Siri, "Sana kalmış bir şey," dedi, elleri kalçalarında. Gözlerini dosdoğru gözlerine dikerek dimdik durdu. "Beni mi suçluyorsun?"

Lovell şişeyi göğsüne yapıştırarak boynunu eğdi. "Seni suçlamıyorum."

"Neden yalnızca, 'Bu benim tarzım değil. Barlara gitmekten hoşlanmıyorum,' demedin? Böyle diyebilirdin. Ama hayır, her tür sorumluluktan kaçıyorsun."

"Avenant Pharma dosyasında neler yaptığını öğrenmek istiyorum. Bunu yapmak için de onunla buluşmam gerekiyor. Rahat olduğu bir sırada konuşmam gerekiyor. Birlikte dışarıya çıkmanın onun fikri olduğunu düşünmesini istiyorum. Yoksa bir şey istediğimi düşünür."

"Ki istiyorsun. Peki neden ona büroda sormadın? İşle ilgiliyse neden bir barda gizli müşteri bilgilerini tartışmak zorundasın?"

Lovell alt dudağını ısırıp başını iki yana salladı. "Bu konuda tartışmamalıyız. Yapmam gereken bir şey bu. Kaldı ki bir içkiden daha uzun sürmeyecek. Tartışmak yararlı bir şey değil."

Siri'nin gözleri büyüdü. "Yararlı değil. Böyle söylemeyi sana kim öğretti? Benimle alay mı ediyorsun?"

"Yararlı değil", Siri'nin bir konuşmanın gidişatını değiştirmek, bir konudan kaçınmak ya da yaptığı bir hatanın üstünü örtmek istediği zaman kullandığı tipik ifadelerden biriydi. Öfkelenmek onu tüketmişti ve geriye kalan duygusal kaynakları hızla azalıyordu. Geri dönüşü olmayan bir noktaya ulaştığında bir şeyler kırıldı ve hayvan beyni, kelime dağarcığını vanası sonuna kadar açılmış bir saldırı moduna soktu. Lovell, neyin Siri'yi mantıksızlaştırdığını merak etti.

"Mai wai jai." Sesindeki tıslama, "pezevenk" kelimesini yarım kilometre uzunluğunda bir sözel pankartmış gibi dizdi.

"Benim anlamadığım-"

"Şu... söylediklerine güvenmiyorum."

"Şarapla ilgili değilse neden bana gerçeği söylemiyorsun?"

Siri'nin kafasındaki Lovell resmi değişmişti. Onu, kendisini sorgulamasına neden olan bir şekilde gördü. "Neden seninle ilgili kuşkularım olmasını istiyorsun?"

"Ben böyle bir şey istemiyorum."

Onun alaylı gülümsemesini görmeye dayanamıyordu.

"Hareketlerin sözlerinle aynı şeyi söylemiyor."

"Yalan söylediğimi mi ima ediyorsun?"

Çok çaba harcamasına karşın öfkelenmeye başlamıştı.

"Bazen insanlar kendilerine yalan söylerler."

"Ben söylemem."

"Çünkü kusursuz bir belleğin var, doğru mu?"

Danielson ölmüştü ve işin doğrusu Lovell saygısını sunmak için *wat*'a* gitmekten kaçınmıştı. Cenaze törenleri ve ölü insanlar Lovell'ı huzursuz ediyordu. Ölme olasılığı üzerinde düşünmek istemiyordu. Kaldı ki polis sorgusu ve ardından Cameron ve Weerewat ile yaptığı toplantıdan sonra kendisini uzak, yalnız hissediyordu, başkalarının teleskop kamerasından kendisini görüyormuş gibi. Gördüğü şeyden hoşlanmadı. Ölümü, soruşturmayı ve hukuk şirketini zihninden kovmayı her şeyden çok istiyordu. Doğrusu şu-ki, bir şişe şarap ve kız arkadaşıyla birlikte zamanı durdurmak, yelkovanın ilerleyişini önlemek, dışına çıkmak istiyordu –birkaç saatliğine de olsa. Sonra Stiles'a bazı sorular sormak istiyordu.

Siri, "Eeee, şarap mahzeninde bütün gece duracak mıyız?" diye sordu.

Lovell başını kaldırıp Siri'nin eline uzandı. Siri onun önünden yürüyerek merdivenleri tırmandı, sonra durup geriye baktı. "Geliyorum," dedi Lovell. "Bir dakika tanı bana."

Sanki Siri'yi ilk kez görüyordu, seviştiği ya da nişanlandığı bir kadın gibi değil de, bir yabancı gibi. Yarı gölgelerden ortaya çıkan ve şarap mahzeninin loş ışığında ortadan kaybolan bir yabancı. İşi vardı, bir de Siri vardı –varlığının iki kutup noktası, yirmi dört saatinin, çevresinde döndüğü eksen. Gözlerini kapattı, Siri'nin parfümünü kokladı, sonra şarap raflarından birine yaslandı. Hiçbir şey olması gerektiği gibi gitmiyordu. Bir köşeyi dönmüştü ve her şey birdenbire değişmişti sanki. Bu kadar hızlı olması anlaşılır gibi değildi. Hukuk şirketinde iş yükü ağır olduğu için Siri'yi ihmal etmişti. Bunun kendi hatası olduğunu söyledi kendisine. Dört aydan fazladır çıkıyorlardı ve bu ilk ciddi kavgalarıydı. Olay ona duygularından emin olup olmadığını sorgulattı. Siri'nin başka bir yanını görmek küçük bir kuşku sesi ya-

---

* Tapınak –yn.

ratmıştı zihninde. Bir insanı tümüyle tanımak olanaksızdı, ama Siri'yi ne kadar az tanıdığını, Siri'nin de onu ne kadar az tanıdığını kavradı. Çoğunlukla rahat ve güvenli buluşmaların beslediği yüzeysel bir bilgiyi paylaşıyorlardı.

Lovell elinde tuttuğu şişeyi yerine koydu, Siri'nin hastane gibi koktuğunu ve yanık bir tadı olduğunu söylediği Merlot'yu aldı ve lokantaya doğru merdiveni çıktı. Siri'nin ardından koşturmalıydı. Ama bunun bir ilke sorunu olduğuna karar vermişti. *Ayağını sağlam bas,* diye düşündü. *İyice düşün.* Danielson olsa böyle derdi: nasihat eder, bir kağıda yazıp yollar, e-mail atar, sonra asıl kopyayı gönderirdi. Bak bakalım işler nasıl gidecek? Doğrular mı? Elbette, doğrular önemliydi. Ama doğrular yarış atları gibi rekabet ediyordu. Hangi doğru, çizgiyi önce göğüsleyecekti, soru buydu. Rüyalarındaki doğru mu? Hesaplarındaki mi? Özgeçmiş belgendeki mi? Yoksa arkadaşlarının ve ailenin anıları mı? O kadar çok doğru var ki. Bütün bunları Siri'ye yemek yerken anlatacaktı. Barışacaklar, Lovell'ın evine gidecekler ve sevişeceklerdi. Merdivenin en üst basamağına vardığında sıkı sıkı yapıştığı doğru buydu.

Siri gitmişti. Garson yanına gelip, "Arkadaşınız, gidiyor," dedi.

Garson Siri'nin servisini kaldırırken Lovell da masaya oturdu. Bir an sonra Siri'nin o lokantada, o masada ya da hayatında olduğuna dair hiçbir iz yoktu. Garson tirbuşonu tıpaya soktu, şişeyi açtı ve mantarı Lovell'a uzattı. Lovell mantarı kokladı. Kül ya da duman izi hiç yok, dedi kendi kendine. Şarabın tadına baktıktan sonra garson bardağını doldurdu. Şarabı bir dikişte bitirdi ve garson dönmeden kendisine bir bardak daha koydu. Tek başına oturdu içerek. "Doğruya... Andrew Danielson'a."

ON ÜÇ

Lovell, Graham Stiles ile buluşma konusunda bir huzursuzluk hissetti. Stiles'a telefon ettiğinde akşamı iptal etmek için bir bahane uydurmayı düşünmüştü. Stiles konuyu tartışmak yerine ona bir adres verdi ve yemek bitince oraya gelmesini söyledi. Lovell şarabın hepsini bitirip hesabı ödedi. Dışarıda bir taksi bekliyordu. Taksiye binip, Sukhumvit Yolu yeşil bölgesinin tam göbeğindeki özel bir kulübün adresini verdi.

Stiles, bu kulübün kartlı üyesiydi. Teknik açıdan burası bir bar değildi. Kimse krom direklerden kıvrılarak aşağıya süzülmüyordu ve içeriye şort, tişört ve sandalet giymiş hiçbir *farang* alınmıyordu. Giysi kuralı "smart casual" denilen türdeydi, tercihen gömlek ve kravat. Tuvaletler ve gümüş rengi yüksek topuklular giyen hostesler. Kulübün girişine yanaşınca, kapı görevlisi taksinin kapısını açtı ve Lovell'ın sürücüye para ödemesini bekledi. Lovell arabadan çıkarken, keşke bunu daha önce yapsaydım diye düşündüğünü fark etti. Trafik, dilenciler, yamuk yumuk kaldırımlar ve sıcaktan uzak, şık bir dünyaydı bu kulüp.

Biraz şıklığa ihtiyacı vardı. Düşünceleri ona iğrenerek bakan Siri'ye kaydı. Şarap mahzeninde ona mesafeli durmuştu. *Gerçek hakkında ne biliyorsun ki?* diye sormuştu. Bu Lovell'ın zihnini açmıştı.

Onu mutlu etmeye, ilişkilerini her ikisinin de rahat olduğunda fikir birliği ettiği bir düzeyde tutmaya çalışmamış mıydı? Zaten kusursuz olan bir şeyi rahat bırakamazdı Siri. Lovell'a göre, Siri'nin fırtına gibi çekip gidişi, Stiles'la buluştuğu için onu cezalandırmak üzere çocukça bir yöntemdi. Ona yaptıkları pazarlığı hatırlatmıştı, ama Stiles ile bir gece kulübünde içki içmek için buluşmak bara gitmek değildi, yani teknik olarak pazarlık ihlal edilmemişti. Siri, Lovell'ın dar avukat argümanından hiç rahatlık duymamıştı. Mantıkla ilgili değildi bu. Siri, Lovell'ın ona vermediği bir şeyi istiyordu, buna ihtiyaç duyuyordu. Bu bir ifşaat olmuştu.

Stiles, elleri iki yanında, ona doğru yürüdü. Yürüyüşünde güçlü, kesin hareketler vardı. Lovell'a iyice yanaşarak durdu ve elini uzattı. "Gelebileceğinden emin değildim, biliyorsun ya," dedi Stiles. El sıkıştılar. Tuhaf bir şeydi bu, ayakkabılarını Lovell'ın masasının üstüne koymakta hiç beis görmeyen Stiles ile el sıkışmak.

Lovell, "Bar yok. Tek sınır bu," dedi.

"Ahlak bir amaca hizmet etmeli, Lovell. Bara gitmenin nasıl ahlaki olmadığını bana açıkla. Ancak siktiğimin moronları kadınla ahlakı aynı cümlede kullanır."

"Ona barlara gitmeyeceğime dair söz verdim. Ben de sözlerimi tutarım. Bu da beni siktiğimin moronu yapıyor herhalde." Siri'nin adını anmadı.

"Senin kafandaki gibi bir bellek kartı olan bir moron kurtarılabilir."

Hiç gerekmiyordu, ama Lovell uzanıp Stiles'ın kravatını düzeltti. "Bana *Brokeback Mountain* yapma."

"Normal değillerdi."

"Soru bu değil. Sen normal misin?"

"Eşcinsel değilim, sormak istediğin buysa."

Stiles bir yerlere varmak üzere olduğunu hissetti. Bir konuda ciddi göründüğü zamanlar olduğu gibi kaşlarını çattı. Güçlü, erkeksi bir çene yapısı vardı ve kahverengi saçları düzgünce geriye taranmıştı. Bürodaki kadınlar Stiles'ı yakışıklı buluyordu. Stiles onlarla flört ederdi. Lovell'ın sekreteri Wan gibi kadınlar konusunda da onları bir torba kurabiyeyle şımartmayı bilirdi.

"Ama Bangkok *içinde* yaşamıyorsun."

Lovell suskunlaştı. Stiles'ın kaşları gözlerinin üzerinde tek bir çizgi halini aldı. Bu da çok ciddileşti demekti. Ama hileli bir soruya benziyordu.

Lovell uzun bir suskunluktan sonra, "Peki o halde nerede yaşıyorum?" diye sordu.

"Bangkok'ta bulunan büroda. Ama Bangkok'ta yaşamıyorsun. Bunu demek istiyorum."

"Kendimi işime vermiş durumdayım, bunu demek istiyorsan."

Stiles hosteslerden birini kucağına çekti. Yarı şaşıran kadın kıkırdadı ve Stiles kollarını kadının beline sararken huzursuzmuş gibi kıpırdandı. Uzaklaşmak için hiçbir gerçek çaba harcamadı. Müşterilerin üyelikle birlikte gelen ayrıcalıkları vardı. Tüm *ying*'ler kuralları bilirdi ve içlerinde mutsuz olan varsa piyasa koşulları kendini dayatır ve güler yüzlü öteki *ying*'ler onların yerini alırdı. Bu kulübün alternatifi Tek Elle Alkış gibi masaj salonuydu ve öyle yerlerde hayat daha kötüydü.

"İki yüzyıl önce bir gezgin şarkıcı olarak doğmalıymışım. Öyle değil mi, sevgilim?"

Kadın Stiles'ın yanaklarından çimdik alarak, "Seni komik adam," dedi.

"*Ying*'leri kucağımda hoplatarak, onlara şarkılar söyleyerek, epik şiirleri ezbere okuyarak, onlara şarkı söyleyip dans etmesini öğreterek."

Kadın, "Senin adın ne?" diye sordu.

Stiles, "Khun Phaen," dedi. Tüm zamanların en ünlü Taylandlı aşığı. Yeniden doğdum ve sen benim Nang Phim'imsin." Kadının yanaklarını sıktı, öptü. Elleri kadının yüzünü ve boynunu keşfetti, sonra elbisesinin önünden memelerini buldu.

Lovell, "Bundan hoşlandığını sanmıyorum," dedi.

Stiles bir kahkaha patlattı. "Hoşlanmak mı?" Elbisenin içinde elini yumruk yaparak dimdik olmuş bir meme başı gibi eklem yerlerini çıkardı. "Bu onu mutlu ediyor. Değil mi, sevgilim?"

Kadın gülerek, "Nang Phim," dedi. "Benim Khun Phaen'im." Eğilip Stiles'ı alnından öptü. Stiles kadına gitmesini işaret eden bir hareket yapınca kadın zarif bir hareketle Stiles'ın kucağından kalktı. Ona *wai* yaptı ve gitti.

Lovell iskemlesinde öfkeli, kızgınlıktan köpürmüş halde öne doğru eğildi.

Stiles, "Epik şiirde," dedi, "Nang Phim'i iki erkek birden paylaşıyordu. Khun Phaen, sevdiği adam ve Khun Chang, çirkin, yaşlı, osuruktan herif. Ama parası vardı. Onu himayesine aldı, ona altın ve gümüş verdi. Mesajı aldın mı? *Ying*'ler bunu bilinçaltıyla algılar. İyi bir adam bu, bana bakıyor. İki yüzyıldır öğretilen budur. Khun Phaen gece Nang Phim'in odasına gizlice girer, onu düzer, sonra kızın üvey kardeşinin odasına girer, onu da düzer. Onlar 'düzmek' demezler. Rüzgarların ve denizin dövdüğü gemilerle ilgili komik, çiçeksi bir dildir, ama herkes onların düzüştüğünü bilir. Herkes de bu durumu son derece normal kabul eder. Gezgin şarkıcılar yüzyıllar boyu ülkede dolaşarak Khun Chang ile Khun Phaen'in hikayesini anlattılar. Gelenek hiçbir zaman ölmez; yalnızca televizyon, filmler ve kitaplara dönüşür. Ya da erkekler Khun Phaen apoletleri takar. Çocuklar bu şiiri hâlâ okullarda öğrenirler. Siri öğrenmiştir. Ona bir ara Khun Chang ve Khun Phaen'i sor. Bu *onun* kültürü. Sadakatsizlik yalnızca öğretilmez, kutlanır da. Bunu çok seveceksin. Ona senden istediğinin yalnızca hiç şiirsellik içermemekle kalmayıp en ünlü Tayland şiirlerine ters olduğunu da hatırlat. Bir düşünsene, ben çocukken şiirden nefret ederdim. Ama New Jersey'de böyle şiirlerimiz yoktu hiç."

Lovell, Stiles'a inanıp inanmamakta tereddüt ediyordu. "Deli saçması," dedi.

"Siri'ye Khun Chang ile Khun Phaen'i sor. Nang Phim ikisinin arasında ping pong topu gibi gidip geliyordu, bir biri, bir öteki, sonra bir daha, bir daha. Nang Phim'e ne oldu, biliyor musun?"

Lovell başını iki yana salladı. "Hiçbir fikrim yok."

"Sürüklendi ve parçalandı. Yani atlar tarafından paramparça edildi."

"Ne anlama geldiğini biliyorum."

"Gerçekten mi? *Ying*'lerin her zaman bir kenara atılabilir olduğu anlamına gelir. Bir karar veremezlerse onlardan kurtulur, yeni baştan başlarsın. Yani kendine yaşadığın yer hakkında bilmediğim başka neler var diye sor. Lovell, uyanman gerekiyor. Orkideleri kokla. Danielson olsa sana böyle derdi."

"Danielson 'güller' derdi." Lovell etrafına bakındı. "Danielson'ı buradayken düşünemiyorum."

Stiles bir sigara yakıp dumanını üfledi. Lovell dumanı eliyle dağıttı. "Öyleyse yeni bir hayal gücüne ihtiyacın var demektir. Sana Danielson'ın bu kulübün üyesi olduğunu söylemiş miydim?" diye sordu sigarasını içine çekerken.

Lovell içkisine baktı, elini kadehin üstünde bir sihirbazın şapkasında gezdirdiği gibi gezdirdi. "Bu gece *wat*'a gitmeliydim. Ama katlanamadım."

Stiles, "Ben gittim," dedi. "Şirketin büyük kısmı oradaydı. Senin orada olmayışın fark edildi."

Bir masaya oturdular, bir garson onlara sıcak havlu getirdi ve Stiles'ın yüzünü sildi. Başka bir garson kadın Lovell'ın yüzünü silmeye kalkıştı, ama Lovell onun kolunu tuttu.

"Danielson ile senin iyi anlaştığınızı sanmıyordum."

"O bürodaydı. Büro dışında gayet iyi anlaşırdık. Günlük dopamin ihtiyacına karşı aynı isteği paylaşırdık." Stiles bu sözleri söylerken ürperdi. "Keşfetme ihtiyacı."

Lovell dinlemiyordu. Cameron'ın *wat*'ta gözlüklerinin üzerinden yas tutanlar arasında onu arayıp bulamamasını düşünebiliyordu yalnızca.

"Ne demek orada olmayışın fark edildi?"

Stiles gülümsedi, garson kadınlardan birini kucağına çekti. Epik şiirin ikinci perdesine hazırlanıyordu.

"Cameron senin nerede olduğunu sordu. Andrew senin patronundu. Sanıyorum senin *wat*'a gelmeni bekliyordu. Yüzünü göstermeni. Saygılarını sunmanı. Yas tutanlara şarkıda eşlik etmeni."

"Ne dedi?"

Hemen oltaya gelmişti ve Stiles onu bekliyordu.

"Yalnızca seni göremeyince şaşırdığını."

"Beni rahatsız eden nedir, biliyor musun Stiles?" Başı şaraptan hafifçe dönüyordu.

"Sen söyleyeceksin nasılsa. Söyle haydi."

"Noah Gould neden korsanlık sorunu konusunda sana gelmedi? Onun şirket işlerini sen yürütüyordun. Bunun yerine Andrew'a gitti. Bu bana tuhaf geliyor."

Stiles, "Noah sorunu bana da getirdi," dedi. "Konu üzerinde çalışıyorduk. Müşteriler bazen hızla istim alırlar."

"Ama bir sonuca varmıyordun."

"Bunu da kim söyledi?"

Lovell omzunu silkip boynunu iki yana oynattı. "Sonuç alıyor olsaydın, Gould yardım için Andrew'a gitmezdi."

"Bunu Andrew'a sorsan daha iyi olur derdim." Yüzünde bir gülümseme belirdi. "Ama bu biraz zor olur. Ya da Noah'a sorabilirsin. Ama oraya gitmek istediğinden emin değilim. Başın zaten yeterince dertte. Bu gece Danielson'ın cenazesine katılmamak kara leke, John. O senin lanet olası patronundu. Sen ise orada değildin."

Lovell akşam sekize kadar çalışmıştı ve Cameron kapıdan başını uzatmış, başparmağını kaldırmıştı. "Her zaman bürodan en son çıkan kişi. Bu şirkette geleceğin sağlam," demişti. Ama *wat*'a gitmekten söz etmemişti.

Şimdi de Stiles, o sinsi piç, garson kadının memelerini okşarken, başının ciddi dertte olduğunu ima ediyordu. Orada olmayışı fark edilmişti.

"Topu düşürdün, Lovell." Gülümseyip bardağını tekrar doldurdu. "Topu düşürmek ölümcül değildir. Alıp tekrar koşarsın. Ayaklarını üzgün bir kaybeden gibi sürükleyerek sahadan yürüyüp gitme yalnızca."

Şirkette moral destek yerine geçen şeydi bu. Stiles tam olarak oh olsun dememiş, ama büyük bir sempati de göstermemişti.

Bir gece kulübü tutkuyla ilgiliydi; sempati hiçbir zaman anlaşmanın içine girmemişti. Yalnızca üyelerini kabul eden kulüpler, bir müşteriyi uzaktan yakından rahatsız edebilecek her şeyden kaçınırdı. Burada tam tersiydi: Lovell'ın huzursuzluğu Stiles'a büyük bir zevk değilse de, rahatlık vermişti.

"Yarın *wat*'a gideceğim." Lovell viski-sodasından bir yudum aldı. "Bu gece büyük olaydı, su dökme töreni. Herkes kuyruğa girip Danielson'ın elinin üzerine su döktü. Sağ eli öksürük şurubu yeşili rengindeydi. Bu sıcaklıkta cesetleri iyi koruyamıyorlar. Hemen çürümeye başlıyorlar."

Sustu, bardağını kaldırdı. "Danielson'ın o eli nereye koyduğunu görmüştüm. Yalnızca cebine değil yani. İnsanı düşündürüyor. Yeryüzündeki son arayışım olabilir. Dokunacağım son memeler. Işıklar sönük ve hiç sevmemiş olduğum insanlar kuyruk olmuş aynı elin üzerine kutsal su döküyor."

Şarap midesinden boğazına ve ağzına uzun geri dönüş yolculuğuna başlamış gibi Lovell'ın boğazına acı safra doldu. Öne eğildi ve garsonun yüzünü silmek için getirdiği, artık soğumuş havluya tükürdü. Kadın koltukta yanında oturuyor, ellerini kavuşturmuş, gülümseyip mutlu görünmeye çalışıyordu. Lovell, onun da Siri gibi kendisinden tedirgin olduğunu gördü; kanepede oturmak istemiyordu ve Lovell iğrenmesini maskelemek için gösterdiği çabanın gönülsüzlüğünü görebiliyordu.

Stiles, "Bu gece seni çıkarmak Cameron'ın düşüncesiydi," dedi.

Stiles, Danielson'ın cesedinin yanına gitti ve elinin üzerine su döktü. Bürodaki herkes su dökmüştü. Ben sarhoş oluyorum ve Siri'yle kavga ediyorum, diye düşündü Lovell.

"Hey, sen beni dinliyor musun?" Stiles, Lovell'ın gözlerinin transa geçmiş gibi camlaştığını fark etti. Onun dikkatini dağıtanın kanepedeki garson kadın olduğunu sanarak gülümsedi.

"Cameron, *wat*'taki su dökme törenine katılmadığımı fark etti."

Stiles içini çekti. *Adam cidden umutsuz vaka,* diye düşündü." Seni çıkarmak onun fikriydi. Çalıştığın yerle seni tanıştırmak."

"Başka ne dedi?"

Stiles boğazını temizledi, sonra Cameron benzeri bir fısıltıyla, "Lovell iyi bir adam. Ama çalışmaktan başka bir şey yapmıyor. Oğlan konusunda kaygılanıyorum. Bu kadar çok çalışıp hiç eğlenmemek insanca değil. Bu şirkette makineler istemiyoruz. Taylandlılar'ın nasıl düşündüğünü ve davrandığını anlayan avukatlar istiyoruz. Müşterilerimize verdiğimiz değer bu," dedi.

"Cameron böyle mi dedi?" Gerçi gözlerini kapatmış olsa Cameron konuşuyor sanabilirdi.

Stiles yüzünü hostesin büyük göğüslerinin arasına sürttü. Kadın tekrar geri gelmişti, hiç kaçmamak istermiş gibi davranıyordu. Stiles, çocukların hayali helikopter sürerken çıkardıkları sesi çıkarıyordu. Kadın kıkırdayıp onun başını geriye itti ve ağzına bir fıstık attı, bir ayıbalığına gösteri yaptığı için ödül veriyordu sanki.

Stiles, Cameron fısıltısıyla, "Oğlanı sokağa çıkar," dedi. Garson kadın bir parmağını onun dudaklarına koydu, Stiles de parmağı öptü. "Senin sayacın gün boyunca çalışıyor. Onunki ise bütün gece boyunca. Bu yüzden avukatlarla iyi anlaşır." Kadının yanaklarını öptü, kendine sıkı sıkı çekerek dilini dudaklarında gezdirdi. Lovell başını çevirdi. Kusmak geliyordu içinden. "Cameron, 'onu eğlendir,' dedi. Ayrıca bana göz kırpıp, koluma şakacıktan vurdu."

Bu göz kırpma ve vurma kısmı Stiles'ın inanılırlığına gölge düşürdü. Lovell, Cameron'ın böyle bir şey yaptığını düşünemiyordu. Bu Stiles'dı, Cameron'ın kişiliğinden bir şey değil.

Stiles, "Bana inanmıyor musun?" diye sordu.

Lovell göz temasını bozdu. Stiles, Avenant Pharma ve Noah'ın korsanlık işini ondan alma kararı konusunda konuşmamıştı. Söylediği şeylerin birine inanmak zordu. Sessizlik içinde Danielson'ın bu kulübe gelmesini, şimdi kendisinin oturduğu yere oturmasını, masada aynı kadınla ve Stiles'la, kravatının düğümü gevşemiş, genç bir garson kadının göğüslerine yüzünü sürmesini düşündü.

"Peki, ben Cameron'a ne dedim biliyor musun?"

Lovell onun söylemesini bekledi.

"Dedim ki, 'Eminim Lovell cinsler arasında iyi ilişkiler kurmaktan yanadır.' Cameron da omzumu tutup, 'Ona ipleri göster. Buranın şiirselliğini açıkla. Akıllı bir oğlan, anlayacaktır,' dedi. Söze dökülmemiş bir anlaşmamız vardı. Ben şimdi buradayım. Sen de orada oturuyorsun."

"Bana ipleri göstermek. Şiirselliği açıklamak." Dilini bir garsonun boğazının dibine daldırmak, diye düşündü.

Stiles dilini *ying*'in ağzından çekti, başını geriye attı ve komik bir şeymiş gibi güldü.

"Biliyor musun, niye gülüyorum?"

Tam bir esrardı, bütün gece. Stiles neden ona bütün bunları anlatıyor ve şimdi de ona gülüyordu. Cameron, bir şey demişse bile, söylediklerinin gizli kalmasını isterdi. Danielson, Cameron'ın sadakat, sessizlik ve korkuya değer verdiğini söylemişti. Görünmez güçlerle flört ettiğini: kararlılık ve hırs. Onun battal boy yaşamı, bir şömine pervazında rahatça oturamayacak kadar büyüktü.

"Komik olan nedir?"

"Buna senin Khun Chang olduğunu söyledim. Benim Khun Phaen olduğumu biliyor. Ona seçim yapması gerektiğini de söyledim. Ne dedi biliyor musun?" Kadının koltuk altlarını gıdıkladı. "Söyle ona, sevgilim."

"Karar veremiyorum."

"Yirmi iki bin dizelik bir epik şiirin iki kelimede özü bu."

Lovell, "Cameron bu yüzden mi seni seçti?" diye sordu. "Tayland şiirini okumuş olduğun için mi?"

"Beni seçti, çünkü ben şiiri yaşıyorum." Hostes öne eğilip zarif hareketlerle Lovell'ın bardağına buz atarken gülümsemeyi sürdürüyordu. Stiles garson kadından uzaklaştı, arkaya iyice yaslandı, gülümsedi ve geçmekte olan bir garsonun kıçına pat pat vurdu. Kadın tiz sesli bir çığlık attı ve oyunbaz bir havayla Stiles'ın eline vurdu.

Stiles, "Hesabı istiyordum," dedi. Birkaç banknot çıkarıp hesabı istedi.

"Benim payım ne kadar?" Lovell cüzdanına uzandı.

Stiles bir trafik polisi gibi elini kaldırdı. Stiles'a borçlu olmak Lovell'ın hoşuna gitmedi. Bir şey borçlu olmak istemeyeceğiniz türde bir insandı. Lovell, "Ben de karşılayabilirim," diyerek garsonun gümüş bir tepside getirdiği hesap pusulasını aldı.

Stiles, "Müşteri hesabına yazılıyor," dedi.

Lovell, "Avenant Pharma mı?" diye sordu.

"Neden olmasın? Gerçekten de iş konuştuk." Stiles omzunu silkti, arkaya yaslanırken hostesi de kendisiyle birlikte çekti. Lovell faturaya baktı, gözleri odanın loşluğunda kısıldı. Cüzdanında para aranırken güçlükle yutkundu. Hesap New York fiyatlarıyla gelmişti. Stiles'ın masanın öteki tarafından gülümsediğini gördü.

Stiles tepsiye beş bin baht attı. "Haydi, gidelim," dedi.

Lovell kıpkırmızı oldu, yanakları alev alev yanıyordu. Yeterince parası olmamak, yanlışlıkla yangın alarmına basma aşağılanmasıyla aynı sınıftaydı. Biraz hakaret gibi geliyordu, onu sarsan, keşke önerdiği gibi hesabı Stiles almasına izin verseydi diye düşünmesine neden olan bir hakaret.

"Küçük bir öğüt. Dışarıya çıktığın zaman yanında hep on beş bin baht olsun. Dolaşma parası. Bunu Khun Chang parası olarak düşün. Paran çıkışmazsa kızlar yanlış bir fikre kapılabilir. Parasızlık onların kafasını karıştırır. Onları korkutur."

"Bunu unutmam."

"Şiir."

"Bunu da unutmam."

"Bir şey daha, Lovell. Avenant Pharma dosyasıyla ilgilenme. Arkadaşça bir öğüt yalnızca."

"Bu sanki bir tehdit gibi."

Stiles onun sırtına vurdu. "Gevşe. Büroyu düşünmemeye çalış."

Lovell akşamın sona ermesinden rahatlık duydu. Hesap ödenmişti ve kapıdan tam çıkmışlardı ki Stiles taksiye el etti, kapıyı açtı ve Lovell'ı içeriye iterek kendi de ardından bindi.

"Geceyi bitirmeden bir durağımız daha var."

"Bar yok."

"Siri seni bir tür terapiye mi soktu? Papağan gibisin. 'Bar yok, bar yok. Polly krikkrak istiyor! Bar yok.' Kafesinden çıktın. Kanatlarını açmaya çalış. Uçabilirsin. Sana zorunlu iniş olmayacağına söz veriyorum."

Taksi sürücüsü Stiles'ın papağan sesine güldü. Stiles'ın taklitlere yeteneği vardı. Bu yetenek onu hukuk şirketinde, taksilerde ve *ying*'lerin yanında popüler kılıyordu. Sosyal becerileri Stiles'a Cameron'ın yakın çevresinde yer kazandırmıştı. Burası da kötü bir yer değildi. Lovell akşam boyunca ilk kez Stiles'ın hukuk şirketindeki konumuna imrendi. Stiles'ın kendini taşımasını, her zaman rahat, komik ve denetimli olmasını gözlemişti. Stiles, Noah Gould ve Avenant Pharma ile ilgili soruları sinek kovar gibi geçiştirmişti.

Lovell, *bir durak daha kötü olmaz,* diye düşündü.

Stiles döndü, düşüncelere dalarak pencereden dışarıya baktı. Parmakları kapının kenarında bir ezgi çalıyordu. Kafasının içinde çalan bir şarkının ritmini tekrarlıyordu. Sanki zihninden bir şarkı geçiyordu. Lovell'ın zihninden geçense bir soruydu: Danielson'ın ölümü neden Stiles'ın üzerinde bu kadar az iz bırakmıştı?

ON DÖRT

Vincent Calvino, Nana Plaza'daki *soi*'nin karşısında bir otelin cafe'sinde bir bölmeyi işgal etmişti. Oturduğu yerden kapıyı ve doğu duvarındaki bölmeleri, ayrıca salonun ortasındaki krom bacaklı masaları rahatça görebiliyordu. Kafe personeli, barlar kapanınca gelecek müşteri dalgasını bekliyordu. Masaların ve bölmelerin yarısından fazlası boştu, dolayısıyla o an için işleri rahattı. Gruplar halinde durarak konuşuyorlardı. Sonra müşteriler gelmeye başladı. Bir garson saatine baktı. İlk bar *ying*'leri dönüşümden geçerek bikinilerini sokak giysileriyle değiştirmişler, bir tür kelebekten başka bir kelebeğe dönmüşlerdi ve ormanın bir yerinden başka bir yere gidiyorlardı.

Kapıdan giren adamlar, yaşamın her çeşidindendi –yaşlı büyükbabalar, büro çalışanları, öğretmenler, seyyahlar ve belirgin bir geliri olmayan yerel halk. Çan eğrisinin bir ucunda, ayakkabıları ya da çamaşırları çok darmış gibi yüzleri buruşmuş olanlar vardı. Öteki tarafındaysa rahat ifadeli, saatle kiralanan otelden çıkmadan önce donlarını unutmuşlar gibi gevşek yüzlüler. Çanın orta kısmında, beklenti ve istekle dolu, bir iş becermek için yanıp tutuşan yüzler bulunuyordu.

Calvino yüzlerden birini tanıdı, ama tam çıkaramadı. İnsanları bağlamlarından çıkmış halde görünce kim olduklarını çıkarmak biraz zaman alıyordu. Takipte insanları incelemek çok yoğunlaşma gerektiriyordu. Hareketsiz oturarak kapıdan içeriye giren her insanın yüzünü ve özelliklerini inceledi, daha önce görüp görmediğini hatırlamaya çalıştı ve zihninde yüzleri dosyaladı. Muhteşem Dörtlü'nün üç fotoğrafını ezberlemişti. Masanın üzerinde, kahve fincanının yanında *İhanet Riski Rehberi* duruyordu. Salona bakınırken bir yandan da kitapçığı okumaya çalışmış, ama kendini aynı paragrafları tekrar tekrar okuyor bulmuştu.

Kitapçık birçok iddiada bulunuyordu. Örneğin insanların neden-sonuç ilişkisiyle karşılıklı ilişkiyi birbirinden ayırt edemediğini öne sürüyordu. Horozun ötmesinin güneşi doğurduğuna inanan tavuklar gibi. Ya da zenginlerin doğuştan iyi olduklarına, kadınlarına bakıp kolladıklarına inanan köylüler gibi. Kitapçıkta erkeklerin, seksin av kısmını seksin kendisinden daha çok sevdiği konusunda bölümler vardı. Erkeklerin yeni bir kadını yeni olduğu için aradığı, karısından daha güzel ya da yatakta daha iyi olduğu için değil. İlgisi, düzmediği kadın üzerinde yoğunlaşırdı. Yeni bir kadın bir erkeğe, ilaç gibi bir endorfin dalgası verirdi, bu da bazı erkeklerin kadın çöplüğü olmasına yol açardı. Genç kadınların peşinden koşarak endorfin dozlarını alırlardı.

Calvino kitapçığı kapattı, kahvesini yudumladı. Kahve soğumuştu. Kitapçığa bıraktığı yerden devam etme isteğine karşı koydu. Salona bakınınca orta yaşlı endorfin bağımlılarının oraya yığıldığını, gözlerin sürekli salonu taradığını gördü.

Bangkok beyin kimyasallarıyla uçan, avını kovalayan gece avcılarıyla, bu hayalet benzeri vahşi hayvanlarla kaynıyordu. Onlar aslan ya da kaplanlarsa, kafe ve park yeri de su içme yeriydi. Av er ya da geç su içmek için oraya gelecekti. Calvino suyun kenarına Janet'ın kocası Howard Herron için gelmişti. İri bir adamdı bu, yüz kiloya yakındı ve biraz obezdi. Howard elli iki yaşındaydı, ama otuzlarında gösteriyordu. Üniversitede tanışmışlardı. Janet babasının Seattle rehin dükkanında çalışıyordu. Herron altın bir zinciri rehine bırakmak için gelmişti. Kahve içmeye çıkmışlar ve ondan beri de hiç ayrılmamışlardı. Şimdi Calvino, Howard'ın, karısından başka biriyle başka bir kahve içmesini bekliyordu.

Albay Pratt kapıdan içeriye girdi ve Calvino'yu arka tarafta, önünde yarısı içilmiş kahve fincanıyla kitapçığı karıştırırken gördü. Arkadaşının yanına oturunca garson kadın ona bir menü getirdi. Sivil kıyafetler giymiş olduğu için onun polis olduğunu kimse anlamamıştı anlaşılan. Albay menüyü açmadan kendisi için çay, Calvino için de yeni bir kahve söyledi.

Calvino, "Bir şey yemeyecek misin?" diye sordu.

Pratt menüyü masaya koydu. "Yemiştim."

"Çin makarnaları güzel."

Pratt başını salladı. "Sen yedin mi?"

Calvino bir tabak soğumuş patates kızartmasına baktı. "Aç değilim. Çalışırken yemek yemem. İştahım yok."

Pratt, "Elinde yeni bir iş olduğunu duydum," dedi.

"Üç yeni iş. Bir paket anlaşması."

Albay Pratt gülümsedi. Sırtı kapıya dönük olduğu için, arkasındaki insanları inceleyen Calvino'nun gözlerini takip etti. "Öyleyse işler yolunda."

"Hayat daha iyi olamazdı."

"Bunu duyduğuma sevindim. Son zamanlarda zor günler yaşadın. Müşterilerin kimler?"

Calvino, üç müşterisinin, çocuklar okula gittiğinden evde yapacak hiç işleri ve gidecek bir yerleri olmadığı için pahalı yemek kurslarına yazılan yabancı ev kadınları olduğunu anlattı. Aşçıbaşı Elmo'dan önce birçok başka yerel aşçının yanına da gitmişlerdi –Japon, Fransız, Taylandlı, Koreli, İsveçli– hepsi de onları köle emeğine mecbur etmeden ve gerçekten yararlı bir şey öğrenmişler gibi kendilerini iyi hissettirmeden önce, anasının nikahını istemişlerdi ücret olarak.

Calvino, "Ev kadınlarına yemek yapma sanatını öğretmek haraç almaya benziyor," dedi.

"Müşterilerin böyle mi dedi?"

"Katliam kurbanları iş işten geçene kadar asla şikayet etmez." Dersler normalde yararsız yaşamlarının merkez noktası haline gelmişti. Muhteşem Dörtlü'nün küçük bir odanın duvarlarını kaplayacak kadar çok sertifikası olduğunu düşündü.

Calvino, "Kadınlardan biri bana bunu verdi," dedi. Kitapçığı masanın üzerinden Albay'a uzattı. Pratt kitapçığı açıp iç başlığa baktı.

"*İhanet Riski Rehberi.* İlginç," dedi. "Bu ne demek şimdi?"

"Bir at yarışı bahsiyle, metaların geleceğiyle ilgili bir rapor arasında bir yerde yer alır. Hedef kitle yabancı eşler. Onlar bu kitapçığı satın alıyor, çünkü içinde kocalarının onları aldatma olasılığını öngören bir istatistik var. Bir kocanın aldatma riskine göre sıralanmış altmış üç şehir bulunuyor. Bangkok içlerinde bir numara."

"Aptalların %1'i böyle bir şeyi satın alır ancak."

Calvino, "Dünya çapında büyük bir pazar bu," dedi.

"Müşterilerin, kocalarının onları aldattığına inanıyor mu?"

Calvino omzunu silkti, lokantadaki yüzleri inceledi. Albay, bir iddiayı kanıtlamak için sayılarla oynandığına inanmakta haklıydı. Kimse bir partiye gidip de atılmak istemezdi. Olasılıkları hesaplamak her zaman iyi bir iş potansiyeliydi. Tam on ikiden vuruyordu –bir kadının karşı karşıya kaldığı riskin değerlendirmesi ve ona mayınların tam olarak nerede yoğun olduğunu gösterme sözü.

"Aldatma uluslararası hale geldi. Bunu kimse söylemiyor, ama bu arada küreselleşme, yerlere ve pazarlara ulaşmayı kolaylaştırdı ve oralardaki insanlar farklı. Bu insanların bazılarının paraları, beyaz gömlekleri ve kravatları vardı. Kadınlar onlara gerçekten içtenlikle yaparmış gibi gülümsüyor. Bir bakıyorsun adamlar bunu kendilerine yönelik bir şey olarak almış. Bu kadınlar erkeklerin üstüne yıllardır olmadığı kadar yapışıyor. Erkeklerin eşleri kocalarının tavırlarındaki değişikliği fark ediyor. Eşler kocalarının ne yapacağını bilmek istiyor."

Pratt, "Bu kitap onlara sorularının yanıtlarını alacakları sözünü mü veriyor?" diye sordu.

"Bir pazarlamacının rüyası bu. Yurtdışına çıktığınızda evliliğinizi kurtarmanın on adımı," dedi Calvino. "Kadınların yanlış konular üzerine fazla kafa yormasına neden oluyor."

"Ya da düşünecek başka bir şey. Ama özel dedektiflik işi için iyi bir şey değil," dedi Pratt.

"Şikayetçi değilim."

"Hayat böyle. Ne olursa olsun birileri için hep bir olumluluk var."

"Andrew Danielson gibiler için de olumsuzluk. Danielson'ın eşinin tanıştığım grubun üyesi olduğunu söylemiş miydim?"

"Danielson bağlantısını nasıl buldun?"

"Kocalarının resimlerini gösterirken dört fotoğraftan biri de onunkiydi."

"Tuhaf."

"Tuhaf ki ne tuhaf. Ama böyle oldu. Kocalardan birinin beni Danielson'ın temsil ettiği adama götürebileceğini düşünüyorum."

"Kocalardan biri Danielson'ın müşterisinin adını mı verecek?"

"Bir ihtimal." Calvino çenesini sıktı. "Pratt, paramı alacağım."

Albay Pratt öne doğru eğildi, kolları masanın üstündeydi. Danielson'ın yabancı eşler grubuyla bağlantısı konusundaki bu bilgi Pratt'i hazırlıksız yakalamıştı. Pratt kitapçığı karıştırırken, yabancı eşlerden birinin Danielson'ın ölümüyle ilgili bazı açık uçları birleştirmekte yararlı olması olasılığını düşünüyordu okumak yerine.

Calvino, Albay Pratt'in kitapçığın bir sayfasına baktığını gördü.

"Bangkok bir numara," dedi.

Albay Pratt, "Evlilik mahvetme yatağı mı?" diye sordu.

"Bunu yazan adamlar değerli bir kamu hizmeti veriyor."

Rehber becerikli ellerle her klişeyi anlamından saptırmış, keyfi sayılarla duyguları beslemiş, bir numarada olmanın özel bir anlamı varmış gibi korku ve öfkeye bire bin katmıştı. Hiç kuşku yok ki bu kitapçık özel dedektiflik işi açısından iyi olmuştu. Özel dedektifler yayıncıyı mektup yağmuruna tutmalı, yıllık baskılar yerine üç ayda bir güncellenmiş baskılar yapıp yapamayacaklarını sormalıydı.

"Onlara teşekkür etmen gerekir. Ama artık kimse mektup yazmıyor," dedi Albay Pratt. "Her şey e-posta oldu."

"Ben de onlara bu öneriyi e-posta ile gönderirim. Söylemem gereken başka bir şey var mı?"

Açık yakalı, uzun kollu beyaz bir gömlekle siyah pamuklu pantolon giymiş bir garson çayı getirip albayın fincanına döktü. Albay süt ve yarım çay kaşığı şeker istedi ve karışımı bembeyaz olana kadar karıştırdı.

Başını fincanından kaldıran Pratt, "Tanrılar adildir ve bize hoş gelen kötü alışkanlıklarımızı bizi mahvedecek araçlara çevirir."

"Shakespeare bu."

Albay Pratt, "Kral Lear," dedi.

Calvino, aldatan kadınlara öfkeden deliye dönen, saçını başını yolan yaşlıca bir *farang*'ı düşündü. Kitapçıkta başka bir sayfaya bakan albaya göz atarken bu düşünceyle oyalandı biraz.

Albay Pratt başını kitapçıktan kaldırıp Calvino'nun yüzünde yoğunlaşmış bir ifade yakaladı. Gözleri kafeye giren *farang*'lar üzerinde sabitlenmişti.

"Kadınlardan birinde Andrew Danielson'ın fotoğrafı vardı dedin."

Albay Pratt'in sıcak evinden çıkıp bu takip noktasında Calvino'nun yanına gelmesi için yeterli bir nedendi bu. "Evet ve bunun bir kaza olduğuna da inanmıyorum. Benim o fotoğrafı görmemi istediler." Üç kuşkulu koca fotoğrafını da iskambil kağıdı dağıtır gibi *İhanet Riski Rehberi*'nin açık sayfasının üzerine koydu. "Kadınlardan biri aynen bu yaptığımı yaptı. Danielson'ınki bu üçünün yanındaydı."

Albay Pratt fotoğrafları inceledi. "Danielson'ın fotoğrafı nerede?"

"Debra, yani eşlerden biri, aldı. Diğerlerinin yanında olmasının hata olduğunu söyledi."

"Neden böyle düşündüğüne dair bir fikrin var mı?"

Calvino omuzlarını oynatarak ağrı oluyor mu diye baktı. Ağrı olmayınca rahatladı. "Kendilerini ele verdiler. 'Aaa, bu fotoğraf da buraya nasıl geldi?' Yutmadım tabii. Bütün bu hata bahanesini daha önce çok görmüş olduğumuzu bilmiyorlar bence."

"Bir kadında bütün kocaların fotoğrafının olmasını tuhaf bulmuyor musun?"

"Tam bir teyakkuz halinde olduklarını anlamak için yeterince *Rehber* okudun."

Albay Pratt başını iki yana salladı. "Danielson'ın fotoğrafını geri alırken nasıl görünüyordu?"

"Utanmış."

Calvino, Howard Herron'ın fotoğrafını işaret etti. "Bu gece takip ettiğim adam bu. Anlaşılan bu kafeye takılıyor."

Albay Pratt resmi eline alıp yüzü inceledi. Kendisine biraz daha çay koyup şekeri karıştırdıktan sonra sütsüz içti. Bu kez fotoğraftaki yüzü daha dikkatle incelerken, bu *farang*'ın (ve ötekilerin) Andrew Danielson'ı ne kadar iyi tanıdıklarını merak etti. Howard'ın adını, öteki kocaların adlarıyla birlikte defterine kaydetti. Kocaların adları, fotoğrafların arkasında öteki ayrıntılarla birlikte –boy, kilo, doğum yeri ve tarihi– yazılmıştı. *Rehber*'de özel dedektiflere bilgi verme konusunda bir sayfa vardı. Resimlerin ardına kişisel ayrıntıları yazmak da tavsiyelerden biriydi. Bu bilgiyi de yazdıktan sonra defterini kapattı.

Albay Pratt, "Danielson'ın toksin raporunun değiştirilmiş olması büyük ihtimal," dedi.

"Ardında ne var?"

"Bir olasılık, birilerinin raporun kalp krizi teşhisiyle çelişmesini istememesi."

"Polisten biri mi?"

Albay Pratt bu tür konularda hiçbir zaman yorum yapmazdı. "Bilmiyorum."

"Danielson öldürüldü mü diyorsun?"

"Bilmiyorum. Bu sonuca varmak için yeterli kanıt yok. Sırf raporun değişmiş olması ille de bir anlam ifade etmez. İlk raporda bir yanlışlık yapmış olabilirler, sonra da düzeltmişlerdir."

Albay savunma moduna geçmişti. Polisin kuralı meslektaşlarını korumak ve savunmaktı, özellikle de yabancılara karşı. Calvino da bir polis olmamakla kalmıyordu, bir *farang*'dı. Bu onu iki kat yabancı kılıyordu. Pratt kendini rahat hissettiği noktaya kadar konuşmuştu.

"Varsay ki Andrew Danielson öldürülmüş ve birileri bunun üstünü örtmek istiyor. Neden nedir? Dur tahmin edeyim –ya kişiseldir ya işle ilgilidir." Bir cinayet davasıyla ilgili standart resmi açıklama, katiller dünyasını bu iki kategoriye ayırırdı. Gazeteler birçok cinayet vakasında bu ikili teoriden alıntı yapardı. Polisin kullandığı klişe ifadelerden biriydi bu ve ne olursa ve neden olursa olsun gazeteciler er ya da geç cinayet nedenini ta en başında bildiklerini kanıtlarlardı.

Albay Pratt gülümseyerek, "Danielson'ın sana bir dolu borcu vardı," dedi.

"Haydi, Pratt, sana yakışmıyor bu kadar zayıf bir neden. Öteki üç koca da Danielson'ın yerinde olabilirdi."

Albay Pratt'in yüzünde dalgın bir ifade belirdi. "Her şey mümkün."

"Muhteşem Dörtlü kocalarını birer birer haklıyor ve ben kumpaslarının tam göbeğine düşüp onlara bilgi veriyorum. Bu da beni yardım yataklığa sokar," dedi Calvino, gözlerini devirerek.

Pratt boş çay fincanına bakınca içindeki yapraklardan fal bakmaya çalıştı. "Belki de karıları bir sonraki adımı atmadan önce emin olmak istiyorlar," dedi.

Calvino bir elinin boğumlarını ovuşturarak parmaklarını açıp kapadı. "Bana benziyorlar. Paralarını istiyorlar. Buna saygı duyarım. Onları anlamamı sağlıyor."

"Para intikamın yalnızca bir türü."

Albay Pratt'in stokundaki ifadelerden biriydi bu, hiçbir zaman istikrarlı ya da öngörülebilir olmayan, her şeyin kayıp gideceği bir dünyaya bir polisin bakacağı türden. Tüm seçeneklerin açık olduğu ve gündemlerin asla kapanmadığı bir dünya.

Albay Pratt, "Adli tıpta çalışan bir arkadaş bana toksin raporu anlattı," dedi. Calvino'ya bir şey vermeye çalışıyordu.

"Üzerinde oynanmış mı? Umarım bunu yapanı bulurlar," karşılığını verdi Calvino. "Ama benim işe dönmem gerek."

"Danielson'ın ölümünün üzerinde çalıştığın korsanlık işiyle bir ilgisinin olması mümkün mü?"

Artık Calvino'nun tüm dikkatini üzerinde toplamıştı. Albay Pratt'e Danielson'ın bu işi hukuk şirketinin dosyalarına sokmadığını söylemeyi düşündü bir an. Bu konumdaki bir ortağın kuralları ihlal etmesi için Andrew Danielson'ın çok iyi bir nedeni olmalıydı.

"Ya bu Danielson'ın özel işiyse?" dedi.

Albay garsonu çağırıp çay için biraz daha sıcak su istedi. Sonra Calvino'ya döndü. "Özel mi? Anlamadım. Ne demek istiyorsun?"

"Hukuk şirketinde dosyanın hiçbir kaydı yok. Bu da Danielson'ın bir nedenle bu işi şirketten uzak tuttuğu anlamına geliyor."

"Bunu neden yapsın?"

"Çıkar çatışması mı? Yoksa ücreti önceden aldı ve ortaklarıyla paylaşmak istemiyor mu?"

"Danielson'ın kimin adına çalıştığı hakkında bir fikrin var mı?"

Calvino içini çekti, dişlerinin arasından derin bir nefes aldı. "Ben de bunu bulmaya çalışıyorum. İlaç imalatçısını buldum. Ama telefon edip, 'Hey, beyler, sizin bölümünüzden biri gidip Danielson adlı ölü bir avukatla bir korsanlık işini basmak üzere anlaşma yaptı mı? Beni bu konuda bilgi sahibi olan birine bağlar mısınız?' diyemem. Beni kime bağlayacaklar? Pratt, daha fazla bilgiye ihtiyacım var. Elimde üç ipucu var. Danielson'ın dul eşiyle takılan kızlarla evli üç koca. Bu da hiç yoktan iyidir."

"Ama sana yardım edip edemeyeceklerini bilmiyorsun."

Calvino attığı kafanın bir yumru bıraktığı yeri kaşıdı.

"Kabul ediyorum, ama bu bir başlangıç. Benim anlamadığım şey, neden birinin onu öldürmek istediği. Adam bir avukat. Onu çekip alsan, Danielson'ı tutan her kimse gider başka bir avukat bulur. Daha tepelere çıkıp asıl hedefi bulman gerekir. Avukatına beni tutmasını söyleyen adamı yani."

Pratt çayını koklayıp fincanını dikkatle tabağına koydu. *Vincent'ın, Danielson'ı tutan adamın kim olduğu hakkında hiçbir fikri yok,* diye düşündü. Korsanlık bir kedi-fare işiydi. Yerel gangsterler çoğunlukla arka-*soi* işleri yürütürken yakalanırdı. Para cezası öderler, dükkanı başka yere taşırlar ve ertesi gün işe tekrar başlarlardı. Kapanmak iş yapmanın bir maliyetiydi yalnızca; birini öldürmek için neden olamazdı.

Albay Pratt, "Lovell adlı bir Amerikalı avukatı sorguya çektik," dedi. "Danielson'ın yardımcısı olarak çalışıyordu. Danielson'ı canlı gören son kişi oydu. Senin işle ilgili bilgi verebilir sana."

"Bunu zaten denedim. Bana siktirip gitmemi söyledi."

"Çok baskı altında, sence de öyle değil mi?"

"Konuşmak için bir nedeni olmalı."

İş dünyasındaki herkes bir şey saklıyordu; sakladıkları şey, sanatçı bozuntularıyla uyuşturucu imalatçılarının sakladıklarından ancak biraz farklıydı. Hukuk şirketlerine, gizlilik ve ayrıcalıklı iletişim şemsiyesi altına bir şeyler saklamak için para ödenirdi. Calvino, New York City'de hukuk okumuştu ve bir avukatın hassas bilgilerin saklandığı bir tampon bölge işlevi gördüğünü biliyordu. Mesleki gizlilik kuralı, kurşun geçirmez yelek kadar sağlamdı. Ama bu vaka, hukuk şirketinin defterlerinde hiç ortaya çıkmamıştı. Saklanacak bir gizlilik yoktu. Bu ince bir ayrımdı, Lovell'ın dikkatini çeken bir ayrım.

Albay Pratt sıcak çayını yudumladı.

Calvino, "Lovell'dan elimi çektiğimi söylemedim," dedi ve bir şey daha söylemeye hazırlandı. Cümlesinin yarısında sustu ve soğuk patates kızartması tabağına baktı. Bir patates alıp çiğnedi. Cep telefonunu kontrol etti. Janet Herron'dan gelen üç telefonu kaçırmıştı. Calvino, Lovell ile ilgili daha çok bilgi bekleyen Pratt'e baktı.

"Ona seninle konuşması için bir neden verdin mi?"

Calvino başını salladı. "Korsanlık operasyonuyla ilgili elimde bir video var. Çok güzel, Pratt. Onları bokun üzerinde yakaladım, malı kutulara ve sandıklara koyarken. Korsanlık 101 dersi videosu bu."

"Lovell gene de ilgilenmedi mi?"

"Sanki vaka radyoaktif içeriyormuş gibi. Onun kendisini uzakta tutması için bir neden olmalı. Ona paramı istediğimi söylüyorum, o da bana gidip başka yerde aramamı. Bu müşterinin hukuk şirketiyle hiçbir ilgisi olmadığını söylüyor. Şirket politikasına aykırı olduğunu söylüyor." Danielson'ın yaptığı yanlıştı. Calvino, *kötü bir politika değil,* diye düşündü. Lovell'la konuştuktan sonra vakayı bir kenara bırakmayı düşünmüştü. Ona kocalarını takip etmesi için para ödeyecek üç yeni Amerikalı müşterisi vardı. Ama ölü bir müşteri, asla bir yana bırakamayacağı bir şeydi.

Albay Pratt, "Belki de Lovell'a Danielson'ın müşterisiyle ilgili ben soru sormalıydım," dedi.

Calvino, Albay Pratt'in parasını onun adına alabileceği düşüncesiyle neşelendi. Ama heyecanını göstermemeye çalıştı. "Bana söylemiyor. Belki sana söyler."

"Sana haber veririm."

"Paramı peşin almalıydım. Ama yapmadım. Hikayenin sonu."

"Hikayenin başlangıcı."

Calvino sert rauntlar arasında tabure üstünde dinlenen bir boksör gibi ileri geri sallandı. "Bazı hikayelerin başı ya da sonu yoktur."

"Ben de bu yüzden Shakespeare'i severim. Nereden başlayacağını, nerede bitireceğini bilir. Sanat budur."

"Ben sanat manat bilmem. Ama biliyorum ki bir işim var. Şimdi. Bu gece. Howard Herron'ı iş üstünde yakalayayım ki, karısı 'işin bitti' diyebilsin. Ben para alırken Howard sahip olduğu ve sevdiği her şeyi kaybediyor."

"Bu bir başlangıç ve bir olası sonuç. Başka bir sonuç da, Howard'ın sana Danielson'ın gizli müşterisinin adını söylemesi."

"Ben sonuçları hiç tahmin edemem."

Calvino hedefini, Howard Herron'ı kapıdan içeriye girer girmez görmüştü. Herron tek başına geldi. Kapıdan içeriye bir iki adım attı, masalara dağılmış kadınların yüzlerini inceledi. Fotoğrafında daha genç ve çok daha bakımlı duruyordu. Gerçek yaşamda Howard ellili yaşlardaydı ve bir zamanlar aynı hacmi kaplayan kaya gibi sert biraların bir eseriymiş gibi, göbeğinde sırt çantası büyüklüğünde bir çıkıntı taşıyordu. Gözlerini kıstı, gözlükleriyle oynadı, çıkarıp tekrar taktı –gördüklerinin bir şey fark ettirip ettirmediğine karar vermeye çalışıyormuş izlenimini veren bir tik. Fotoğrafında saçları koyu renkti; gerçekte ise kısa ve ağarmaya başlamış. Şık beyaz gömleğinin koltuk altlarında ter lekeleri vardı ve yeşil çizgili kravatı gevşekti, ama terzi elinden çıkma koyu renk pantolonunda hiç kırışık yoktu. Pahalı ayakkabıları biraz önce parlatılmış gibi duruyordu. Ciddi duruşuyla tatilde rahatlamaya gelmiş bir insan görüntüsü yoktu.

Yorgun, sinirli ve gergin duruyordu, şirketin üç aylık raporu, projelerin gerisinde kalmış ve bundan kendisi bizzat sorumluymuş gibi. *Kafein insanı gergin yapar, iliklerine kadar yorgun olsa bile,* diye düşündü Calvino. *Ya da daha güçlü bir ilaç. Ya da Howard'ın kişiliği yüksek anksiyeteye ayarlıdır.*

Howard, üst dudağında boncuk boncuk terler, kafeye biriyle buluşmayı bekler gibi bir havayla girdi. Gözleriyle salonu tararken surattan surata geçti. Yok. Birkaç adım attı, dudaklarındaki teri sildi. İncelemesini bitirdikten sonra yüzünde hayal kırıklığı belirdi. Misyonunda başarısız olmuştu ve Howard'ın havası başarısızlığı iyi karşılamadığını düşündürüyordu. Dönüp kapıyı açtı, gecenin içinde kayboldu.

Calvino bölmeden çıktı. "Bu benim adam," dedi.

Pratt onun kapıdan çıkmasını izledi.

"Vincent," diye arkasından seslendi. "Danielson'ın esrarengiz müşterisi için hazırladığın videoyu görmek istiyorum. İşin nasıl sona erdiğini de bildir bana."

"Olur. Yarın."

Pratt, Calvino'nun geceye karışmasını izledi. Albay Pratt, Vincent Calvino'yu New York City'ye geri götürecek bir iş için WHO başvurusu konusunu hiç açmamıştı. Çayının son yudumlarını alarak bölmede oturdu. Birçok olası son vardı. Calvino için bu sonlardan biri olarak bir BM işi düşünmekte zorluk çekiyordu.

ON BEŞ

Gece 2:30'da otelin park yerinden geçen az sayıda insan, barlardan dalga dalga gelen bir insan tsunamisine dönüşmüştü. Her dalga daha çok insan getiriyordu, aysız gecenin sıcağında birbirine çarpan insanlar. Park yeri omuz omuza duran, gülen, birbirini arayan, sigara içen insanlarla hıncahınç doluydu. Şort ve sandaletli bazı erkekler, gözleri kan çanağı, ellerinde bira şişeleriyle dolaşıyordu. Parti havası sokağa da yayılmıştı, insanlar yola çıkıp trafiği tıkıyorlardı. Geç saat et pazarı resmî olarak açılmıştı. En leziz etler, gece yarısı, iştahı olanlara kendilerini sunarak dolaşıyorlardı.

Lovell, "Kalabalığın büyüklüğüne bak," dedi. "Konsolosluk bizi sokak gösterilerine katılmamamız konusunda uyardı."

Stiles, "Gösteri değil bu," diye karşılık verdi. "Siyasi bir şey değil. Sosyal."

Lovell ile Stiles'ın arka tarafında oturduğu taksi, Soi Nana'daki polis noktasının karşısında durdu. Üniformalı polis memurları kulübelerinin içinde otururken sıkılmış görünüyorlardı. Taksiden indiler. Stiles sokak satıcılarının arabalarının ve kalabalığın arasından geçerek kaldırıma çıktı, sonra da sokağa girdi. *Ying*'ler ve onların müşterileri dalgalar halinde park yerine gitmek üzere sokağın karşısına geçiyorlardı. Bazı *ying*'ler, aldıkları haplarla uçarak, bir kamp ateşinin çevresinde uçuşan ateşböcekleri gibi vızıldayıp duruyordu. Beyaz plastik çerçeveli güneş gözlüğü takmış, kimyasal madde almış bir *ying* Lovell'ı gözüne kestirerek kolunu tuttu. Bir fare Lovell'ın ayaklarının üzerinden geçerek kaldırıma hamle etti, su yolundan koşarak bir delikte gözden kayboldu. Lovell birkaç saat önce bir şişe şarap içmişti, ama içkinin etkisi artık geçmişti.

"Seni yakışıklı adam. Seninle gidiyorum. Bana para ver, tamam?"

Lovell kadının omzundaki dövmeye baktı, bir kalp. Kalbin altında mavi Gotik yazıyla "Rick" yazılmıştı. Dudağında uçuk olan arkadaşlarından biri, "Ben de seninle giderim," diyerek araya girdi.

Lovell kolunu çeken elleri hissederek adımlarını hızlandırdı, ama *ying*'lerden kurtulamıyordu. Kadınlar kene gibi yapışma konusunda ustaydılar, yavaş hareket eden bir su bufalosunu yere yıkan aslanlar gibi. Stiles, dövmeli *ying*'in kulağına Lovell'ın eşcinsel olduğunu fısıldadı. Stiles, Lovell'ın elini kavramıştı ve ona doğru başını sallıyordu. *Ying*'lerin fark etmeden geçemeyeceği bir hareket. Rick dövmeli *ying*, Lovell'da bulaşıcı bir hastalık varmış gibi geriye sıçradı. Öteki iki *ying*'e de söyleyince kadınlar grubu bozup yeni bir misyona doğru çekip gittiler.

Lovell, "Bunu nasıl yaptın?" diye sordu.

Stiles, Lovell'ın elini bıraktı. "Onlara senin eşcinsel olduğunu söyledim."

"Peki sana inandılar mı?"

"Bu kusurlu bir dünya, Lovell. Onlar iş istiyor. Bir kadın istemediğini düşünürlerse senin etrafında durmazlar."

"Bazı şeyler üzerine konuşmamız gerek."

Gürültüden insanın kendi sesini duyması bile olanaksızdı. Stiles, Lovell'ın söylediklerini duymamıştı ve duyduysa bile duymamış gibi yapıyordu. Stiles yarı bağırarak, "Beni takip et," dedi.

"Burayı görmüştüm. Konuşabileceğimiz sessiz bir yere gidelim." Yüzlerce insan birbirinin üstüne üşüşmüşler, dokunuyor ve geri çekiliyorlardı.

Stiles, Lovell'ın ona yetişmesini bekledi. "Kilolu bir *ying* seni tehdit ederse bana haber ver. Senin insan kalkanın olarak düşün beni. Cameron'a yarın raporumu sunacağım. John Lovell'ın beceremediğini söylemek istemem."

Stiles dirsek ata ata kalabalığın arasından yavaşça geçti, arada öpücük de dağıtıyordu. Lovell onu takip etti, boynundan ter akıyordu. Gömleğinin üst düğmesini açtı. Nemli hava boğucuydu. Yiyecek satıcıları çöpte domuz ve tavuk eti satıyorlar, kızarmış çekirge ve su böceği dolu arabalar da iyi iş yapıyordu. Kalabalık üstüne üşüşürken Lovell kendisine şantaj yapılmış, sıcaktan bunalmış, yönünü kaybetmiş, dengesi yok olmuş ve korkmuş hissetti. Görüntü onu tiksindiriyordu. Ama aynı zamanda da, ne kadar çok yürürse, gördüklerinden o kadar çok büyüleniyordu.

Stiles temel olarak haklıydı: Dünyası hukuk bürosu ile evinden ibaretti. Dünyası ancak Siri'yi de içine alacak kadar genişlemişti. Nana Hotel park yeri gece ikiden sonra olasılıklar, kişilikler, verilen ve tutulmayan sözlerle nabız gibi atıyordu. Çoğunlukla genç olan kadınlar, gruplar halinde duruyordu, yüzler yeni makyajlanmıştı. On saatlik dans, itişip kakışma, itiştirilme, terk ve dövüş vardiyasından yeni çıkmış kadınlar park yerine bir erkek bulma umuduyla doluyorlardı.

"Bara gitmen gerekmez. Bar sana gelebilir," dedi Stiles.

Park yerinin ortasında durdular. Birkaç adım ötede bir *farang* ile *ying* durmuş birbirlerinin tükürüklerini yalıyorlardı. Kadının kollarının arasında duran adamın bir eli, kadının kot pantolonunun içindeydi. Göz alabildiğine *ying* vardı, beklentiyle dolu, göz teması kuran, gülümseyen ve flört eden. Sigara dumanı Stiles'a en yakın duran *ying*'in burnundan kıvrılarak çıkıyordu. Kadın Stiles'a sigara tuttu, o da teklifi kabul etti. Stiles'ın sigarasını yakan kadın sigarayı zarif hareketlerle Stiles'ın dudaklarına yerleştirdi. "Hoşuna gitti, Dew?"

"Dew hoşuma gitti," diye şaka yaptı Stiles.

Kadın onun omzuna şakacıktan vurdu. "Beni unuttun?"

Stiles sigarasını atıp ayağının altında ezdi. "Seni asla unutmam."

"Neden onunla bebekle konuşur gibi konuşuyorsun?"

Stiles, Lovell'ı duymazdan geldi. "Bu gece olmaz." İki yüz bahtı kadının avucuna koyup elini sıktı.

Lovell, "Sigara için ona iki yüz baht mı veriyorsun?" diye sordu.

"Devamlılık ücreti. Bana daha önceden telefon etmişti. Buraya geleceğimi söylemiştim. Ama onunla gitmiyorum."

"Onunla gitmemek için ona para mı veriyorsun?"

"Ondan sıkıldım. Ama rencide olmasını da istemiyorum. Bu yüzden çekip gitmesi için para veriyorum. Bu da bana onu görmezden gelme hakkı kazandırıyor. O bir şey aldı, ben de aldım."

Stiles, *Cameron, Lovell'ın bir baloncuk içinde yaşadığını düşünmekte haklı,* diye düşündü. Avukatlar arasında Lovell'ın takma adı Baloncuk Oğlan'dı, ama o bunu bilmiyordu.

Lovell tam bir daire çizerek döndü.

Park yeri kısa etekli ve yüksek topuklu, bazıları kot ve tişört giymiş, para kazanmak için son şansları olduğunu bildikleri için aşırı pahalı olan bar *ying*'leriyle kaynıyordu. Son moda giysiler, kalçaları ve kaval kemiğini vurguluyordu. Her zevke göre *ying*'ler vardı –yiyecek, içecek, uyuşturucu ve sekse hazır. Nemli havada, mesaj pankarta yazılmış gibiydi: bu gösteriden beni çek al, haydi oyuna girelim. Küçük eller uzandı, parmaklar Lovell'ın saçına, kravatına ve gömleğine dokundu. Uzun ya da kısa, hiç fark etmez, Lovell bir rock yıldızıymış gibi ona doğru mıknatıs tarzı çekiliyorlardı. Gösteriyi izleyen öteki *farang*'larla karşılaştırıldığında Lovell farklıydı: genç, yakışıklı, taze et. Stiles bunu daha önce de görmüştü. İçlerindeki radar, bar *ying*'lerine büyük para olasılığı taşıyan masum ve yeni bir müşteriyi saptama yeteneği veriyordu.

Onlardan yalnızca birkaç santim ötede, hepsi rujlu ve bembeyaz dişli kızlardan oluşan çemberin içine sıkışmış Lovell ile Stiles, sokaktan gelen bağrışa neyin neden olduğunu son anlayanlar arasındaydı. Stiles kalabalığın arasından geçen ilk üniformalıları görene kadar birkaç dakika geçti. Kimsenin neler olduğu hakkında bir fikri yoktu, ama seks isteği anında yok oldu.

Bir polis baskınının ortasındaydılar. Bir Toyota minibüs *soi*'ye girdi ve park yerinin önünde durdu. Minibüsün arkasında yarım düzine motosikletli polis durup indi. Minibüsün kapısı açıldı ve elinde telsiz olan bir polis aşağıya inerek ötekilere emirler yağdırmaya başladı, polisler de kalabalığın arasına girdi. Kümese giren tilkiye tepki gösteren tavuklar gibi *ying*'ler de titredi, bağırdı ve kaçarken birbirlerine çarptı, düştü, dizlerini sıyırdı, ayakkabılarını düşürdü. Muhabirler ve televizyon kameramanları baskını kaydetmek için birbiriyle yarışıyordu. Önceden baskını haber almışlardı.

Televizyon ekipleri polislerin ilk *ying*'leri yakalamalarını filme aldı. *Ying*'ler küfredip bağırdılar, mücadele ettiler. Polisler onları minibüsün arkasına tıktı. Pearl Harbour'un bombalanmasında olduğu gibi sürpriz unsuru polisin lehine işlemişti. Kameralar, *ying*'leri elli kiloluk pirinç çuvalı gibi kaldırıp minibüsün arkasına atan polislerin gerçeküstü görüntülerini kaydetti.

"Şimdi ne olacak?" Lovell'ın bacakları titriyordu. Kaçmak istiyor, ama nerenin güvenli olacağını bilmiyordu.

"Rahat ol, bu siyasal bir şey değil. Suçla ilgili değil."

"Neyle ilgili?"

Stiles, "İyi izlenim vermeyle, yararlı bir şey yapıyormuş gibi görünmeyle," dedi. "Altına edeceğin bir şey değil yani. Gösteriyi izle yeter. Bir sonraki sefer lise toplantısında anlatacak bir şeylerin olur."

Onları kuşatan *ying* çemberi dağılmıştı. Bazıları bir NFL futbolcusundan daha iyi koşuyordu.

Bir düzine üniformalı polis dağılarak park yerinin çıkışını kapattı. Ötekiler Soi 4'e koştular. Park yerindeki *ying*'ler dört bir yanda koşuşturarak polis hattının arasından geçebilecekleri bir yer arıyorlardı. Polisler kovalamaya başladı. Her polis, hatta kilolu olanlar bile iki-üç kızla geri döndü. Yakaladıklarını minibüsün arkasına sardalya gibi istiflediler.

Ağa takılan birkaç tuhaf balık da vardı: *katoey*'ler.* Yüksek topuklu ayakkabılar üzerinde sendeleyen iri kemikli bir *katoey*, Lovell kadar uzundu, ayakları çok kocamandı ve sesi kalındı. Bariton sesiyle onu kolundan çekiştirmekte zorluk yaşayan polise bağırdı. Çok iri olduğu için minibüsün önünde oturmasına izin verilmesini söylüyordu. Özel muamele görmek için yaptığı mücadele asla işe yaramazdı. İki polis onu minibüsün arkasına ittiler, bu arada ayakkabılarından birinin topuğu kırıldı. Gözlerinden yaşlar akıyor, makyajını berbat ediyor, polislere *hia*** ve "orospu çocuğu" diye bağırırken gittikçe daha çok erkeğe benziyordu. Polisler küfürler karşılığında ona güldü. Sonra polislerden biri yüzüne bir tokat attı, bu da onun çenesini ka-

* Travesti ya da transseksüel –yn.

** Argoda "piç" anlamına gelir –yn.

pattı. Minibüs insan yüküyle tıka basa dolunca, yola çıktı. Yakalanan öteki *ying*'ler için polisler taksileri durdurup kadınları arka koltuğa ittiler. Sıra sıra taksiler arka koltuklarında yarım düzine fahişeyle, ön koltukta da silahlı bir polisle *soi*'den çıktı. Taksinin arka tarafına yığılmış bütün o ateşli *ying*'ler dikiz aynasında çok tuhaf bir görüntü sergiliyordu. Kalabalığın büyük kısmı için olay *sanuk*, yani eğlenceydi, bin baht ceza ödemek üzere karakola götürülen *ying*'lerin dışında tabii. Gazete fotoğrafçılarıyla televizyon ekipleri, polisin ardından giderek kovalamacayı, yakasına yapışmayı, direnci ve idmansız polislerden daha hızlı koşan *ying*'leri filme aldı. Bu çekimler daha sonra elden geçecekti. Tam kaçarken yakalanma dramı videoda daha iyi oynuyordu. Başarısızlıktan çok, başarıyı oynatmak çok daha güvenliydi.

Daha sonra gazeteler polislerin otuz iki kızı yakaladığını ve bunlardan ikisinin *katoey* olduğunu haber verecekti. Yakalanan *ying*'lerin çoğu mini etek ve yüksek topuklu ayakkabılar giymişti. Şişko bir polis bile dar mini etekli ve yüksek topuklu bir *ying*'i yakalayabilirdi. Adil olmayan bir dezavantajdı bu. Kaçanların üstünde kot pantolon ve sandaletler vardı. Sokak terk edilmiş sandaletlerle doluydu. Yüksek topuklu ayakkabılar daha pahalıydı ve düşürmeme içgüdüsü bunları giyenlerin kaderini belirlemişti.

Karışıklık sırasında park yerinde kalan *ying*'lerden birinin aklına tutuklanmaktan kaçmak için bir fikir geldi, Lovell'ın kolunu kavradı. Altı bin bahtlık burun ameliyatı yaptırmış ve çok koyu bir ruj sürmüş bir *katoey*'di bu. Polisler yanına gelince, "Kocamla birlikteyim. Nasıl cüret edersiniz?" diye tısladı.

Lovell karşı çıkmaya çalışırken bir muhabir birkaç resmini çekti.

Stiles, "Doğru, polis bey, yıllardır birlikteler," dedi.

Uzanıp polisin omzundan sarkan bir ipliği alır, parmaklarıyla top haline getirirken bir televizyon kamerasının ışığı Lovell'ı aydınlattı. Polis bir omzuna, bir Lovell'ın elindeki küçük iplik topuna baktı.

Stiles, "Bu onun alışkanlığı," dedi. "Dağınıklığa tahammülü yoktur."

Polis gülümsedi, öteki omzuna baktı. Kaldı ki televizyona çıkmıştı. Sonra o *farang*'a bir baskın, akın, işte her neyse, bu işin ortasında polisin bakımlı görünmesiyle ilgilenmenin iyi bir fikir olmadığını söylemesini Stiles'dan Tayland dilinde istedi. Yanlış anlayabilirlerdi. Yani *katoey*'in hikayesi birden inanılırlık kazanmıştı.

Lovell, "Seni hiç affetmeyeceğim," dedi, sesi hayvan benzeri bir öfkeyle homurtu halinde çıkıyordu.

Polis Lovell'a baktı, sonra da *katoey*'e. "O halde siz ve eşiniz burada olmamalısınız."

"Biz de tam yiyecek bir şeyler almaya gidiyorduk. Hiç fikrimiz yoktu," dedi *katoey*. "Sevgilim, ne kadar aç olduğumu biliyorsun. Haydi gidelim."

Lovell kadının tırnaklarının kolunun üst tarafına battığını hissedebiliyordu. Kadın inanılmaz derecede güçlüydü ve verdiği mesaj daha açık seçik olamazdı: bu polisin yanında beni ele verirsen kolun bir daha asla aynı olmaz. Blöf poliste işe yaradı. Bir an sonra başka bir *ying*'in peşinden koşmaya başladı. Baskın bitmek üzereydi. Stiles, *katoey*'in öteki tarafına geçti. Kadın onları bir kafeye götürdü.

Gece Lovell için korkunç derecede kötü bitmişti. Akşamın olaylarını gözden geçirdi. Şarap mahzeninde Siri'yle ateşli bir tartışma. Danielson'ın cenaze töreninin ilk gecesini kaçırma. Cameron *wat*'ta *sala*'ya* bakınmış ve Lovell'ın orada olmadığını fark etmişti. Daniel-

---

* Koridor –yn.

son'ın eline su dökmek yerine gece kulübüne gitmişti. Hostesler, Khun Chang ile Khun Phaen'in sürekli değişen cinsel ilişkilerindeki yerlerini açıklayan Stiles'a sıkı sıkı tutundular. Sonra Lovell, Stiles'ı bilinen evrendeki en büyük "açık-alan *ying* koleksiyonu"nda takip etmekten başka bir seçeneği olmadığını düşündü.

Kafede *katoey* Lovell'ın kolunu bırakıp tek söz etmeden Howard Herron'ın oturduğu bölmeye gitti. Howard kaşlarını çatmış, ellerini açıp kapıyordu, gömleğinin kollarını kıvırmıştı ve tüylü kolları görülüyordu.

Herron kadına, "Neredeydin?" diye sordu.

Avını dışarıda takip etmiş olan Calvino, baskın başlarken onun ardından kafeye girmişti. Janet Herron'ın bulması için para ödediği "öteki kadın" buydu. Dijital kamerasını çıkardı ve bölmede oturan çiftin birkaç fotoğrafını çekti.

ON ALTI

Pratt, Calvino'yu masasında *Bangkok Post*'un çapraz bulmacasını çözerken buldu. Kalemin ucunu çenesine vurdu, dudakları kısılmış, kaşları çatılmış. Kafasını kaldırmadan, "tam anlamıyla tüylü anlamına gelen dört harfli kelime nedir?" diye sordu.

"Lear." Pratt oturdu.

Calvino kelimeyi yazdı. Kendisinden memnun olmuşa benziyordu.

"Evet, Lear. Dün geceki oyundan alıntı yapıyorsun."

Albay Pratt şiddet, seks, ihanet, sadakat ve güveni Shakespeare'in prizmasından süzüyordu ve bu yeteneği onu birçok Taylandlı'dan ayırıyordu.

Pratt, *Thai Rath*'ı açtı, Tayland dilinde çok satılan bir günlük gazeteydi bu. Birkaç sayfasını hızla çevirdi, durdu, aradığı şeyi buldu, sayfayı ikiye katlayıp Calvino'nun masasının üzerine koydu. "Çapraz bulmaca değil. Ama gene de bir bilmece. Şu fotoğrafa bir bak."

Calvino fotoğrafa baktı. Lovell'ın yüzünde şaşkın, gözleri irileşmiş bir bakış vardı ve kolundaki *katoey* aşkla ona bakıyordu. "Lovell."

"Bir arkadaşıyla birlikte. Danielson'ın onunla ilgili bu şeyi bildiğini düşünüyor musun?"

"Neyi bildiğini?"

Pratt gülümsedi, iskemlede arkasına yaslandı, kollarını kavuşturmuştu. "Gizli yaşamını. *Katoey*'lerle partilere gitmek, Sukhumvit'te gece yarısı baskınlardan kaçmak. Lovell, Danielson'ı sağ gören son kişiydi. Ve de sana yardım etmeyi reddetti. Bir şeyler saklıyor."

"Sen ayrıldıktan sonra geç saatlere kadar ortalıkta dolandıktan sonra kafeye geri döndüm. Tam isabet. Howard oradaydı. Lovell da oradaydı, yanında ona sarılan *katoey*'le birlikte," dedi Calvino, sırıtarak.

Albay Pratt, gazetedeki fotoğrafın üstüne vurarak, "Mutlu bir çift gibi," dedi. Hikayenin hiç sonu yok muydu?

Calvino başını iki yana salladı. İskemlesinde geriye yaslanırken boynundaki damarlar fırladı. "Tam olarak değil. Kadın gidip Howard Herron ile oturdu. Belli ki aralarında bir şey var."

"Kadının Lovell'la bağlantısı nedir?"

Calvino bunun üzerine düşündü. Lovell, Howard'a kadın sağlayan gizli pezevenk mi? Omzunu silkti. "Hiç fikrim yok."

Calvino, Pratt'e, Lovell'ın değil Howard'ın mesleki ilgi odağı olduğunu hatırlattı. Beklediği son şey, Lovell'ın ona kanıt vermesiydi.

"Kadın, Howard Herron'ın yanına gidince Lovell ne yaptı?"

"Başka bir adamla çıktı. Bir *farang*. Daha önce hiç görmediğim biri."

"Arkadaşı mı? Meslektaşı mı? Park yerinde biraz önce karşılaştığı biri mi?"

"Herhangi biri olabilir. Onunla konuşmadım. Ve hayır, dün geceden önce onu hiç görmemiştim."

"Lovell'ın patronu daha yeni öldü. Adam bir polis baskınının ortasında yanında bir *katoey* ile ortaya çıkıyor. Yas tutmayan biri olduğu izlenimini ediniyorum," dedi Pratt.

Ratana büroya Albay Pratt için bir bardak suyla geldi ve bardağı masaya koydu. Calvino'nun fabrikada çektiği videonun kasetini de masaya koydu. Yükleme yerinin yakın plan çekimleri. Yarım düzine adam Clint Eastwood çamurlukları olan on tekerlekli bir kamyondan ilaçları indiriyor.

"Bir şey duydum. Ama yararlı olur mu bilmiyorum," dedi Ratana.

Calvino arkasına yaslanıp kollarını kaldırdı, avuç içleri yukarıya bakıyordu.

"Ne duydun?"

"Danielson ile ilgili."

Calvino, "Kiminle konuşuyordun?" diye sordu.

"Alt kattaki *mamasan*'la."

Calvino'yu çok şaşırttı bu. Ratana masaj salonundan, oradan bulaşıcı bir hastalık kapabilirmiş gibi kaçıyordu. Albay Pratt'e bakarken göz ucuyla patronunun yüzündeki şaşkın ifadeyi izledi.

"Gerçekten onunla konuştun mu?"

"Yardım edebileceğini düşündüm. Senden ya da Albay Pratt'den çok, benimle konuşma olasılığı fazlaydı."

Albay Pratt suyundan bir yudum aldı. "Lütfen bize *mamasan*'ın ne söylediğini anlat." Calvino ile Albay Pratt bakıştılar. Calvino iskemlesinde kıpırdayıp çapraz bulmacayı bıraktı.

Ratana, "Bana Jazz'ı anlattı," dedi. Masaj salonunun adını, Tek Elle Alkış'ı söylemeyi ya da böyle bir yerin var olduğunu kabul etmeyi kendine yedirememişti. "Jazz'ın bileklerini kesmiş olabileceğini, ama aslında kalp kırıklığından öldüğünü söyledi. Danielson onun müdavimiymiş. Haftada birkaç kez ziyarete gelirmiş."

Albay Pratt, "Bu durum ne kadar zamandır devam ediyormuş?" diye sordu.

Ratana düşündü. "Birkaç aydır. *O* işyeri açıldı açılalı. Jazz'ın kendisini öldürmesinden iki gün önce Danielson ona bronz bir kolye vermiş. Bunun annesine ait olduğunu ve annesi ölünce de ona miras kaldığını söylemiş. Bunu Jazz'a vermek istiyormuş. Karısına değil. Jazz'ın taşımasını istiyormuş. Bana söylenenler böyle."

"Anlamıyorum. Danielson ona annesine ait bir şey veriyor, ama o kendisini öldürüyor," dedi Calvino.

Ratana, Calvino'nun masasının üzerinde açık duran gazetedeki Lovell ile *katoey*'in resmine baktı. "*Mamasan*, Khun Andrew'un kolyeyi büyük bir değersiz takı kutusundan aldığını söyledi. İçinde bir sürü bilezik, kolye ve küpe varmış. Onun söylediği, kolyenin çok özel bir şey olduğuymuş. Ama aslında birkaç bahttan fazlasına değmezmiş. Çöplük bir şeymiş. Gerçekten annesine ait olup olmadığından emin değilim." Omuzlarını silkti. "Bir masajcı kız ya da bir bar kızıyla ilişki kurmayı alışkanlık haline getirmiş ve bu ilişkiyi annesinden bir şey vererek mühürlüyormuş. Adam bir *farang*'dı ve bir erkeğin Taylandlı bir kadına annesine ait, kişisel bir şey verdiği zaman onu ailesinin bir parçası kıldığını bilmiyordu beki de. Bunun parayla bir ilgisi yok. Seni karısı olarak düşünüyor demek. Jazz onun gözünde çok özel olduğunu düşünmüş olmalı. Gece yatarken de kolyeyi çıkarmıyormuş. Onu bir tılsım gibi görüyormuş. Jazz başka müşterilere çıkmazmış; oturup günler boyu onun gelmesini beklermiş. Sonra adamın kendisine yalan söylediğini keşfetmiş."

Ratana sustu, Calvino ile Pratt'in tepkisini bekliyordu. İki adam da bir şey söylemedi. Sessizlik büyüdü büyüdü, ta ki dayanılmaz olana kadar. Danielson aylardır *soi*'ye geliyordu. Ama Jazz'la ilişkisinden hiç söz etmemişti.

Calvino, "Aşağıda bir kız arkadaşı olduğu konusunda hiçbir şey söylemedi," dedi.

Danielson, Calvino'yu masaj salonuna sık sık gidişine kılıf olarak mı kullanıyordu? Takip ediliyorsa sağlam bir neden sunabilecekti -korsanlık vakasıyla ilgili Vincent Calvino ile randevusu vardı. Bazen bu hikaye doğruydu. Ama çoğunlukla Calvino'nun bürosuna gitmeye hiç niyeti yoktu; istikamet dosdoğru masaj salonuydu, annesinin sahte mücevherini vermekti.

Calvino'nun çalışan *ying*'lere müptela olmuş Danielson gibi insanlarla ilgili yasası açıktı. Karısı onu tehdit edebilirdi, ona bağırabilirdi ve adam da vazgeçeceğine söz verebilirdi. Ama bu söz hiçbir zaman uzun süre tutulmazdı. Yasa basitti: Köpek, arabaların peşinde koşmaktan asla vazgeçmez.

Albay Pratt, "*Mamasan* mücevheri nasıl bulmuş?" diye sordu.

"Jazz'ın kız arkadaşı söylemiş. Adı Metta. İkisi kavgaya tutuşmuşlar. Her şey ortaya çıkmış. Metta sahte mücevher torbasını bulmuş. Bu *farang*'ın yalnızca onu sevdiğini, kendisinin nasıl özel olduğunu ve adamın ötekilerden ne kadar farklı olduğunu söyleyerek övünmesini duyunca Jazz'a söylemiş. Böyle olmuş. Metta, Jazz'a Danielson'ın annesinin mücevherlerini birçok kıza verdiğini anlatmış. Jazz kimse için özel değilmiş. Fırlatıp atılan kızların uzun kuyruğuna dahilmiş.

"Jazz duyduklarına inanmayı reddetmiş. Sonra o da biraz araştırma yapmış. Gerçeği keşfedince de itibarını kaybetmiş. Ve de kendini öldürmüş. Onu gerçekten sevdiğini sandığı bir adamla ilgili gerçeği bilerek yaşamaya katlanamamış."

Albay Pratt, "Neden Metta polise bunları anlatmamış? Raporda yazmıyor," dedi.

Calvino, "Metta yalan söylüyor olabilir, ya da *mamasan farang*'ı suçlamaya çalışıyor olabilir," dedi.

Pratt ve Ratana birlikte Calvino'ya bakarak onun Jazz'ın öldüğü gece olanları anlatmasını beklediler. "Bütün dediğim şu, bunların hepsi üçüncü elden dedikodu. Osuruktan bir müşteri ona sahte mücevher verdi diye bir *ying*'in kendini öldürdüğünü ne zaman duydunuz ki?"

Ratana, "Ona karşı gerçek duygular besliyor olabilir," dedi. "Sırf Jazz bir masaj salonunda çalışıyor diye insan olmadığı anlamına gelmez bu."

Bu kız neden ağlıyor? Calvino bir gün önce *soi*'ye girerken böyle sormuştu? Arkadaşı ölmüştü. Kızın kendisini neden öldürdüğünü bildiği için ağlıyor olabilir miydi?

Pratt, "Metta ile konuşmak istiyorum," dedi. Kızın adını defterine yazıp not düştü: "Ölü *farang*, annesi tarafından reddedilmiş mi? Muhtemelen kadınlarla ilişkisi zihinsel olarak dengesiz. Karısının olay zamanı nerede olduğunu ve zehirle ilgili bilgisi olup olmadığını öğren."

"Metta" Pali dilinde sempati demek, diye hatırladı Pratt. Budizm sempati fikrine dayalıdır; aydınlanmaya giden yolda şoku soğurur. Ama sempati her zaman olması gerektiği gibi değildir. Başkalarının duygularını dikkate alma yolunda ödenecek maliyetler, harcamalar, ücretler ve haraçlar vardır.

Albay Pratt, "Metta arkadaşının bileklerini kestiğini görmüş mü?" diye sordu.

Ratana bu soruya nasıl cevap vereceğini bilemiyordu. *Mamasan* Jazz'ın ölüm saatiyle ve Metta'nın odaya girmesiyle ilgili bir şey söylememişti.

Albay Pratt devam etti: "Metta'yı polis sorguya çekti. Polise, odaya girdiği zaman Jazz'ın ölmüş olduğunu söyledi. Belki de *mama-*

san'a polise anlattığından farklı bir şey söyledi."

Ratana rahatsızca kıpırdandı, ellerini kavuşturarak parmaklarının uçlarını birbirine sürttü. *Mamasan*'la konuştuğuna pişman olmuştu. Bir polis soruşturmasına dahil olmak istediği bir şey değildi. Bazen Pratt'in yalnızca arkadaşı Manee'nin kocası ve Calvino'nun en iyi arkadaşı olmadığını unutuyordu; Pratt aynı zamanda bir polisti de.

"Odaya girdiğinde Jazz'ın çoktan ölmüş olduğunu söyledi."

"Kapıyı neden kilitlemiş?"

"Bunu ona sordum. Ama çok korkmuş olduğunu söyleyebildi yalnızca."

"Neden korktuğunu da söyledi mi?"

"Kendini suçluyor ve başının derde gireceğini sanıyormuş."

Albay Pratt bunları defterine yazdı. Kimse Metta'nın odaya girdiği saatten emin değildi. Bir zanlıydı; Pratt onunla ilgili daha çok bilgiye ihtiyaç duyuyordu. Odaya girdiğinde Jazz'ın çoktan ölmüş olduğu yolunda bir hikaye uyduracak kadar kurnaz mıydı? *Mamasan*'a doğruyu mu anlatmıştı? Peki *mamasan* Ratana'ya doğruyu anlatmış mıydı?

Albay Pratt, "Söylediği başka bir şey aklına gelirse bana ilet. Önemli olabilir," dedi.

Ratana, "Biraz daha su ister misiniz, Albay Pratt?" diye sordu.

"Hayır," dedi Pratt. Karısı Manee son birkaç haftadır Ratana'dan söz ediyordu. Gösterilere birlikte katılıyorlardı ve Pratt'in anladığına göre hayli yakınlaşmışlardı. Sağ bileklerine aynı sarı bilekliği takıyorlardı ve Ratana'nın boynunda zarif bir şekilde bağlanmış sarı ipek eşarp vardı. Manee ile arkadaşlığı Pratt'in Ratana'ya yakınlık duymasına neden oldu. Ona anlattığı şeyler, bu sırada Calvino'nun da dinlemesini sağlaması, yalnızca kendisine değil Manee'ye de duyduğu saygıyı göstermenin bir yoluydu.

Pratt suyunu bitirdi, bardağı masaya koydu ve iskemlesinde yavaşça döndü. Ratana konuşmaya devam etmeleri için ikisini yalnız bıraktı.

Calvino, "Videoyu hâlâ izlemek istiyor musun?" diye sordu. "Sana bir DVD kopyalayabilirim."

"Ben orijinal kaseti istiyorum, Vincent."

Calvino kaşlarını çattı. "Dur bir yedeğini alayım."

"Sonra. Bana kaseti göster." Pratt saatine baktı.

Albay Pratt özel olarak kaseti görmeye gelmişti. Ama Ratana'nın anlattıkları dikkatini büyük ölçüde dağıtmıştı. Soruşturma açısından bunun anlamını zihninin filtresinden süzmesi gerekiyordu. Andrew Danielson ve kız arkadaşı birkaç saat arayla ölmüşlerdi. Departmanın içinde hatırı sayılır nüfuzu olan birileri, Danielson'ın resmi ölüm nedenini kalp krizi olarak sunmayı amaçlayan bir kılıf hazırlamıştı. Calvino bir kapıyı kırmış ve Metta'yı ağlarken, Jazz'ı da yatakta ölü bulmuştu. Ölü kız bileklerine derin yaralar açmıştı. Bir intihar vakasında en derin depresyondaki kişi bile bileklerini kesme konusunda doğal bir ürperme hissederdi. Çoğunlukla bilek kesme yüzeysel bir sıyrık, kan akıtmaya yetecek kadar olurdu. Erkekler daha derin keserlerdi. Kadınların kendilerinden nefret etmeye eşdeğer bir şiddet uygulama derecesine gelmesi zordu. Jazz'ın bileklerindeki kesiklerin derinliği Pratt'i rahatsız ediyordu. Defalarca gördükleriyle uyumlu değildi.

Elinde ne vardı? İntikamla harekete geçmiş olabilecek Metta adında bir kadın. Afro-Amerikan müziğinden adını alan ölü bir masajcı kız. Danielson'ın annesinden miras kalan bir torba sahte mücevher. Danielson'ın genç yardımcısının bir *katoey*'in kollarındayken büyük yerel gazetelerden çıkmış fotoğrafı. Lovell, polisin iki futbol takımına eşdeğer sayıda fahişeyi gözaltına aldığı bir baskının tam ortasında yakalanmıştı.

"Açıyı doğru aldım. Karanlıkta pek kolay bir iş değildi. Işık azdı. Önemli değil. Yüzleri görebilirsin. Kutuları yakın plan çektim. Etiketlere ilaçların adlarını yazıyorlar. Doğrudan eczanelere ve hastanelere gidiyor. Bundan emin olabilirsin."

"Kasete bir bakalım."

Calvino dijital video kamerayı bilgisayarına bağladı, kaseti kameraya taktı ve yüklenmesini bekledi. Monitörü Albay Pratt'e döndürdü. Sonra masanın öteki tarafına geçti, bir iskemle çekti ve albayın yanına oturdu. Calvino bir ekrana bakıyordu, bir albayın tepkilerine. Albay, birkaç işçinin, paketleri bir minibüse yüklemesini seyretti. Bir paket yük arabasından düşüp parçalandı. Hollywood macera filmleri, paketler üzerinde yıldızlar. Filmde konuşma yoktu. Eski sessiz filmler gibiydi, belki Keystone Polisleri üzerine filmler gibi. Bir duvara yığılmış paletleriyle bir depo. Başka bir çekim ve kot pantolonla tişört giymiş birkaç kadın uzun bir masada yan yana çalışıyordu.

Büyük salonun üstünde neon ışıkları yanıyordu. Bilgisayar ekranları bir duvara yapıştırılmış üç masada açıktı. Bir ekranda bir film oynuyordu, ikincide bir ekran koruyucu vardı, üçüncüsünde ise bir kadın bir Excel dosyası üzerinde çalışıyordu. Kadınlar sıkılmış görünüyorlardı. Salonun ortasında bir montaj hattı, paketler dolusu ilacı kadınlara taşıyor, kadınlar da onları küçük kutulara koyduktan sonra daha da büyük kutulara yerleştiriyorlardı.

Calvino deponun içinde on sekiz kadın ve yedi erkek saydı. Dışarıda üç erkek sokağı gözlüyordu. İlaç malzemeleri yükleme alanının içinde büyük paletlere yığılmıştı. Bir forklift küçük alanda çalışıp varilleri montaj hattına taşıyordu. Kadınlardan biri, plastik ilaç etiketlerine logo basan bir makineyi çalıştırıyordu, öteki makineler ise ilaçları kutulara koyarak kapaklarını kapatıyordu. Daha sonra paketler banttan kadınlara gidiyor, onlar da on ilaç kutusunu, üzerinde ilaç şirketinin logosu bulunan kutulara koyuyordu. Başka bir kadın on kutunun çevresine selofan sarıyor ve her bir paketi bandın en sonundaki kadına veriyordu. Bu kadın da gelen büyük paketi büyük bir yükleme kutusuna koyuyordu. En başından en sonuna kadar bunun hayli profesyonel bir işlem olduğuna kuşku yoktu. Albay Pratt sahneyi, daha önce tanık olduğu bir sahneyi, ifadesiz izledi.

"Depoya nasıl girebildin?" diye sordu. Video kasetten etkilendiği için bir kez daha oynatmasını söyledi Calvino'ya.

"Deponun arkasında sıra sıra mağazalar var. Bir tanesi boştu. Ortak duvarda bir delik açtım."

"Matkabın sesini duymadılar mı?"

"İçeride de dışarıda da çok gürültü vardı. Orası bir fabrika. Böyle bir yerde birkaç ay çalıştıktan sonra ölüyor insanlar."

Videoyu bir daha izlediler. Açık seçik görülebilen şeker hastalığı ilaçlarının markası, Calvino'nun belleğini dürttü. Kalemini eline aldı ve bir sözcük –şeker– yazarak çapraz bulmacayı tamamladı. Bulmacayı bitirmek ona hiçbir tatmin duygusu vermedi. Albay Pratt videoyu ikinci kez izlerken defterine bir şeyler yazdı. Her ikisi de Jazz'ı düşünüyordu. Calvino'nun düşünceleri onu bulduğu odaya kaydı. İlk tespit, kadının kendini öldürdüğüydü. Bir aşk olayından yaralanmış olduğundan bileklerini kesmiş ve kan kaybından ölmüştü. Sahte mücevher boynundaydı ve 7/11'den satın aldığı jilet yatakta yanında duruyordu.

Videonun ikinci kez izlenmesinden sonra Ratana tekrar yanlarına geldi. Calvino'ya, "Bu telefona bakman gerekiyor," dedi.

Hatta Lovell vardı.

"Bir randevu istiyorum," dedi.

"Son kez konuştuğumuzda söyleyecek hiçbir şey yok demiştiniz."

Calvino, "Bir şey değişmedi," diye devam etti. "Hâlâ paramı almak istiyorum. Ne dediğimi anlıyor musunuz?"

Albay Pratt bilgisayar ekranına bakmıyordu.

Lovell, "Kişisel bir konu," dedi.

"Nasıl kişisel?"

"Hukuk şirketiyle bir sorunum var."

"Nasıl bir sorun?"

Kısa bir sessizlik oldu. "İşten atıldım."

Calvino, Lovell'ın gazetedeki fotoğrafının çevresinden eliyle geçti. Hiç şaşırmamıştı. "Gazetede fotoğrafını gördüm. Kafeye birlikte geldiğin *katoey*'i tanıdım."

"Hukuk şirketindeki büyük patron da beni tanıdı."

Albay Pratt, konuşmanın Calvino tarafını dinlerken notlar aldı. Ratana bir mango tabağıyla gelip tabağı albayın önüne koydu.

"Geçen gece sizi çok çabuk bıraktı."

"Olan tek güzel şey de buydu. Ama elbette bunun resmini kimse çekmedi." Lovell'ın sesindeki panik bir oktav daha yükseldi. Ürkmüş bir okul çocuğu gibi çıkıyordu sesi. Calvino'yu başından defederken büründüğü kendine güvenli hava, bir korku pusu halinde yok olmuştu.

"Kafeye birlikte geldiğiniz arkadaşınızın adı ne?" Uzun bir sessizlik oldu.

"Stiles. Şirkette avukat olarak çalışıyor."

"Fotoğrafın dışında durmayı başarmış."

"Benim de fark etmeden yapamadığım bir gerçek."

Başka bir sessizlik daha geldi. Calvino, Lovell'ın çaresizliğini hissedebiliyordu neredeyse, gözyaşlarına boğuldu boğulacak haldeki Lovell, yalvarma noktasına çok yakındı.

Lovell'ın sesi sert çıktı. "Onlara boyun eğecek değilim. Siz paranızı istiyorsunuz. Ben de kariyerimi. Bir orta nokta bulalım."

"Ajandama bakıyorum, gerçekten de sizinle görüşecek zamanım var."

ON YEDİ

McPhail, Jameson'ın son yudumunu açgözlülükle kafasına dikti, bardağın içindeki buzu tıkırdattı ve bir tane daha istediğini belli etmek için bardağı kaldırdı. Tam Calvino, Yalnız Şahin Barı'na girerken o da bardağı başının üstünde tutuyordu. İhtiyar George doldurulmuş su bufalosu kafasının altındaki yerinden barını koruyordu. Her yeri görebildiği bu noktada kimse onun önünden geçmeden gidemezdi. Müdavimlerini tanıyordu ve hepsini selamladı. Yabancıları inceledi. Yabancılar kapıdan içeriye girerken su bufalosunun altındaki yaşlı adamın ne kim olduğunu biliyorlardı, ne de yirminci yüzyılın ayaklı tarihi olduğunu.

"Calvino, bardaki varlığından hoşnutsuz değilim, ama bir müşteriyi daha döversen seni bizzat kendim kapı dışarı edeceğim. Çaktın mı?"

"George, sarhoşlarına sahip çık."

"Barımı nasıl yöneteceğimi mi söylüyorsun bana?"

"Bir sınır olduğunu söylüyorum. O İngiliz bu sınırı aştı."

"Aştığını biliyorum. Bu yüzden fazla bir şey söylemiyorum. Ama bir dahaki sefere işini kapının dışında yap."

"Bunu hatırlamaya çalışacağım, George."

İhtiyar George seksen dört yaşındaydı. Normandiya kıyısına çıkmıştı ve iki yüz karton sigara karşılığında Berlin'de bir ev satın almıştı.

Garson kızlardan birine onun saçını at kuyruğu yapması görevi verilmişti.

"Dikkatli olmazsan ilk beyaz saçım senin yüzünden çıkacak, delikanlı."

Calvino, İhtiyar George'u seviyordu. Yalnız Şahin, bu yeryüzünde, sahibinin onu delikanlı diye çağırdığı birkaç yerden biriydi. Calvino, İhtiyar George'un mesajını aldı. Bu kadar uzun yaşarsan, azarlamaya da hakkın olur biraz.

"Şimdi söyle bana, annen nasıl?"

Bu tam da İhtiyar George'un tarzıydı. Calvino'yu bardan atmakla tehdit ettikten birkaç saniye sonra dönüp annesini soruyordu.

"Aynı. Onun yaşındayken bir değişiklik olmaz."

"Kaç yaşında?"

"Seksen iki."

George'un kaşları kalktı, iki kat gıdığı yayılarak iki gıdık daha çıkarttı. "Hadi be, daha çocukmuş."

McPhail, "Calvino, bir sorun var," dedi. Sigara paketinin selofanıyla sinirli sinirli oynadı, arada bir selofandan bir parça koparıyor, her seferinde de gözlerini kırpıştırıyordu. Küçük bir hayvanı parçalara ayıran kedi gibiydi, bir farkla, onunki dalgınlıklaydı.

Calvino her zamanki bölmesine geçti. Aslında anneanne olan, ama soluk ışık altında otuzlarının sonundaki bir *ying* sanılabilecek garson, yarı sarhoş, bardan yalpalayarak geldi. Calvino'nun bölmesine zar zor ulaşıp bir Mekong ve Coca-Cola getirdi.

Calvino, "Dur önce bir içeyim," dedi. "Sen de bir yere kaybolma."

McPhail, Mekong'la kolanın Calvino'nun boğazından kayışını izledi. Calvino garson kadına boş bardağı verdi.

Kadın, "Bir tane daha ister misin?" diye sordu.

Calvino başını salladı. "Kendine de bir tane al."

Kadının istediği son şey bir müşteriden bir bardak içkiydi.

McPhail, "Sarhoş," dedi. "Ben ona üç Mekong aldım. Bir anneanneye göre iyi taşıyor." Hapşırınca parçalanmış selofan yığını masanın dört bir yanına saçıldı.

Garson kıkırdadı, vaktinden önce yaşlanmış bir çocukmuş gibi McPhail'e bir kağıt mendil verdi. McPhail sümkürdü. "Sana Muhteşem Dörtlü'yü anlatmam lazım. İşler iyi değil."

"Buraya sorun dinlemeye gelmedim. Buraya sorunlardan uzaklaşmaya geldim. Anladın mı, McPhail?"

McPhail'in Jameson bardağı gelince anneannenin kıçına bir şaplak attı, dönüp onu kendisine çekti ve kucaklayıp gıdıkladı. Bu hızlı hareket, avının üstüne atılma içgüdüsünü harekete geçirdi. Kadın kıvrılarak onun kollarından uzaklaştı, McPhail de onun tutmak için fazla çaba harcamadı. Kadın gittikten sonra bir sigara yaktı. "Bu sorunu dinlemek mi istiyorsun, yoksa yabancı bayanlarla ilgili bir sorun yokmuş gibi yapmak mı?"

"Janet Herron'ın kocasını enseledim. Bir kadınla el ele tutuşuyordu. Onu halka açık bir yerde yakaladım. Köşeye sıkıştı. Çıkışı yok. Beni çok seviyor olmalılar," dedi Calvino.

"Biliyorum, biliyorum. Ama işler böyle yürümüyor."

"Sen neden söz ediyorsun?"

McPhail içini çekti. "Olaya kendi bakış açından bakıyorsun. Onların bakış açısından değil."

Calvino omzunu silkti. "Tamam, anladım. Janet'ın kocasının yaptıklarının kendi yaşamlarına bulaşabileceğini kabul etmek istemiyorlar. Kocalarının da onları aldattığını. Bu çok doğal. İnsan doğası."

McPhail ciğerlerinden duman çıkararak başını iki yana salladı.

"Bundan daha karmaşık. Adamım, Janet'ın kocası genç ve güzel bir kızla yakalanmış olsaydı bir tekerlekli iskemle toplantısındaki tek bacaklı dansöz kadar mutlu olurlardı. Dur, tekrar söyleyeyim. Kız. Sen onu bir *katoey* ile yakaladın."

Herkesin hikaye olduğunu bildiğini hikayeler vardır. Duyarsın, gülersin ve unutursun. Ama içinize işleyen, olup bitenlerin merkezinde olduğunuzu *hissetmenize* neden olan hikayeler de vardır. Üç yüz altmış derece dönseniz de çemberin içinde olduğunuzu görürsünüz. Bu bir hikaye değildir. Sizsinizdir. Muhteşem Dörtlü'deki kadınlara olan da buydu. Yemek Okulu kulübü. Howard Herron'ın hikayesi bilinçlerinde boş bir süt şişesindeki mavi sinek gibi vızıldayıp duruyordu, kenarlara çarpıp sıçrayarak, panik halinde, öfkeli, çaresiz.

Calvino kafasında üç kadından tam parayı çoktan cebine indirmişti ve parayı da Tek Elle Alkış'ın kira hakkını satın almak üzere *mamasan*'a vermişti. Bitmiş bir işti, değil mi? Yalnızca onun zihninde bitmiş bir iş. Sessizce bir Mekong daha geldi ve boş bardağının yerini aldı.

Calvino, "Ne diyorsun?" dedi.

"Onlarla tekrar konuşman gerekiyor."

"Anlaşmayı iptal mi etmek istiyorlar?"

McPhail bir kaşını kaldırıp omzunu silkti. "Kadınlar aynı anda hem bilmek isterler hem de istemezler. Karmakarışık bir iş. Ama ne kadar gergin olduklarını biliyorsun."

İş dünyasında hiçbir şey dümdüz ya da kolay değildi. Danielson öldükten ya da öldürüldükten sonra Calvino öksüz kalmıştı. İşini yapmış, ama parasını alamamıştı. Yabancı kadınlar durumu kurtarmanın bir yolu olarak ilk umut ışığıydı. Bir el ötekini yıkardı; bir farkla ki işler bu şekilde yürümüyordu.

Calvino, bir özel dedektif olarak, kendisine verilen görevi yerine getirmişti. Korsanlık operasyonunda pisliğe bulaşmıştı. Howard'ın *katoey*'in her yerinde pençeleriyle resimleri vardı elinde. Olay şuydu ki, gerçek ve kanıt, para alma noktasına gelindiğinde eşitliğin yalnızca küçük bir parçasıydı.

Janet'ın resimdeki kadının gerçek cinsiyeti konusunda büyük bir gürültü koparacağı Calvino'nun hiç aklına gelmemişti. Öteki kadınlar, kocalarının sıradan aldatma sınırlarının çok ötesine geçen karanlık bir sır taşıdığını bulmanın sonuçları konusunda kaygı duyabilirlerdi.

Calvino, "Benimle ne zaman görüşmek istiyorlar?" diye sordu.

"Yarın öğleden sonra üçte. Aşçıbaşı Elmo'yu ayarladım. Mutfakta buluşmamızın bir mahzuru yok. Ha, bir şey daha. Elmo İtalyanca konusunda rahat durmanı rica etti. İtalyancasının paslandığını ve kadınların önünde onu utandırdığını söylüyor."

Calvino, "O bir İtalyan prensi," dedi. "Böyle söylediğimi söyle ona. İngilizce olarak tabii ki."

"Sana bir iyilik yapıyor, dostum. Düşündüm de, ben de sana iyilik yapıyorum."

"Janet telefonlarıma cevap vermiyor. Bana Danielson'la ilgili bilgi borçlu."

"Kimseyle hiçbir konuda konuşmak istemiyor. Tam kafayı yedi, ahbap."

"Ya benim parama ne olacak, McPhail? Ben ona yardım ettim, o ise benimle konuşamayacak kadar berbat halde mi?"

McPhail, sigarasından nefes çekerek, "Yarın ona para işini sor," dedi.

Calvino, "Orada olsa iyi olur," cevabını verdi, ellerini yumruk yapmıştı.

"Ona ne yapmamı istiyorsun? Tokat atmamı mı? 'Hey, kancık, arkadaşımın parasını öde yoksa bu dişlerle yediğin son makarna olur bu'."

"Telefona çıksın yeter. Senin telefonlarına çıkar. Sonra da telefonu bana verirsin."

McPhail burnundan, boğulur gibi duman çıkardı, yüzü kıpkırmızı olmuştu. "Kadın benden nefret edecek ahbap."

"Bunu olumlu bir sonuç olarak düşün, McPhail."

Paranoya meslek sahiplerinin en iyi arkadaşıydı –özel dedektifler, doktorlar, avukatlar ve muhasebeciler. Bir korku ya da kuşku tohumu bir kez ekilirse mutlaka yeşeriyordu. Küçük tohum büyüdükçe müşteriler dehşet ve şaşkınlıkla izlenirdi. Olaylar hızla denetimden çıkardı. Çok fazla heyecan, insanları gergin, akıldışı, fırlayıp gitmeye hazır hale getirirdi. Çok fazla paranoya silahlara, uyuşturuculara ya da kiralık katillere yönlendirirdi. Hassas bir dengeydi bu: ürkmüş, duygusal kişilerin yaşamının sorumluluğunu almak, yaşamlarının her parçasını örten bir orman olmadan şeytani bitkiyi söküp atmak için bir plan yapmalarını sağlamak. Calvino çok geç kalmış olabileceğini kavradı.

McPhail cep telefonunu kulağına götürdü ve oturduğu yerden kalkarken telefonu Calvino'ya verip fısıldadı.

"Janet, yarından önce kocana benim için bir soru sor. Bunu benim için yapabilir misin?"

Uzun bir sessizlik oldu. "Ne tür bir soru?"

"Ona Andrew Danielson'ın ilaç konusuyla ilgilenen arkadaşlarının adlarını vermesini söyle," dedi Calvino.

"Siz nasıl düşünürseniz düşünün, Bay Calvino, kocam ilaçlarla ilgili hiçbir şey bilmez."

"Ben yasal ilaçlardan söz ediyorum, haşhaştan değil. Penisilin ya da aspirin gibi. Burada bütün büyük şirketler mallarını satıyor. Danielson birine yardım ediyordu. Bu kişi bir arkadaş olmalı. Bu tanıma uyan birini tanıyıp tanımadığını sor. Bu konuda bana yardım edebilirsin, Janet. Senin için çok yol kat ettim. Yani bana borçlusun."

"Sana borçlu olduğumu söyleyip durma, seni ayaktakımı."

"Ayaktakımı olsaydım, Howard'a gider ve bana Danielson'ın arkadaşlarının listesini ver, ben de seninle arkadaşının fotoğraflarını sileyim, derdim. Karına da senin iyi çocuk olduğunu söylerim."

Telefonu tekrar McPhail'e verdi, o da başını iki yana sallayarak bölmeden ve ön kapıdan çıktı. Calvino saatine baktı. Lovell'la randevusuna bir saati vardı.

Calvino başını geriye atıp gözlerini kapattı. Tekrar açtığında İhtiyar George, McPhail'in terk ettiği yere oturmuştu. "Yahudi bir anne gibi çıkıyor sesin. Bütün bu 'bana borçlusun' işi."

Calvino'nun gözleri yuvalarından oynadı ve İhtiyar George'a sert sert baktı. "Özel telefon konuşmalarını dinlemekten başka yapacak işin yok mu senin?"

"Dinlemek mi? Hah. Sen bağırıyordun ulan. Duymamak için kulaklarımı kapatmam gerekirdi."

"Anneme benziyorsun. Sadede gel."

"Annenin burası nasıl?" diye sordu İhtiyar George, işaret parmağıyla başının yanına vuruyordu. Calvino'nun annesini düşünüyordu.

"Annemle ilgili bir şey mi söylemek istiyorsun?" Isı yükseliyordu.

İhtiyar George elini salladı. "Her şeyi tersinden alma. Sana aklı yerinde mi diye soruyorum. Bir hafta önce bazı sorunları olduğunu söyledin. Başvurman için ısrar ettiği bir BM işiyle ilgili. Sorduğum için kusura bakma."

Calvino annesini huzurevinde son kez ziyaret ettiğinde, bir iskemlenin kenarına sabahlığıyla oturmuş ileri geri sallanıyordu. Öne eğildi, durdu, odayı kolaçan ettikten sonra fısıldadı: "Şuradaki adamı görüyor musun?" Calvino beyaz saçlı, sinirli görünüşlü, gözleri sulanmış gibi bakan bir ihtiyar gördü.

"Adı Glenn. Buranın lime lime olmasından o sorumlu."

Calvino zararsız ihtiyarın tuvalet eğitimini hatırlamaktan daha zor bir şeyden sorumlu olacağını düşünemiyordu.

"Burayı parça parça yiyor. Kimsenin ne yaptığını fark etmediğini düşünüyor. Ama ben onu yakaladım. Kurnaz. Çok akıllı sanıyor kendini. Ama ben onun bir şeyler yediğini görüyorum."

"Ne yiyor?"

"Mobilyaları."

Birkaç ay sonra annesinin bir doktorundan gelen e-postasında, çizgili pijamalı, kulaklarının ve burnunun içinde örümcek ağı gibi kıl büyüyen adamın gerçekten de mobilyaların vidalarını gizlice söktüğünün ortaya çıktığı yazıyordu. Bir hastabakıcı onu vidaları yutarken yakalamıştı. Vidaları yemişti. Çiğnemiyordu, nefes temizleyen nane şekerleri gibi yutuyordu. Doktorlar Glenn'e ameliyat yapınca, karnında kilolarca vida bulmuşlardı. Bir havaalanı metal detektöründen asla geçemezdi. Sakinlerin (onlara asla hasta demezlerdi) iskambil oynadığı, televizyon seyrettiği ya da okuduğu salonda mobilyalar parça parça dökülüyordu. Yetmiş sekiz yaşındaki şişman bir kadın vidasız bir iskemleden düşüp kalçasını kırmıştı. Başka hastalar da görünüşte sağlam iskemle ve masalara oturmak ya da yaslanmaktan kaynaklanan önemsiz kazalar yaşamışlardı. Televizyonun üzerinde durduğu masa birdenbire çökmüş ve televizyon yere düşüp parçalanmıştı. Gelen elemanlar huzurevinin her tarafını araştırmış ve mobilyaları yiyen tek bir böcek bile bulamamışlardı. Annesinden başka kimse yerçekimine karşı koyan nedeni bilmiyordu.

Calvino doktorla haberleştikten sonra annesine duyduğu saygı artmıştı. Bir an için onun aklını kaybettiğini düşünmüştü. Tam tersine, huzurevindeki mobilyaların yaşlı hastalar için bir mayın tarlası haline gelmesinin nedenini ilk keşfeden kişiydi. Hiçbir personel ona inanmadı. Onu birkaç vidası gevşemiş ihtiyar karı olarak başlarından defettiler. Ama annesinin başının içinde tıngırdayan gevşek vidalar yoktu. Olsaydı Glenn onları da yerdi.

İhtiyar George dudaklarını onayla şaklattı. "Çok açıkgöz bir kadın."

Calvino gülümsedi. Bu annesinin iyi bir tanımıydı.

"Guam'da bir arkadaşım vardı; annesi huzurevindeydi. Bir gün onu ziyarete gitti. Kadın donmuş gibi kaldı, beti benzi soldu ve hiç hareket etmedi. Arkadaşım onun kriz geçirdiğini sandı. Kadın duvardaki bir ev kertenkelesini gösterdi. 'Bunu görüyor musun?' Arkadaşım annesinin gösterdiği yere baktı. Kertenkelenin keskin, kara gözleri ve havayı yalayan dili vardı. Biliyor musun annesi ne dedi? 'Timsahlar. Her yerdeler. Uyuyamıyorum. Duvarlarda süründüklerini görüyorum. Timsahlardan kurtulmanın yolunu biliyor musun?' dedi. Arkadaşım da elinden geleni yapacağını söyledi. Kafanda tahtaların eksik olmaması derken bunu kastediyorum. Bir şeyler görmeye başlarsan ve hayali dünyalarla gerçekliği karıştırırsan, iş bitmiş demektir."

Calvino hesap kabının içine beş yüz baht koydu.

İhtiyar George, "Benim annem bir azizeydi," dedi.

Calvino, "İyi bir şey," karşılığını verdi.

"Ancak dini bütünsen."

ON SEKİZ

Lovell, Calvino'nun bürosundaki randevu için en iyi avukat takımını giydi. Tek Elle Alkış'ın önündeki kızlar, taburelerinden fırlayıp ona koşacak, içeriye sürüklemeye çalışacak kadar etkilendiler ondan. Lovell bir katır gibi kendini savundu. Nana Oteli park yeri ona temel eğitimi vermişti. Kıdemliydi artık. *Ying*'lerden biri ona Calvino'yla randevusundan sonra zamanı olursa diye %15'lik bir indirim kuponu verdi. Lovell, kuponu okumadan cebine tıkıp merdivenleri çıktı. Kızlar arkasından seslendi: "Bizi unutma! Bekliyor sen!"

En üst kata çıkan Lovell kravatını düzeltti, ceketindeki düğmeyi ilikledi ve resepsiyona girdi. Ratana klavyesinden başını kaldırdı. Calvino'nun müşterilerinin ikinci bir bakışa değer olması ender görülen bir şeydi. Kıkırdar gibi bir gülümseme belirdi yüzünde, birkaç saniye daha süren şu irade dışı gülümsemelerden. "Size nasıl yardımcı olabilirim?"

Lovell, Ratana'ya kartını verdi. "Bir randevum var."

Ratana onu beklediğini söylemek istiyordu. Ama bu kadar genç, bu kadar şık ve bu kadar yakışıklı birini beklemiyordu. *Thai Rath*'daki fotoğrafı ona adil davranmamıştı; ete kemiğe bürünmüş olarak çok daha yakışıklıydı. Fotoğraf pek iltifat getirmeyen bir şaşkın bakış yakalamıştı. Kuvvetli ışığa tutulmuş o büyük karaca gözleri. Masasının önünde duran bu kendine güvenli adam, bir *katoey*'in kollarında yaralı görünüyordu. Bulanık, vurgusu eksik, zayıf ve ürkek. Ratana iskemlesinden kalkarak bölmenin arkasına geçti ve müşterinin geldiğini bildirdi. Yanından geçerken, *bir de güzel kokuyor ki,* diye düşündü.

Calvino, Google Earth'e girerek koordinatları verdi ve dünya yüzeyinin üzerindeki bir uydudan, Howard Herron'ın *katoey*'i götürdüğü, saatle kiralanan oteli buldu. Koordinatları kendi bürosuna, annesinin huzurevine ve reçeteyle satılan ilaçların sahtelerinin yapıldığı depoya ayarladı. Dünya iş, huzur ve yasadışı operasyonların yerlerine bölünmüştü.

Howard-H adlı bir dosyaya görüntüyü yükledi. Dosyayı Howard'ın karısına göndermişti. Janet Herron da kocasıyla *katoey*'in dijital görüntülerini çoktan yüklemişti. Dosyaya erişebilen (Ratana dışında) tek kişi oydu. Howard o gün uyanıp da e-postalarına bakmak üzere çalışma odasına gittiğinde, Janet'ın resimlerini montajlayarak bilgisayarının ekran koruyucusu haline getirdiğini gördü. Janet da mutfaktan onun sızlanmalarını duydu. Calvino o anın keyfini çıkarırken Lovell'ın bürosuna girdiğini son anda fark etti.

Lovell, "Bana yardım edebilirsiniz," dedi.

Oturup evrak çantasını açtı ve içinden yarım düzine dosya çıkardı. Lovell ilk iş görüşmesine gitmiş yeni mezun bir öğrenciye benziyordu. Elleri evrak çantasında, büyük balığı, gösteriş yapacağı balığı arıyor.

Calvino bilgisayar ekranından gözlerini çevirerek Lovell'ın nedense bulamadığı gizli bir nesneyi aramasını izledi. Ama bir dakika boyunca hiçbir şey söylemeden kolej çocuğunun sunuşunu hazırlamasına olanak sağladı.

Lovell düşünce silsilesini kaybetmişti. Bir konuşmaya başlıyor, sonra yapacak daha iyi işleri varmış gibi susuyordu. Bu bir kişilik özelliğiyse, alışması biraz zaman alacaktı. Calvino sessizlikte bekledi bekledi, ta ki Lovell'ın fazla uzun süre dilsiz kaldığını hissedene kadar.

"Sana yardım edebileceğimi söyledin." Calvino, Lovell'ın yüzünün evrak çantasından kalkmasını bekledi. Göz teması kurar kurmaz devam etti. "Aynı şeyleri sana söylediğimi hatırlıyorum, peki sen bana ne cevap verdin?" diye sordu Calvino.

Lovell telefonda söylemiş olduklarını kelimesi kelimesine hatırlıyordu. "Size yardım edemeyeceğimi söyledim. Bunu söylediğim zaman doğruydu. Ama şimdi birbirimize yardım edebiliriz. Ben de size ücretinizi almanız konusunda yardım edebilirim."

Çocuğun haklı olduğu bir nokta var, diye düşündü Calvino. Gerçek hiçbir zaman uzun süre gerçek olarak kalmazdı; her zaman yerde, duvarda, tavanda zikzaklar çizer, başlangıç noktası bulanıklaşana kadar döner dururdu.

"Ya hukuk şirketin?"

Lovell başını iki yana salladı. "Telefonda dediğim gibi işime son verdiler."

"Sen işini kaybettin. Şimdi de öç almak istiyorsun. Çanlarına ot tıkamak istiyorsun." Hukuk şirketleri sirk çalışanlarını (özellikle de jonglörleri ve trapez sanatçılarını), bohemleri, serbest düşünceye sahip olanları, şairleri ve onları utandıracak, aptalca, zayıf, bok gibi görünmelerine yol açacak herhangi birini işe almaktan kaçınırdı. Çılgınların yönettiği bir hukuk şirketine kimse güvenmezdi, öteki çılgınlar dışında tabii, ama onların da asla paraları olmazdı.

Calvino masasının üzerindeki dağ gibi yığının arasından *Thai Rath* gazetesini bulup Lovell'a fırlattı. "İş için iyi olmamış."

"Patronum da böyle dedi. Ama benim hatam değildi."

Gözlerini deviren Calvino tekrar iskemlesine oturdu. "Tam olarak kimin hatası peki?"

"Birlikte çalışacaksak bu kadar düşmanca davranmasanız iyi olur."

Calvino genç avukatının gözlerinin onu incelediğini gördü. "Neye bakıyorsun?"

"Kravatınız. Düğümü yanlış olmuş."

Calvino cevap veremeden Lovell masanın üzerinden uzanıp kravatı çözdü ve kusursuz bir Windsor düğümü yaptı. "Bu daha iyi, Dedektif."

Calvino, Lovell'ın akıl sağlığının yerinde olup olmadığını merak etti. Normal olarak bir yabancı başka bir adamın masasının üzerinden uzanarak kravatını çözüp yeniden bağlamazdı. Büroyu açtığından beri kimse ona "dedektif" dememişti.

"Bana dedektif deme."

"Afedersiniz, Bay Calvino."

"Bana Vinny diyebilirsin."

Lovell huzursuzca kıpırdandı, omuzlarını oynatırken bu isteği düşündü. "Bay Calvino benim için daha iyi."

Calvino başını salladı. "Tamam, bana dedektif de. İşsizlik dışında nedir sorun olan?"

"Nereden başlamalı?"

"Neden Danielson'ın beni tuttuğu işle başlamıyorsun?"

Lovell zorlukla yutkundu. "Tamam. Andrew bir arkadaşına yardım ediyordu."

Calvino içini çekti, yüzünden bir gülümseme geçti. Uzun zamandır kendisini bu kadar iyi hissetmemişti. "Bana bu arkadaşı anlat,

John."

Danielson'ın arkadaşının Amerikalı bir müşteri, Noah Gould olduğu ortaya çıktı. Gould, Avenant Pharma adlı bir bağımsız dağıtım şirketinin müdürüydü, bu şirket büyük markalarla dağıtım anlaşması yapmıştı: Pfizer, Upjohn, Roche. Noah birkaç yıldır Bangkok'ta yaşıyordu ve Andrew Danielson'ın arkadaşıydı. Aşağı yukarı aynı yaştaydılar ve bir ticaret odası toplantısında tanışıp dost olmuşlardı. Eşleri de birbiriyle iyi anlaşıyordu. Ruth Gould, geniş kenarlı pembe şapka takan kadın ve Millie Danielson, Calvino'nun Aşçıbaşı Elmo'nun yemek dersinde tanışamadığı yabancı eşi.

Lovell, "Benim tahminim, Noah, Andrew'dan bir iyilik yapmasını istedi," dedi.

"Neden iyilik olsun anlamıyorum. İş yapıyorlar. Gould soyguna uğruyor. Senin hukuk şirketin de mülkiyet işleri yapıyor. Nedir bu iyilik işi?"

Danielson, iyilik olsun diye şirketdışı iş yapacak biri gibi gelmemişti ona. İşinin ehli, dürüst bir adamdı, gerçekçi beklentileri vardı.

"Şirket Gould'u oyalıyordu. Korsanlık işini bitireceklerine söz verdiler. Ama bir şey yapmadılar. Bu yüzden Danielson'a gitti ve ona yaşadığı sorunu anlattı."

Bir anlam kazanmaya başlıyor, diye düşündü Calvino. Bir iç siyasal sorun vardı ve Danielson her zamanki hiyerarşinin dışına çıkmıştı. "Onu oyalayan kimdi?"

"En başta Stiles."

"Dün gece birlikte olduğun avukat mı?"

Lovell yüzünü astı. "Evet. Pek 'cool' bir şey değil, biliyorum. Bir de büyük ortak var, Cameron. Stiles büyük patrona yakındır."

"Danielson neden Cameron'a gidip önemli bir müşterinin hak ettiği ilgiyi görmediğini anlatmadı?"

Lovell, "Siz hukuk okudunuz mu?" diye sordu.

"New York'ta, başka bir hayat diliminde."

Bu ifşaat onu irkiltti. Bir zamanlar New York'ta avukatlık yapmış, Bangkok'ta tek başına çalışan bir özel dedektif, Lovell'ı kuşkulandırdı. Calvino, Lovell'ın kendi içine çekildiğini gördü. "Danielson neden Cameron'ın yanında gürültü patırtı çıkarmadı?"

Lovell başını iki yana salladı, gözler kısıldı, omuzlar sıçramak üzereymiş gibi hafifçe çöktü. "Siz Cameron'ı tanımıyorsunuz. Daha önce de görmüştüm. Cameron'ın öldürdüğü güçlü vakalar vardı."

"Tamam, ama Danielson'ın beni olaya sokmasına neden olacak ne özelliği vardı Gould vakasının?" diye sordu Calvino.

Genç avukat inler gibi bir ses çıkardı. "Bilmiyorum."

"Sence ne olmuş olabilir?"

"Cameron'ın Stiles'a Noah'ı bu olayda oyalamasını söylediğini biliyordu. Andrew özel bir anlaşma yaptı. Bir arkadaşa yardım etmek için yapacağınız bir şey. Noah'ın işleri kötüye gidiyordu. Şirketiyle başı büyük dertteydi. İlaç şirketleri dağıtım anlaşmasını iptal etmekle tehdit ediyorlardı. Tahminim böyle."

"Soruma cevap vermedin. Cameron neden Danielson'ı durdurmak istesin?"

"Çünkü bir korsanlık işinin takibi Khun Weerewat'ın ününü ve işini zedelerdi. Önemli bir iş adamı. Şirket onu temsil ediyor. Amcası şirketin fahri yönetim kurulu başkanı."

Calvino ismi not aldı. "Noah'ın işini mahveden insanları bulmasına yardım etmek Weerewat'a nasıl zarar verecek?"

Lovell restoranlar, özel okullar, fast food dükkanları ve emlakçılıkta yatırımları olan bir işadamı olarak Weerewat'ın geçmişini araştırmıştı. Bu şirketler, şirkete büyük avanslar ve daha da büyük gelirler ödüyordu. Weerewat'ın bütün işlerinin hukuk içinde işlemediğinden de kuşkulanıyordu. Hukuk şirketindeki ilk haftasından itibaren, Weerewat imparatorluğunun karanlık yanı hakkında söylentiler duymaya başlamıştı. İşleri hızla büyümüş, Weerewat zengin ve etkili olmuştu. Bu da, dokunulmaz birinin, hukukun ulaşamayacağı işadamlarından birinin şifreli adıydı. Durum böyleyse, şirket dışında iş yapmak mantıklı oluyordu.

"Danielson'ın bu konuda şirket dışına çıktığını bilen var mı?"

Lovell sonunun bir masaj salonunun üstündeki küçük bir büroda, önemsiz araştırmalarla hayatını zar zor kazanan bir avukat eskisi olabileceğini düşününce içi titredi.

"Danielson'ın Noah Gould vakasını aldığını kim biliyordu? Sekreteri, belki bir avukat yardımcısı, bir araştırma yardımcısı, kütüphanede çalışan biri."

"Çok dikkatliydi. Ben ona yakındım. Ben bile bilmiyordum."

"Ama sen Taylandlı değilsin."

"New Road'da kayıtlı bir şirkete rastladım kazara. İlginç bulabileceğinizi düşündüm."

Calvino'yu savunmasız yakalamıştı. New Road'daki *soi*'lerden birine takip için gitmişti. İlaç korsanlığı operasyonunun videosu, Chao Phraya Nehri'ndeki limandan iki yüz metre kadar ötede çekilmişti. Lovell, Calvino'nun masasının üzerine bazı belgeler koydu. Birinde depo daire içine alınmış olarak *soi*'nin ayrıntılı bir haritası vardı. "Kameraya aldığınız yer burası mı?"

Calvino kafasını sallayarak haritadan başını kaldırdı. Bangkok'un bu kısmı turist haritalarında yer almıyordu. Burada oteller, dükkanlar ya da lokantalar yoktu; nehre doğru kasvetli ve yoksul sıra sıra dükkan-evler vardı. "Bu bağlantıyı nasıl kurdun?"

"Danielson benden veri tabanında bir şirket adını araştırmamı istedi. Ticaret Bakanlığı'ndan tüm hissedarların ve müdürlerin listesini aldım. Her şirketin kayıtlı adresini araştırdım. Burada, haritada," diyerek parmağını bir noktaya koydu. Lovell'ın topladığı şeyler halka açık bilgilerdi, ama nereye bakması gerektiğini ve Tayland dilindeki belgeleri nasıl anlayacağını bulması gerekiyordu. "Hukuk şirketinin bilgilerini kullanarak bu şirketin müdürleri ve hissedarlarıyla Weerewat'ın elinde olduğunu bildiğimiz kayıtlı şirketleri karşılaştırdım. Birbiriyle çakışan isimleri gösteren bir çizelge yaptım. Weerewat'ın adamları birçok farklı şirkette de ortaya çıktı. Weerewat'ın bazı hissedarlarıyla müdürleri depoda kayıtlı şirkette de kayıtlıydı. Bunlar hizmetçiler, şoförler, bahçıvanlar ve bordroda yer alan ayakçılardı."

"Bu şirketle ilgili sana ne söyledi?"

"Araştırmamı söyledi. İşin arka planını konuşmadık. Ya da bu araştırmayı neden yapmamı istediğini. Danielson böyleydi. Benim açımdan bir sorun yoktu. Ben işi seviyordum. Bu konuyu ona sordum. Çalışmalarımı kayıtlarda nasıl göstereceğimi bilmem gerekiyordu. Ücretlendirmemi Weerewat'ın şirketlerinden birine yazdı."

Calvino, "Bunun tuhaf bir şey olduğunu düşünmedin mi?" diye sordu.

"Danielson, şirketlerin yeniden organizasyonu için olduğunu ve Weerewat'ın şirketleri için zaman harcamamız gerektiğini söyledi. Bazı şirketlerin devlet kurumlarıyla büyük sözleşmeleri vardı. Toprak anlaşmaları, konut ve yol yapımı, ayrıca yeni havaalanı için büyük bir proje. Patronumu sorgulamak benim işim değildi." Sesi sinirli çıkmaya başladı, koltuğunda huzursuzca kıpırdandı.

"Bütün bunları ona gösterdiğinde ne dedi?" Calvino belgeleri işaret etti eliyle.

"Yüzü bembeyaz kesildi. Bütün kanı çekilmiş gibi."

"Müşterisinin şirket yapısını bilmeyen bir ortak mı yani?"

Lovell omuzlarını silkti. "Size nasıl tepki verdiğini söylüyorum. Bunu istediğiniz şekilde yorumlayabilirsiniz."

Lovell, Calvino'ya hiçbir nota bakmadan karmaşık hissedar ve müdürlük yapısını anlattı. Hissedar ve müdürlerin hepsinin adını, adresini, işini ve yaşını biliyordu; şirkete ne kadar zamandır ve nasıl hizmet verdiklerini. Hatta soyadlarına dayalı olarak aile bağlantıları bile avcunun içindeydi.

Calvino'nun ağzı beş karış açık kaldı. "Bunu nasıl yapabiliyorsun?"

"Belleğim böyle çalışıyor."

"Şu dahi belleklerden biri mi var sende?"

Lovell, "Asla unutmam," dedi, Calvino'nun çenesinin düşmek üzere olduğunu düşünüyordu.

"Kafamda dosyalarım, karşılaştırırım, analiz ederim ve bir fen dersinde bir fareyi kesip tüm organ ve kaslara etiket takarmış gibi parçalarına ayırırım. Bunu yaparken hiçbir sorun yaşamadım şimdiye kadar. Uyurken bile yapabilirim."

Bir farenin iç organlarını çizmeye başladı. "Bu dış bağ doku."

Calvino, "Tıpkı benim hatırladığım gibi," dedi. "Bana fare falan çizme. Bana hukuk şirketinin Weerewat için yaptıklarının bir resmini çiz." Bir dahinin karşısında oturmak göz korkutucudan da öteydi. Lovell'ın yeteneği ancak böyle tanımlanabilirdi.

Lovell bir dosya açtı ve içinden bir kağıt çıkarıp Calvino'ya uzattı. "Weerewat'ın şirket işleriyle ilgili aktif işlerin bir listesi. Onu Çin şirketlerine karşı birkaç hak ihlali davasında da temsil ediyoruz."

Artık "biz"in bir parçası olmadığını bir anlığına unutmuştu.

Lovell, Calvino'ya güvenmeye başlamıştı. Kağıttan başını kaldırdı. "Bazen Weerewat gibi birinin nerelere takıldığını merak ederdim. Bu bir yer saptama oyunu."

Calvino, "Nasıl bir oyundan söz ediyorsun?" diye sordu.

"Sığınak. Bana artı eksi %5 yanılma payıyla Weerewat'ın nerede olduğunu tahmin etmemi sağlayan bir yazılım."

"Danielson bunu biliyor muydu? Ya Cameron?"

Lovell gülümsedi, bir öğrenci gibiydi. "Bu benim özel oyunum."

Calvino, Lovell'ın zihninde hangi çark içinde hangi çarkların, düğmelerin, cıvatalarla devrelerin çalıştığını merak ederek sustu. Sığınak adı iyi bir benzetmeydi; Calvino'nun da bir sığınağı vardı, dünyadan saklanmak, yaralarını yalamak, ertesi güne başlamak üzere dinlenmek için herkes bir sığınağa ihtiyaç duyardı.

ON DOKUZ

Suvit, yeğeni hakkında, Amerika'da doktorasını yapıp döndükten sonra sınırsız enerjisi varmış gibi görünüyordu, derdi. Söylemediği şey ise, ailenin servetini artırmak için bu enerjinin beslenmiş olmasıydı. Weerewat onların eğitimli, modern ve medyaya hoş gelen yüzüydü. Yaşlı adam yeğeninin adı ne zaman ortaya atılsa gururla doluyordu. Şirkette Suvit'in bürosu yeğeninin ünlü işadamları, politikacılar, film yıldızları ve televizyon talk-showcularıyla çektirdiği resim fotoğraflarla doluydu. Galileo Chini'nin *Bangkok'ta Çin Yılının Son Günü*'nün çerçeveli bir reprodüksiyonu küçük bir Çin türbesinin üstüne yerleştirilmişti. Danielson'ın Weerewat ile ilgili tanısı, onun klasik bir aşırı hırslı olduğuydu. Birçok kültür, nadiren birilerini dinleyen hırslı insanlar üretmişti. Kimse yaşama şüpheli anlaşmalar ve aldatmayla dolu bir kariyer planlayarak başlamazdı. Ama bazıları bu yolun sonunda bulurlardı kendilerini ve en küçük bir utanç bile duymazlardı.

Weerewat'ın korunmalı bir çocukluğu olmuştu –özel okullar, özel öğretmenler, Kanada ya da Amerika'da geçirilen yazlar, en doğru sosyal olaylara davetiyeler. Hukuk şirketine ne zaman gelse bir tür ünlü muamelesi görürdü. Kimse yoluna gül yaprakları dökmezdi, ama en az bir sekreter ya da yardımcı ona telefon numarasının yazılı olduğu bir kağıt verirdi.

Weerewat hiçbir zaman yorgun ya da bakımsız görünmemeyi becerirdi. Sosyal ve siyasal bağlantılarının sağladığı hava yastığı üzerinde uçardı. İş çevrelerinin en iç kısmında yer alan, iktidar manivelalarını kolayca ve hassaslıkla, zarif, örtük, ince bir şekilde çalıştıran biriydi. Büyük dedesi 1911'de Çin'den gelmişti. Weerewat, aile şirketini yeni çağa göre biçimlendirip geliştiren zirveydi. Kırklarının başında olan Weerewat, bir grup sadık adamın kuşattığı özel, güvenli bir alan inşa etmişti. Bir sonraki değişiklikte bakanlar kurulunda yer alacağı konuşuluyordu. Kaçamak yolla bir işten sıyrılmaya ihtiyacı yok derlerdi; yaşamında sıyrılması gereken hiçbir kaçamak yol yoktu. Tam tersine, yollar, kolayca geçtiği yumuşak kavislerdi.

*

"Şirketine ne tür işler verir?"

"Asıl olarak emlak ve ortak girişimler."

"Bir yabancının yer aldığı yasal işler."

Lovell başını salladı. "Çoğunlukla."

Cameron yabancıların kendilerini emin ellerde hissetmesini sağlıyordu. Konferans masasının başına oturur, yabancı ortaklara Cameron'ın işinin onları korumak olduğunu hissettirirdi.

"Mülkiyet departmanınız bir yabancı müşteriyi temsil ettiği zaman Weerewat ya da amcasının hiç müdahale ettiği oldu mu?"

"Bu konuda açık davranmazlardı."

Başka insanların işlerinde büyük delikler açan bir buldozer değil. Daha çok bir yapıyı yavaş yavaş yıkan bir kol demiri gibi. Calvino annesini ve vidaları yiyen Glenn adlı adamı düşündü. Cameron bazı vakaları Suvit'e gönderiyordu, o da yeğenine, Weerewat da vakanın bir sonuca ulaşıp ulaşmayacağına karar veriyordu. Avukatların müşterilerine fatura kesmeye, rapor göndermeye, sözler vermeye ve aksiyon listeleri sunmaya devam ettiği bir hırsızlık sistemi.

"En son ne zaman Weerewat'la görüştün?"

Lovell içini çekti. "Yenilerde. Cameron'la bir toplantıda."

"Sonra ben seni aradım."

"Ben de size yardım edemeyeceğimi söyledim. Hata yaptım."

Lovell, Cameron'ın ona Danielson'ın vakasının şirket açısından var olmadığını söylediğini hatırladı. Faturalarını toplamaya ve Gould konusunu şirketin içinde ya da dışında kimseye açmamaya devam etmesini söylemişti. Arkadaşlarının kim olduğunu ve sadakatın anlamını biliyor olmalıydı. Nutkun sonunda, Cameron tanrı gibi emirlerini yağdırırken Lovell'a göz kırpmış ve, "Yaşamda daha iyi bir denge bulmaya ihtiyacın var," demişti.

Calvino, Lovell'ın, Cameron'ın hukuk oyununda sağlam durmasını öğütlediğini anlatmasını dinledi. Lovell müşteriyi bir ilerlemenin olduğuna inandırmak zorundaydı. Cameron onun pratik zekalı olması gerektiğini söylemişti. Her iki taraf için de bir şeyler vardı. Orta yolu bul. Baskını önce sen kur. Senin işin, bazı kestirme yollarla dolu küçük faaliyetler oluşturmak. Polis gelsin, senin insanların da video kameralarıyla olayı kaydetsin. Videoyu müşterine göster. Müşteri mutlu, polis mutlu, iktidardaki insanlar ve işadamları mutlu. Bu yaşamda değerli bir amaç değil mi? Sorun şu ki, Stiles, Noah Gould'a kendini gizli tutması için, ısıyı düşürmek için hiçbir şey vermemiş, o da çaresizlikle yardım için Danielson'a gitmişti.

Amaç doğru insanları mutlu etmeyi sağlamaktı, çatışılanları değil, Cameron böyle demişti. Noah mutlu değildi. Danielson da kendi nedenleriyle mutsuzdu. Lovell sessizce Calvino'nun duvarındaki resme bakıyordu.

"Weerewat'ın amcasında, amcasının şirketteki bürosunda aynı

resim var," dedi. "Tek farkla ki, bir tür türbenin üzerinde asılı."

Calvino ikna olmadı. "Aynı temalı birçok resim var."

"Bu Galileo Chini'nin *Bangkok'ta Çin Yılının Son Günü* resmi değil mi?"

Genç avukat yanıtı Calvino'nun yüzünde okudu. Lovell, "Ben de öyle düşünmüştüm," dedi. "1912'de yapılmış." Lovell resmin yanına gitti ve acil bir görevi varmış gibi hızla ejderhanın önünden geçen genç bir Çinli'yi gösterdi. "Suvit bunun babası olduğunu söyledi."

*

Bürodan birlikte çıkarlarken Calvino, Ratana'nın bir müşteriye karşı her zamanki ilgisinden fazlasını gösterdiğini fark etti. Lovell kadının ona yer gibi bakışına kayıtsızdı. Ratana bilgisayar ekranına dönerken yüzünde güller açıyordu. Lovell, Calvino'nun ardından Tek Elle Alkış'a indi. Başta kafası karışmış gibi duruyordu. Sonra ceket cebinden indirim kuponunu çıkarıp *ying*'lerden birine verdi.

Calvino kuponun el değiştirmesini seyrederken, "İlk kez gelmiyorsun," dedi.

"Alalı bir saat olmalı. Şundan." Lovell ona doğru koşmuş olan *ying*'lerden birini gösterdi.

Lovell'ın çevresinde toplanmış olan *ying*'ler onu masaj salonundan içeriye itti. Lovell derin bir uykudan uyanmıştı sanki, gülümsüyordu. Lovell'ın onları kucaklamasını beklerken heyecan *ying*'den *ying*'e yayıldı.

Büyük bir düşman gücüne teslim olurmuş gibi ellerini başının üstüne kaldıran Lovell, "Masaj istemiyorum," dedi.

Calvino, "Daha sonra, daha sonra. Buraya Jazz için geldik," dedi. Ölü *ying*'in adının telaffuz edilmesi Lovell'ın kadınların elinden kurtulmasına yetti. "Size bir şey göstermek istiyorum."

Koridorda yürüyerek VIP odasının kırık kapısı önünde durdular. *Mamasan* olay yerine ağzının köşesinde sallanan bir sigarayla geldi. Calvino'nun, Jazz'ın bulunduğu odayı görmek istemesi onu şaşırtmamıştı. Sigarasının filtresini çiğneyerek bir eliyle içeriye girmelerini işaret etti. Oda temizlenmişti. Yataktan çarşaflar alınmıştı. Kan lekeleri uyuyan kedi gölgeleri gibi duruyordu.

Calvino, "Danielson'ın kız arkadaşı burada öldü," dedi. "Bilekleri kesilmişti."

Lovell'ın beti benzi attı, kusacakmış gibi duruyordu. Çarşafları alınmış yatağa baktı. Başını iki yana sallayarak evrak çantasını yere koydu. *Mamasan* arkasında sigarasını söndürdü. *Ying*'lerden biri ona kola ve buz dolu plastik bir bardak vermişti; buzu sarımsı dişlerinin arasında kırarak yuttu.

"Kanı yapabildiğimiz kadar temizledik. Bu odayı kimse kullanmıyor. Hayaletlerden korkuyorlar," dedi *mamasan.* Odayı etkisine alan jilet duygusunu savuşturmak istermiş gibi kolunu kaşıdı.

Calvino, Danielson'ın metresine Lovell'ın tepkisini görmek istiyordu. Birbirlerinden bir saat kadar arayla ölmüşlerdi. "Danielson'ın burada çalışan bir kız arkadaşı vardı. Onunla aynı gece öldü."

Bacakları tutmaz olan Lovell pencere kenarındaki iskemleye çöktü. Metta'nın iskemlesi, ağlayan kızın iskemlesi. "İnanamıyorum. Karısını tanırım, Millie."

Calvino elini Lovell'ın omzuna koydu. "Evet, evliydi. Ama yedekte Jazz'ı tutuyordu. Onu ölü bulduğumda Jazz neredeyse çıplaktı. Üzerinde hiç elbise yoktu. Ama Danielson'ın ona verdiği bir kolyeyi takıyordu. Aslında hâlâ çıplak olduğunu söyleyebiliriz. Danielson ona kolyenin annesinin hediyesi olduğu yolunda duygusal bir bok püsür anlatmış. Danielson'ın kadınlara böyle söyleme alışkanlığı vardı."

Bu haber, bileğindeki saatle oynayan Lovell'ı gözle görülür şekilde sarstı. Saati ona Danielson vermiş, verirken de babasından miras kaldığını söylemişti.

"Bundan emin misiniz?"

"Hayatta asla emin olamayacağın şeyler vardır. Bu iş Danielson hakkında yeni bir şeyler söylüyor. Danielson'ın öldüğü akşam buldum kızı. Bu kapıyı görüyor musun? Kırmak zorunda kaldım." Calvino yatağın ucuna gitti. Küçük, bir cezaevi hücresi yatağı gibi çıplaktı. Boş odanın üzücü bir görüntüsü vardı, cesedin çalındığı bir mezar gibi. Calvino kızı tanımıyordu; elinde indirim kuponlarıyla kapının önünde gördüğünü hatırlamıyordu. On dokuz yaşında birilerini tanıyacak ne kadar zamanı olabilirdi ki? Yaşamının ayrıntılarını bilen arkadaşlar ve düşmanlar biriktirecek kadar uzun yaşamamıştı. Adı gibi, Jazz da, bir ara kulağa güzel gelen ama çabuk unutulan bir şarkıydı adeta.

"Onu hangi saatte buldunuz?"

Calvino, "Beş sularında," dedi. "Aklından neler geçiyor?"

"Andrew tuvalete geldiğinde çok sarsılmış görünüyordu. Kötü bir haber aldığını söyledi."

"Biri ona kız arkadaşının ölümünü haber vermiş olabilir."

Lovell pencereden dışarıya baktı. Birkaç taksi şoförü uyduruk bir masanın üzerinde iskambil oynuyordu. Bir oyuncunun elini görebiliyordu. Ama hangi oyunu oynadıklarını tam anlayamadı. Müthiş bir belleğe sahip olmak, parçaları birleştirip sonsuz olasılıkları işleme sokmayı hiç de kolaylaştırmıyordu. "Artık birilerini iyi tanıdığımdan emin değilim."

Calvino çocuğun mütevazı olmasından hoşlandı. "Buna da sağlıklı bir başlangıç denir."

*

Lovell pencereden çekildi. "İşin içinde sahte ilaçlardan fazlası var. Saatler, hava yastıkları, otomobil frenleri yapan şirketleri var. Büyük bir kâr marjı olan ne varsa yapıyorlar. Elimde dosyalar var. Mektuplar, hatırlatma kağıtları ve yorumlar. Hepsi burada. Alın." Lovell evrak çantasından son dosyayı da çıkardı. Calvino küçük odadaki tek kişilik yatağın üzerinden ona baktı. "Hafızamdan çıkardım. Hepsini kopyaladım."

Bürosunda oturandan farklı bir Lovell'dı bu. Bekliyor, Calvino'ya hukuk şirketinin işinin tam mı yoksa oynanmış bir versiyonunu mu anlatayım diye düşünüyordu. Jazz'ın ölüm yerine gitmek karar vermesini sağlamıştı. Açık kapıdan bir caz solosu odaya girmişti, Michael Lington'un "Two of a Kind" şarkısının tenor saksofonu ve piyanosu.

Mamasan buzuyla ve sigarasıyla birlikte ortadan kaybolmuş ve Tayland müziğinin yerine caz koymuştu. *Farang*'ların daha uzun kalmasına yol açar diye düşünmüş olabilirdi; belki de ikisi birden *ying*'lerden birini bir odaya çekerdi.

Calvino yatağın üzerindeki dosyalara baktı. Duvara yaslanarak Lovell'ın ellerinin bir konser piyanisti gibi dosyaların arasında dolaşmasını ve belgeler, şemalar ve grafikler çıkarmasını izledi. *Mamasan* klimayı açmamıştı. İçerideki sıcaklık yükseldikçe yükseldi, ta ki Lovell'ın burnunun ucundan ter damlayana kadar. Calvino, Lovell'ın bir bellek ritmine göre çalışmasını izlemeyi sürdürdü. Çocuk bir şeyler saklıyor, onunla oynuyor, küçük miktarlarda bilgiyi azar azar veriyordu. New York'lu birine böyle yapılmaz.

"Bunu neden yapıyorsun?"

John Lovell'ın beklediği yanıt bu değildi. Reddedilmiş bir öğrenci gibi sert iskemleye çöktü. Saatine bakarken alt dudağını ısırıyordu. Lovell, Jazz'ın tam olarak neler hissettiğini anlayabiliyordu. Saat Danielson'ın babasındandı, ama belki bu da bir yalandı.

Calvino devam etti. "Hukuk şirketinden öç almaya mı çalışıyorsun?"

"Stiles ile Cameron beni korkutmaya çalışıyordu. Weerewat'ın şirketleri için yazdıkları tüm sözleşmeleri ezberledim. Ama benim ne bildiğimi tam olarak bilmiyorlar. Gene de Stiles'ın bana zorbalık etmesine izin verdim. Bundan çok gurur duymuyorum," dedi Lovell. Sesinde bir düğüm, ilk yaşların yanaklarından süzülmesinden bir an önceki yumuşak, genizden gelen bir düğüm vardı. "Onlara boyun eğmeyeceğim."

Calvino bir kaşını kaldırdı. "Bu anlayabileceğim bir neden."

"Sizin için her şey para sanıyordum."

"Paranın amacını da unutma."

Masaj salonunun koridorunda yürürken kaset Gerald Albright'ın "The Night We Fell in Love" şarkısına dönmüştü. Dışarıya çıkarlarken Calvino *mamasan*'a bu şarkıyı hiç durmadan çalmasını söyledi. *Farang*'lar şarkının duygusundan, vaat ettiklerinden hoşlanırdı ve devamlı müşteriler Tek Elle Alkış gibi bir yerde aşkı bulmaya inanan romantiklerdi asıl olarak. Kadın Calvino'nun kolunu sıkı sıkı tutup onu bir kenara çekti. "Kapının tamiri konusunda bana yardım edeceksin." Bir ricadan çok, bir emirdi.

Lovell biraz ötede durdu, Calvino'nun bir işle ilgili konuştuğunu düşünüyordu.

"Ben buradan gidiyorum," dedi.

Calvino, "Olduğun yerde kal," dedi.

Mamasan, "Bana iki bin baht ver," dedi.

Gözleri sert, tehditkar ve kararlıydı. "Khun Ratana'ya bir rapor ver. İşleri o hallediyor."

Mamasan, Calvino'nun kolunu bıraktı. "Şimdi ödesen daha iyi."

"Khun Ratana'dan al parayı." Her ikisi de *mamasan*'ın merdivenleri çıkıp Ratana'dan para isteyecek cesareti olmadığını biliyordu.

"Kapıyı kırdın. Neden ödemiyorsun?"

"İyi bir soru. Ratana cevabını verir. Ona sor yeter."

Son söz kadının oldu. Calvino'ya *ai hai* dedi, bir tür büyük, çirkin Bengal kertenkelesi. Taylandlılar onlara hakaret edenleri öldürmekle ünlüydü. Bir kelimeye bu kadar nefret sığdıran bir kelime yoktu İngilizce'de. Götlek ya da orospu çocuğu olmazdı. Hakaretin duygusal ısısına yaklaşamıyorlardı bile. Calvino güldü, Lovell'a doğru gitti. "Buradan çıkalım."

"O kadın size ne dedi?"

"Bir sevgi sözcüğü."

"Sevgi dolu gibi çıkmıyordu sesi."

"Bir *mamasan*'ın olabileceği kadar sevgi dolu. Seni, ödemeyeceğin bir para için sıkıştırıyorsa kertenkele olursun."

YİRMİ

Aşçıbaşı Elmo'nun öğleden sonraki yemek kursu, Verdi'nin müziğiyle yankılanıyordu. Bir duvardaki raflara yerleştirilmiş hoparlörler mutfağı operayla doldurmuştu. Aşçıbaşı Elmo bas sesiyle Verdi'nin *Otello*'sundan libretto söylüyor, bazı notaları tam isabet bulurken ötekileri kaçırıyordu. Tutkusu, müzikteki yeteneksizliğini telafi ediyordu adeta. Kimse onu şarkı söyleme dersleri vermek için tutmazdı. Kesinlikle Placido Domingo değildi. Ama Elmo çok zevk alıyor, aşçı giysisi içinde mutfakta dans ederek dolanırken bıçakları çeviriyor, tencereleri kontrol ediyor, gazlı ocakların alevini ayarlıyordu. Şarkı söyleme yeteneği olmayan bir diktatör gibiydi. Komik olansa, sesinin yemek kursundakileri yatıştırmasıydı. Üç kadın kalçalarını operanın temposuna uygun sallıyordu. Yeni dövülmüş biber kokusu, daha yumuşak nane kokusunu bastırıyordu. Yakılmış fırın kıpkırmızı görünüyor, Elmo'nun kapağını açıp bir yanmaz cam kap sokmasını bekliyordu. Aşçıbaşı Elmo kapağını kapattıktan sonra cehennem gibi duran fırına baktı ve alnındaki terleri sildi.

"İtalyanca opera 'çalışma' anlamına gelir," dedi. Unuttuğu bazı şeyleri hatırlamak için gece biraz İtalyanca çalışmıştı. Kadınlar bir şey söylemediler, ama artık onun İtalyan kökeninden kuşku duydukları açıktı.

Ruth, "Bunu bilmiyordum," dedi. Onu zokadan kurtarıyordu.

Janet, "Sanat çalışması gibi mi?"

"Gerçek çalışma gibi."

Aşçıbaşı Elmo bir şarkı söylemeye başladı. Bayanlardan birinden gene tam not almıştı. Bıçağı alıp bir havucun nasıl kesileceğini gösterirken, "Yo, böyle doğrayacaksın," dedi. "Neden orasını atıyorsun?"

Ruth havucun tepesine baktı. "Çünkü ben her zaman tepesini atarım."

"Bir lokantada yiyecekleri fırlatıp atmayız."

"Bununla ne yapacaksınız?" Ruth yeşil havuç tepesini eline alıp onu kışkırttı.

"Şuradaki çorbaya gidecek."

Ruth, "Ah tabii," dedi. "Ne aptalım." Sesinde karanlık ve rahatsız edici bir hava vardı.

McPhail, "Demokrasi yatak odasında da mutfakta da işlemez," dedi.

Janet ona baktı, McPhail'e atacakmış gibi, tencereyi karıştırmakta kullandığı büyük bir kaşığı kaldırdı. McPhail yüzünü korumak için kolunu kaldırdı. "Şaka yapıyordum."

Ruth, "Kimse gülmüyor," cevabını verdi.

McPhail mutfağa göz gezdirdi. Doğru değildi; Aşçıbaşı Elmo gülüyordu. Bu da bir şeydi. Ama Ruth'un ne demek istediğini de anlamıştı; kadınlardan hiçbiri gülmüyordu. Önemli olan da onlardı. Onlar gülmüyorlarsa demek ki şaka komik değildi.

Muhteşem Dörtlü (izin almış olarak düşündükleri Millie Danielson'ı da sayıyorlardı) tezgahta ve ocakta köle gibi çalışırken Elmo'nun *Otello*'nun sesini bastıran şarkısını dinlediler. Müziğe uyum sağlayamayan aşçı aralarda dolaşarak kırbacını şaklatıyordu. Ruth önlüğünü düzeltti, ellerini kaldırdı, aşçıya küçük bir el salladı, sonra patlıcanlı *gnocchi* için iki fincan un ölçtü. Rahat ve kaygısız görünüyordu.

Janet, "Erkekleri anlamak gibi," dedi. "Tekrar kullanılır mı, kullanılmaz mı hemen anlıyor insan."

Ötekiler güldü.

Debra, yığındaki yumuşamış bir patlıcanı göstererek, "Bu iyi görünmüyor," dedi.

"Kabul edilebilir." Janet patlıcanı alıp inceledi.

McPhail, "Bana uygun geliyor," dedi.

"Tekrar kontrol et, Janet. Bu patlıcan etli olmalı. Haklı mıyım?" diye sordu Debra. Patlıcanları yarmak için büyük bir kaşık kullanıyordu.

Öteki kadınlar kıs kıs güldüler. Gözlerinde kırışıklıklar belirdi. Gözlerin çevresindeki kasları çalıştıran gerçek, samimi gülme çizgileri, bir dürbünü ayarlayıp çizgilere yazılmış keyif görüntüsünü yakalar gibi.

Janet, "Sanıyorum İtalyanca Taylandca'dan çok daha seksi," dedi.

Aşçıbaşı Elmo'nun iyi yanı, onlara yalnızca doğru dürüst bir patlıcanlı *gnocchi* yapmasını öğretmemesi, doğrama, yıkama, kesme ve ovma işleri için hangi duygusal havanın uygun olduğuna hep birlikte karar vermeyi onlara bırakmasıydı. Yemek hazırlamak fiziksel bir işti. Kadınlar elleriyle çalışıyordu, elleri kıpkırmızı olmuştu, parmaklarından avuç içlerine kadar yayılmıştı kızarıklık. Pişen yemeğin kokusunu içlerine çekiyorlardı. Bıçağın ağırlığını hissediyorlardı.

Grup defalarca derse geldikten sonra, birbirine yakın kadınların kendilerine özgü dilini, yeşil bölge getto dilini, yabancı aksanını geliştirmişti. McPhail ancak parçalar duyabiliyordu: erkekler, orospular ve *katoey*.

Fazla bir şey değildi, ama konuşmanın gidişatı hakkında bir fikir edinmeye yeterdi. Janet gülerken bir yumurtayı yere düşürdü. Ruth, kahkahalarla gülerek masanın üzerinden Debra'ya un üfledi. Kahkahalar arttı. Paylaştıkları sır her ne ise, başka birinin zararına olduğunu düşündürüyordu. İnsanları ortak bir düşmana karşı birleştiren türde bir kahkahaydı.

Tam bir karanlık olana kadar ışıklar birer birer söndü. Elektrik kesintisi vardı. Karanlık, kahkahaları iyice bitene kadar yavaş yavaş dindirdi.

Aşçıbaşı Elmo, "Elektrik bir dakika içinde gelir," dedi, arkasındaki fırının ışığıyla aydınlanmıştı. Verdi operası sona erdi. Mutfak yalnızca karanlık değil, sessizdi de. Fırının yaydığı ışık kızılımsı bir hava yaratmıştı.

Mutfaktaki karanlıkta her şey mümkündü.

McPhail bir kalça hissetti. Bir direnç olmadı. Bu kalçanın kime ait olduğunu bilmese de McPhail nedense bir direnç olmadığını hissetti.

Elektrik geldikten hemen sonra Vincent Calvino mutfakta belirdi. Birdenbire ortaya çıkmıştı, ışıklar gelmeden bir an önce elini kalçadan çeken McPhail'in yarattığı bir yanılsamaydı sanki.

Debra'nın nefesi kesildi, farkında olmadan elini boğazına götürdü. "Allahım, bu o özel dedektif."

Janet, "Beni de korkuttunuz," dedi. "Hiç ses çıkarmadınız." Elleri boğazındaydı.

Ruth, "Ses çıkarmaması gerekiyor," dedi. "Özel dedektiflik okulunda onlara böyle öğretilir. Yoksa fark edilmeden bir erkeği nasıl takip edebilirler ki?"

McPhail, "Ya da bir kadını," dedi. "Takip ettiği kadınlar da var."

Nedense yanlış anlaşıldı.

Ruth, "Bahse girerim, takip ettiğiniz kadınlar karanlıkta nasıl çalışılacağını bilirler. Öyle değil mi, Bay Calvino," dedi.

Debra ellerini önlüğüne sildi. McPhail'in geçici karanlıkta hissettiği kalça onundu. "Gece her zaman kötü şeyler olur. Ya da karanlıkta. Elektrik kesintilerine dayanamıyorsanız, ee, işinizi yapmanızın güç olduğunu düşünüyorum. Bu kadar umutsuz vaka bir özel dedektifle karşılaşmıştık."

Janet onu hafifçe dürterek, "Debra, sakın daha fazla soğan doğrama," dedi. Ruth da Janet de gözlerini devirdiler, Debra'nın neden söylenmemesi gereken bir şeyi söylediğini merak ediyorlardı.

Calvino, "Başka dedektiflerle de çalıştınız," dedi. "Onlar işi yapmadı. Şimdi de beni tuttunuz. Janet'a işi yapıp yapmadığımı sorun."

Janet'ın yüzü kıpkırmızı oldu. Dili tutuldu. Bir bıçak alarak gözleri yaşla dolana kadar soğan doğradı. Calvino yaptığı gözlemin doğru sahaya doğru atılan bir top gibi havada asılı kalmasını izledi.

Debra, "Ötekiler bizi hayal kırıklığına uğrattı," dedi. Bıçağı elinden kayıp yere düştü. Bıçağı almak için eğildi.

"Ötekiler kaç tane?"

Ruth, "İki," dedi. Calvino dikkatini Ruth'a yöneltmişti. Kocası Noah, Danielson ve kendisinin arasında bir bağlantı vardı. Ruth'un kocasının Andrew Danielson ile yaptığı özel anlaşmanın ne kadarını bildiğini merak etti.

Debra musluğun altında bıçağı yıkarken, "Üç," dedi.

"Sayılarını tam olarak hatırlayamıyorum."

Ruth, "Teknik olarak üçtü, çünkü bana onunla yatmamı söyleyen bir adam da vardı," dedi. McPhail, *bazı erkekler büyük şapkalı kadınlara hastadır,* diye düşündü.

"Söylediğiniz şu, hatırı sayılır bir özel dedektif tutma tarihiniz var."

"Sanki yanlış bir şey yapmışız gibi oldu bu. Biz bir yanlış yapmadık," dedi Janet. Debra'ya döndü. "Soğanlar zaten yeterli. Ağlamaya başlayacağım. Ağlamak istemiyorum."

Kadınlardan hiçbiri, Calvino'nun artık onlara kocalarının Andrew Danielson'ı tanıyıp tanımadığını sormadığını fark etmemiş görünüyordu. Bu konu bir kenara bırakılmıştı. Calvino, Debra'ya İtalyanca ağlamaması gerektiğini söyledi. Bunu ona tercüme etmek zorunda kaldı. Aşçıbaşı Elmo birkaç adım ötede duruyor, bir Calvino'ya bir McPhail'e karanlık, öldürücü bakışlar atıp duruyordu. Opera sona erdiğinde, mutfağın denetiminin bir kez daha yok olduğunu gören Elmo, ellerini havaya kaldırıp kendi kendine konuşarak mutfaktan fırtına gibi çıkıp gitti.

*

Aldatma vakaları özel dedektiflik işinde büyük bir gelir kaynağıydı. Duygular bu kadar yüksekte uçarken para asla sorun olmazdı. Her iş alanında iyi bir şeydi bu. Bu kadar iyi her şeyde olduğu gibi, ötekiler de masada bir yer umuduyla partiye gelirler, yemeğe kalırlardı. "Özel dedektif" yalnızca iki kelimelik bir ifadeydi. Diploma yok, standart yok, gözetim yok; barlara takılan, bir bar *ying*'ine ya da internetteki sohbet odaları aracılığıyla uzaktan tanıştığı bir *ying*'e aşık olmuş ve evlenme teklif etmiş *farang*'larla konuşan açıkgözler için kusursuz bir ortamdı. Belki de bir katır kafalarına tekme attı, bu yüzden son dakikada sağduyuları onlara kadının hikayesini araştırmanın iyi olacağını düşünmelerini söyledi.

Anlatıdaki bazı önemsiz noktalar açıklama gerektiriyordu: toprakta çıplak ayakla oynayan sümüklü çocuklarla dolu bir bambu evde bir kocası olup olmadığı gibi. İlişkideki paranoya düğmesini çevirmek, özel dedektifin en iyi yaptığı şeydi. *Farang*'lar özel dedektiflere iş getiriyor, onlara para veriyor, ama nadiren iyi haber alıyorlardı. Kötü haber ulağının işi zordu. Müşteri özel dedektiften, ihaneti ortaya çıkan *ying*'den ettiği kadar nefret ediyordu neredeyse.

Calvino, Taylandlı kız arkadaşlarının sadık olup olmadıklarını araştırması için onu tutan *farang*'lardan çoğunlukla uzak kalırdı. Bu müşteriler bar *ying*'lerinin sadakatından emin olmayan orta yaşlı adamlardı ve temel kuralı unutuyorlardı: sevgilerinin nesnesi, cinsel sadakatin mesleki bir kusur olduğu bir iş alanında çalışıyordu.

Bazıları raporu gördükleri zaman çözülür ve ağlardı. Yalnızca sözlerin, sadakat güvencelerinin yalan olduğuna değil, aslında sadakatin hiç var olmadığına da inanamazlardı. Yapabileceği en iyi şey, raporu ve fotoğrafları sunmaktı. Vücudun her kemiğinden geçen incecik bir kırık olduğunu gösteren röntgen gibiydi. Bir kişinin en büyük korkularını haber veren kişi asla bir kahraman olamazdı. Gerçekliklerinin altındaki zemini çekip almak onları kızgın, üzgün, utanmış ya da mahçup kılardı. Kimse, çorba kasesinin içinde bir köpekbalığı yüzgecinin yüzdüğünü görmek istemezdi.

Bir yabancı kadın kocasını takip etmesi için onu tutarsa, o zaman dinamikler değişirdi.

Calvino, "Siz istediğiniz şeyi elde edemediniz," dedi. "Bana söylemeniz gerekirdi."

Ruth inledi. "Bir sır değildi ki."

"Şimdi de bir kez daha düşünüyorsunuz." Calvino, Andrew Danielson'ın arkadaşları hakkında bilgi almak için konuşmada bir açık nokta arıyordu. Kadınlar safları sıklaştırmıştı.

Debra içini çekti. "Hatta üçüncü ve dördüncü kez düşünüyoruz."

McPhail, "Bayanlar, öteki özel dedektifleri bana anlatmadınız," dedi. Üç kadına baktı. Debra gülümsedi, Ruth çanta aynasında makyajını kontrol etti, Janet'ın yüzünde ise uzak, dalgın bir bakış vardı. "Bana söylemeniz gerekirdi. Vincent benim arkadaşım."

Debra, "Arkadaş mı?" diye sordu. "Bu yüzden mi bizi gizlice dinledin, Ed? Ona bizim *özel* konuşmalarımızı bu yüzden mi anlattın? Konuşmalarımıza kulak misafiri oldun. Böyle bir şeyi nasıl yapabilirsin?"

McPhail, "Neden söylemeyecekmişim?" diye sordu.

Zokayı yutmuştu. Debra, ağzı beş karış açık bakan Calvino'nun yüzünü düzeltmesini bekledi.

Calvino zokadan kurtularak, "Başka bir zaman gelirim," dedi.

Aynasını kapatmış olan Ruth uzanıp Calvino'nun kolunu tuttu. "Lütfen kalın. Debra aslında size kızgın değil, öyle değil mi, Debra?"

Debra gözlerini kırpıştırdı, dudaklarından kaçmak üzere olan bir kahkahayı yuttu. Ellerindeki un yüzüne bulaşmıştı, ona hayaletimsi bir görüntü veriyordu.

Calvino bir iskemleye oturup evrak çantasını açtı. "Bu işi tam olarak konuşalım," dedi. "Çünkü ne istediğinizi net olarak anlayamadım. Ayrıca Debra'nın bana neden Millie Danielson'ın telefonunu yanlış verdiğini de anlayamadım. Yani görüyorsunuz ya bayanlar, aydınlatmam gereken bazı noktalar var."

Debra, "Yanlış rakam yazmışımdır," dedi.

"Bir kez daha deneyebilir miyiz?"

Calvino ona bir kağıtla kalem verdi. Debra kalemi dudağına götürdü. "Ruth, Noah ve Andrew iyi arkadaşlar. Haklı mıyım?"

"Bunun *benim* endişelerimle ilgisi ne?"

"Bir araştırma yaparken, bir erkeğin arkadaşları bir kadının endişesi olur. Nerelerde kimlerle buluştuğunu ve nasıl insanları araştırdığımı söyler bana. Bu sorunuza yanıt veriyor mu? Şimdi, biri bana Millie Danielson'ın telefon numarasını verirse, araştırmama devam edebilirim."

Sözlerinin iyice etkili olması için biraz sustu, Debra'nın doğru telefon numarasını yazmasını bekliyordu. Ruth ile Janet onun yanında durmuş, fısıldaşıyorlardı. Aşçıbaşı Elmo birdenbire geri döndü.

Elmo, "Sırlar, sırlar... sırlara dayanamam," dedi. Patlıcanlı *gnocchi* kabını fırına koydu ve bir dönüşte mutfaktan çıktı. Geldiği gibi hızla yok olmuştu.

YİRMİ BİR

Samuel Thomas, kadınların ne istediği ve evliliklerinde en çok neden korktukları konusunda en küçük bir tereddüt sergilememiş bir adamdı. *İhanet Riski Rehberi*'ni karşı konulmaz bir tarzda yazmıştı. Thomas, *Rehber*'i Paris, Texas'da bir hobi olarak başlatmıştı. Milyarder bir Hıristiyan olan Thomas, bir sadakat vakfına birkaç milyon dolar bağışlamış, bağışı da vergiden düşmüştü. Samuel'in bakış açısına göre, İncil'in kutsal misyonu tekeşliliği geliştirmekti. Buna yarı yarıya inanıyor da olabilirdi. Ama asıl deha örneği, kadınların erkeklerle ilgili kaygılarını sömürmekti. Samuel Thomas, bu tür güvensizliklerin insanlık tarihi kadar eski olduğunu biliyordu. Kocalarıyla yurtdışına giden evli kadınlara yardımcı olmak üzere tasarlanmış bir ürün icat etti: küçük ama hayli kârlı bir pazar. *Rehber* kadınların, erkeklerin ayaklı cinsel felaketten başka bir şey olmadığı duygusunu ve bu cinselliğe aynı anda hem tiksinti hem cazibe duyduklarını doğruladı. Dow-Jones'a benzeyen adı, bir bilim ve akılcılık unsuru, olgusal, nesnel bir temeli olan bir sistem ya da yöntem benzerliği sağladı.

Kocanızla yabancı bir ülkeye gidiyorsanız, diyordu kitap, *İhanet Riski Rehberi*'ni de almanız gerekir. Kitap evle ilgili bilgiler de içeriyordu. Yemek kurslarına katılın tavsiyesinde bulunuyordu *Rehber:* gurme yemek yapabilen bir eş, kocasının bürodan eve koşa koşa gelmesini sağlar. Kötü özel dedektifleri kabul etmeyin. Profesyonel tavır göstermezlerse hemen işten atın.

*

Janet, "Neden bana öyle bakıyorsunuz?" diye sordu.

"McPhail işime son vermek istediğinizi söylüyor. Bu da gayet mantıklı. İki ya da üç dedektifin işine son verdiniz. Kurbanlık koyun bu kez benim, olanlardan çıkardığım şey bu."

Üç kadın McPhail'e son ihaneti yapmış Judas'mış gibi döndü. McPhail onların özel konuşmalarına tanık olmuştu. Hatta Debra onun kalçasını ellemesine izin vermişti. Korkunç bir şey! McPhail'in erkeklerden bir erkek olduğunu unutmuşlardı. Yemek kursunda birlikte olmaları, onlara, McPhail'in onların yanında, onlardan biri olduğu gibi yanlış bir inanç vermişti. McPhail ise tam tersine onların özel kuşkularını Calvino'ya açmıştı.

Janet fısıltı gibi sesle, ama herkesin duyabileceği bir fısıltıyla, "Sana güvenebileceğimizi sanmıştım," dedi.

"Ama bunları söylediniz." McPhail ilk sözlü saldırılar başlamadan kendini savundu. Gerçeğe başvurmak kadınları hiç mi hiç etkilemedi. Konu dışıydı bu.

Janet, "Kimse Bay Calvino'nun işten atılması hakkında bir şey söylemedi," dedi.

"Hey, Howard bir *katoey* ile yakalandıktan sonra hepiniz altüst oldunuz. Bunu bilmek istemediğinizi söylediniz. Çok fazlaydı sizin için."

Bütün bunları söylemişlerdi. Ama o, o zamandı, şimdi değil. Erkeklerle ilgili sorun, iki geçici düşünme ve varolma durumları arasındaki farkı anlayamamalarıydı.

Ruth, "Ama Debra'yla ben karar verdik. Araştırmanıza devam etmenizi istiyoruz," dedi.

Ötekiler başlarını salladılar. "Lütfen, Bay Calvino. Israr ediyoruz."

Calvino yasası: Bir aldatma vakasında bir hafta içinde en az üç kez işten atılıp yeniden işe alınıyorsan asla şaşırma.

Bu yüz seksen derece dönüşü açıklayacak bir şeyler olmuş olmalıydı.

McPhail, "Ama dün söyledikleriniz böyle değildi," dedi.

Ruth, "O dündü," cevabını verdi.

Debra hâlâ Millie Danielson'ın telefon numarasını yazmamıştı. Kağıttan başını kaldırıp Ruth'u destekleyici tarzda başını salladı.

Karar değişikliğini açıklamayı Ruth'a bıraktılar.

Janet'ın kocasının bir otelin kafesinde bir transseksüeli kucaklarken yakalandığını duyunca başta altüst olmuşlardı. Ama eskiden fabrika işçisi olan Howard'ın karısının yerine bir *katoey*'in geçmesi, bir tür sapıkça iyi habere dönüştü: Janet aniden başka bir kadının onun yerini alabileceği yolunda en temel korkusundan kurtuldu. Kaybettiği iktidarı yeniden ele geçirmişti ve bu üstünlüğe sahip olunca fazla baskı yapacak değildi. Arkadaşlarına Howard'ın ona, Calvino'nun çektiği fotoğrafları işyerinde tanıdığı insanlara ya da arkadaşlarına göstermeyeceğine yemin ettirdiğini söyledi. Kendisine yakın kişilerin bu özel transseksüel arkadaşını bilmemesini çaresizlikle istiyordu.

Janet, Calvino'dan kocasının gizli yaşamını öğrenmişti, Howard da karısının onu deşifre edeceği korkusuyla yaşıyordu şimdi. Ne düşünmüştü ki?

Peki Janet susması karşılığında Howard'dan ne istiyordu? Her eşin hayalini kurduğu şeyi: Howard'a kendisinin istediği her şeyi yapacağına söz verdirmişti. İstediği *her şeyi*. Ne zaman isterse. Aşçıbaşı Elmo'nun yemek kursunda temel bir ders öğrenmişti: mutfağınızda başkalarını köle gibi çalıştırın, hiçbir şeyi atmayın, ne zaman isterseniz o zaman emir verip cezalandırın. Elmo mükemmel bir öğretmendi.

Ruth ile Debra, Janet'ın ifşaatıyla heyecanlandılar. Janet kocasına kırmızı kart göstermişti. Aynı pisliği kocalarına bulaştırmak için sabredemiyorlardı. Ötekiler açısından, ölüm dışında kocalarına boyun eğdirmenin tek yolunun aşırılığa kaçmak olduğu açıktı.

Debra, "Janet'la aynı sonuçları istiyoruz," dedi.

Ruth, "Yaptığınız çok iyiydi," dedi.

Janet, "Bay Calvino, kişisel olarak size minnettarım," dedi.

Öteki kadınlar gülümseyip başlarını salladılar.

McPhail, "Hey adamım, benim biraz temiz havaya ihtiyacım var," dedi.

Calvino parmağını ona doğrulttu. "Olduğun yerde kal. Hiçbir yere gitmiyorsun."

Debra, "Ben güçlü erkeklere bayılırım," dedi.

Erkeklerine pislik bulaştırmak istiyorlardı. Gerçek, tam bir çamur. Calvino onların kendi dikkatini çekmek için yarışmalarını dinledi.

"McPhail bana fikrinizi değiştirdiğinizi söylediğinde, başka işler aldım."

Ruth gürültüyle soluğunu tuttu. "Siz mi bizi işten attınız diyorsunuz yani?"

Calvino, Ruth'un eline dokundu. "Son birkaç ayda kocanızla Andrew Danielson arasındaki e-postalar hakkında bilgi istiyorum."

Ruth elini çekti. "Benim için çalıştığınızı sanıyordum. Şimdi de kocama casusluk yapmamı istiyorsunuz."

McPhail gözlerini devirerek bir tencerenin kapağını gürültüyle kapattı.

"Tam da böyle yapmanızı istiyorum. E-postaları taşınabilir bir diske yükleyerek bana verin."

Ruth tek söz etmeden dönüp mutfaktan çıktı.

Janet, "Onu altüst ettiniz, Bay Calvino," dedi. "Kocalarımıza güvenmiyoruz, tamam. Ama onları seviyoruz. Bu yüzden bizden komik şeyler yapmamızı istemeyin."

Aşçıbaşı Elmo mutfağa gelerek fırının kapağını açtı. Odaya patlıcan kokusu doldu. "On dakika daha. Sonra yiyebiliriz," dedi.

Calvino'nun midesi guruldadı. Karnı açtı. McPhail'in kadınların ondan hoşnutsuz olduklarını söylemesinden sonra başka bir müşterinin ona önemli bir iş önerdiğini açıkladı. Lovell'dı bu. Bir işti. Ama ödeme konusuna bir türlü gelememişlerdi.

Janet, "Guruldayan sizin mideniz mi?" diye sordu.

Calvino midesinin birden bağımsız bir yaşam kazandığını, boğulan bir adam gibi sesler çıkardığını hissetti. Omzu, uyumsuz bir müzik grubunun davuluymuş gibi ağrımaya başladı.

Debra, "Çok aç olmalısınız," dedi. Bir parça patlıcan kesip bir tabağa koyduktan sonra Calvino'ya uzattı.

"Birbirimize yardım etmenin bir yolunu bulmalıyız. Siz benim ne istediğimi biliyorsunuz. Ben de size istediğinizi verebilirim," dedi Calvino. Patlıcana hiçbir tepki vermemişti.

Kadınlar onu dikkatle izlediler. Kimsenin taviz vermediği şu Bangkok patlıcan beraberliği durumlarından biriydi.

Calvino uzanıp bir çatal aldı, patlıcana batırdı ve olduğu gibi yuttu.

Ruth sessizce dönüp ötekilerden biraz uzakta durdu. Elinde Aşçıbaşı Elmo'nun verdiği bir tabak vardı.

Debra, "Bize yardım edecek misiniz?" diye sordu.

Calvino ağzına tekrar yemek doldurdu, yemek suları ağzının kenarlarından akıyordu.

McPhail, "Edecektir," dedi.

Ruth, "Sizin adınıza konuşma yetkisi var mı?" dedi.

Debra, Calvino'nun tabağını tekrar doldurmuştu. Ona iki dilim mantarlı pizza da kesmişti. Calvino pizza dilimini elinde tutarak ısırdı. "Bana Noah'ın Danielson'a yazdığı ve ondan gelen e-postaları gösterin."

"Neden Millie Danielson ile bağlantı kurmanıza yardım etmiyorum ki? Andrew'un Noah'a gönderdiği e-postalar onun elinde olmalı. Adam öldü. Bunu yapmak sanıyorum ki onun için sorun olmaz," dedi Ruth.

Calvino onlardan alabileceği en iyi şeyin bu olduğunu biliyordu. Sıkı sıkı yapıştı. Bir insan aç olduğu zaman, sokakta daha iyi yemekler varmış yokmuş fark etmezdi. Tabağında bir şeyler vardı. Sonunda varmak istediği yere giden yolda olduğunu hissetti.

YİRMİ İKİ

Öğleden sonra yüz elli kişi Andrew Danielson'ın yakılma töreni için Wat Thong'da toplandı. Çoğunlukla *farang*'lardı, ama aralarında birkaç Taylandlı da vardı. Danielson'ın sekreteri, şoförü ve hizmetçisi bir köşede kendi gruplarını kurmuşlardı. Plastik iskemleler, yakma fırınının önünde sıra sıra dizilmişti. İskemlelerin yarısı doluydu. Açık alandan bir kedi geçti. Köpekler boş iskemlelerin altında uyuyordu. Kedilere hiç aldırış etmediler. Düzenleyiciler büyük bir kalabalık umuyordu. Yas tutanlar krematoryum çevresindeki açık alanda dolaşarak ana avlunun çevresine dizili *sala*'larda gölgelik yerler aradılar. Küçük odalar, cenaze töreni kapları, iskemleler ve çiçeklerle süslenmişti. Yerdeki vantilatörler havayı soğutuyordu.

Hukuk şirketinden gruplar halinde insanlar bir arada toplanmışlar, fısıldaşıp bekliyorlardı. Öğlen güneşinin ısısı, parlak ve aman vermez sıcaklığı, hep birlikte yavaş yavaş yakıldıkları duygusunu veriyordu. Millie Danielson, terzi elinden çıkma siyah bir giysiyle, Danielson'ın naaşının ortada durduğu yüksek platforma en yakın yerde oturuyordu. Kuyruğa girmiş insanları kabul etti, kuyruk merdivenlerden aşağıya kadar uzanıp köşeyi bile dönüyordu. Yas tutanların her biri, merdivenin tepesine ulaşınca birkaç söz söylüyor, kadının elini sıkıyor, yanağını öpüyor, gözyaşlarını siliyor ve saygılarını sunduktan sonra giderken tabutun üzerine çiçek şeklinde yapılmış küçük bir sandal ağacı dalı bırakıyordu. Taylandlılar buna *dok jan* diyorlardı; elveda demenin bir yoluydu bu onlar için. Millie ellili yaşların başındaydı, ama sarı saçları, pürüzsüz teni ve uzun, kusursuz boynuyla on yaş daha genç gösteriyordu.

Ruth, Janet ve Debra onun yanına birlikte gittiler. Kucaklaşırken birbirlerine göz makyajı ve ruj bulaştırdılar. Ruth Gould'un şapkası yamuk duruyordu. Millie uzanıp düzeltti. Güldüler, sonra tekrar ağladılar. Janet, Millie'ye onu ne kadar özlediklerini ve kısa zamanda derse geri döneceğini umduklarını söyledi. Debra, Vincent Calvino ile ilgili bir şeyler söyleyecekken Ruth onu durdurdu, yeri ve zamanı olmadığını söyledi. Muhteşem Dörtlü kısa süreliğine yeniden buluşmuşlar, sonra tekrar ayrılmışlardı. Arkalarında Noah Gould vardı, Millie'nin elini tutarak başını iki yana salladı, gözlerinde yaşlar vardı.

Kadınlar ve Noah ayrıldıktan sonra sıra Lovell'a gelmişti. İçgüdüsü Noah'ın arkasından gitmekti. Ama bunun için çok geçti artık; Millie onun gözlerini çoktan yakalamıştı ve gelmesi için başını sallıyordu. Lovell koyu renk bir takım elbise giymiş ve siyah kravat takmıştı. Millie elini uzattı.

Bayan Danielson, "Andrew seninle çok gurur duyuyordu. Onun oğluydun adeta," dedi.

Lovell bir an konuşamadı. Sonunda, "Onu özlüyorum," dedi. Kadını kucakladı.

Millie, "Hepimiz özlüyoruz," dedi.

"Yapabileceğim bir şey varsa..."

Aklına söyleyecek başka bir şey gelmemişti ve kuşku yok ki Millie kocası öldüğünden beri bu ifadeyi yüz kez duymuş olmalıydı. Yapabileceği en iyi şey bu muydu? "Demek istiyorum ki, çok ağır şeyler yaşıyorsunuz. Anlayamadığınız hukuki şeyler olabilir. Beni arayın yeter."

"Andrew senin hakkında haklıydı. O kadar iyi bir çocuksun ki. Cameron'ın sana yaptığı muameleyi de onaylamayacağını biliyorum. Seni işten çıkarmadan önce Andrew'un cenaze töreninin bitmesini bekleyecek nezaketi bile göstermedi. Korkunç bir şey."

Bir görevli kocası için fırını yakarken, Millie onu teselli ediyordu. Onunla ilk kez pahalı bir Fransız lokantasındaki akşam yemeğinde tanışmıştı. Danielson görüşmeler için onu Bangkok'a getirmişti.

Millie ona karşı nazikti, başka bir ülkeye taşınmanın lojistiğine yardımcı olmayı önermişti. Bu ilk yemekte zaman zaman üzgün göründü, ama hemen kendisini topladı. Kocasının yakılma töreninde bu beceriyi gösteriyor, diye düşündü Lovell. Arkasındaki kuyrukta başkaları huzursuz olmaya başlamıştı, Lovell'ın fazla uzun kaldığını söyleyerek homurdanıyorlardı.

Lovell, "Daha sonra konuşuruz," dedi. Andrew'un babasından kaldığını sandığı saati ona nasıl soracağını kafasında çözmüştü çoktan.

"Bu çok iyi bir fikir, John. Geldiğin için teşekkür ederim. Şirketteki herkes bugün buradayken senin için ne kadar zor olduğunu biliyorum."

Lovell merdivenlerden inerken Noah Gould'a bakındı. Onu uzakta görünce sıcak güneş altında kaldırımda hızla yürümeye başladı.

"Noah, sizinle konuşmak istiyorum," dedi. "Andrew'la çalışıyordum."

Noah, "Ölmüş olduğuna inanamıyorum," dedi.

"Tuttuğu dedektif, Danielson'ın senin için istediği kanıtları toplamış." Bunları pat diye söyleyince hemen pişman oldu. Hızlanmadan önce yolda yavaş yavaş gitmeyi becerememiş, bir plan yapmamıştı.

Noah Gould panik içindeydi. "Neden söz ettiğinizi bilmiyorum."

Gould çekip gitmek üzere döndü, ama Lovell onun kolunu tuttu.

Noah, Lovell'a, "Ne yapıyorsun?" diye sordu.

Lovell, "Neler olduğunu biliyorum," dedi.

"Lütfen sesinizi alçaltın."

"Andrew'un kişisel müşteri kayıtlarını şirketin veri tabanıyla karşılaştırdım. Sizin adınız yoktu. Size yardım etmek için kariyerini riske attı. Çünkü Avenant Pharma'nın Stiles'la bir yere varamayacağını biliyordu."

"Neden söz ettiğinizi gerçekten bilmiyorum." Noah kolunu Lovell'ın elinden çekti. Giderken Apisak birdenbire ortaya çıkıp Lovell'ın yolunu kapattı. Lovell, Noah'la karısının hızla çıkışa doğru gittiklerini gördü.

Apisak, "En nihayet papyonunu düzgün bağladın mı?" diye sordu.

Lovell, "Çok ilginç zamanlarda ortaya çıkıyorsun," dedi. Dönünce bir grup avukatın onları izlediğini gördü. "Bir müşteriyle konuşmaya çalışırken önümde bitiverdin."

"Tekmeyi yediğini duydum."

Başarısızlık haberleri ışık hızıyla yayılırdı; başarı haberleriyse ses hızını bile aşamazdı. "Kötü haber tez ulaşır."

"Işık hızıyla."

Apisak, Lovell komik bir şey söylemiş gibi sırıttı. Lovell, Taylandlılar'ın yalnızca mutsuz oldukları zamanlar değil, acı, utanç, sıkılganlık ya da aşağılanma hissettikleri zaman da çoğunlukla sırıttıklarını hatırlattı kendine. Bu gülümseme, tüm insani duyguların yerini alan bir şeydi. Bu da yüzlerinin okunmasını zorlaştırıyordu. Birinci sınıf poker oyuncuları gibi ellerini tahmin etmek kolay değildi. Cameron dışında, onun, ifadeleri okumak ve bir kişinin gerçek duygularıyla yüzünü eşleştirmek gibi efsanevi bir yeteneği vardı.

Apisak'ı, Danielson'ın son anlarıyla birlikte düşünmeden düşünemiyordu. Son kez onunla, Andrew Danielson'ın ondan iki Zoloft ilacı aldığı, yuttuğu, bir bölmeye gittiği, pantolonunu indirdiği ve öldüğü otel tuvaletinde görmüştü.

Lovell, "İşten atıldığıma seviniyorsun," dedi.

"Böyle deme, John. Bu tür şeyler hep olur. Bundan bir yıl sonra Los Angeles'a geri dönmüş ve büyük bir firmada çalışıyor olacaksın, tek hatırladığın da işlerin pek yolunda gitmediği tuhaf bir ülke olacak. Fazla büyütülecek bir şey değil. Seçeneklerin var. Bu da en önemlisi. Yani fazla abartma. Daha büyük ve daha iyi şeylere geç. İşten atılmak yapabileceğin en iyi kariyer adımı."

Lovell bunu yutmuyordu. Apisak'ın gözlük çerçevesine bakmadan edemiyordu. Çerçeve yamuktu, hafifçe sağa yatmıştı. Yamuk çerçeve yüzünün tüm açısını bozuyordu. Biraz budala gibi görünüyordu.

"Neden buraya geldin? Noah Gould'dan gözünü ayırmamak için mi?" diye sordu. Cebine uzanarak küçük bir tornavida bulunan minik bir alet seti çıkardı. Çelik güneş ışığında parlıyordu.

"Khun Andrew meslektaşım olduğu için geldim. Bir meslektaşımız öldüğü zaman saygımızı sunmak geleneğimizdir."

Lovell, "Andrew'un bir meslektaş olduğunu söyledin," dedi. Lovell'ın belleğindeki hiçbir şey Danielson'ın Apisak'ı meslektaş olarak düşündüğünü ima etmiyordu. Adının geçtiğini bile hatırlamıyordu. Hiçbir zaman.

Lovell, "Dul eşinin bu jestten çok memnun kalacağına eminim," diyerek küçük tornavidayı cebine soktu. Apisak'ın yanından uzaklaşmaya başladı, ama Apisak onunla birlikte yürüyordu.

"Bir iyi niyet jesti olarak sana bir öneride bulunacağım."

"Tavsiyede demek istiyorsun."

"Ciddi ciddi düşünülecek bir şey demek istiyorum. Çılgınca bir şey yapmaya kalkma."

"Ne gibi?"

"Sorun yaratmak gibi."

"Senin için mi? Senin için nasıl bir sorun yaratabilirim ki?"

"Sanırım biliyorsun."

"Yo, bilmiyorum. Ne tür bir sorun kast ediyorsun söyle."

Apisak, Lovell'ın kolunu tuttu. Akşam yemeğinde Oxford ve Cambridgeliler'i kendine hayran bırakan adamın sert bir yanı da vardı. Köpekbalığı dişleri, yüzgeçleri falan çıkmıştı. "Dostluk göstermeye çalışıyorum. Noah Gould'dan uzak dur."

Dostlukla uzaktan yakından ilgisi yoktu.

"Senin gibi Noah da Danielson'ın iş arkadaşlarından biriydi. Neden onunla konuşmayacakmışım?"

Apisak'ın gözlerine sert bir ifade inerken Lovell kolunda keskin bir acı hissetti. Apisak kolunu büküyordu. Acı tüm vücudundan elektrik gibi geçti. Bu beklenmedik uyarı, arkasından gelen fiziksel acı, bunun yemekte harika bir konuşma yapan zarif, akıllı adam olmadığı mesajını gönderiyordu. "Khun Weerewat düşmanın olmasını istemeyeceğin biri." Apisak, Lovell'ın kolunu bıraktı, Lovell'ın yakasını düzeltti, gülümseme yeniden yüzünde belirmişti.

Cameron köşeden çıkıp Lovell'a dirsek atarak Apisak'a çarpmasına neden oldu. Cameron'ın kendini toplayıp en sevdiği savunmayı saldırıya dönüştürme oyununu kullanması bir saniye kadar aldı.

"Siz ikiniz bir köşeye saklanmış bir şeyler çeviriyorsunuz. Bu bir cenaze töreni. Size bakınca bunu anlamak kolay değil." Lovell'ın yüzünü dikkatle inceliyordu. Lovell'ın yüzünden şaşkınlık, şok, öfke ve hafif bir korku geçti.

Lovell, "Bana iş teklif etti," dedi. Bu da Cameron'ı kendine getirdi.

"İş mi?" Cameron'ın dudakları büzüldü, sesi fısıltıya dönüştü. Lovell'ın yüzünden bunun yalan olduğunu okuyabiliyordu.

Apisak omuzlarını kıstı, önce saatine, sonra Lovell'a baktı. "Seni daha sonra ararım. Gitmem gerek." Birkaç adım attıktan sonra dönüp Cameron'a baktı. "Los Angeles'a giden uçağa bindiğinden emin olun."

Cameron çenesini sertleştirip ayakkabılarına baktı. Lovell birinin patronuna gözdağı verdiğini, geri adım atmasına neden olduğunu ilk kez görüyordu.

Apisak çekip gitti. Cameron onun uzaklaşmasını seyretti.

Lovell, "Öyle görünüyor ki sınavınızdan kaldım," dedi.

"Hata yaptım, John." Lovell törene katılanların sesleri arasından Cameron'ın fısıltısını duyabilmek için eğildi. Cameron'ın sesi pişmanlık dolu çıkıyordu. "Andrew'u unut. Bizi de unut."

"Belleğim nedeniyle işe alındığımı sanıyordum."

Cameron'ın yüzü dalgın, yorgun görünüyordu. "Senden hoşlanıyorum, John. İşleri olması gerektiğinden daha zor hale getirme."

Lovell, "Apisak, Los Angeles'a gideceğimi söyledi," dedi.

Cameron ceket cebinden bir uçak bileti çıkardı. "Business class bilet. Seni havaalanına götürecek birini ayarlayacağım. Hepimiz için en iyisi bu."

Lovell bilete gözünü dikmişti. Başını kaldırdığında Cameron ortalıkta görünmüyordu. Apisak tekrar ortaya çıktı, yüzünde o sahte gülümseme, bilete doğru başını salladı. "Almışsın. Çok iyi, John. Çok iyi."

Lovell, Apisak'a kızgınlıkla baktı. "Noah'la da aynı anlaşmayı mı yaptın?"

*

Özel akşam yemeğinde Andrew çok neşeliydi. Yemekten sonra Millie ikisini oturma odasında yalnız bıraktı, pencerelerde Bangkok gece manzarası vardı. Sukhumvit Yolu ve Kraliçe Sirikit Konferans Merkezi'nin yanındaki göl çevresinde boylu boyunca uzanan gökdelenlerle görkemli bir görüntüydü bu. Danielson bir şişe brendi açmış, iki bardağa koymuş ve birini Lovell'a uzatmıştı. Andrew pencere kenarında manzaraya bakıyordu.

"Şirketteki geleceğine!" Bardağını kaldırıp Lovell'ın bardağına hafifçe dokundu.

Lovell da bardağını kaldırdı. Danielson'ın yanında geceye bakmaya başladı.

"Cameron'ın *nasıl* Cameron olduğunu hiç merak ettin mi?"

Başta Andrew'un ne demek istediğini tam anlamamıştı. Bir zamanlar Cameron şimdiki Cameron'dan farklı biri miydi? Danielson'ın brendisinin o akşam esinlediği bir hikayeydi bu.

"Cameron, New York'ta güçlü bir hukuk şirketinde işe başladı. Ama birkaç yıl sonra ortak yapılacakmış gibi değildi durum. Komitenin ortaklık konusunda onu es geçtiğini kıdemli bir avukattan duymuştu. Ama şirket gene de ondan vazgeçmek istemiyordu. Değer verdikleri bazı yetenekleri vardı. Cameron, San Francisco'da üniversite okumuş, orada yüz okuma sanatı üzerine araştırmalar yapan bir psikologla tanışmıştı. Bu, kas sayılarıyla ilgili yarı tıbbi hokus pokustu. Cameron'a çarpıcı gelen şey, ifadeleri okumayı öğrendikten sonra sürücü koltuğuna geçebilme olasılığıydı. Yüzlerini gördüğünüz sürece insanların size yalan söylemesi çok güçtü.

"Birkaç bin ifade öğrendi. Bunların en önemlileri istem dışı olanlardı. Kimsenin tam olarak kontrol edemediği ifadeler. Bu hilenin ona ortaklık getirmeyeceğini öğrendikten kısa süre sonra, New York'-

ta bulunan Khun Suvit ile tanıştı. Aile, Brooklyn'de bir bina satın alıyor, hukuk şirketi de bu işlemle ilgileniyordu. Yüz ifadelerini okuma konusuna geldiler bir şekilde. Khun Suvit, bir yabancının yüzünü okuyabilen bir ustanız yoksa asla kimseyle iş yapmayın diyen eski Çin okulundan geliyordu. Bu taş gibi bir yüz mü? Yoksa ateş gibi mi? Yoksa toprak, metal veya sudan yapılma mı?

"Suvit yanında bir sürü aile fotoğrafı taşıyordu ve Çinli bir ustanın bunları nasıl okuduğunu açıkladı. Suvit konuşmasını bitirene kadar Cameron sessizce durup bekledi, sonra ifadeleri inceledi. Birbiri ardına her bir kişinin duygularını büyük bir kesinlikle bildi. Suvit'in ağzı bir karış açık kalmıştı. Ertesi gün Suvit, Cameron'ın Brooklyn'e gitmesinde ve şirketin sahipleri, müdürü ve projeye yatırım yapmak isteyen biriyle tanışmasında ısrar etti. Cameron bir kez daha bu kişileri isabetle okudu, Suvit'in tanrılardan gelen bir şey olarak gördüğü bir kişilik profili çıkardı.

"Suvit onu Weerewat'la tanıştırdı. Weerewat resimlerle dolu bir albüm getirdi. Resimlerde şirket çalışanları, bahçıvanlar, hizmetçiler, korumalar, ortaklar, okul arkadaşları ve kız arkadaşlar vardı. Altı saat boyunca albümü incelediler. Bunun ardından işten atmalar, rütbe indirmeler, alt kadrolara göndermeler ve yok oluşlar geldi. Bunlar on beş yıl önce oldu. Bir sınavdı bu. Cameron her bir resmin üzerinden geçerek ifadeleri inceledi ve insanların yüzündeki duygularla ilgili sonuçlara vardı. O toplantıdan sonra albümdeki bazı kişiler ortadan yok oldu. Bir hafta sonra Suvit, Cameron'a bir anlaşma sundu. Gizli bir hesaba iki milyon dolar yatırılmıştı ve Cameron'a Bangkok'ta kendi hukuk şirketi açılacaktı. Hukuk şirketini uygun gördüğü tarzda kurabilirdi, ama asıl görevi aile işine yardımcı olmaktı. Uzak durulması gereken yüzleri, def edilmesi gereken yüzleri, güvenilebilir yüzleri saptamak için. Cameron için gizli bir hesaba yılda üç yüz bin dolar yatırılıyordu. Komiktir; Cameron, Tayland dilini çok az öğrendi. Suvit her zamanki sağ, sol Taylandca'dan fazlasını öğrenmemesini istedi."

Lovell brendisini kokladı.

"Sağ, sol Taylandca mı?" diye sordu.

Danielson sırıttı. "Tayland'da, bir taksi şoförüne sağa ya da sola dönmesini söyleyecek kadar Tayland dilini bilen *farang* var, ama dil yetenekleri orada duruyor. Bir büroda ya da mağazada sağ, sol Taylandca'yı kullanmaya çalışınca kimse onları anlayamıyor. Yatak odasında bir fahişeyle akıcı konuşuyormuş gibi rol kesebilirler. Ama öyle değiller. Sağ, sol Taylandca budur ve Cameron'ın Tayland dilini konuşma yeteneğini açıklar. Ama önemli değil, Cameron Taylandlılar'ı bu dili bir yerli gibi konuşan herkesten daha iyi yorumlar."

"Bana bunları neden anlatıyorsunuz?"

"Cameron'la konuştuğun zaman onu aldatabileceğini düşünmeni istemediğim için. Ya da gerçekten düşündüklerini gizleyebileceğini. Böyle bir şey olamaz. Yüzün seni ele verir."

Lovell, Cameron'ın onunla iş görüşmesi yaptığı ilk günden itibaren, tıpkı Suvit'in, Cameron'ın yüz okuma yeteneğini istemesi gibi onu bellek yeteneği yüzünden istediğini hissetti. "Neden beni işe almayı kabul ettiğini bilmek istiyorum."

Danielson brendi bardağını tekrar doldurdu, sonra Lovell'ın bardağına da içki koydu. Pencerenin önünü arşınlarken gecenin içinde bir şeyler onu çekiyormuş gibi dışarıya baktı. "Belleğin için. Müthiş belleği olan yeni mezun birini işe almamız konusunda ısrar etti. Senin konumuna başvuran çok insan vardı. Ama bir tek sende kusursuz bir bellek bulunuyordu. Şaşırmış gibi bakma, John. Tüm yaşamın boyunca belleğin en büyük yeteneğin oldu. Üniversitede büyük bir üstünlük sağladı. Neden hukuk şirketinde farklı olsun? Cameron'ın senin için büyük planları var ve hukuk şirketindeki müşteriler için sahip olduğun potansiyeli görüyor."

"Cameron benim için ne planlar yaptığını söyledi mi?" Lovell'ın elleri titriyordu, bardağını masaya bıraktı. Birden kendini rahatsız hissetti, temiz havaya ihtiyacı vardı. Brendiden olmalı, dedi kendi kendine. Aslında doğru değildi. Sunacak ne çok şeyi olursa olsun sonunda hepsi bir tek şeye indirgeniyordu: müthiş belleğine. Onun kim olduğuyla ilgisi yoktu. Ama ne düşündüğü önemli değildi, Cameron gibi ötekilerin ne düşündüğü önemliydi. Görüşleri Lovell'ın kendisini güçsüz ve kaybolmuş gibi hissetmesine yol açtı.

Danielson bardağındaki brendiyle oynadı, kokladı, sonra içti. "Örneğin birbirine bağlı şirketlerin hayli karmaşık yapısını ezberleyebilirsin. Beynindekiler dışında hiçbir kayıt olmaz. Yedek belgeler, bilgisayar dosyaları olmaz. Depo senin belleğin olur. Ama önce sana tümüyle güvenmesi gerekiyor."

"Cameron beni sınamayı mı planlıyor?"

Danielson'ın yüzünden bir gülümseme geçti. Saatine göz atmasından Lovell'ın sorusuna cevap vermeyeceği açıktı. Anahtarlarını pantolon cebinden çıkarmıştı bile.

"Biraz solgun görünüyorsun. Neden sokağa kadar birlikte yürümüyoruz?"

Sokakta bir taksi çevirdi. El sıkıştılar, Lovell bindikten sonra Danielson taksinin kapısını kapattı. Kaldırımda durarak, taksiyle uzaklaşan Lovell'a el salladı. Lovell arkasını dönünce patronunun başka bir taksiye bindiğini gördü.

Işık değişti, Lovell'ın taksisi sağa döndü, Danielson'ın taksisi de trafikte gözden kayboldu. Lovell, Danielson'ın onunla sokağa kadar yürümesinin, el sallayarak uğurlamasının, sonra bir başka taksiye binmesinin tuhaf olduğunu düşündü. Arkasına yaslanırken Cameron'ın kafasında nasıl bir sınav olduğunu merak etti. Peki geçip geçmediğini ne zaman bildirecekti?

*

Stiles kepenkli kapısı olan bir binanın duvarından uzaklaşırken Lovell'a, "Ben hatırladıklarımdan çok unuttuklarımdan para kazanırım. Unutmayı öğrenmen gerek. Müthiş belleğin bir dezavantaj, Lovell," dedi. Lovell'ın cevap vermesini beklemeden tekrar duvara yaslanarak Lovell'ın kaçması için yer açtı.

Lovell adının seslenildiğini duyduğu sırada park yerinin ortasına gelmişti. Siri'nin sesini tanıyordu ve yüksek tonundan kızgın olduğunu biliyordu. Durup Siri'nin yanına gelmesini bekledi. Siri, Lovell'a yetiştiğinde soluk soluğaydı. Cenaze töreninde Lovell onu bir an görür gibi olmuştu. Eski bir kilise çan kulesinden sarkmış gibi duran Stiles'ın yanındaydı. Stiles gölgelerin arasından çıkıp başarıya giden yolu unutmasını söylerken Siri çoktan uzaklaşmıştı.

"Ne kadar acayip olduğunu biliyor musun? Her zaman başkalarına dokunuyorsun. Kravatlarını çözüp yeniden bağlıyorsun. Gözlükleriyle uğraşıyorsun. Ayakkabı bağlarına bakıyorsun. Şimdi de patronunun cenaze töreninden kaçıp gidiyorsun. Nasıl bu kadar aptal olabilirsin?"

Tam bir Taylandlı gibi davranmıştı: onunla yalnız kalana kadar beklemişti. Tarafsız bir bölgede teke tek tartışma, onun potansiyel utancını sınırlayacaktı. Doğrudan bir tanık olmadan onu beyin tikleriyle suçlayıp mahkum edebilirdi.

"Merhaba, Siri. Seni bulmaya çalışıyordum. Seni defalarca aradım. Ama sen benimle konuşmuyorsun."

"Beni ve ailemi nasıl bir duruma soktuğun hakkında bir fikrin var mı?"

Otelin park yerinde, ona sarılmış *katoey* ile fotoğrafı, Siri'nin evinde ilginç bir akşam yemeği konusu olurdu.

Lovell, "Birbirini seven iki insanın zor günlerde birbirlerine destek olduğunu sanıyordum," dedi. "Beni sevdiysen tabii."

Siri yumruklarını sıktı. Lovell, Siri'nin ona vuracağını sandı. "Ne kadar çok acı çektirdiğini hiç bilmiyorsun. Annem o fotoğrafı görünce ağladı. Babam birlikte çalıştığı insanların yüzüne bakmak zorunda. Annemle babamı çok üzdün. Birini öldürmüş olsan daha iyi olurdu. Bir daha beni ne aramanı ne de görmeye çalışmanı istemiyorum."

Lovell, gerçekten etkileyici bir performans, diye düşündü.

Bir *wat*'ın park yerinde iki yıllık bir BMW'nin önünde onu terk ediyordu, krematoryumun bacasından çıkan kara dumanlar kıvrıla kıvrıla gökyüzüne çıkarken. Hukuk şirketine çalışan biri yanlarından geçti. Başıyla selam verdi, Lovell da karşılığında onu selamladı. Adam uzaklaşana kadar beklediler.

"Ayrılmak mı istiyorsun? Bunun için benim iznime ihtiyacın yok."

"Bütün bu olanlardan sonra seninle nasıl görüşebilirim?"

"İstediğin şeyi yapmakta özgürsün. Sorun yok."

Siri ona yumruk salladı; şiddetli değildi ve Lovell'ın kenara çekilerek kurtulması kolay oldu. "Benimle bir daha sakın böyle konuşma."

"Cameron yeni görevimin unutmak olduğunu söyledi. Neden ikimizden başlamıyorum?"

Siri'nin öfkesi bir başarısız girişime daha neden oldu. Bu kez Lovell onun elini yakaladı, bir an avcunda tuttu, eğilip alnını öptü. "Mutlu ol," dedi.

Siri'nin gözlerinde yaşlar belirdi. "İyi," dedi. "Sana bakıcılık yapmaktan usanmıştım." Gitmek üzere döndü, ama Lovell onun kolunu tuttu.

"Bakıcılık yapmakla ne demek istiyorsun?"

Siri kolunu çekmeye çalıştı, ama Lovell çok güçlüydü. "Hiçbir şey. Bırak beni gideyim."

"Şirket beni denetlemen için sana para ödüyor. Öyle değil mi? Beni hizada tutman için. Kime rapor veriyordun? Cameron'a mı? Yoksa hem Cameron, hem Danielson hem de Stiles'a mı rapor veriyordun? Küçük cahil raporların onlar açısından ilginç yazılar olmuş olmalı."

"Seni işe almakla hata yaptılar," dedi Siri.

Lovell onun kolunu bıraktı ve ana bölüme hızla gitmesini izledi. Siri *wat*'ın ana giriş kapısında kaybolurken, *Artık Tayland'da ne işim, ne hukuk kariyerim ne de bir geleceğim var,* diye düşündü. Siri, Cameron'ın kullandığı ifadeyi kullanmıştı ve Lovell kendisini hiç bu kadar reddedilmiş hissetmemişti. Danielson'la birlikte krematoryumun ateşine atlamanın dışında geri çekilip bir şey yapması gerektiğini biliyordu. Avukatların bir sorunu çözerken tüm seçenekleri gözden geçirmesi gerekirdi. Apisak'ın öğüdü, Los Angeles'a geri dönmesiydi. Cameron ona business class bir bilet vermiş ve hukuk şirketiyle ilgili öğrendiği her şeyi belleğinden silmesini istemişti. Bilet zarfını cebinden çıkardı, inceledi. Yalnızca gidiş biletiydi. Gülümsedi, bileti tekrar zarfa soktu. Biletin tarihi kırk sekiz saat sonrasınaydı. Danielson olsa ne yapardı?

Kaçmazdı. Danielson'ın kişiliği böyle değildi. Savaşçıydı o. Lovell dönüp tekrar *wat*'a baktı. Krematoryumdan kıvrıla kıvrıla gökyüzüne çıkan dumanlar. Danielson'dan geriye kalanlar bu kadar: duman ve küller. Burada, krematoryumun ateşinde mi bitmeli? Her şeyi unutmalı mı? Danielson yanında durmuştu, ona yol göstermişti, kendisini kanıtlaması için bir şans vermişti. Yoksa o da tıpkı Siri gibi miydi, Cameron için bir gözleme dürbünü daha? Artık hiçbir şeyden, hiç kimseden emin değildi.

Lovell *wat*'tan çıkıp Sukhumvit yoluna girdi; Skytrain'in basamaklarını çıktı. Tren geldiğinde boş bir koltuk buldu ve Danielson'ın ona vermiş olduğu saate baktı. Çevresindeki tüm insanlar sıradan işleriyle ilgilenen sıradan insanlara benziyordu. Belleğinde bilet görüntüsünü gözünün önüne getirdi ve belleği bu bilginin içinde bir mesaj bulabilirmiş gibi gidiş tarihine yoğunlaştı.

Tren durdu, yeni yolcular vagona itiş kakış bindi. İki *ying* ona bakarken fısıldaşıp gülümsediler. Lovell da onlara gülümsedi. Kendi kendine, "Bir sürü başka kadın var," dedi. "Siri de kimmiş?" Belki de unutmak hiç de fena fikir değildi. Kızlar tekrar gülümsediler, *ying*'lerden biri saçını geriye iterken gözleri parlıyor, mutlu görünüyordu.

Bir an için Skytrain onunla buluşmaya hazır gülümseyen kızlarla doluymuş gibi geldi ona.

Ying'lerden biri önünde durdu. "Merhaba," dedi.

Lovell kendi kendine fısıldadı. "Terk edildim."

Kadınların dikkatini çekmeye falan çalışmıyordu.

"Ne dediniz?"

Elindeki uçak biletine bakarken Apisak'ın yüzünün aldığı hali düşünerek, "Biraz önce kız arkadaşımla ayrıldım," dedi Lovell.

Skytrain'de yanında ayakta duran *ying* gülümsedi. İçini çekti. "Kırık kalp mi?" diye sordu.

Lovell başını kaldırıp kıza baktı. "Neden size kahve ısmarlamıyorum?"

YİRMİ ÜÇ

Calvino dirseklerini masaya dayayarak bilgisayar klavyesinin yanındaki iki kitabın üzerine koyduğu küçük cep aynasında kendisine baktı. Boynuna dolanmış bir havluda dalgalı saç tutamları görülüyordu, kahverengiyle gri karışımı. Bir tutam saçı parmaklarının arasında kıstırdıktan sonra makasla ucundan kesti. Saçlar havlunun üzerine düşüp klavyeye sıçradı.

BM mavisiyle yanıp sönen bilgisayar ekranında, üst düzey araştırma konumuyla ilgili bilgi veren WHO'nun web sayfası açıktı. Aynadan bir direğe sarılı yılanı gösteren WHO logosuna baktı. İş tanımına göre üst düzey araştırmacının, araştırmaları yöneteceği belirtiliyordu. Doğru eylem tarzı tavsiye edecek ve sahtecilik risklerini iyi değerlendirecek yetenekte olmalıydı. Tam isabet, diye düşündü Calvino. Ben bütün bunları yapabilirim. Aynada saçına bakarken, saçı ısıtmak istermiş gibi makasın uçlarını saçlarında gezdiriyordu.

Calvino iki ay önce masrafları kısmaya başlamıştı. Kendi kendini tıraş etmek onun çocuğuydu: büro masasında saçını kesmek masrafları azaltıyordu. Sokakta ya da bir barda uzun zamandır tanıdığı biriyle karşılaşınca ağızları açık ona, saçına baktıklarını görebiliyordu. Yoksa hayal mi ediyordu? İlk kez boynuna bir havlu dolayıp da çekmecesinden makası çıkardığında tereddütlüydü. Bütün ışıkları yakarak, masasında doğru noktayı bulana kadar aynayı oradan oraya koymuştu. Ratana'nın bürodan çıkmasını beklemişti. Biraz oradan biraz buradan keserek, en sonunda kendi saçını kesebileceğine güven duymuştu. Kendi kendinin berberi olmanın en pis yanı, başın arkasındaki saçları kesmenin zorluğuydu; görmek için gözlerinizi kıstığınız hareketli bir cisme omzunuzun üzerinden ateş etmek gibiydi. Akrobat olsa harika olurdu.

Deneyin üzerinden bir ay geçince Ratana çıkmadan da saçını kesecek güveni kazanmıştı. Bunu ilk yaptığında, Calvino kendi berberliğinin tam ortasındayken Ratana içeriye girince, en son masrafları kısma girişimini gerçekçi bir baş sallamayla kabullenmişti. Calvino'nun yaptığı hiçbir şey onu şaşırtmıyordu artık. Onun berberliğini sanki saçını her zaman kendisi kesiyormuş gibi kabul etmişti. Bir erkeğin tuhaf davranışlarını çok normal ve beklenir bir şey olarak alan bir kadın çok rahatlatıcıydı.

Ratana ona arkasını dönmesini söyledi ve saçının arkasını inceledi.

"Boynunda iki noktayı atlamışsın," dedi.

Calvino bakmak için iyice uğraştı. "Biliyorum. Henüz arka tarafta fazla iyi değilim. Orası saçma kesmenin kör noktası 'Üç Kör Fare' ninnisi gibi. Gerçi herhalde 'Gözleri İyi Görmeyen Üç Lağım Faresi'ne dönüştürmüşlerdir."

Ratana'nın dudaklarında bir gülümseme belirdi.

"Makası bana ver." Masanın öteki tarafına geçerek Calvino'nun iskemlesinin arkasında durdu. Üç-dört makas darbesi sonrasında ensesi temizlenmişti. Makası Calvino'ya geri veren Ratana, masadan bir dosya alıp bölmenin kendi tarafına geçti.

Calvino aynanın karşısında, elinde makas, kendisine bakıyor ve böyle bir şeyin gerçekten olduğunu mu, yoksa hayal mi ettiğini merak ediyordu. Makasın uçlarının sesinden hoşlanıyordu, giyotin gibi, odada süzülerek dolaşan naylon çoraplı düzgün kalçalar gibi.

Lovell büroya randevusuz çıkageldi, girişin köşesinden başını uzattı. Ratana başını kaldırınca onun sırıtan yüzünü gördü ve her zamanki gibi yıldırım çarpmışa döndü.

"Merhaba," dedi. "Çok iyi görünüyorsunuz."

"Biraz önce bir cenaze töreninden çıktım," dedi Lovell. Krematoryumun kokusu hâlâ burnundaydı.

"Bay Danielson'ın cenaze töreni olmalı." Calvino ona törenin bugün yapılacağını söylemişti. Katılmamaya karar vermişti. Oradaki varlığı, en iyi olasılıkla, Danielson'ın oyunu her zaman şirketin kurallarına göre oynamadığının reklamını yapmak olacaktı. Tören yeri avukatlarla kaynıyor olmalıydı.

Lovell başını salladı, akıllı bir sekreter olduğunu düşünüyordu. "Karısıyla konuştum, Millie ile."

"Onun için çok zor günler olmalı." Ratana, Millie Danielson'ın Tek Elle Alkış'taki masajcı kızla kocası hakkında neler bildiğini merak etti. Üzüntüsünün derecesi, Jazz adlı bir on dokuzluk hakkındaki bilgi düzeyiyle yakından ilgiliydi kuşkusuz.

Lovell'ın bir okul çocuğu gibi başını eğip kendi ayaklarına baktığı kederli haline hiçbir kadın karşı koyamazdı.

"Bana başka bir şey daha mı söylemek istiyorsunuz?"

Lovell'ın burnu titredi, başını salladı. "Bırakıldım."

Ratana onun ne demek istediğini tam anlayamadı. "Nereye bırakıldınız?"

"*Wat*'ta oldu. Kız arkadaşım park yerinde beni durdurdu. Adı Siri. Evlenmeyi planlıyorduk. Ama bitti. Danielson'ın cenazesinde beni bıraktı. Danielson'ın dumanı havaya karışıyordu. Üstümüze battaniye gibi örtülmüştü. Siri buna hiç aldırmadı. İlişkimizin bittiğini söyledi."

Ratana, uzun zamandır herhalde en iyi haber budur diye düşünerek, "Korkunç bir şey bu," dedi.

Lovell sırıttı. "Pek değil. Anlıyorsunuz ya, bir planım var," dedi. "Randevum olmadığını biliyorum, ama Bay Calvino ile hemen görüşmem gerekiyor."

Bu sözler Ratana'nın yüzündeki gülümsemeyi sildi. Boğazını temizleyip içini çekti. "Ne zaman görüşmek istersiniz?"

Durum buydu işte. Lovell bir yıldızdı, ama hiçbir zaman onun erişebileceği bir mesafede olmayacaktı. Ratana'nın ruh hali dağ tepesinden en derin vadiye çakılmışa döndü. Lovell'ın kız arkadaşı ilişkiyi bitirmişti. Bir şans doğmuştu. Lovell'ın onu geri kazanmak için bir planı vardı. Çakıl, bebeğim, yere çakıl.

"İçeriye girsem olur mu? Şimdi yani."

Ratana onu bu şekilde içeriye bırakmayı düşündü. Asıl olay Calvino'nun saçını kesiyor olmasıydı. Lovell'ın Calvino'yu saçını keserken yakalaması fikri Ratana'nın hoşuna gitti. Her ikisi de bunu hak etmişti. Bunun nedenini de ancak bir kadın anlayabilirdi.

Lovell dosdoğru Calvino'nun bürosuna girdi. Özel dedektifi masasının üzerine eğilmiş favorilerini keserken, yüzünü bir yana doğru çekip aynaya bakarken buldu. "Bay Calvino," dedi. "Umarım sizi rahatsız etmemişimdir."

Calvino başını kaldırıp içini çekti. "Elbette beni rahatsız ediyorsun." Aklında Lovell'ın kravatı varmış gibi oynattı makası. Saç kesme işine geri döndü.

"Sonra gelebilirim."

"Tanrı aşkına otur da iki dakika çeneni kapa."

Lovell'dan hoşlanıp hoşlanmadığına karar vermeye çalıştı. Çocuk büyük resim hakkında en küçük bir ipucuna bile sahip değildi. Belgelendirme konusunda herkese bin basardı, ama yazılı sözün sıfır yerçekiminde bir kağıt kadar ağırlığının olduğu yeryüzünde onun yaptıklarıyla düşündükleri arasında Dünya'yla Mars arasındaki mesafe kadar fark vardı.

Calvino, "Artık kendi saçımı kendim kesiyorum," dedi. "Bu önemli bir olay. Neden önemli olduğunu biliyor musun?"

Lovell, "Emin değilim," dedi. Bu hileli bir soruya benziyordu, profesörlerin hukuki bir yargıdaki bir noktayla ilgili sorduğu sorular gibi. "Daha fazla denetim ve özgürlük sahibi olduğunuz için mi?"

Calvino, *Nasıl da fırından yeni çıkmış, Amerikan savunma cevabı,* diye düşündü.

"Denetim ya da özgürlükle falan ilgisi yok. İnsanın kendi saçını kesmesi, hiçbir boka aldırmadığının ilk işaretidir. Dünyaya ve kendine söylediğin bir şeydir. 'Yaşamımda öyle bir noktaya vardım ki, hiçbir şey bana dokunamaz,' diyorsundur. Hiç kimse ya da hiçbir şey beni üzgün, depresif ya da umutlu kılamaz."

Lovell favorilere bakıyordu. "Aynı boyda değil."

Calvino aynada yüzünü inceledi. "Ne aynı boyda değil?"

"Sol favoriniz biraz aşağıda."

Bu tür bir avukat bu, diye düşündü Calvino. Lovell, her daktilo hatasını, her eksik virgülü fark eden ve kare ya da yuvarlak parantezler arasındaki farkı bilen adamlardandı.

Yüksek dozu birçok insanı delirten klasik kişilik tipine sahipti. Takıntılarını dizginlerinden bırakmak, sonra bunları kendi hizmetinize koşup koşumları da elinize almak için büyük paralar öderdiniz.

"Lovell, ben sol favorimi her zaman biraz aşağıda bırakırım."

Calvino masanın üzerinden eğildi, makası iki elinde sıkı sıkı tutuyordu. "Bu bir sinyaldir. Bir şifre diyebilirsin."

Lovell zorlukla yutkundu. "Ne tür bir sinyal."

"Hiçbir boka aldırış etmediğimin sinyali." Calvino arkasına yaslandı, masasının çekmecesini çekti ve makasla aynayı içine koydu. Havluyu açarken saçları dökmemek için iyice katlayıp yere koydu. "İşte oldu. Şimdi, ne istiyorsun?"

Lovell, "Sizi bugün Danielson'ın cenaze töreninde görmedim," dedi.

"Sence beni özlemiş midir?"

"Geleceğinizi sanmıştım."

Calvino omuzlarını silkti, suçluluk duygusu yukarıya sıçradı, düştü ve yuvarlanarak durdu. Ona değmedi bile. "Sen bir Rhodes'lisin," dedi.

Lovell başını sallayarak öyle olduğunu kabul etti.

"Okuldan çıkar çıkmaz büyük bir Los Angeles şirketine kabul edildin."

Lovell gene başını salladı. "Danielson beni işe alana kadar." Cameron'ın aklında yeni elemanın özellikleri konusunda belirlenmiş bir kararı olduğu kısmını atlamıştı.

Cameron'ın onun için neler planladığını hemen anlatmak Danielson'ın düzgünlüğünü gösteriyordu.

"Eski kız arkadaşın doğru anlamış."

Lovell'ın gözleri kısıldı. "Sekreterinizle konuşmamı dinliyordunuz."

"Ben dinlemek için para alırım, Seyretmek, rapor etmek için. Ama söylemek istediğim bu değil."

"Ben de belleğim için para alırdım. Peki ne demek istiyorsunuz?"

"Başarısız oldun. Sınıfta kaldın. Hayatında ilk kez kaybettin herhalde. Hatırlanması gereken şudur ki, ilk kez en zorudur. Ama hiç başarısız olmadığın için, neler hissettiğin hakkında hiç fikrim yok. Anlayamıyorsun. Gerçeklik beynine ulaşmadı henüz. Humpty Dumpty gibisin, kralın bütün adamlarıyla bütün askerleri seni tekrar birleştirip yapıştıramaz. Dinliyor musun?"

Lovell kendi düşüncelerinin sisine dalmış gibi duruyordu. "Hâlâ dinliyorum."

"Berbere verecek parası olmayan bir adamın bürosuna geldin. Benim kendi yaşamım sayamayacağım kadar çok parçaya ayrılmışken, ben senin yaşamını nasıl toplayabilirim ki?"

"Olanlar hoşuma gitmiyor. Olma şekli hoşuma gitmiyor."

"Devam et." Lovell'ın öfkeden köpürdüğünü, ama kendini tuttuğunu görebiliyordu.

"Benimle pislik bir oyun oynadılar. Bundan hoşlanmıyorum."

Lovell bildik sonucu, yani büyük işlere yelken açtığını ekleyemeden, Calvino, "Kim hoşlanır ki?" dedi. Başarısızlık, motosiklet kazasının zaman içinde ağrısının dinmesi gibi zamanla geçecek bir şey değildir. Ama hatalarından ders çıkarır insan."

"Ben hata yapmadım." Lovell'ın tepkisi biraz fazla hızlı geldi.

"Öyle mi? Peki o zaman neden buradasın?"

"Bilmemem gereken bir şeyin tüm yapısını biliyorum. Cameron enformasyonun önemli kısımlarının gizli kaldığını sanıyor. Böyle düşündüğüne memnunum."

"Neyin tüm yapısı?"

"Weerewat'ın imparatorluğunun." Kafasında yapıdan daha da fazlası vardı; derin sularda gizli geniş mercan takımadalarını belleğine yerleştirmişti. Lovell tüm giriş çıkışları, organik canlıyı, canavarların saklandığı, geçmiş suçların fısıltılarıyla yankılarının duyulduğu, soluk alıp veren canlının her yerini biliyordu.

Calvino başını kaldırıp ona baktı. "Bu bilgiyle ne yapmak istiyorsun?"

"Noah Gould'un neden kaçtığını, Danielson'ın neden öldüğünü ve neden bir Taylandlı avukatın kız arkadaşımmış gibi davranarak bana bakıcılık yaptığını bulmak istiyorum. Bunlar yeterli mi?"

Calvino, "Yeterliden fazla," dedi. "Otuz bir yaşında iyi bir işin, paran ve bir sürü kadın vardı."

"Tek bir kadın."

Calvino onu susturmak istermiş gibi elini kaldırdı. "Bırak bitireyim. Yaşlandıkça işler yavaşlar ama zaman hızlanır. Şu çelişkilerden biri. Tökezlersin, yüzüstü düşersin. Dişlerinin arasında topraktaki çer çöpün tadını alırsın. Ayağa kalkıp savaşır ya da pisliğin ortasında dizlerinin üzerinde durursun."

Lovell, "Ben savaşmaya hazırım," dedi.

Calvino başını iskemlesinin arkalığına yaslayıp sallandı, ayakkabısının topuğuyla düzenli bir ritim yakalıyordu.

"Hiçbir zaman bu kadar kolay ya da temiz olmaz. Bazen pislikte kalıp yaşamak daha iyi olur."

"Buna inandığınıza inanmıyorum. Neden ayağa kalkmak için birbirimize yardım etmiyoruz, Bay Calvino?"

"Dedektif. Bana dedektif demene karar vermiştik hatırlarsan."

"Tamam, dedektif."

"Sığınak Oyunu'nda nasıl gidiyorsun? Weerewat'ın bütün yerlerini haritaya yerleştirdin mi?"

Gömleğinin üst düğmesini açan Lovell, boynuna kolye gibi taktığı taşınabilir diski çıkarıp Calvino'nun masasına koydu.

"Çalışıyor. Program. Bir harita değil. Her neyse, bunun içinde, Danielson'ın baktığı sekiz öteki mülkün tüm dosyaları var. Geçen sefer sözünü ettiklerim."

"Bütün bunları hafızana mı yerleştirdin?"

Lovell, "Hepsini," dedi, yüzü parlıyordu. Verileri belleğine almak ve vermek kapasitesinden gurur duyuyordu.

"Bunu neden bana veriyorsun?"

"Bir şeyi görmenizi istiyorum. Hepsinde ortak bir nokta var. Farklı şirketler ama tek bir sahip ve her şirket kimlik ya da mülk hırsızlığıyla ilgili. Bazen markayı çalıyorlar. Model hepsinde aynı. Olay iki dosya yaratmaktı: Weerewat için gerçek rapor, müşteriye giden elden geçmiş rapor."

Calvino taşınabilir diski bilgisayarına taktı ve dosyaları yükledi. İşi bittikten sonra kartı Lovell'a geri verdi.

"Sana dedemin papyon bağlayabildiğini söylemiş miydim?"

Lovell kafası karışmış gibi baktı. "Ben size büyük bir sahtecilikten söz ediyorum, siz bana dedenizin papyonunu mu anlatıyorsunuz?"

"Sabır nedir öğrenmen gerekiyor. Noktaları bağlamak için düzgün bir çizgi değil bu. Dedem Vito, Floransa'dan Amerika'ya göç etti. Büyük Bunalım sırasında vardı oraya. Annesi Livia, Arno Nehri'nde boğulduktan sonra İtalya'dan ayrılmıştı. İntihardı. Ponte Vecchio'nun kenarından aşağıya kayarken mantosunun ceplerinde Galileo Chini'nin fabrikasından seramik fayanslar vardı. Fayansların cam gibi şeffaf yüzeylerinde Chini'nin Siyamlı çıplakları, hiç durmadan gülümseyen genç kadınlar işlenmişti. Fayanslar Livia'yı nehrin dibine çekti.

"Cenaze töreninden bir ay sonra Chini, Vito'yu bir sanat okuluna yazdırdı. Ama Vito orada üç hafta kaldı, eğitim parasını geri aldı ve bu parayı New York'a gidip su tesisatçılığı işini kurmak için kullandı.

Birkaç yıl sonra işleri büyüdü. Yanında on yedi kişi çalıştırıyordu. Bir de bir insan öldürmüştü. Gece geç vakitti. İşten evine dönüyordu. Üç kişi onu bir duvara yapıştırdı. Biri ona 'orospu dölü' dedi. Yalnızca 'Paranı ver' deseler ya da belki yalnızca 'döl' deseler, Vito herhalde cebindeki her şeyi boşaltacaktı. Ama onu yalnızca soymak istemiyorlardı; aşağılamak, pisliğe bulaştırmak, babası olmadığını söylemek istiyorlardı. Bu Vito'nun hassas noktasıydı. Vito'nun öldürdüğü adamın elleri dedemin boğazındaydı. Ancak Vito onun boynunu kırınca elini çekti. Ötekiler kaçtı. Dedem yedi yıl hapse mahkum edildi. Dışarıya çıktığında sana anlattığım işi kurdu. Su tesisatçılığı."

"On yedi çalışan."

"Adamı namus meselesi yüzünden öldürdü. Burada uzun süre yaşarsan bu tür şeylerin nasıl olduğunu anlarsın. Bir insanı öldürmeye yol açan şeye Tayland'da namus denir. Ama biz onur diyoruz. Daha sonra Vito işi bırakmak zorunda kaldı, çünkü New York'ta su tesisatçısı olmak için lisans alman gerekir. Bunu onurunun bedeli olarak kabul etti. Vito surat da asmadı, sarhoş da olmadı; çalışanlarından birinin yanında çalışmaya başladı. Ben bu hikayeyle büyüdüm. Avukat olmak istememin nedenlerinden biriydi. Adalet, uğruna savaşmaya değecek bir şeydi –ya da henüz gençken bu fikir sana parlak görünür."

"Yani bana yardım edeceksiniz demek mi bu?"

Calvino WHO sayfasını kapattı ve yüklenmiş dosyaları açtı. Sayfalar ekrandan geçen sahte ürünlerin fotoğraflarıyla doluydu: Prada çantalar, bebek mamaları, fren sistemleri, haplar ve başka haplar, ayrıca film ve müzik DVD'leri. "Bu, kendi savaşlarımı kendim seçerim ve savaşmak isteyenlerin beni seçmelerine izin vermem, demek. Dedem bana bunu öğretti. Her herifin boynunu kıramazsın. Bunu yaparsan, hafta bitmeden cesetleri saymanın imkanı kalmaz."

Bir insanın boynunu sertçe çevir, kaldırıma düşmeden tavuk gibi ölmüş olur. Calvino büyürken, dedesinin ayaklarının dibine düşen gangsteri sık sık düşündü. Arkadaşlarının öldürüldüğünü gördükten sonra kavgaya cesaretleri kalmayan öteki iki haydudun yüzünü de düşündü. Kirişi kırıp cinayeti polise bildirmişlerdi.

"Papyonunu kendi mi bağlardı?"

"Her seferinde kusursuz düğümler." Calvino, online alışveriş merkezine benzeyen bilgisayar ekranından başını kaldırdı. "Bir şeyi tam olarak anlayayım. Ne istiyorsun?"

"Patronumun cinayete kurban gidip gitmediğini öğrenmek istiyorum."

"Buna neden aldırıyorsun?"

"Çünkü bana inanıyordu." Bu sözleri öyle bir samimiyetle söylemişti ki, Vincent Calvino, John Lovell'ın en sonunda doğruyu yapmak için bir neden bulduğunu düşündü.

"Ya kız arkadaşını geri almak?"

"Onu unutmaya karar verdim."

"O seni unutmayabilir."

Lovell yüzünü buruşturdu. "Bu bilgileri kullanabilir misin?"

Calvino gülümseyerek arkasına yaslandı ve iç çekti. "Bak ne diyeceğim, çocuk, bir bakıp seni arayacağım."

Lovell'ın duymak istediği bu değildi. Ama hayal kırıklıklarıyla dolu bir gün olmuştu. Evrak çantasını kapattı, doğruldu ve bölmenin öteki tarafına geçti. Ratana gülümseyerek başını kaldırdı. Lovell, "Bu konuda düşünecek," diye fısıldadı.

"Bu genellikle olumlu bir işarettir."

"Mesajı aldım," dedi Lovell.

YİRMİ DÖRT

Weerewat gümüş grisi Lexus'unu Calvino'nun binasının önüne park etti. Otomobilden inerken kolunu uzatıp arka taraftan deri bir evrak çantası aldı. İki adım attıktan sonra Tek Elle Alkış'ın girişinde durdu. Plastik taburelerde oturan dışarıdaki *ying*'ler, sol göğüslerinin üzerine masaj salonunun adı yazılı siyah önlükler giymişlerdi. Kadınlar Weerewat'a gözlerini dikerek onu ölçmeye çalıştılar. Yüzlerinden müşteri alarmı geçti. Ama Weerewat'ın görünüşündeki bir şeyler onların her zamanki yaygarayı koparmalarını engelledi. Tanıdık görünüyordu, daha önce *soi*'de gördükleri anlamda değil, bir ünlünün tanıdık gelmesi gibi. Bilincin hemen eşiğinde sonsuz bir döngü halinde duran, televizyondan ezberledikleri yüzlerden biri. O küçük ayrıntılardan biriydi –dikkatle manikür yapılmış parmakları ve son moda saç kesimi, kameraya alışkın gülümsemesi, eskiden beri çok kalpleri fethetmiş deneyimli bir ifade.

Weerewat deri evrak çantasını boş taburelerden birinin üstüne koydu. Ellerinin boş olmasından hoşlanan tiplerdendi. Açık kahverengi Armani takımla İtalyan ayakkabılar giymişti ve bir şey onu eğlendirmiş gibi gülümsüyordu. Kendine güvenen, kararlı, gene de oğlan çocuğu gibi bir havası vardı, gerçi kadınlar onun kırkın yanlış tarafında olduğunu görebiliyordu. Daha önce gördükleri müşterilerin hiçbirine benzemiyordu. Bu yüzü nerede gördüklerini çıkarmaya çalışarak onun her adımını takip ettiler. Düşüncelerini birbirlerine iletme ihtiyacı duymayan *ying*'ler kolektif olarak bu balığın ağları için fazla büyük olduğu sonucuna vardılar. Weerewat onların donmuş gülüşlerini okumaya çalışarak yanlarına geldi.

"Vincent Calvino'yu arıyorum," dedi. "Bir *farang*." Tayland dilini hafif bir Çin aksanıyla konuşuyordu.

Calvino'nun bir *farang* adı olduğunu bilmiyorlardı sanki.

Üç *ying* hep birlikte ellerini kaldırıp sol taraftaki merdiveni gösterdi. Weerewat başını salladı, gülümsedi, evrak çantasını aldı ve merdivene doğru yürüdü. Duvarda "Vincent Calvino, Özel Dedektif" yazan küçük bir tabela vardı. Kadınların *farang* dedektifle ilişkilerinin ancak bu kadarla sınırlı kaldığını düşündü. Onu tanıyorlardı, ama tanımıyorlardı. *Ying*'lerden birinin gözünde bir ışık çaktı. "Siz Khun Weerewat'sınız," dedi.

Weerawat'ın gülümsemesi yüzüne yayıldı. Yardımları için onlara teşekkür etti, onlar da ona *wai* yaptılar. Weerewat da *wai* ile karşılık verdi. Selamlaşma kısa, kesin ve uygar olmuştu ve herkes kendi yerinin tam olarak farkına varmıştı. Khun Phaen'in bir dargın bir barışık eşi Nang Pim gibi onların kaderleri de alınlarına ve *wai*'lerinin niteliğine yazılmıştı. Weerewat, Calvino'nun bürosuna giden basamakları tırmandı.

Ratana, Weerewat'ı anında tanıdı. Yüzü çoğu zaman yalnızca televizyonda değil ama yerel dergi ve gazetelerinin sosyete sayfalarında da görünüyordu. Arkada yatları, atları ya da otomobilleriyle, kolunda güzel bir oyuncu ya da modelle, parlak yüksek sosyete dergilerinin kapaklarından gülümsüyordu. Fotoğrafta dört zenginlik simgesinin dördü birden asla yer almazdı; halka teker teker sunularak uzun bir ipe dizilmiş inciler gibi yayılırdı. Hobileri ve pahalı eşyaları zenginlik ve gücünün işaret direkleriydi.

Weerewat masanın önünde durarak Ratana'nın onun varlığını fark etmesini bekledi. Yüzünde şefkatli, destekleyici, rahat bir bakış vardı. Bir kadının hormonlarını, savaş yerlerine gitmeye hazır askerlere çalan alarm zilleri gibi harekete geçiren türden bir erkek yüzü. Ratana bilgisayar ekranıyla meşgulmüş gibi yapmaya ve o orada değilmiş gibi davranmaya çalıştı. En sonunda döndü, gülümsedi ve iskemlesinden doğruldu. Weerewat sanat eserlerini, bitkileri, iskemleyi ve büro malzemelerini değerlendiren bir müfettiş gibi resepsiyon alanında çevresine bakındı.

Ratana'ya televizyonda hatırladığı şekilde dostça gülümseyerek, "Güzel bir büro," dedi.

"Khun Weerewat'sınız, değil mi?"

Weerewat tanınmaya alışkındı. Gülümsedi. "Senin gibi güzel bir kadının o masanın arkasında ne işi var?" diyen bir gülümseme.

"Bay Calvino meşgul değilse onunla görüşmek isterim."

Ratana'nın ilk tepkisi, masaj salonunun önündeki plastik taburelerde oturan *ying*'lerinkinden pek farklı değildi. Ratana'nın içgüdüsel tepkisi bir kafa karışıklığıyla huşu karışımıydı. Elleri klavyenin üzerinde dondu kaldı. Ünlüleri televizyonda ya da gazete ve dergilerde görmek bir şeydi, masanızın önünde büroya iltifatlar yağdırırken görmek başka bir şey.

Ona randevusu olup olmadığını sormadı. Weerawat gibi insanların randevuya ihtiyaçları yoktu. Ratana, Calvino'nun telefonda Muhteşem Dörtlü için takip işi ayarlamaya çalıştığını biliyordu. Sabahı da Lovell'ın ona vermiş olduğu dosyaları inceleyerek geçirmişti. Weerewat, Ratana'yı uygunsuz bir duruma sokmasına hiç aldırmıyordu. Gücünü göstermeye alışkındı. Bir kaşın kalkışı, bir gülümseme ya da bir mutsuzluk iması istediğini elde etmesine yeterdi.

Calvino'nun onunla görüşecek zamanı olmadığını söylemek hakaret olurdu. Hiç bekletilmeden hemen içeriye alınmasını sağlayan konumda olmaya alışkındı. Özellikle de görüşülecek kişi, zemin katta bir masaj salonu olan bir binanın küçük bir bürosundaki bir *farang*, bir özel dedektif *farang* ise. Ratana kendini önemsiz hissetti ve birden büroyu küçük, dağınık ve boyaya ihtiyaç duyar buldu.

Gülümsemeye devam etti, Calvino'nun konuşmasının bittiğini gösteren telefondaki kırmızı ışıktaydı gözleri. Calvino'nun görüşmesinin bittiğini görünce dahili hattını çaldırdı. "Vinny, Khun Weerewat burada. Seninle görüşmek istiyor."

"Ona meşgul olduğumu söyle."

Ratana zorlukla yutkundu, başını kaldırıp Weerewat'a gülümsedi. "Önemli."

"Randevusu olmayan insanlar her zaman önemli olduklarını düşünür."

"Güven bana."

Calvino içini çekti, bunun kazanamayacağı bir savaş olduğunu biliyordu.

Ratana ahizeyi yerine koydu, masasından kalktı. Weerewat sandığından daha uzundu. Onu Calvino'nun bürosuna götürdü. Weerewat'ın adı yazılı kartı Calvino'nun masasına koydu ve öteki tarafa geçti. Calvino karttaki ada baktı. Ad ve bir cep telefonu numarasından başka bir şey yazılı değildi. Adres yok. İşyeri, şirket, unvan yok. Calvino arkasında bir mesaj yazılı diye kartı çevirdi. Bembeyazdı.

"Ne iş yaparsınız?"

Weerewat, Calvino'nun bürosuna bakındı. Küçük bir büroydu, masanın üzeri kağıtlar ve dosyalarla karmakarışıktı ve perdeler yıllardır yıkanmamıştı. *Tek atlık bir iş, üstelik de ahırdaki at biraz yaşlı,* diye düşündü Calvino. Galileo Chini'nin Bangkok resminin yağlıboya reprodüksiyonu Weerewat'a buz kestirdi. Yüzü kasıldı, ağzı kaskatı, dudakları inatçı, elleri yumruk olmuş. Suratı bir maske halini aldı, bir tren kazasına tanık olmuş birinin yüzü gibi.

Calvino, "İtalyan resimlerinden hoşlanır mısınız? Ön tarafta yürüyen bir adam size çok benziyor," dedi.

Weerewat, "Buraya sanat tartışmaya gelmedim," karşılığını verdi. Pusuya yakalanmış bir adamın bakışıyla resimden yüzünü çevirirken kızarmıştı.

"Hemen hiç kimse bunu yapmaz."

Weerewat kendini çabuk topladı. Onu rahatsız eden her neyse atlattıktan sonra hemen iş konusuna girdi. Bir *farang*'la nezaket sözleriyle konuya girmenin bir anlamı yoktu.

"Amerikalılar konunun sürüncemede kalmasından pek hoşlanmaz," dedi. "Ben de bu yüzden hemen konuya gireceğim."

Calvino terzi elinden çıkma takımın ve Liberty kravatın üç aylık kirasını ödeyeceğini düşündü –yo, şunu altı ay yapalım, diye düzeltti İtalyan ayakkabılara bakarken. Ratana telefonda, "Güven bana," demişti. Kast ettiği de buydu. Yalnızca zengin değil, ayaklı milyon dolarıı göndermişti bürosuna. Ratana'ya tabii ki güveniyordu. İş dünyasının büfe masasındaki Büyük Peynir'di bu. Calvino, Weerewat'ın adını John Lovell'dan biliyordu. Weerewat hukuk şirketi için önemli bir müşteriydi.

Calvino, "Hemen girilecek konu nedir?" diye sordu.

"Ayda yetmiş beş binle size aylık bağlamak istiyorum."

Weerewat'ın çeşitli şirketlerinin adları Calvino'nun kafasında dönüp duruyordu. İskemlesine yaslanıp bilgisayar ekranına baktı. Şirket adları birkaç tuş ötedeydi. Lovell'dan alıp bilgisayara yüklediği dosyalardan birindeydi. Calvino mouse'a basıp Word dosyasını açtı.

"Sizin için çalışmamı mı istiyorsunuz? Hangi şirket? Size nasıl bir iş yapacağım, Bay Weerewat?" Ekrandan başını kaldırdı.

Weerewat gülümsedi. "Güvenlik şefi olarak çalışabilirsiniz."

Calvino'nun zihninden bir an "Kıdemli Araştırmacı" kelimeleri geçti. BM'deki iş. "Korumanız olmamı mı istiyorsunuz?" Calvino kafasını kaşırken kartvizite baktı. *Sinirli bir kurbağa seni hindistancevizi kabuğunun içine çekmek istiyor,* diye düşündü.

Nüfuzlu adam güldü. "Hayır. İyi ifade edemedim. Tekrar deneyeyim. Çok sayıda işyerim var. Güvenlik her zaman sorun oluyor. İşlerimi kontrol edecek, bana rapor verecek, güvenliği sıkı tutacak profesyonel bir güvenlikçiye ihtiyacım var."

Calvino başını salladı. Onun işlerini biliyordu, Weerewat da, Calvino'nun aile imparatorluğu hakkında iyi sayılabilecek bilgiye sahip olduğunu anlayacak kadar akıllıydı. "Bu tür bir iş için doğru adam ben değilim. Bu tür insanları bulan şirketler var. İşleriniz için profesyonel birini bulacaklardır."

Weerewat, masanın üzerinden Calvino'ya bakarak iskemleye oturdu. "O kadar akıllı değilim. Ama doğru insanı nasıl bulacağımı biliyorum. İnsanlarda ne arayacağımı biliyorum." Calvino'nun yüzünü inceledi. Kalın, koyu renk kaşlar, birbirinden biraz fazla uzak gözler, uzun ve düz bir yüz, güçlü bir çene.

Weerewat sustu, Calvino'nun ona işe aldığı insanlarda tam olarak ne aradığını sormasını bekliyordu. Ne var ki Calvino senaryoya uygun gitmedi. Sessizliğin ancak Weerewat'ın bozabileceği bir suskunluğa dönüşmesini bekledi.

"Aradığım iki özellik var. İşe aldığım kişi akıllı ve yetenekli olmalı.

Bu ikisi her zaman birlikte olmuyor."

"Ne zaman başlayacağım?"

"Bugün." Weerewat bin bahtlık desteleri çıkarıp Calvino'nun masasının üzerine bıraktı. Paraların üzerinde banka bandı vardı, yüzlük banknotların makineyle sayıldığını gösteren bantlardan.

Calvino, parmaklarını şaklatarak, "Bu kadar kolay," dedi. "Bugün. Bordroya girdim. Bu bir iş görüşmesi. Ayda yetmiş beş bin baht."

Weerewat omuzlarını silkti. "Bugün ya da yarın. Bu ilk ayın maaşı artı harcamalar."

"Bunu düşünmem gerek. Sizin de görebileceğiniz gibi bir işim var. Dükkanı kapatmak o kadar da kolay değil."

Weerewat'ın gördüğü iş falan değildi, iş umuduydu yalnızca.

"Paraya ihtiyacı olan bir insan olduğunuzu sanıyordum," dedi.

"Yalnızca bana ödenmesi gereken paraya." Calvino masanın üzerindeki paraya doğru hiç hamle yapmadı.

Weerewat, Calvino'nun tepkisinden pazarlık yapmak istediğini sandı. "Çok meşgul olacağınızı tahmin etmiştim. En iyi insanlar hep meşguldür. Müşterilerinizden aldığınız avansları geri verin, ben hepsini karşılayacağım. Onlara kariyer değiştirdiğinizi söyleyin."

"Evet, bunu yapabilirim herhalde. Bakın ne diyeceğim, neden bu konuda sizi daha sonra aramıyorum?"

Weerewat evrak çantasıyla birlikte iskemleden kalktı. "Telefon numaramı biliyorsunuz."

Calvino kartviziti elinde çevirdi, ama iskemleden kalkmadı. "Evet, biliyorum."

Weerewat kapının yanında durarak geriye döndü. Duvardaki yağlıboya resme bakmamak için arkasını dönmüştü. "Bu binanın sahibini tanıyorum. Eski bir arkadaşımdır. Bir ara bana burayı iyi bir fiyata önermişti. Bu teklifin hâlâ geçerli olması beni şaşırtmaz. Masaj salonuyla büronuz arasında boş bir kat var. Masaj salonu işinizi bir kat daha kapsayacak şekilde büyütebilirsiniz."

Masaj salonuyla ilişkisi konusundaki gerçekleri düzeltmek çok kolay olurdu. Ama Calvino bunu yapmadı. Bırak Weerewat, Tek Elle Alkış'ın ona ait olduğunu, özel dedektifliğin de yan iş olduğunu düşünsün. Weerewat'ın yalnızca yetenekli profesyonelleri işe aldığı konusunda saçma nutku dinledikten sonra kusursuz bir gerçeğe dönüş olurdu bu.

Weerewat bürodan çıkınca Calvino arkasına yaslanıp teklifi düşündü. Weerewat'ı Galileo Chini resminde neyin huzursuz ettiğini, neden resme bakmaktan kaçındığını ve neden aynı resmin bir kopyasının hukuk şirketinde asılı olduğunu da merak etti. En çok da Weerewat'ın ciddi olup olmadığını merak etti. Aylık maaş, annesine ve sekreterine bakmasına yeterdi. Weerewat ve çeşitli yerel şirketlerle bağlantısı konusunda Lovell'ın Word dosyaları arasında bir yazı olduğunu hatırlayarak dosyalarını inceledi. Lovell buna "yapı" demişti, ezberlediği ve istediği anda açıklayabileceği ayrıntıları birbirine bağlayan geniş bir yapı.

Calvino bir pistin ortasında duruyordu ve Weerewat da Calvino oradan çekilsin ya da çekilmesin özel uçağını oraya indirmeye karar vermişti. Calvino'ya bir seçenek sunuyormuş gibi yapmıştı. Her ikisi de böyle bir seçeneğin olmadığını biliyordu. Sunduğu anlaşma çok açıktı. Calvino güvenlik için işe alınmış değildi; başka yöne bakması için işe alınmıştı. Weerewat'ı yalancı yapmazdı bu. Daha geniş bir perspektiften bakıldığında niyeti konusunda çok dürüst kılardı. Orada durmayacaktı; Weerewat işleri üzerindeki güvenlik battaniyesini nasıl artıracağı konusunda tavsiyeler isteyecekti. Amcası Suvit, *farang*'ları benzersiz yetenekleri nedeniyle işe almıştı. Cameron'da yüz ifadelerini okuma, gerçek duyguları ele veren o küçük, istemsiz işaretleri görme gibi tekinsiz bir yetenek bulmuştu.

Calvino'nun özel yeteneği neydi? Lovell gibi müthiş bir bellek değil; Cameron gibi yüz okuma yeteneği değil; hatta Lexus'unu her altı bin kilometrede bir rektifiyeden geçirme gibi teknik bir beceri bile değil.

Olay şu ki, kimse böyle olağanüstü bir becerisi olmadan işe alınmazdı. Calvino'da böyle bir beceri yoktu ve bu onu endişelendiriyordu.

Weerewat, Calvino'nun onu korkutmasa da huzursuz edecek bilgilere sahip olduğunu tahmin etmiş olabilirdi. Huzursuzluğu yatıştırmanın yolu da Calvino'yu işe almak, onu işin içine sokmaktı, Danielson gibi adamlara karşı aileyi korumak için bir koruyucu kalkan daha. Weerewat'ın bürodan çıkmasından on dakika sonra Calvino, Weerewat'a bir soru sormadığına pişman oldu: Danielson'a benzer bir teklif götürmüş müydü? Teklifi kabul ederse (bunu bir "iş" teklifi olarak düşünmeyi reddediyordu), o zaman Lovell'ın eski hukuk şirketi gibi Calvino'nun işyeri de kapanacak ve Calvino, Cameron gibi olacaktı, bordroya alınmış bir *farang,* tencerenin kapaklarını kapalı tutan, taşmamalarını sağlayan. Ya da Weerewat'ın teklifini reddedip (bu da bir ihtimal, dedi kendine) kocalarının pisliklerini bulması için ona para ödeyen yabancı eşlerine çalışmayı ve Noah Gould'u takip ederek onu korkutan şey üzerine konuşturmayı sürdürebilirdi.

Debra'nın değişken ama iyi bir yüreği vardı. Janet kuşkucu ve isteksizdi. Ruth, Noah'ın karısı, bir sinir buhranının eşiğinde görünüyordu. Bir de ele avuca sığmayan Millie Danielson vardı. Calvino ona telefon etmişti, ama hiçbir zaman telefona gelecek zamanı yoktu kadının; Calvino'nun bunu anlayacağından emindi. Calvino'nun anladığı şey, onu kullanmak isteyen insan bataklığının, yaşamı haline geldiğiydi. Bunun alternatifi de Lovell'la birlikte çalışmak ve bilginin onu bir yerlere götürmesini beklemekti. Ama çocuğun nedeni onu huzursuz ediyordu. Jazz gibi Lovell da aile miraslarının sahte olduğunu keşfedince öfkeden deliye dönmüştü. Weerewat gibi bir insana karşı çalışmak, insanları altüst etmek, silahlarına uzanırken kaşıklarını pirinç kaplarının içine düşürmelerini izlemek demekti. Calvino'nun yasası: Ancak arkanın sağlam olduğunu bildiğin zaman namlunun üstüne yürü.

Bürosunun penceresine gitti ve sokağa baktı. Weerewat merdivenleri inmişti. Calvino, Tek Elle Alkış'ın üniformalı *ying*'lerinin hep birden tek sıra halinde Weerewat'ın Lexus'unun yanında dizildiğini gördü. Weerewat otomobiline yaklaşırken evrak çantasını karıştırıyordu. *Ying*'lerden biri ona çantayı tutmayı önerdi, o da içinden bir kalem çıkardı. Adını yazdı. Her bir kadına küçük bir kağıt parçası verdi.

Sıradaki ilk *ying mamasan* idi, yeni yetme bir kız gibi sıkılgan ve yüzünde gülücükler açarak. Kırılmış kapı için iki bin baht isterken bu gülümsemeyi görmedim, diye düşündü. Kadının reveransla eğilmesini izledi; başparmakla öteki parmaklar sımsıkı birbirine yapışmış halde *mamasan*, Weerewat'a *wai* yaptı. Sonra sıradaki *ying* bir adım öne çıkıp Weerewat'a bir kağıt parçası verdi. Üzerinde beş yıldızlı otelin logosu bulunan bir kağıttı bu. Gülümseyen Weerewat kağıdı imzaladı. Tek Elle Alkış'ın tüm *ying*'leri onun imzasını istiyordu. Ayda yetmiş beş bin baht karşılığında ne yaparlardı? Calvino cevabı biliyordu: her ne olursa. Sistem böyle kurulmuştu ve Weerewat gibi adamlar her bir yolun nereye çıktığını gösteren haritaya sahipti.

*

Ratana öğle yemeğini masasında tek başına yerken haftanın geri kalanında Calvino'nun takip programı üzerinde çalıştı. Yer adları, *soi* adları, *mamasan*'ların adları, bazen de takibin hedefi olan *ying*'in adı vardı. Geriye kalan iki kadın için iki program hazırlanmıştı. Ekranında dört kocanın fotoğrafları, bir polis bilgisayarındaki gibi sırayla dizilmişti. Danielson'ın fotoğrafının altında ölü yazıyordu. Janet Herron'ın kocasının fotoğrafının altında da, birlikte görüntülendiği *katoey*'in ikinci bir fotoğrafı vardı.

Calvino onun tarafına geçince, "Bazı insanlar her şeye sahip oluyor," dedi. Calvino'nun konuşmak istediğini her zaman anlardı. Vücut dili farklılaşırdı, kollarının hareketi, başının yana eğilişi farklı olurdu.

"Her şeye sahip insanlar, yoksulun da yoksulu olduklarını düşünürler. Her zaman daha fazlasını isterler. Ne kadar çok şey şeyleri olursa olsun, güvensizdirler." Calvino'ya göre Weerewat gibi insanlar, anoreksi hastalığına tutulmuş kadınlar gibiydi. Aynaya bakarlar ve karşılarında şişko bir kadın görürlerdi. Oysa herkes açlıktan iskelete dönmüş berbat bir insan görürdü. Calvino, Lovell'ın hukuk şirketi dosyalarını incelemiş ve Weerewat'ın aynı hastalığa yakalandığı sonucuna varmıştı. Weerewat'ın durumunda görüntüyle ilgili sorun yiyecek değil paraydı.

"Çok cana yakın ve ünlü." Ratana yapış yapış bir pilav ve ızgara tavuğu elleriyle yiyordu.

"Weerewat'tan hoşlandın mı?"

Ratana gülümseyerek parmaklarını yaladı. Bir şey söylemeden tavuktan bir parça et kopardı ve küçük bir pirinç topuyla eti sardı.

"Onun yanında çalışmamı istedi. Sen ne diyorsun?" O ana kadar Ratana'ya Weerewat'ın Danielson'ın hukuk şirketiyle ilişkisini de, Lovell'ın Weerewat'ın denetimindeki şirketlerle ilgili listesini de anlatmamıştı. Adam bir hindistancevizi kabuğu içinde yaşıyor olabilirdi ama bu lüks bir kabuktu, Weerewat'ın korumak için her şeyi yapacağı bir kabuk.

"Kabul et, derim ben." Soruyla yanıt arasındaki süre bir kalp çarpışından daha kısaydı. Sorunun cevabını daha sorulmadan biliyordu.

"Peki sonra ne yapacağım? Büroyu kapatacak mıyım?"

"Neden kapatacaksın ki? Tüm binayı satın almayı önerdi sana."

Ratana, Calvino'nun ellerindeki yüz bin bahta baktı.

"Konuşmamızı dinlemişsin."

"Paranı almışsın," dedi Ratana.

"Para, doğru. Ama *benim* param mı emin değilim."

"Kimin parası?"

"Danielson soruşturmasının parası. Ben bu parayı istiyorum."

Rahat-dur parası, suskun-kal parası, bir-insanın-sadakatini-satın-alma parasıydı bu. Calvino ne zaman olasılıkları düşünse en başa geri dönüyordu: Weerewat onu sokaklardan uzak, vakadan uzak ve görebileceği bir yerde istiyordu. Parayı elinde tutarken, Ratana'nın paraya bakmasını seyrederken, elinde tuttuklarının kirli olduğunu hissediyordu. Hindistancevizi kabuğunun ta dibindeki birçok kurbağa için kirli para diye bir şey yoktu. Yalnızca paraydı işte, senin elindeyse temiz olmalıydı. Weerewat onu oyuna sokmuştu. Ne oynayacaktı? Peki oynamazsa çekiç ne zaman inecekti? Vincent Calvino bürosuna dönerken soruları düşündü, parayı çekmeceye koyup kilitledi, tabanca kılıfını taktı ve 38'lik polis tabancasını kontrol etti.

YİRMİ BEŞ

Calvino, sokaktaki lambanın ışığında takip programını kontrol etti. Ruth'un kocasıyla ilgili kişisel ayrıntıların yer aldığı sayfayı okudu. Noah Gould'un özelliklerini fotoğraftan inceledi. Yaşamının bir aşamasında büyük şapkalı kadınlara karşı çekim duyan bir adama bakıyordu. Zevki değişmiş görünüyordu. Noah, ona para borçlu olan bir adam tarifine uyuyordu. Noah'ın rolünden emin olmanın yolu yoktu. Calvino, Danielson'ı yem olarak kullanmanın daha kolay olabileceğini düşündü. Noah köşeye sıkışmış bir fareydi, korkuyordu. Calvino, Noah'la nasıl oynayacağına karar vermemişti.

Kaldırımda hareket eden insanları seyretti.

Calvino, "Ölü Sanatçılar" Soi'sinde otomobilinde oturuyordu. Bürosundan yüz metre kadar ötede park etmişti. Çok yakında, ama yabancı barlar, kulüpler, masaj salonları ve lokantalarla dolu bambaşka bir dünyada.

Ölü Sanatçılar'daki barlar adlarını Renoir, Picasso, Manet, Dali ve Monet'den almışlardı. Karısına göre Gould, Renoir'ın müdavimiydi. Calvino, park ettiği yerden kulübe girip çıkanları rahatça görebiliyordu. McPhail otomobilinin penceresini tıklattı. Calvino başını kaldırdı, McPhail'in yamuk sırıtışını gördü ve pencerenin camını indirdi.

"Adamım, sen olduğunu anlamıştım. Herkes bu arabayı tanır. Ne yapıyorsun?"

"Çalışıyorum."

"Büro pencerenden bir dürbünle burayı görebilirsin."

"McPhail bana bir şey mi söyleyeceksin? Nasıl takip yapılır konusunda öğüt vermekten başka?"

McPhail otomobilin öteki tarafına geçerek arabaya binerken kapıyı biraz fazla hızlı çarptı. "Affedersin, affedersin. Berbat halde göründüğümü biliyorum." Dudaklarından manyakça bir kahkaha çıktı. Kendisini toplayarak başını iki yana sallayıp sırıttı. "Önemli bir şey yok. Mutluluğun öteki tarafında dans ediyorum. Bu tarafa geçince kas koordinasyonumu kaybetme eğilimindeyim."

Sarı plastik bir torba çıkarıp içinden strafordan yapılma bir kap çıkardı. Plastik torbadaki kabı kucağına koyarak açtı. Sarımsak, zeytinyağı, biber ve peynir kokusu otomobilin içine yayıldı. İnce dilinmiş domateslerle bir parça ızgara ekmeği de çıkarıp Calvino'ya verdi.

"*Bruschetta* yapmayı öğrendik."

Calvino havayı kokladı. Midesi guruldadı. Önce bir ısırık aldı, ama sonra tüm ekmeği ağzına atarak çiğnedi. "Fena değil," dedi. Elini uzatıp bir tane daha isteyince, McPhail onu kırmadı. İtalyan yemeğinin Calvino üzerinde rahatlatıcı bir etkisi vardı. McPhail artık onunla konuşabilirdi; insanı insan yapma konusunda iki dilim *bruschetta*'nın üstüne yoktur.

"Önümüzdeki hafta son dersimizi göreceğiz."

"Sınava girecek misiniz?"

"Altı yemeklik bir sofra hazırlıyoruz. Sen de davetlisin."

"Aşçıbaşı Elmo bana hâlâ kızgın değil mi?"

"Dededen söz ediyor."

McPhail koltuğunda hafifçe dönerken domates dilimini koltuğa düşürdü. Calvino, "Hey, arabamı kirletiyorsun," dedi.

McPhail beyaz pantolonlu, yüksek topuklu ayakkabılı ve kusursuz dudaklarında rujuyla kaldırımda yürüyen bir *ying*'e işaret etti. "Bu bir KİN. Bugünün on ikincisi."

İkisi birden *ying*'i seyrettiler. Önce Calvino başını çevirdi, takipte olduğunu hatırlamıştı. "Peki KİN nedir?"

McPhail *bruschetta*'sını çiğnedi. "Adamım ya, KİN nedir bilmiyor musun?"

"Bilsem neden sorayım?"

"Kalmak İçin Neden demek. Tayland'da kalmak için bir neden. Kesinlikle tuhaf bir yerde yaşıyoruz. Bir çizgi filmin içindeki yaşam. Burada kalmak için çok nedenin yoksa gitmen gerekir, yoksa seni delirtir. Her gün KİN'lerini toplamalı ve GİN'lerinden çıkarıp sonuca bakmalısın. Çaktın mı?"

"Banka hesabı gibi mi? Borçlu ya da alacaklı şeklinde mi?"

"Yemek kursundan sonra kaldırımda kendi halimde yürüyordum, bir motosiklet bana neredeyse çarpacaktı. Bu bir GİN, gitmek için neden. Ya da birkaç gün önce kırmızı BMW'li bir götlek arabasını dosdoğru üstüme sürdü. Karşıdan karşıya geçiyordum. Beni koruyan yaya geçidi var, değil mi? Yanlış. Bu beyaz çizgiler hiçbir anlam ifade etmiyor. Adam üstüme sürmeye devam etti. Son dakikada bir sıçrayışta kurtuldum arabadan. Yolda durup adama hareket çektim. Arabasını durdurdu. Tekrar binmesi için ona havaalanı yer ekibinin sinyalini yaptım. Kıçına sıkı bir tekme atmak istiyordum. Ama adam bir daha düşünüp çekti gitti. Bu da bir GİN. Şu *ying*, biraz önce geçen. Onu gördün mü? Baksana, adamım. Şuradaki. O kalmak için bir neden. Motosikletli ya da BMW'li tüm orospu çocuklarını siliyor. Son *bruschetta*'yı da ister misin?"

Calvino yemek kabına baktı. Başını iki yana salladı. "Sen git de KİN'lerine ekleme yap."

McPhail son *bruschetta* parçasına baktı ve yememeye karar vererek kabın kapağını kapattı. Ellerini kot pantolonuna sildi ve gömlek cebinden yarı içilmiş bir sigara çıkardı. Yakıp derin bir nefes çekti. Sigarayı Calvino'ya uzatınca Calvino başını iki yana salladı. McPhail dumanı üflediğinde rahat etmesin diye pencereyi açtı.

McPhail dumanı ciğerlerinde uzun süre tuttuktan sonra dışarıya vererek, "Sana söylemek istediğim bir şey var," dedi.

Bir başka Kalmak İçin Neden, Calvino'nun arabasının yanından geçerken McPhail sustu. Kısa eteğinin altında pürüzsüz uzun bacaklar neon ışıklarından kırmızı-yeşil renkler yansıtıyor, McPhail'in iç geçirmesine neden olan bir zariflik ve kusursuzlukla süzülüyordu. Calvino bekledi, ama McPhail söyleyeceklerini unutmuştu.

Calvino, "Bana bir şey söyleyecektin," dedi.

McPhail ayakkabısının topuğuyla söndürmeden önce sigarasından bir uzun nefes daha çekti. "Biliyorum, biliyorum. Hemen temizleyeceğim."

"Bana bunu mu söyleyecektin?"

McPhail'in kahkahası köpek havlaması gibiydi, yemek verildiği için mutlu olan bir köpeğin mutlu mutlu havlaması. "Sınıfımdaki kadınlarla ilgili. Ruth ve Debra bir türlü karar veremiyorlar."

"Bunu bir de bana sor."

"Kocalarının pisliklerini öğrenmek isteyip istemediklerinden emin değiller. Ruth, kocasının Denver'a transfer olduğu haberini patlattı. Mutfakta dans edip durdu. Adamım, öyle mutlu bir kadın ki. Takımı maç kazandıktan sonra hoplayıp zıplayan, şarkı söyleyen liseli ponpon kızlar gibiydi. O kocaman şapkasını havalara fırlattı."

"Yani işi bırakıyor mu?"

"Dedi ki, araştırmanın anlamı ne ki? Denver'a dönmek, istediği tek şeydi. Şimdi de bunu elde etti. Noah'ın *ying*'leri düzüp düzmediğini bilmek istemiyor. Bunun ancak sorun yaratacağını söylüyor. Tayland'ın var olduğunu bile unutmak istiyor."

"Eee?" dedi Calvino. Direksiyonu iki eliyle sıkı sıkı kavramıştı, eklem yerleri bembeyaz olmuştu.

"Ruth'la Debra da sana para ödemiyorlar. Ha, evet, Janet'da da para yok."

Calvino gözlerini kapattı, başı direksiyona değiyordu. Kafasını kaldırıp McPhail'e baktı.

"Bu işi bitirdiğimizi sanıyordum."

McPhail omzunu silkti. "Kadınlar fikirlerini değiştirirler. Böyledirler, lamı cimi yok. Söyleyebileceğim tek şey bu. Yarını kim bilir? Belki de Noah'ın transferi iptal edilir, Ruthie de dizlerinin önüne çöküp pislik kocasını fare gibi kapana kıstırman için sana yalvarır. Ama ben senin için savaştım, adamım. Onlara yaptıklarının doğru olmadığını söyledim. Sana para ödemek zorundaydılar. Onlar da bir şeyler düşüneceklerini söylediler. %40 da fena olmaz galiba."

Sanki ipucunu almış gibi Noah Gould, Renoir'dan iki kolunda birer KİN'le dışarıya çıktı. Denver milyonlarca ışık yılı ötede görünüyor olmalıydı. Gülümserken yüzünde, normal olarak otuz yaşında ölüp gömülmesi gereken bir tür ergenlik mutluluğu parlıyordu. Büyük pembe şapka takmış tek bir KİN'le Tayland sürgününden dönen bir adama benzemiyordu. Hayatının sonunu istediği şekilde gerçekleştirmiş bir adam mıydı?

Noah, ona on bin dolar borcu olan bir adamdı. Onun işini mahvettiği için Andrew Danielson ile birlikte sahte ilaç fabrikasını kapatmak üzere anlaşma yapmış adamdı.

Calvino, "Bu Ruth'un kocası," diyerek fotoğrafa baktı. Uzanıp strafor kabı aldı ve otomobilin kapısını açtı. Bir motosikletli kapıya çarpmamak için son anda yana kırdı.

Calvino kapla birlikte arabadan inerken, McPhail, "Hey, nereye gidiyorsun?" diye sordu.

Calvino kapıyı kapatıp eğildi. Başını pencereye dayayarak, ağzını oynattı: "Beni izle."

Sokağın karşısına geçip Noah Gould ile iki güzel arkadaşını takip etti. Fazla uzağa gitmemişlerdi. Tam Noah bir taksiye el ederken Calvino onlara yetişti. "Bay Gould," diye seslendi.

Noah Gould döndü, adını seslenen kişiyi aradı. Calvino'yu tanımadı. "Noah, değil mi?"

Gould başını salladı. "Tanışıyor muyuz?"

"Ortak tanıdıklarımız var. Andrew Danielson gibi. Ayrıca karınız, Ruth. Aslında onu çok iyi tanıyorum. Siz ikiniz Denver'a gittikten sonra *bruschetta*'sını gerçekten çok özleyeceğim. Yakın olduğunuz insanları kaybetmek zor. Ha, evet, bugün yemek okulunda yaptığımız *bruschetta* da burada." Noah'a yemek kabını verdi. "Döndüğünüzde gözünüzü onun üzerinden ayırmasanız iyi olur. Taylandlılar Ruth gibi kadınlara *kai kae mae pla chawn* derler." Noah'ın kolundaki iki *ying* güldü. "Baştavuk anlamına gelir. İşi bilen, bir erkeği memnun etme konusunda birçok şey öğrenmiş bir kadın."

Noah ağlayacakmış gibi bakıyordu, ta ki öfke dalgası onu sarana kadar.

"Seni orospu çocuğu." Ellerini yumruk yaptı.

Calvino daha da yaklaştı ona. "Bu yüzden beni tuttu. Andrew Danielson'ın, senin burnunun dibinde sahte ilaçları satan kişileri zımbalamam için beni tuttuğu nedenin aynısı."

Calvino'nun soluğundaki sarımsak kokusu Noah'ın başını çevirmesine neden oldu.

"Uzak dur benden." Bir hayvan gibi dişlerini gösteriyordu.

Calvino geri çekilmedi. Noah'ın tam dibinde durup fısıldadı, "*Bruschetta*'nın keyfini çıkar."

"Benden para sızdırmak mı istiyorsun?"

"Bana on papel borçlusun. Paramı istiyorum."

"Ne için?"

"Danielson sana sahte ilaçları araştırmam için beni tuttuğunu söyledi. Ben de işimi yaptım. İlaçları nerede yaptıklarını buldum. Bana inanmıyor musun? Seni hemen oraya götürebilirim. Şimdi gitmek ister misin?"

"Seninle hiçbir yere gitmiyorum."

"Sahte ilaçlar, Noah. Uyduruk. Ne dediğimi anlıyor musun? Bu boku üretip senin etiketini üzerine koyan fabrikayı buldum. Andrew'dan bu işin arkasında kimin olduğunu bulman için yardımcı olmasını istedin."

Noah uzaklaşmaya çalıştı, ama Calvino onu Renoir'ın önündeki çite yapıştırdı. Bir eliyle adamı sıkı sıkı tutarken sertçe bakıyordu.

"İşin içine ettin. Şimdi de Denver'a kaçıyorsun." Noah Gould'un titrediğini fark edip adamı bıraktı, geri çekilerek omzunu ovuşturdu.

Noah gömleğini düzeltti, zorlukla yutkundu. "Artık gerçekten beni hiç ilgilendirmiyor."

Calvino cebinden kamerasını çıkarıp Noah ile iki *ying*'in Renoir önünde resimlerini çekti. "Hayat böyle, Noah. Tam bir sorun çözülürken yeni bir sorun kıçını ısırıverir."

Calvino sokağın karşısına geçti ve Noah Gould'un iki *ying*'le birlikte taksinin arka koltuğuna binmesini izledi. Gould ortaya oturdu, içinde tek bir *bruschetta* olan kabı elinde tutuyordu. Gülümsemesi çoktan yok olmuştu. Yerini ne almıştı? Tek bir anda hem şaşıran, hem hayal kırıklığına uğrayan hem de şok geçiren bir insanın yüzü ne hal alırsa.

Calvino birkaç dakika kaldırımda durduktan sonra bir ölü-olmayan-sanatçı barına girdi, çünkü burada içki daha ucuz, konuşmalar daha bayağıydı. Duble Mekong ve kola istedi. Noah Gould'un ne kadar korkmuş göründüğünü düşündü –yalnızca biraz korkmuş değil, epeyce– ama tepkisinin ne kadar sessiz ve çaresiz olduğunu da düşündü. O kadar uzun zamandır iş dünyasında yaşıyordu ki, gerçek bir savaşı nasıl vereceğini unutmuştu. Kaçıp Denver'da yeni bir hayata başlamak daha kolay ve güvenliydi.

Bir saat sonra çıkıp otomobiline gitti. McPhail çoktan gitmişti. Otomobilin içi sönük sigara kokuyordu. Pencereleri açtı, sinyal verdi ve evine doğru yola çıktı. Yolda giderken Weerewat'ın iş teklifini düşündü. Tayland'da güçlü bir adamın *luk nong*'u* olmak, sıralamada bir basamak üste çıkmaktı. Calvino, New York City'de farklı yetişmişti. Annesi ona, serbest meslek sahibiysen birinin yanında çalışmanın, ne kadar etkili olursa olsun bir basamak aşağıya inmekle kalmayıp tamamen farklı bir merdiveni tırmanmak olduğunu öğretmişti.

Ratana ona düşünmesi gereken bir şeyi hatırlatmıştı. Serbest çalışmakla, işsiz ve iş bulamaz olma arasında fark olduğunu ve bunu ciddi ciddi düşünmesi gerektiğini. Bırak Noah Gould Denver'a gitsin. Bu durum Vincent Calvino'nun parasını almasını engellemezdi. Weerewat onu işe mi almak istiyordu? Neden ona öteki tarafa geç-

---

* Mevkii olarak daha aşağıda kimse –yn.

mek istediği izlenimini vermesin ki? Dünyanın büyük kısmı, hiçbir insanın bir sisteme uzun zaman karşı çıkıp da hayatta kalamayacağı kuralıyla yaşıyordu. Ama bu Vincent Calvino'nun kuralı değildi; hiçbir zaman bir Calvino yasası olamazdı da.

Noah Gould, zayıf bir hukuk sisteminde güçlü insanların üstünlüğü olduğunu anlamış olmalıydı. Andrew Danielson anlamamıştı, başına gelenlere bak. Ratana, Weerewat'ın teklifini önyargısız, varsayımlardan uzak düşünmesini ondan samimiyetle istemişti.

Calvino üzerinde ciddi ciddi düşünmüştü, gerçi kendisini varsayımlardan uzaklaştırması olanaksızdı. Bu hindistancevizi kabuğundaki kurbağanın çok keskin dişleri vardı. Bu kabuğun içinde bir yerde de ona ödenmesi gereken para duruyordu. Sonra dedesi Vito'yu hatırladı. Vito ona şunu öğretmişti: asla kaçma, her zaman tehdidin karşısına dikil, iyi ya da kötü karşı çık. Onurlu bir yenilgi, bir korkağın zaferinden daha iyidir.

Calvino otomobilini geri döndürdü, başka bir park yeri buldu, ucuz içkileri ve gülen kadınları olan bara geri döndü.

YİRMİ ALTI

Calvino bardan Noi ile birlikte çıktı. Noi tezgahta çalışıyordu ve onu üç duble Mekong ve kolayı birbiri ardına içerken seyretmişti. Calvino'yu biraz sevgi açlığı çeken, başı dertte, mutsuz bir adam olarak yorumladı. Otomobiline doğru giderlerken elini tuttu. Calvino uygun anahtarı bulmaya çalışırken anahtar demetini yere düşürdü. Eğilip, yansıyan neon ışığında anahtarları bulmaya çalıştı. Dizlerinin üzerinde süründü, sağ elini uzatarak aramaya devam etti. Pantolonun dizinin yırtıldığını ve çıplak dizinin kaldırıma sürtündüğünü hissetti. Noi çömelmiş halde Calvino'yu izledi, ama bir noktada artık daha fazla dayanamadı. Çantasından küçük bir cep feneri çıkararak hemen anahtarları buldu.

Calvino'ya anahtarları verirken, "Senin kullanman iyi olmaz," dedi. Calvino karşı çıkmadı. İyice eskimiş Honda'sına yaslanarak Noi'ye bakmaya çalıştı. Ama sol gözle sağ göz aynı hizaya gelmeyi reddediyordu. Noi iki kişiymiş gibi duruyordu. Tek yumurta ikizlerinden oluşan bir ekip. Calvino yalnızca bir bar kızına para ödediğini hatırladı. Kadının yüzünü net görmeye çalıştı, ama yüz de iki başa ayrılmıştı. Kendisine bunun içkinin neden olduğu bir optik etki olduğunu hatırlattı. Ama şimdi emin değildi.

Kadınlardan biri anahtarları bulmuş ve otomobil kullanmasının iyi olmayacağına onu ikna etmişti. Calvino bundan hoşlandı. Otomobilin yan tarafına yaslanarak anahtarları şakırdattı. Kadının yanağına bir öpücük kondurdu. "Otomobil sürmek istediğimi sanmıyorum," dedi.

Kadın, "Çok iyi," dedi. "Nerede oturuyorsun?"

Calvino adresi verdi, omuzlarını silkti ve yürümeye başladı. "Yakınlarda." Kadın onun arkasından koşarak kolunu tuttu ve bir taksiye el etti. Calvino'nun dairesine doğru kısa yolculukta Calvino başını arkaya yaslayarak gözlerini kapattı. Taksi apartmanın önünde durunca Noi onu uyandırdı. Calvino şoföre para verdi ve sekiz köpek –yaşlısı, genci, şişmanı, bir deri bir kemiği, uyuzu ve saldırganı– deli gibi kapıya doğru koşarken taksiden indi. Apartman yöneticisi küçük dairesinden köpekleri salmıştı, şimdi köpekler havlayıp hırıldayarak koşuyordu.

Calvino'nun kokusunu tanıyorlardı, bu yüzden havlamaları yavaş yavaş azaldı.

Noi bacaklarının çevresindeki köpeklerle korkudan donakalmıştı. Hayatı tehlikedeymiş gibi Calvino'ya tutundu.

Calvino, "Havlarlar, ama ısırmazlar," dedi. "Çoğunlukla yani. Onlara tekme atar ya da hırlarsan onlar da seni ısırabilir. Bu yüzden köpeklere söylediğin ya da yaptığın şeylere dikkat et."

Noi bu cümlenin daha ayık çeşitlemelerini duymuştu ve Bangkok köpeklerinin nedensiz yere ısırdığını bilecek kadar deneyim sahibiydi. Calvino onun elinden tutup sekiz köpeğe tek tek tanıttı. Köpekler havlamaktan vazgeçmişler, ilgi görmek için kuyruğa girmişlerdi.

"Görüyorsun ya, köpekler seni seviyor. Şu erkek olanı da seviyor. Şu dişi olanı da. Korkmayı bırak."

"Tamam, tamam, hepsi beni seviyor. İçeriye girebilir miyiz?"

Calvino'nun gösterdiği çaba tam olarak yatıştırıcı değildi, ön sevişme de değildi, ama elinden gelen buydu.

Noi, Calvino'nun dairesine girdiğinde hâlâ korkudan titriyordu. Calvino ışığı yaktı. Evyede yıkanmamış bulaşıklar yığılıydı ve sehpadan yere gazeteler, dergiler ve zarflar düşmüştü. Bir pencere pervazında duran bitkiler, sıra sıra büzüşmüş kara saplar, tuhaf açılarda eğilmiş bükülmüştü; ihmal onları mahvetmişti. Çiçekli bitki mi, yoksa yapraklı mı, hatta bitki mi, ancak bir botanikçi anlayabilirdi. Tahta rafların yüzeyi, perdeler ve oturma odasındaki mobilyaların üzeri kalın bir toz ve köpek kılı kaplıydı. *Soi*'den açık balkon yoluyla giren toz ve kıl bütün yüzeyleri kaplamış, küllü kahverengi bir renge, çöl rengine boyamıştı.

Yatak odası kapısının üzerinde üçgen şeklinde örümcek ağları parlıyordu. Calvino, Noi'ye son temiz havlusunu verdi. Noi havluyu beline sardı ve giyinik halde banyoya girdi. Birkaç saniye sonra çığlıklar atarak üzerinde sadece havluyla koşarak dışarıya çıktı. Küvette bir parça pizza yiyen bir farenin üzerine gelmişti. Küvette pizzanın ne aradığını sormadı. Calvino bir süpürge alarak banyoya gitti. Fare çoktan kaçmıştı. Küvette domates, peynir, ananas ve domuz salamıyla birlikte pizza kırıntıları oraya buraya sıvanmıştı. Danielson için çekim yaptıktan sonra o gece ısmarladığı pizzaydı bu. Küvetteki kırıntılar özel kutlamasından kalmaydı. Çekimi yapmış olmanın zaferi ve yeni, daha iyi bir yaşama başlama umudu tatlı ama kısaydı.

Noi'ye Tayland dilinde *"Noo tok thang kao san,"* dedi. Şanslı fare pirinç çuvalına düşer. Pizza ya da pirinç, her ne ise –önemli olan şanslının iyi bir yaşama toslamasıydı.

Bu cümle Noi'yi, Calvino'nun anahtarlarını düşürmesinden beri ilk kez güldürdü.

Calvino'nun yanağına kırmızı ojeli tırnaklarıyla dokunarak, "Sen de şanslı bir fare misin?" diye sordu.

Olmayı istediği şey buydu. Pirinç çuvalına düşen şanslı fare, zengin kadınla evlenen adamdı. "Şanslı lağım sıçanı olmayı kabul edebilirim."

Noi, Calvino'ya ısınmaya başlamıştı. Şanslı fareyle ilgili deyiş onun kendini güvenli ve Calvino onu kesinlikle anlıyormuş gibi hissetmesini sağlamıştı. Uzun, daha tutkulu bir öpüşme için öne eğildi. Darmadağınık yatağa gitti, çarşafı açtı, sonra iki yastık alıp duvara dayadı. Yastıklara yaslandı, fareden dolayı hâlâ titreyen bacaklarını çapraz yaptı.

"Hizmetçin neden iyi temizlik yapmıyor?"

"Hizmetçim yok."

"Yok mu?"

"Ayrıca kendi saçımı kendim kesiyorum." İki parmağını makas gibi tutarak bir tutam saç keser gibi yaptı.

Bütün bu bilgiler Noi'yi etkilemedi. Para ölçeri kafasında alarm zillerini çaldığı sırada Calvino'nun normal bir insan olduğuna karar vermek üzereydi. Kol çantasında fener taşıyacak kadar önlemli biri, bir müşterinin ona ödeyecek parası olmadığının işaretlerini hemen alabilirdi.

"Affedersin," diye başladı. "Ama adını unuttum."

Calvino, "Vincent," dedi.

Kadının yüzü karardı. Adı söylemeye çalıştı. "Çok zor."

"Bana Vinny de."

Bu Noi'nin hoşuna gitti. "Winee."

"Bir erkek kazanandır, öteki de Winee, yani kazanılan. Bu da benim: Winee. Öteki erkek."

Uzanıp Noi'nin koluna dokundu, ama kadın kendini geriye çekti. Calvino yataktan kalkıp yalınayak mutfağa gitti. Evyede tabakların altında bulduğu bir bardağı yıkadı. Kendisine viski koydu, bir bardak daha yıkadı, Noi'ye de iki parmak viski koydu.

İki bardakla birlikte yatak odasına geri döndü, yatağın kenarına oturdu ve birini Noi'ye uzattı. "Fare gitmiş. Baktım."

Noi elinin arkasından gözlerini kısarak bakarken, "Işıkları söndür," dedi.

Calvino yataktan kalktı, ışığı söndürdü. Zifiri karanlıkta Noi'yi yatakta göremiyordu. Yatak odası kapısını açarak mutfaktan süzülen ışığın, karanlığı biraz da olsa dağıtmasını sağladı. Noi havluyu çıkarıp çarşafın altına girmişti. Havluyu boynuna dolamıştı. Calvino pantolonuyla gömleğini çıkarıp yatağa Noi'nin yanına girdi. Uzanıp onun elini tuttu.

Noi, "Khun Winee'nin iyi bir kalbi var," dedi. Bu daha çok bir soru gibi çıkmıştı. Ama Calvino bunu bir iltifat olarak söylemiş gibi yaptı.

Calvino, Noi'nin elini tutup yüreğinin üzerine koydu. Yastığın üzerindeki başını çevirip solgun ışıkta gözlerine baktı. "Artık değil," dedi. "Tıpkı senin gibi ben de işi birinci plana almaya karar verdim. Barda ne kadardır çalışıyorum demiştin?"

Noi gözünü bile kırpmadan, "Bir gün," dedi.

Calvino, *üç yüz altmış beş geceden geçen bir gün,* diye düşündü.

İç çamaşırlarını çıkardığını hatırlıyordu, ama sonra bir de baktı ki çatlayacakmış gibi ağrıyan bir başı var. Saate baktı. Sabah yediydi. Uykulu zihninden bir gürültü geçti. Bir gözünü açtı. Pencereden içeriye ışık giriyordu. Sabah güneşinin içeriye girmesi için perdeler açılmıştı. Calvino'nun asla yapmadığı bir şeydi bu. Sabah güneşinden nefret ederdi. Noi yatağın kenarında giyinik olarak durmuş ona bakıyordu. Kol çantası gürültüyle komodinin üstüne düştü. Calvino'nun onunla ilgilenmesini istiyordu ve çekiç dışında bulabildiği en iyi yol buydu.

Calvino bir gözünü kısarak onun yüzünü okumaya, ne düşündüğünü ve istediğini anlamaya çalıştı.

Bir dirseğine dayanarak doğruldu, esnedi, saatine baktı ve üzerinden bir ürperti geçti. Kendini yatağa bırakarak çarşafı kafasına doladı. Noi çarşafı çekerek yatağın kenarına oturdu. Calvino gözlerini açtı. Kadın, dudaklarının kenarında hafif bir gülümseme, ona baktı.

"Sana bir soru sorabilir miyim?"

Noi başını salladı.

"Dün gece seviştik mi?"

"Harikaydı," dedi Noi. "Beni çok, çok mutlu ediyorsun."

Calvino tek bir şey bile hatırlamıyordu. "İyiydi, ha?"

"Sen çok iyi adam."

Para istediğini anlatan şifreli dildi bu. Şimdi, avucuna sayılmış, odadan çıkmadan önce.

Calvino eğildi, pantolonunun ceplerini cüzdanını bulana kadar araştırdı. Pantolonunu bir iskemlenin üstüne fırlatmış ama isabet kaydedememişti. Pantolon kırış kırış bir yığın halinde yarısı yatakta yarısı yerde duruyordu. Cüzdanını karıştırırken paralarını çıkarmadan saydı. Aslında daha çok parası olduğunu sanıyordu. Noi içini çekti, fazla parası olmayan bir müşterinin tüm sinyallerini almıştı.

"Gidiyorum ev. Annem hasta. Anneme bakmak gidiyorum."

"Ya, annen iyi değil mi? Benim annem, o da hasta."

Noi, Calvino'nun onunla dalga geçtiğini, hikayesiyle alay ettiğini sandı, ama Calvino beyaz saçlarına bigudiyle şekil verilmiş, bornoz giymiş yaşlı ve zayıf bir bayanın resmini çıkardı. Resmin arka planında hemşire üniforması giymiş, bembeyaz dişleriyle kameraya gülümseyen siyah bir kadın vardı. Anne gülümsemiyordu. Calvino'dan dolayı çektiği acının hatırlatıcısıydı bu. Ona bu resmi bu nedenle göndermişti ve Calvino da bu nedenle yanında taşıyordu. Resmi Noi'ye verdi.

"Annen?" Noi'nin yüzü yumuşadı, başını iki yana salladı. "Çok üzgün görünüyor."

"Yaşlanmışsan ve hayatın ardında kaldığını kavramışsan, evet, o zaman üzüntü hissedersin."

Noi anlamadı. Calvino bunu açıklamak için ne İngilizce'de ne de Tayland dilinde yeterince kelime bilmediğini düşündü.

Son bin beş yüz bahtını Noi'nin çantasına soktu. Para anlayış ve açıklamaların yerini çok güzel alırdı. Noi onun verdiği miktardan mutlu olmuşsa da bunu belli etmedi. Çantasını aldı, sapını omzuna taktı. Bir an Calvino'nun tepesinde dikildi, ona veda öpücüğü verecekmiş gibi. Aklındaki şey bu olsun ya da olmasın, en sonunda Calvino'nun yanına oturdu, parmakları deri çanta sapını okşuyordu. Calvino'nun annesinin resmine bir kez daha baktıktan sonra doğrulup yatak odasından çıktı. Calvino daire kapısının onun arkasından kapandığını duydu.

Noi'ye bin beş yüz Gitmek İçin Neden vermişti. "Kalmak için neden" uzun zamandır üç sözcük değildi; yalnızca tek bir sözcük olmuştu: New York'ta bir saniyede kalmakiçineden diyorlardı. Ama bir *farang*'ın bu üç sözcüğü tek bir küçük pakete sıkıştırması için New York'tan olmasına gerek yoktu. Aynı sıkıştırma "gitmek için neden"le de yapılabilirdi; Calvino, Noi'ye *gitmekiçinneden* vermişti. Noi sonucu biliyordu ve iş için teşekkür etmek niyetiyle kapıyı yavaşça kapatmıştı.

YİRMİ YEDİ

Calvino, Weerewat'ın hindistancevizi kabuğuna girmesinden bir hafta sonra ilk görevini aldı. Uzun bir bekleyiş olmuştu ve bir noktada Calvino, Weerewat'ın ondan kaçtığını düşünmüştü. Weerewat'ın Albay Pratt'in bir sonraki görüşme için ona dinleme cihazı taktığından şüphelenip şüphelenmediğini merak etmişti. Calvino günlerce bürosunda otururken bir WHO işi için özgeçmişini cilaladı, bir Lovell'ın bilgisayar dosyalarındaki binlerce belgeyi karıştırıp Weerewat'ın çeşitli yurtdışı şirketlerinin modelinden bir anlam çıkarmaya çalıştı. Lovell'ın kafasında bu kadar karmaşık model ve bağlantıları tutabilmesine, istediği zaman hatırlamasına, saniyede yapbozun bir parçasını ortaya çıkarmasına hayret etti. Bir de Weerewat'ın telefon etmesini bekledi.

En nihayet telefon geldiğinde, Calvino, Weerewat'ın araştırmasını istediği kişinin adını ve adresini aldı. Pattaya yakınlarındaki bir inşaat bölgesinde çok miktarda iş aletleri vardı ve Weerewat, çalışanlardan birinin aletleri kendisi için kiraladığından kuşkulanıyordu.

Çalışanların hırsızlık ve yağma yapması en eski iş suçuydu. Bir şirkette çalışmış her güvenlik elemanı aynı şeyi söylerdi: Bir çalışanı denetlemesiz paraya ya da paraya çevrilebilecek bir şeyin yakınına koyun, parayı alıp kaçar. Çalışanın yanlış bir şey yapmadığını, çaldıkları şirket malının aslında onlara ait olduğunu düşünmesini anlamak olanaksızdı. Bu ahlaki ikilemi düşünmeye başladıkları sırada dağlarda mutlu mutlu kayak yapıyorlardı.

Telefon görüşmesi kısa ve yalnızca konuyla ilgiliydi, Weerewat telefonun dinlendiğini varsaymış gibiydi. O gün akşam üstüne doğru bir kurye büroya beş yüz bahtlık banknotlar halinde otuz bin baht getirdi. Ratana para karşılığında bir alındı makbuzu kesti. Paranın yanında bilgisayarda yazılmış, imzasız bir not vardı. "Ona bu parayı ver." Calvino paraları inceledi. Köşelerine mavi mürekkeple damga vurulmuştu.

Calvino, "Teslim etmem gereken otuz bin baht var," dedi.

Telefonun öteki ucundaki Albay Pratt dinledi. "Nereye?"

"Pattaya."

"Dinleyiciyi kontrol et. Çalıştığından emin ol. Bir sorun olursa beni ara," dedi Albay Pratt. Bir polis eskortu göndermek seçeneklerden biri değildi. Calvino gitmeye gönüllü olmuştu, ama Pratt arkadaşını uzaktan denetleyemeyeceği bir duruma göndermenin akıllıca bir şey olup olmadığını iki kez düşünüyordu.

"Bir sorum var, Pratt. Weerewat neden yalnızca Noah Gould'u korkutup kaçırmakla yetinmiyor? Ya da daha da iyisi onu satın almıyor? Çünkü zaten böyle yapmış gibi görünüyor. Danielson'ı öldürmek neden gerekliydi?"

Albay Pratt boğazını temizledi. "Noah'ın yerini başka biri alacak. Weerewat'tan uzak durmanın iyi olacağı fikrini edinecekler. İşle ilgili bir karar aldı."

Calvino, "Çizelgelerdeki rakamları kontrol etti ve Danielson'ın ölümü iyi bir bilanço çıkardı," dedi.

"Weerewat senin için de çizelge hazırlayabilir, Vincent. Dikkatli ol."

*

Calvino, Pattaya'nın seksen kilometre dışında, çeltik tarlalarıyla kuşatılmış büyük, açık ovaya giden dar yolu buldu. Çeltik tarlalarının doğusunda büyük bir inşaat sitesi vardı. Dev bir ilan panosu yüzme havuzlu, üç yatak odalı evlerin reklamını yapıyor, havuzun kenarında bir plaj iskemlesine oturmuş uzun bacaklı bir manken gösteriyordu. Sitenin adı Uyum Villaları'ydı ve bu adın altında büyük, koyu harflerle, "Buraya Çekilin ve Lüks İçinde Yaşayın" sloganı yazıyordu.

Calvino, Weerewat'ın ona e-posta ile gönderdiği haritaya baktı. Yolcu koltuğunun üzerine açmıştı. Uyum Villaları haritada işaretli yerdi. Calvino inşaat sitesine gidip büyük bir iş makinesinin yanına park etti. Otomobilinden indi, açık kapıya yaslandı. Buldozerler, traktörler, çekiciler, çimento karıştırıcılar ve bakım makineleriyle dolu açık alanı inceledi.

Otomobilini kilitleyip binaya doğru yürüdü. Açık kapı, bir traktörün girebileceği kadar genişti. Calvino içeriye girdi. Bir duvarda elektrikli aletler duruyordu. Sıcak hava benzin, gaz ve yağ kokuyordu. Başka bir duvarda Formula 1 otomobillerinin posterleri asılıydı ve sırıtan sürücüler dar lateks elbiseleri içinde hediye paketi yapılmış gibi duruyorlardı.

Birkaç kişi bir traktör motoru üzerinde çalışıyordu. Parçaları kartonun üzerine sıra sıra dizmişlerdi. Erkeklerin elleri yağdan kapkaraydı, yüzlerine ter ve yağ bulaşmıştı. Bir tanesi traktörün altına yatmıştı, başka biri ona alet uzatıyordu. Kimse Calvino'nun binayı dolaşmasına dikkat bile etmedi.

Calvino traktörün yanından geçip sıralar ve aletlerle dolu bir atölye alanına geldi. Bir egzoz üzerinde çalışan adama ustabaşını nerede bulabileceğini sordu. Kuşkulu bakış korkuya dönüştü.

Calvino, "Khun Daeng beni bekliyor," dedi.

İşçi genç bir adama fısıldadı, o da Calvino'yu dışarıya çıkardı. Yüz metre kadar yürüdüler. Adam durup bir Caterpillar D-4'ü gösterdi: tank gibi paletleriyle bir ekskavatör, mekanik bir sumo güreşçisi gibi ağır. D-4 küçük bir gölcüğün kenarında toprak kazıyordu. Calvino'ya onun ustabaşı olduğu söylendi. Rehberi döndü ve tek söz etmeden atölyeye geri gitti.

Calvino tozlu tarlayı geçerken rüzgarı yüzünde hissetti. D-4'teki adam kırkına merdiven dayamıştı, Khmer kanı olduğunu düşündüren koyu bal rengi teni ve simsiyah saçları vardı. Merakla ve dikkatle bakıyordu, ama henüz Calvino'yu görmediği için D-4'ün kabininde büyük bir bıçağı çalıştırmaya devam etti. Boynunun arkasına mavi Khmer dövmeleri yapılmıştı. Tıpkı tılsımlar gibi dövmelerin de kişiyi mermilere, bıçaklara, kötülüklere ya da geniş alandan dosdoğru ona gelen, takım elbiseli bir *farang*'a karşı koruduğuna inanılıyordu. Güneş ışığında dövmeler damar gibi duran terle kaplıydı.

Ustabaşı tuzlu su dolu havuzu doldurmak için D-4'ü kullanıyordu. Calvino'ya onun adı verilmişti: Daeng. Bu tam bir Taylandlı adıydı. Damarlarında Çinli ya da yerli kanı karışmış değildi. Calvino önceden telefon etmiş ve bir D-4 kiralama konusunda görüşmek için gelmesinin uygun olup olmadığını sormuştu. Calvino, Daeng'e telefonda kayalar, ağaçlar ve öteki engelleri çıkararak düz bir zemin elde etmek için D-4'e ihtiyacı olduğunu söylemişti. Ellerini ağzına siper ederek Daeng'in adını seslendi. Traktörün gürültüsü sesini bastırıyordu. Calvino, Daeng onu gözünün kenarıyla fark edip motoru susturana kadar alete yaklaştı.

Daeng aşağıya atladı, kasketini düzeltti ve yengeç gibi yürüyüşle ona doğru gelirken durup çömeldi ve büyük bir kaya parçasını alıp havuza attı. Daeng'in dar bir yüzü, sürekli üzüntü ifade eden çekik gözleri vardı ve elleri hem güçlü hem de nasırlıydı. Eski, ter lekeleriyle dolu tişört, yeşil ordu pantolonu ve plastik sandaletler giymişti. Yürürken sırık gibi kollarını sallıyordu. Yüzünü, boynunu ve dudaklarını ince bir toz tabakası kaplamıştı. Daeng'in görüntüsündeki her şey yoksulluk, ihmal ve mücadeleden söz ediyordu. Bir şey dışında: pantolonun kemerine takılı bir cep telefonu vardı.

"Khun Daeng?"

Daeng ona *wai* yaptı.

Calvino, Cameron gibi bir insanın Daeng'in yüz ifadesini nasıl okuyacağını merak etti. Bıkkın, kuşkulu, korkulu ya da pirinç ve tavuktan ibaret yemeğine açlık çekiyor olarak mı?

"D-4 kiralama konusunda sizi aramıştım. Arkadaşlarımdan birine kiraladınız, Jim. Bana yardım edebilir misiniz?"

Daeng bir sigara yaktı, başını kaldırıp dumanı havaya savurdu. Gözleri Calvino'yu tepeden tırnağa süzdü, ölçtü biçti. Jim, geçmişte Daeng'in iş aleti kiraladığı yerel bir müteahhitti. Ama Calvino müteahhide benzemiyordu. Daha çok bir işadamına ya da polise, ellerini gerçekten kirletmeden kir bulaştıran türden bir adama benziyordu.

"Kaç gün için istiyorsunuz?"

"Beş gün."

Daeng, "Elli bin baht," dedi.

Calvino bir kaşını kaldırdı. "Pahalı."

Daeng gülümsedi, dişleri tütünden sararmış.

"Pahalı değil."

"Bana indirim yapar mısınız? Arkadaşım Jim ona indirim yaptığınızı söyledi. Bir gün için yedi bin baht ödemiş. Nakit vereceğim."

Daeng sigarasıyla oynayarak parmaklarının arasında döndürdü. "Tamam, tamam. Jim'le aynı fiyat. Ne zaman istiyorsunuz?"

PayStation

erminal	OUFBT PAYST
atum	27-3-11 18:57:49
ransactie ID	1301245069640
as	*****798

BETAALAUTOMAAT

7/03/2011	18:53
assanr	808776
eferentie	01006638

Totaal 1,70 EUR

lv	******8913

NG

et kenmerk	148292

U HEEFT BETAALD TOT ZIENS

oekingsperiode	1086
ltid:	114368

"Yarın."

Daeng yüzünü buruşturdu. "Yarın, olmaz. Cuma, olur."

"Emin misiniz?"

"Eminim." Calvino işaretli bin bahtlık banknotlar halinde otuz bin bahtı saydı. Bir alındı belgesi olma şansı yoktu. Calvino istemeyi aklına bile getirmedi. Paraların seri numaralarını biliyordu. Paraların sağ köşesindeki mavi mürekkepli mühürler yeterli bir alındı belgesiydi.

"D-4'ü nereye götüreceksiniz? Fazla uzağa gidemezsiniz."

"Fazla uzak değil. Cuma günü makineyi almaları için adamlarımı göndereceğim."

Daeng bunu düşündü, parayı saydı, ipin ucunu kaçırdı, tekrardan saymaya başladı. Tam parayı aldığından emin olunca paraları pantolonunun ön cebine soktu ve çıtçıtını kapattı. Pantolon ceplerine pat pat vurdu, gülümsedi ve bir sigara yaktıktan sonra D-4'üne tırmanarak vitesi geçirdi. Havuzu doldurmaya devam ederken egzozdan gri dumanlar yükseldi.

YİRMİ SEKİZ

Bangkok'un dört bir yanındaki gösteriler eski bir saat gibi geri kalmaya başladı. Artık kalabalıklar Lumpini Park ya da Sanam Luang'da toplanmıyordu. Haftalar boyu binlerce insanın protesto etmesinden sonra tüm protesto aygıtı durmuş, taş kesmişti. Gazeteler buna fırtınadan önceki sessizlik diyordu. Ama fırtına tam doğru benzetme değildi. Daha çok yumruk sarhoşu olmuş dövüşçüler gibiydi. Zil çalmıştı, dövüşçüler köşelerine geri dönmüş yaralarını sarıyorlar, süngerden su emiyorlardı. Bir sonraki raunt için molaya ihtiyaçları vardı.

Gösteriler Ratana ile Manee'nin tanışmalarını sağladı. Bu tür arkadaşlıklar Bangkok'un her tarafında görülüyordu; gösteriler insanları çiftler ve topluluklar halinde yan yana getirmişti. Gösteriler durunca arkadaşlıklar da değişti, gösteri öncesi döneme döndü. Ama sakinlik Manee'nin Ratana'yı aramasını, bebek projesinin nasıl gittiğini sormasını engellemedi. Bu konuşmalardan birinde Ratana ona Lovell ve Weerewat'ın büroya gelmelerini anlattı. Her ikisi de Calvino'yla flört ediyordu ve Calvino bir seçim yapmak zorundaydı.

"Seninle flört ediyor olabilirler mi?"

Ratana kendi kendine gülümsedi. "Ah keşke."

Manee, "Khun Lovell *kai oon* gibi görünüyor anlattıklarından," dedi. Acemi çaylak anlamına gelen yeşil boynuz. "Elinde çok fazla bayan olan Khun Weerewat'dan çok daha iyi bir aday gibi geliyor bana."

Kaldı ki Ratana ikisine birden sahip olamazdı. Manee'ye, Calvino'nun bir gün büroya gelip kararını verdiğini anlattı. Bir deneme süresi koyarak Weerewat'ın teklifini kabul etmeye karar vermişti. Ratana bunun Weerewat'ı öfkelendireceğini düşündü. Güçlü insanlar koşulları belirlemekten hoşlanırdı ama kendilerine koşul dayatılmasından nefret ederlerdi. İşvereninden deneme süresi, sınama süresi isteyen bir *farang*, bir Taylandlı'nın asla kabul edemeyeceği bir şeydi. Kaba, aşağılayıcı bir şey olarak görülebilirdi. Bu durum Ratana'yı kaygılandırdı, ama bir şey söylemedi. Sırf sesini duyabilmek için Weerewat'a bizzat telefon etti.

"Umarım doğru karardır," dedi.

Manee, "Kocam Vincent'in kendisini koruyabileceğini söylüyor," karşılığını verdi.

"Onu teklifi kabul etmesi için teşvik ettim. Şimdi o kadar emin değilim."

Manee'ye, Calvino'nun hiç açıkça söylemese de bu düzenlemeden memnun olmadığını anlattı. Ama bir yükün ya da ağırlığın yok olduğunu hissediyordu ve kendisini suçlu hissetmesi gerekip gerekmediğini merak etti. Bürodaki işlerde hiçbir değişiklik olmamıştı. Calvino masasında heyecanlı ve somurtkan bir ifadeyle oturuyor, Weerewat'ın telefonunu bekliyordu. Calvino'nun taktığı dinleme cihazından ya da Albay Pratt ile Calvino'nun Weerewat için planlar yaptığından kimsenin haberi olmamasına karar vermişlerdi.

Ratana, "Her zaman duygularını göstermez," diye ekledi. Manee ona fazla kaygı duymamasını öğütledi. Vincent Calvino kendisini koruyabilecek bir adamdı ve Weerewat'ın yanında çalışmaya karar vermişse, bu kararı vermeden önce konuyu her açıdan ele almış olduğundan emin olabilirdi.

Manee'nin rahatlatıcı sözleri Ratana'nın kendisini çok daha iyi hissetmesini sağladı. Kusursuz bir dünyada bu duygu uzun süre sürerdi. Farklı bir gelecek görmenin sıcaklığının, yangın yeri gibi sıcak Bangkok güneşinin altındaki bir tabak yemekten daha uzun bir raf ömrü olmalıydı.

Kot ceketler giymiş, kısa saçlı, boyunlarına deri kayışlı plastik polis kimlikleri takılı üç erkek büroya gelene kadar sürdü. Adamlar Ratana'ya patronunun orada olup olmadığını sormamışlardı. Dosdoğru Calvino'nun odasına girdiler ve onu masasında çalışırken buldular. Üç adamdan ikisi sert görünüşlü erkeklerdi, sırım gibi, güçlü kuvvetli, otuz yaşlarında ve gülümsemez. Kıllı boğumlarıyla cop gibi duran güçlü elleri olan sert adamlar. Üçüncüsünün karın bölgesinde biraz yağ birikmişti. Hiçbiri trafik polisliği yapmış gibi görünmüyordu. Birçok insanın bilmek istemeyeceği çok şey görmüş geçirmiş bir hali vardı.

"Bana Daeng ile yaptığın işi anlat. Onunla iki gün önce Pattaya'da görüştün." Sesi düşmanca çıkıyordu. Kare omuzları ve lastik gibi yüz hatları vardı, ağzı yüzüne göre fazla küçüktü.

"Pattaya'dan mı geliyorsunuz?"

Bir şey söylemediler. Bu sert adamlar Calvino'ya sert bakışlarını diktiler; sorusuna cevap vermeleri gerekmiyordu.

"Pattaya'dan üç polis. Kurala göre Bangkok'taki polislere bilgi vermeniz gerekmiyor mu?"

Calvino, *Bu adamlar da kim lan ve neden onları büromdan atmıyorum,* diye düşündü. Onların üç silahı, kendisinin de bir tane vardı ve çözülebilir bir denklem değildi.

"Soruma cevap vermedin. Pattaya'da Daeng ile işin neydi?"

Uzun bir suskunluk oldu, karşılıklı birbirlerini tarttıkları bir suskunluk. Adamlar Calvino'nun oyunu nasıl oynayacağını görmeyi bekliyorlardı. Zorlu bir *farang* mıydı, yoksa işbirliği yaparak işler kontrolden çıkarsa destek için albayı getirecek miydi? "Neden bana kimliğinizi göstermiyorsunuz?"

"Taylandca okuyabiliyor musun?"

Calvino, "Sizi okuyabilirim," dedi.

Kutu Kafa, *zorlu,* diye düşündü. Kimliğini çıkarıp Calvino'ya verdi, o da resimli plastik karta baktı –Pattaya polis kimliğiydi– sonra geri verdi.

Hâlâ sorularına cevap vermemişlerdi, ama bu konu dışıydı. Onlar "bizim çocuklar"dı ve sorulara cevap vermek onların işi değildi, sormaktı işleri. Calvino dinleme aygıtını takmamıştı. Pratt ona kızacaktı, ama kendisinin kendisine kızdığı kadar kızamazdı.

Calvino, valize benzeyen kare kafalı adama, sonra göbeği otelin büfesiyle kalıcı bir anlaşma yapmışa benzeyen ortağına bakarak, "Daeng, şu ekskavatör ekipmanı kiralayan ustabaşı mı?" diye sordu. "O Daeng'i tanıyorum. Ne olmuş ona?"

"Öldü." Kutu Kafa, Calvino'ya habere tepkisini görmek istercesine baktı.

Calvino başını iskemlenin arkalığına yasladı, boğazına acı sular dolmuştu, derin derin soluk aldı. Bu konuşma, Calvino'nun gitmesini istediği yöne doğru gitmiyordu. İlk tepkisi Albay Pratt'i aramak, ikincisi de Weerewat'a telefon etmek oldu. Adamlar onu çok sıkı gözlüyordu. Onlara fark ettirmeden masasından dinleme aygıtını almanın yolu yoktu. Calvino, bu adamların onun bağlantılarını bildiğini tahmin etti. Bu bağlantılar bürosuna gelmelerini engellememişti. Taylandlı bir polis albayından korkmayacak kadar arkaları kalındı; bir telefonla işi halledecek etkili bir kişi için çalışmaktansa hiç söz etmeyelim.

"Bununla benimle ilgisi ne?"

"Cep telefonunu araştırdık. Khun Daeng'i birkaç kez aramışsın. Son kez aradığında ölmeden otuz saat önceymiş."

Calvino bu adamların bürosunda ne aradığını çıkarmaya çalışıyordu. Üç adam neden ustabaşının öldüğünü söylemek için ta Pattaya'dan kalkıp gelmişti? Randevusuz, yanlarında Bangkok polis gücünden biri olmadan gelmişlerdi. Normal olarak işler böyle yürümüyordu. Polisler, eğer polisseler tabii, kendi yetki alanlarından çıkmış enformasyon topluyorlardı. Bunun açıklaması genellikle açıktı –para istedikleri için gelmişlerdi.

Calvino oyunu düzgün oynamaya karar verdi.

"Onun ölümüyle bir ilgim olduğunu mu söylüyorsunuz?"

Polis, "Tüm ipuçlarını değerlendiriyoruz," dedi. Çok kızmış görünüyordu, bir silah dükkanındaki 'kapalı' tabelasına bakar gibi.

"Nasıl öldüğünü anlatmadınız."

Calvino'nın masasının önündeki iskemleye oturmuş olan kıdemli polis, "Bir süs havuzunda boğuldu," dedi. Öteki polis Calvino'nun masasının karşısındaki iskemleye oturmuştu.

Calvino, "İnsanlar boğulur, normaldir bu," dedi. "Küvetlerde, *klong*'larda,* havuzlarda, okyanusta, su olan her yerde."

"Başına bir şeyle vurulduktan sonra havuza atılmış. İnsanlar her zaman bu şekilde boğulmazlar." Bu adamın kutu şeklinde kafası, gözleri çukura kaçmış düz bir yüzü, düz burnu, ince dudakları vardı.

* Kanal, su yolu –yn.

Gülümsediği zaman bile zalim görünüyordu.

"Hırsızlık var mı?"

"Cebinde otuz bin baht vardı. Soyulmamış." Masasında oturan adamın bira göbeği, kısa saçları ve yüzünün çizgilerini yumuşatacak kadar Çin kanı vardı.

Calvino üç erkeğin her birine tek tek bakarak, "Onu kim öldürmek isteyebilir?" diye sordu.

Kıdemli polis, sürekli kaşları çatık halde duran adam, "Senin bu konuda bir fikrin olabileceğini düşündük," dedi, dudaklarının kenarı dağınık bir yatak gibi aşağıya kıvrılmıştı. Geniş bir alnı ve kepçe kulakları vardı. Kepçe Kulak o ana kadar çok az konuşmuş, Calvino'yu yormak için ilk rauntları adamlarına bırakmıştı.

Calvino polislerden başını çevirip pencereden dışarıya baktı. Müşteriler *soi*'ye girip Tek Elle Alkış'tan içeriye giriyordu. "Bana göre herhalde ya kişiseldir ya işle ilgili."

Polislerden hiçbiri bunu komik bulmadı. Gazeteciler bir cinayetle ilgili neden konusunda yorum yapmasını istediğinde polisin kullandığı standart kaçamak ifadeyi kullanmak bir *farang* için asla iyi bir fikir değildi. Polislerin bunu gazetecilere söylemesi başka bir şeydi, kurbana ölmesinden önce telefon etmiş bir *farang*'dan işitmek başka bir şey.

Konuşmayı artık yönlendirmeye başlayan Kepçe Kulak, "Neden söz ettiniz?" diye sordu, öteki iki polis geri çekilmiş gösteriyi izliyordu.

Küçük bir not defteri çıkarıp yazmaya başladı.

"Ondan iş aletlerinin çalınmasıyla ilgili bazı bilgiler konusunda bana yardımcı olmasını rica ettim."

Kepçe Kulak başını defterden kaldırdı.

"O ne dedi?"

"Daeng, bu konuda bir şey bilmediğini söyledi."

"Ona inandın mı?" Kutu kafalı polisle Kepçe Kulak, Calvino'ya inanmadıklarını göstermek istermiş gibi kaşlarını çattılar.

"Cevabı bulmak için ona otuz bin baht verdim."

Kepçe Kulak alayla sırıtınca, ağzının kenarlarının beklenebileceğinden çok daha güneye inebileceğini de göstermiş oldu.

Göbekli polis, "Çok para bu," dedi.

Calvino başını salladı. "Bir D-4 önemli bir iş makinesidir."

Polisler birbirlerine baktılar. Kıdemli polis, defterini katlayıp cebine koydu. Büronun bir köşesinde toplanıp fısıldaşarak konuştular. Gruptan ilk ayrılan kıdemli polis oldu. Kepçe Kulak, Calvino'ya dönerek, "Anlattıklarınızı araştıracağız. Herhangi bir yerinde bir yanlış varsa sorun yaşamaya hazır ol," dedi. Bir polis sorun yaşamaya hazır ol derse, üstüne benzin dökülüp ateşe verilmiş bir varilde soluğu alırsın demekti bu.

Calvino polislere bakarak, "Öyle yapın. Araştırın," dedi. Kararlı, gülmez yüzlü adamlardı bunlar, hedefin kafasının arkasına vurup havuza atmaktan zevk duyacak türdendi. Kendi kendilerine yarattıkları işi tamamladıktan sonra otomobillerine binip Bangkok'a gelirler, cinayeti üstüne yıkacakları kişiyi sorguya çekerlerdi. Paradan söz etmemişlerdi. Bu da kötü bir işaretti. Her zamanki alanın dışına taşan olasılıklar Calvino'nun içini tedirginlikle doldurdu. Adamlar bürosunda durmuş ona bakıyorlardı. İşlerin hızlandığından kuşkulandı ve suyun başının üstüne çıkmakta olduğunu hissetti.

Adamlar ona uzun, sert bir bakış attılar, tiksinti ve nefret dolu bir bakış. Calvino bunu onların gözlerinde görebiliyordu: Gözünü kırpmadan onu öldürmelerine neden olacak saf bir nefret. Bir an sonra adamlar yok oldu. Calvino, metal basamakları inerken botlarının seslerini duydu. Arkasına yaslanarak gözlerini kapattı. Tekrar açtığında Ratana'nın karşısındaki iskemlede oturduğunu gördü. Ratana korkmuş ve kızgın görünüyordu. "Albay Pratt'i ara," dedi.

Calvino, *Weerewat polislerin büroya geleceğinden fazlasını biliyordu,* diye düşündü. Örümcekler hindistancevizi kabuğunun içinde dönüp duruyor, karanlık yerlerden ışığa fırlayarak onu ağa sürüklemeyi bekliyordu.

Calvino, "Albay Pratt'e haber vereceğim," dedi. "Merak etme. Gittiler, bir daha da geleceklerini de sanmam."

"Bu polislerin büroya bu şekilde gelmeye hakları yok."

"Bir mesaj ilettiler."

"Nedir?"

"Korunduğunu sanıyorsun. Ama biz postallarımızla büronda duruyoruz. Silahlarımız var. Ne kadar güvenliktesin?"

Ratana onu yalnız bıraktı. Calvino bilgisayarın önüne oturdu. Noah Gould'un iki fahişeyle birlikte çekilen resmi ekrandan ona bakıyordu.

Noah iş üzerinde yakalanmıştı, iki taze hindistancevizi bulmuş sincap gibi Denver'a gitmeden önce kalan zamanın tadını çıkarıyordu. Belki de tek yol buydu: Uçağa atlayıp eve gitmek. Noah açısından işe yarıyor görünüyordu. Polislerin bürosuna izinsiz dalmaları onun başına gelemezdi. Daha önce hiç olmamıştı. Şimdi Weerewat gibi güçlü bir kişinin yanında çalışırken olması olanaksız görünüyordu.

Noah'ın ekrandaki yüzünü inceledi. Görüntünün üstüne tıklayarak Noah'ın gözlerini iyice büyüttü; gözler bulanık ve gölgeli olsa da yüzünde yeterince korku vardı: hazırlıksız yakalanmış olmanın yarattığı şaşmaz çizgiler. Weerewat, Noah Gould'a Tayland dışına transfer için iyi bir zaman olduğunu anlatmaya aynı üç adamı mı göndermişti?

Weerewat'ın verdiği ilk görevde Calvino'nun yaptığı iş, teslim ettiği işaretli paralarla dolu bir ölüyle sonuçlandı. Daeng'in cep telefonunda, gelen son telefon olarak Calvino'nun numarası vardı. Calvino planlamaya verilen özene hayran olmaktan kendini alamadı. Üç Pattaya polisi hiç de özel olmadığını ona çok güzel anlatmışlardı. Sokakta düşmeye hazır öteki *farang*'lardan hiç farkı yoktu.

Calvino başını bölmenin köşesinden çıkardı. Ratana masasında çalışıyordu. "Weerewat ile konuşmak istiyorum," dedi Calvino. Kayıt cihazının telefonuna takılı olup olmadığını kontrol etti

Ratana omzunun üstünden ona baktı. "Ne zaman?"

"Şimdinin bu tarafında."

Patronluk sisteminin dezavantajı, aynı sularda birden fazla büyük balığın avlanıyor olmasıydı. Weerewat bir taşla iki kuş vurmak için Daeng konusunda onu oldu bittiye mi getirmişti? Yoksa başka biri Weerewat'a nüfuzunun sınırlı olduğunu göstermek için mi bu fırsatı kullanmıştı? Hiçbir şey hiçbir zaman göründüğü gibi değildir. Bir adam bir an yirmi birinci yüzyılda bürosunda oturup çalışırken, bir sonraki an bir tarlaya ve on dördüncü yüzyıla geçiyordu. Hangi kuralların geçerli olduğunu tam olarak anlamak gibi bir sorun vardı, yedi yüzyıl öncekilerin mi, bugünkülerin mi? Zamanı hesaplamak insanları yavaşlatıyor ve tetikte olmalarına yol açıyordu. Zamana uygun tepki verebilmek için kafalarını toplamak üzere zamana ihtiyaçları vardı ve bunu yapmak için de bir feodal beyin onları suda boğma riskini hesaplamaları gerekiyordu. Calvino bu insanların kafa karışıklığını anlayabiliyordu. On dördüncü yüzyılın eşdeğeri bir gece vakti bir *ying*'le yatağa girmiş ve bir Adam Smith sonrası bulanıklıkla uyanıp cüzdanını aramıştı.

Ratana en sonunda Weerewat'ı bulduğunda, adam her şeyi reddetti.

"Nasıl gidiyor, Vinny? Her şey yolunda mı?" diye sordu.

Calvino, "Biraz karışık," dedi.

Ona Pattaya polislerinin bürosuna gelişini anlatınca Weerewat'ın şakacı sesi sustu. Havası bir anda patron havasına dönüştü. Calvino'nun polislerin adlarını ona vermesinde ısrar etti. Ama adamlar adlarını söylememişlerdi, Calvino da Kepçe Kulak'ın kimlik kartından adını okuyamamıştı. Kimliğin gerçek olduğundan da, adamların polis olduğundan da emin değildi. Kısa saçlar ve gömleklerinin altındaki silahlar ihtiyaç duydukları tek kimlikti. Görünüşte polis gibi duruyorlardı. Konuşma, Weerewat'ın bir güvenlik şefinin nasıl olup da bu koşullarda üç polis memurunun adını almayacağını sormasıyla bitti.

"Haklısınız. Bu iş için pek iyi değilim. Olayı basitleştirelim. İstifa ediyorum."

Weerewat patladı. "Ne zaman istifa edeceğini sana ben söylerim."

"Daeng'in ona para vermemden bir gün sonra ölmesi konusunda bir fikriniz var mı?" Hattın öteki tarafında bir sessizlik oldu. "Size bu işin nasıl olduğu konusunda bir fikir vereyim. Polisler Daeng'i havuzdan çıkardıklarında üstünde hâlâ para vardı. Tek bir banknot bile eksik değil. Birkaç banknotu alsalar kimin ruhu duyardı? Bir havuzun yanındasın; ne yaptığını kimse görmüyor. Beş, on bin baht alır ve cebine tıkarsın. Kim bilecek? Ama para tastamamdı. Bunu alışılmadık ölçüde soylu bulmuyor musunuz?

O zaman kendime diyorum ki, birileri benim Daeng'le buluşacağımı biliyordu. Ben onu görmeye gideceğimi biliyordum. Siz de biliyordunuz, çünkü bu sizin işinizdi. Öteki adam ya da adamlar nasıl öğrendi? Benden değil. Tamam, her kimse, beni havuzun yanında onunla konuşurken gördüler, ben ayrılana kadar beklediler, sonra Daeng'i öldürüp cesedini havuza attılar." Calvino iskemlesinde dönerek ekrandaki Noah Gould'un resmine baktı. Bu resme karşı bir sempati duymaya başlamıştı. "Bu münasebetsiz duruma neden düştüğümü de söyleyemiyorsunuz. Peki kime sormam gerekir sizce?"

Weerewat, "Burada soruları soran benim," dedi.

Epeyce derine daldıktan sonra su yüzüne çıkan bir balina gibi hava püskürtüyordu. "Senden çalanları işten atarsın. Öldürmek iyi bir iş hamlesi olmaz. Daeng'in öldürülmesi emrini ben mi verdim? Bunu mu demek istiyorsun?"

Calvino ünlü Weerewat'ı düşündü, yüzü kırışıklık içinde ve gergin. "Tam olarak böyle düşünüyorum. Ama kanıtlayamam."

Weerewat kurnazdı; konuşmanın kaydedildiğini biliyormuş gibi konuşuyordu.

Mamasan aşağıda müzik sisteminin sesini iyice açmıştı. Caz kasetlerinden birini koymuştu ve Special EFX'in şarkısı "Accounting" ta iki kat yukarıya kadar çıkıyordu. Tenor saksafon, Calvino'nun Albay Pratt'in, onun evinin arkasındaki bahçede saksafon çalmaktan ne kadar hoşlandığını düşünmesine yol açtı.

Calvino, "Daeng küçük bir adamdı," dedi. "Onu ezecek bir feodal vagonu çeken küçük bir çark dişi. Daha iyisi, bir hindistancevizi kabuğunda bir iribaş."

"Bir Tayland atasözü var, maymunu korkutmak için tavuğun boğazını kesmekle ilgili."

Calvino gülümsedi. Konuşulan dil maymunlar, kurbağalar, kobralar ve fillerle doluydu, tam bir hayvanat bahçesi; bu atasözünü çoktan düşünmüştü ve keşke Weerewat'ın hayal gücü biraz daha fazla olsa, diye geçirdi içinden. "Maymun ve tavuk hikayesini biliyorum. Sana söylediğim şu, korkmuyorum."

Weerewat, "Beni hayal kırıklığına uğrattın," dedi. Çok uzakta olmayan bir zamana bakarmış gibi sesini alçaltmıştı.

"Hayat hayal kırıklığına uğratır. Bir ara görüşürüz."

Weerewat olayı kendisinden uzaklaştırmanın bir yolunu bulmuştu. Calvino ile Albay Pratt'in planı, Weerewat imparatorluğunun güvenlik şefi olarak Calvino'nun bilgi toplama konusunda çok serbest olacağını varsayıyordu. Kusursuz bir kılıfı olacaktı. Ama sonra tekerlek vagondan fırlayıp gitmişti. Weerewat bir şeylerin kokusunu almış olmalıydı, bir ihanet iması, tekerlek içinde tekerlek, gündem içinde gündem; üç bin yıllık Çin geleneğine göre saldırmadan önce düşmanın en zayıf noktasını bulmalısın. Weerewat büyük olasılıkla Lovell'ın Calvino'nun bürosuna geldiğini öğrenmişti. Lovell'ın Calvino'ya, Danielson'la aynı nedenle geldiğini varsaymış olmalıydı: ona sorun yaratmak için. Polisteki adamları ona Albay Pratt'in bulldog köpeği gibi olduğunu söylemişlerdi. Pratt cinayet için kanıt bulunca, bu kanıtı sonuna kadar izlemekten asla vazgeçmezdi.

Calvino telefonu kapattı, arkasına yaslandı ve pencereden dışarıya baktı. Kollarını uzatarak deri kılıfa ve içindeki tabancaya dokundu. Bariz bir manevra yapmayı denemiş, önleyici darbe olarak çekip gitmişti; kendi kendini işten atmıştı. Weerewat bunu önceden görmüştü. Çekip gitmek seçeneklerden biri değildi. Ya kaçacaktı ya da Daeng'le Tayland dilinde konuşma ve gökyüzünde şu büyük D-4'lerden birine binme olasılığıyla karşı karşıya kalacaktı.

YİRMİ DOKUZ

Albay Pratt arka taraftaki bir masaya oturmuş bardaki televizyonda bir futbol maçı seyrediyordu. Calvino içeriye girince salonu iki kez tarayıp Pratt'i ancak o zaman görebilmişti. Pratt'in ortama karışma gibi bir yeteneği vardı. Calvino onun takipte her zaman ne kadar iyi olduğunu düşündü. Kendisini görünmez kılabiliyordu. Birlikte çalıştıkları zamanlar Calvino arkadaşının şu derin metafizik durumlardan birine girerek aynı anda hem yok olduğunu hem de orada kaldığını, her şeyi gördüğünü, hiçbir şeyi görmediğini, arka planın bir parçası olduğunu, manzaraya karıştığını gözlemlemişti.

Calvino'nun bürosunun bulunduğu sokağın köşesindeki İngiliz pub'ında buluşmayı kararlaştırmışlardı. Calvino bir iskemle çekip oturdu.

"Durum ne?"

Albay Pratt, "Liverpool bir farkla önde," dedi.

Calvino menüyü aldı, sırtı televizyona dönüktü. Futbol tarafsız, güvenli bir konuydu. Albay Pratt, "Senin için endişeleniyorum," bakışını takınmıştı. Polis arkadaşının kuşkulu, kaygılı yüzünü görmek Calvino'yu endişeye sevk ediyordu. Bu yüzü yıllar öncesinden New York City'den anımsıyordu. Bir Çin çetesi Pratt'i öldürmekle tehdit edince, onun yerine geçeceğini söylemişti. Adamlar planlarını uygulamaya çok yaklaşmışlardı. Calvino bunun olmasına izin veremezdi ve dedesi gibi bedeli ödemişti. Birkaç yıllık hapis olarak değil. Baro onun avukatlık yapma iznini askıya almıştı. Pirinç kasesinin yere düşüp parçalanma sesi, örümcek ağları kadar küçücük cam parçaları.

Karısı bu *farang*'ın üzerindeki etkisini sorduğu zaman Albay Pratt ona bunları anlattı. Calvino bu konuyu Pratt'in yanında hiç açmadı. Bunu yapmak için birçok kez şansı olduğu halde bir kez bile açmadı. Ama zaten amaç *bir kez bile açmamaktı*. Albay, bunun, bir Taylandlı için böyle bir cesaretle harekete geçen bir insanı dünyanın sonuna kadar takip edeceği anlamına geldiğini de biliyordu; gerekirse adamın yanında ölecekti. Pratt yıllar içinde Calvino'ya yaptığı şeye minnet duyduğunu söylemeye çalıştığı zaman Calvino omzunu silkip geçti. Konuyu değiştirdi. Calvino on dört yaşından beri ve dedesinin yanında Galileo Chini'nin *Bangkok'ta Çin Yılının Son Günü, 1912*'yi gördüğünden bu yana, bir gün kaderinin onu oraya götüreceğini biliyordu. Vito'nun babası kaderi belirlemişti, Pratt değil. Vito, Siyam'ın Galileo'yu sonsuza dek değiştirdiğini söylemişti ve Calvino da büyük dedesinin onu Siyam'a çeken, korkutan, hissettiren ve tiksindiren o gelgit dalgasına karşı kendini sınamak istiyordu: Galileo'da 1931'de sinir krizi geçirtecek kadar pişmanlık uyandıran duygular. Calvino, Tayland'a Pratt yüzünden değil, daha kişisel nedenlerle, ailevi nedenlerle, büyük dedesinin elinde tuttuğu, onu sonsuza dek değiştiren bir şeyi aramak üzere gelmişti.

Calvino bunu tekrar yapıyordu. Bu kez Albay Pratt, Weerewat'ı istiyordu. Calvino'nun Weerewat'ın şirketlerinden biri konusunda sorun yarattığını ve Weerewat'ın sorunu doğru kişiye pas ettiğini biliyordu. Bu adam da çözümü söylemişti: "Adamı işe al, başını belaya sok, kenara çek. İş dünyası bu." Vincent Calvino, kendisine gelecek kişisel sonuçları hiç düşünmeksizin fırtınanın tam göbeğine dalıyordu. Albay bazen Calvino'nun ölmeyi isteyip istemediğini merak ederdi. Birçok insanın bu tür bir isteği vardı, ama tam zamanında geri çekilecek sağduyuya sahiplerdi. Calvino, Weerawat ile dans ediyordu ve de köpek heriften bir adım önde olmaktan hoşlanıyordu.

Calvino için kolaydı bu. Weerewat'ın ona borcu vardı, ayrıca Weerewat, Calvino'nun küçük gördüğü her şeyi temsil ediyordu. Son model otomobiller, mankenler ve artistlerle dolu bir yaşam, yüksek sosyete ve dibine kadar açgözlülük. Karısı Manee, Ratana'nın ona Calvino'nun Weerewat'ın güvenlik şefi olmayı kabul ettiğini söyleyince ne kadar hayal kırıklığına uğradığını anlattığı zaman, albayın tek söz etmemesi zor olmuştu. Calvino karanlık tarafa geçmişti. Albay Pratt, "Vincent kendisini nasıl koruyacağını bilir," demekten başka bir şey söylememişti. New York City'de Çin çetesine tepeden bakan Vincent Calvino yok olmamıştı ve hiçbir zaman da yok olmayacaktı.

Pratt, "Yiyecek bir şeyler söyleyelim mi?" diye sordu.

"Weerewat bulmuş."

"Neyi bulmuş?"

"Onun için çalışmadığımı anlayacak kadar çok şey."

"Sen ona ne söyledin?"

"İstifa ettiğimi söyledim," diyerek menüyü masaya koydu. "Su bufalom hastalandığı için kırsal kesime gitmem gerektiğini."

Albay Pratt, dudaklarında soluk bir gülümseme, "Peki o ne dedi?" diye sordu. Calvino'nun durumu idare etme tarzının ne kadar hoşuna gittiğini belli etmemeye çalıştı.

"Pek yutmadı."

"Kızgın mıydı?"

"Engerek yılanının düzülmüş olma öfkesi. Telefona ne zaman istifa edeceğimi onun söyleyeceğini bağırdı. Her şeyi kaydettim. Ben de dedim ki, 'Hey, adamım, su bufalom. Senin hiç kalbin yok mu?'"

"Bir şey daha var, Vincent. Pattaya'da öldürülen ustabaşı."

Calvino gözlerini devirerek alnına vurdu. "Ben de tam bunu anlatacaktım."

"Ben de bu izlenime kapılmıştım."

"Ama şimdi saygınlığımı yitirmişken..."

"Yo, beni öldürmen gerekmez. Ancak Taylandlılar bunu yaparlar ve ancak küçük bir azınlığı yapar. Bu yüzden şaka yapıp durma da konudan sapma. Büronda neler olduğunu anlat."

Calvino, şimdi her şey anlaşılıyor, diye düşündü. Ratana, Albay Pratt'in karısıyla konuşmuş, Albay Pratt de anında tüm hikayeyi duymuş olmalıydı.

"Pattaya'dan üç polis gelip bana Weerewat'ın ölmüş ustabaşını sordular. Polis olduklarını söylediler. Kimlikleri vardı, ama bu bir şey ifade etmez. Ama saç tıraşları polise uygundu ve silahlıydılar. Ben de dinleme aygıtını takmamıştım. Beni faka bastırdılar."

Albay Pratt artık futbol maçını izlemiyordu. "İnsanın yaptığı kötülükler onlar ölse de yaşar; iyilikler çoğunlukla kemiklerle birlikte gömülür."

Calvino, "Hiçbiri Shakespeare ile ilgili bir şey söylemedi," dedi.

Albay Pratt portakal suyunu yudumladı. Liverpool gol atınca bar ayağa fırladı.

Pratt şamatanın yarattığı fırsattan yararlandı. Eğilip Calvino'ya, "Weerewat gerçekten biliyorsa, bu cinayetin arkasındaki kişi o olabilir," dedi.

"Weerewat biliyor, Pratt. Senin tarafından bir sızıntı olmuş olabilir."

Albay Pratt ellerini masanın üzerine koydu, Liverpool taraftarları coşarken televizyona baktı. Gol atan oyuncu sahanın etrafında onu kucaklamak için arkasından gelen takım arkadaşlaıyla birlikte koşarken bar gene bağırışlar ve alkışlarla dolmuştu.

Pratt, "Bunu bilmiyorum, sen de bilmiyorsun," dedi. "Weerewat'ın şirketleri Danielson soruşturmasında ortaya çıkıp duruyor. Danielson, Weerewat ailesine avukatlık yapan bir hukuk şirketinde çalışıyordu. Danielson, Weerewat'ı mahvedebilecek bir davayı gizlice almıştı. Danielson öldü. Noah Gould Amerika'ya kaçıyor. Weerewat seni korkutmaya çalışıyor. Noah Gould'da bu oyun işe yaradı."

Calvino omuzlarını silkti. "Ben Noah Gould değilim."

"Bazen keşke olsaydın diyorum." Albay Pratt, Shakespeare'in kötülüklerle ilgili söylediklerini düşündü: *İnsanın kötülükleri pirinç levhada yaşar, erdemlerini suya yazarız.*

Garson kadın gelip siparişi aldı. Müşteriler maç bittikten sonra dışarıya çıktılar. "Weerewat benim kirişi kıracağıma bahse giriyor."

"Ona istifa ettiğini söyledin. Dolayısıyla planın işe yaradığını düşünmüş olabilir. Noah Gould gibi sen de bir kez başkaldırdın, bu da yeterliydi," dedi Albay Pratt.

Calvino omzunu ovuşturdu. Ağrı fena bastırmıştı. Pratt de ona fena bastırıyordu. Kuşkunun ondan yana olması, artık oynayamayacağı eski bir oyun kartıydı.

"Onunla oynamayı istiyorduk, ama tam tersine Weerewat bizimle oynadı."

"Sen iyi misin?"

"Omzum fena ağrıyor."

Yemekleri gelince Albay Pratt arkasına yaslandı. Calvino'nun bir ağrı kesici çıkarıp birayla yutmasını, hareket ağrıyı hafifletecekmiş gibi iskemlede sallanmasını seyretti.

"Weerewat senin görmeni istediği şeyi gösterdi. Senin hatan değil. Bunun olacağını önceden tahmin etmeliydim." Albay bir *farang*'ın Weerewat gibi kudretli bir adamın kabuk oyununu oynama yeteneğini tam olarak anlamasını bekleyemezdi.

"Daha uzun süre içinde olsaydım, sahte ilaç işini Danielson'ın hukuk şirketiyle bağlantılandırırdım." Bangkok, güçlüleri iktidardan düşürmek için bir bağlantı daha kurma zamanı geldiğinde "olabilseydi" ve "neredeyseler" ile doluydu. Bağlantı hiçbir zaman kurulamadı.

Albay Pratt, "Weerewat gibi adamların kendi yasa kitapları vardır," dedi. "Sorunları kendi tarzlarına göre çözerler."

Calvino, "Böyle birçok büyük adam var," dedi. "Altlarındaki iskemle çökene kadar büyükler."

"Danielson cinayetindeki her şey Weerewat'a işaret ediyor. Onu bu cinayetle ilişkilendirecek bir şey bulabilirsek, kötü düşecek."

Calvino, albayın yorumuna hiç cevap vermedi. Olay artık Danielson cinayeti dosyasıydı. Albay Pratt de, Weerewat'ın ondan bir bağlantı halkası ötesinde durmasından öfke duyuyordu. Calvino, Albay'ın kendi zamanı içinde ve kendi tarzıyla cinayet suçlamasını destekleyecek kanıtı yavaş yavaş ortaya çıkarmasını bekleyecekti.

"Weerewat gibi bir insanı mıhlamak için yeterince kanıt diye bir şey var mı, Pratt?" Yanıt, Calvino biliyordu ki, ancak Weerewat'ın düşmesinden yarar sağlayacak biri varsa şeklindeydi.

Pratt kavuşturduğu ellerini açtı, tırnaklarını inceledi. Sonra portakal suyunu içti. "Bayan Danielson ile konuştum. Bir de onun avukatıyla."

"Ne dedi?"

"Ona kocasının alerjisi olup olmadığını sordum. Bayan Danielson da olduğunu söyledi. Ev tozları, toz, tüy, kediler. Bu tür şeyler."

Calvino, Albay Pratt'in soruşturmasının hangi yönde gittiğini merak ediyordu. Hukuk şirketindeki avukatların, Oxford ve Cambridge yemeğinden insanların ifadeleri ve laboratuar raporları vardı.

Albay Pratt, "Ona böcekleri de sordum. "Eşekarılarına ve arılara karşı alerjileri."

Calvino şaşkın bakıyordu. "Bunun Danielson'ın ölümüyle ilgisi ne?"

Albay Pratt, "Hiç 'anaplaksis' diye bir sözcük duydun mu?" diye sordu.

"Ana-*ne*?"

"Böcek ısırmasına karşı ağır bir alerjik tepkidir. Her zaman ölümcül değildir. Ama olabilir. Şanssızsan kalp krizine yol açabilir."

Calvino içini çekti, televizyon ekranına baktı. Futbol maçı bitmişti. Liverpool kazanmıştı ve iki sarhoş yumruklarıyla bar tezgahına vurup şarkı söylüyorlardı. "Danielson şanslı değildi," dedi. "Karısı ne söyledi? Bu arada ben de onunla konuşmaya çalıştım."

"Eeee?"

"Benimle konuşmak istemiyor. Tabii bu çok fazla insan ve olayın üstüne üstüne geldiği anlamına gelebilir. Ya da konuşmak istemiyordur, bitti."

"Vincent, ilk adli tıp raporu, Danielson'ı eşekarısı soktuğunu belirtiyordu. Ama vücudunda hiç iğne izi yok. Bu da raporun değiştirilmesini ve ilk raporun yanlış olduğunu söylemelerini kolaylaştırdı."

"Danielson'ın iki Zoloft yuttuğunu biliyoruz. Belki de ilaçlara karşı reaksiyonu vardı. Bunu düşündün mü? İlk rapor gerçekten de yanlış olabilir," dedi Calvino.

"Zoloft'un aktif maddelerinden biri eşekarısı zehiri değil." Google'da Zoloft'u araştırmıştı. Albay ilacın içinde neler olduğunu biliyordu. Bu maddeyi birine vermenin birden fazla yolu olduğunu da biliyordu.

"İlaçlarla oynanmış olduğunu mu düşünüyorsun?"

Albay tam da bunu düşünüyordu. İlk adli tıp raporunu düzenleyen ve olası ölüm nedeni olarak eşekarısı zehri yazan doktoru tanıyordu.

"Benim ne düşündüğüm önemli değil. Arkadaşım, Danielson'ın kanında eşekarısı zehri buldu."

Calvino başını kaşıdı ve boş bira bardağını kaldırarak bir garsonun dikkatini çekmeye çalıştı. "O gece tuvalette Apisak, Danielson'a iki hap verdi. Apisak da Weerewat için çalışıyor." Albay Pratt'in gözlerinin parladığını, yüzünde bir gülümsemenin belirdiğini gördü. "Zamanlama önemli. Çiftlik üzerine bahse girerim ki, Danielson kız arkadaşı Jazz'ın öldüğünü biraz önce öğrenmişti. Rahatlamak için biraz bir şeylere ihtiyacı vardı. Lovell tüm sahneye tanık oldu."

"Onun orada bulunması bir kazaymış gibi görünmeye başlıyor. Danielson'ı ortalıktan kaldırmayı her kim istiyorsa, Lovell'ın haplara tanık olmasını planlamamıştı." Albay Pratt cinayet suçlaması için elini açmıştı.

Calvino yasası: Birçok cinayet ya şanssızlık ya da kötü kan kategorisine girer. "Danielson'ın eşi pek yardımcı olmadı."

Albay Pratt portakal suyunu bitirmişti. "Bayan Danielson ile konuş, Vincent." Liverpool tişörtleri giymiş bir İngiliz çift yanlarından geçerken şakalaşıyordu. Onlar açısından takımları kazanmıştı. Sesleri daha saf ve masum çıkamazdı.

"Sen zaten konuşmuşsun. Benim telefonlarıma da çıkmıyor. Denedim."

Masaya sertçe fırlatılan son iskambil kağıdıydı bu: "Arkadaşlarını tanıyorsun. Birine sana yardım etmesini söyle. Onlar sana borçlu, Vincent."

Arkadaşlık kartı, ağır dinleme aygıtıyla bağlantı kartı, tüm oyunu açan çılgın kart. Calvino oyunu anlıyordu; daha önce de oynamıştı ve ne zaman 38'lik tabancasını kılıfına koyup onu korkutmaya çalışan biriyle göz göze dursa polis albayı kartını oynuyordu.

İş asla kartları saymaya gelmemişti; yılların yükümlülükleri ve anılarla birbirlerine bağlıydılar. Calvino ve Albay Pratt için bu bir oyun değildi. Çünkü bir oyun sona ermişti ve kuralları, kazananları ve kaybedenleri vardı. İngiliz futbolseverler içkilerini bitirip hesap isteyerek pub'dan çıkmaya başladılar. Calvino şimdiye kadar bu olayda biriken hesabı inceleyince Jazz adlı ölü bir masajcı kız, ölü bir Amerikalı avukat ve Pattaya'da ölü bir ustabaşı buldu. Weerewat hesabı henüz ödememişti.

Calvino kendi hesabına da yeni rakamlar koyuyordu. Masaj salonunda Jazz'ın ölümüyle ilgili polislerden hâlâ telefon geliyordu. Bir de *mamasan* vardı, onu merdivenlerde kıstırmış para istiyordu ya da ona borcunu hâlâ kapatmamış olduğunu hatırlatmak için caz CD koleksiyonunu sonuna kadar açıyordu.

"Ondan bir şey istiyorsun," dedi Calvino. Millie Danielson'ı kast ediyordu. "Hadi ama anlat."

"Kocasının kız arkadaşını bilip bilmediğini öğrenmek istiyorum. Jazz'ı sen buldun. Ona sorman çok normal olur. Ölü kızın odasına giren ilk kişi olarak polisin elindesin. Danielson seni tuttu ve sana borcu vardı. Adını temize çıkarmana yardımcı olmasını iste. Ondan Danielson'ın soruşturma için vaat ettiği parayı iste."

Millie ona bir ara bir çek yazacaktı –bir sonraki yaşamında akşam üstüne doğru.

Bir insan birini yıllardır tanıyorsa, bir şeyin onu rahatsız ettiğini söyleyen bir ipucu görür gözlerinde. "Bu işte onun çıkarı ne?"

Albay Pratt bir an düşündü, arkasına yaslandı, portakal suyunu bitirdi. "Shakespeare *Antonious ve Kleopatra* adlı bir oyun yazdı ve Danielson'ı düşündüğümde aklıma gelen bir cümle var orada: 'İmparatorluğunu bir fahişeye vermiş'."

"Bu yüzden de bana siktirip gitmemi söyleyecek. Fahişe öldü. Eş imparatorluğu ele geçirdi. Bu, eve doğru büyük bir slalom. Parktan çıktı. Benimle konuşur mu?"

"Onu eve doğru gidişin eve doğru gidiş olmadığına ikna edebilirsen..."

Calvino, *Bunu nasıl yapabilirim ki?* diye merak etti. *İhanet Riski Rehberi, mem farang*'ların her yerde fahişeler görmesine yol açıyordu, *Altıncı His* filminde ölü gören küçük çocuk gibi. İmparatorlar ve eşler her zaman birbiriyle çok yakından ilgiliydi. Muhteşem Dörtlü, imparatorluklarını ve bu imparatorluk içindeki yerlerini koruması için Calvino'yu tutmuşlardı.

"Onun arkadaşları sana güveniyordu. Sen işini yaptın. Millie Danielson sana güvenecektir. İşler kadınlarla böyle yürür," dedi Albay Pratt.

İşler herkesle böyle yürürdü: İyiliklerin normal olarak yok olduğu bir dünyada bir iyilik yaptığınız zaman, sırf işinizi yaptığınız için kahraman ilan edilirdiniz. Ne var ki Calvino kendini hiç de kahraman gibi hissetmiyordu.

Calvino, "Elimden geleni yaparım," dedi.

"Vincent, dikkatle dinlemeni istiyorum."

"Dinliyorum."

"Weerewat'tan uzak dur."

Calvino sırıttı. "Lovell'ın icat ettiği, Sığınak adlı bir program var elimde. Onun nerede olduğunu bildiriyor."

"Şu anda nerede?"

Calvino omuzlarını silkerek ellerini kaldırdı. "Şu anda Weerewat herhangi bir yerde olabilir. Belki Soi 20'deki şu lüks yerlerden birindedir. Belki bir kız arkadaşıyla sırtüstü yatmıştır. Ya da iskambil oynuyor ve para kaybediyordur."

"Ne programmış."

"Bilgisayarımda. Nerede olduğunu bulmak için tüm değişkenleri bilgisayara girmen gerekiyor. O zaman bile hata payı var," dedi Calvino. Elinin tersiyle alnını sildi. Domuz gibi terliyordu. "Bir ricam var yalnızca. Bunun için bir yazılım programına ihtiyacın yok. Weerewat'ı benden uzak tutabilir misin?"

Albay Pratt, "Elimden geleni yaparım," dedi, sigara dumanı kaplı salonu kokluyordu. Sukhumvit Yolu'nda hiçbir şey saf Taylandlı görünmüyordu artık, sorunlar bile.

OTUZ

Albay Pratt'in istediği şey küçük bir iyilikti. *Çok önemli bir şey değil,* dedi kendine. *Küçük bir şey.* Cinayete kurban giden bir kişinin dul eşiyle görüşmek küçük bir şey olarak varsayılabilirse. Albay Pratt, Millie Danielson'la gidebileceği yere kadar gitmişti. Rahat davranacak ve Millie'nin arkadaşlarının onun kulağına Calvino'nun nasıl bir *mensch** olduğunu, dirseğiyle kaburgasına bastıran, yanıt vermemesi için işaret eden, cümlenin ortasında sözünü kesen boktan bir avukata ihtiyacı olmayacağını fısıldamasını umut edecekti. Avukat ne derdi, "Dul bayanın söylemek istediği şey, bu konuda bir şey bilmediğidir."

Yalnızca ikisi olacaklardı, bir de Danielson'ın hatırası, ortak tanıdıkları kişi. Albay Pratt, Calvino'ya, bürosuna gelen kişiler konusunda kaygılanmamasını söylemişti. Bürona gelenlerin polis olduğunu varsayma; Pattaya'dan olduklarını varsayma; aslını ararsan hiçbir şey varsayma. Albay Pratt, "Ama tekrar gelirlerse," dedi, "bana telefon et."

Calvino'nun yüzünden gergin bir gülümseme geçti. "Olur, öyle yaparım. Siz işe başlamadan önce durun bir albayı arayayım, derim." Sistem zanlıların yakalanıp işkenceden geçirilmesine gözünü kapa-

---

* İyi, onurlu insan –yn.

mıştı. İşkence rutin bir işti. Kaybolmalar yaygındı. Onun başına da gelebilirdi; her an gelebilirdi. Arkadaşı Taylandlı bir polis albayıydı, ama bu onu dokunulmaz kılmıyordu. Ötekilerin harekete geçmeden önce biraz daha temkinli olmasına neden oluyordu yalnızca.

Her ikisi de sınırların farkındaydılar. Çocuklar zanlının hayalarına elektrik veren düğmeye basıp işlerini yaparlarken, albaya telefon etmek zordu. Ama Calvino gene de Albay Pratt'in teklifinin ardındaki duyguya minnet duyuyordu.

Lokantadan çıkarken Albay Pratt, "Fabrikayla ilgili o video ilginçti," dedi. "Fabrikanın sahibi Weerewat'ın adamlarından biri."

"Biliyorum. Lovell'ın elinde hissedarlar ve müdürlerin bir listesi var."

Listeyi albaya verdi. "Adamlarıyla ilgili araştırma yapıyorum."

Albay Pratt her zamanki adamları bulmuştu: şoförler, hizmetçiler, sekreterler, avukatlar ve arkadaşlar. Weerewat'ın klan ve yardımcılarından bir grup oluşmuştu. "Weerewat'ı yere yıkmak, birçok başka önemli insanı da yıkmak demek. Bu da onu bitirme işinin kolay olmayacağı anlamına geliyor," dedi Calvino.

Albay Pratt, Sukhumvit Yolu'na, arabalara, taksilere ve motosikletlere baktı. Sıcak gece havası çok nemliydi. Yağmur gibi hissediliyordu. "Hiçbir zaman kolay olacağını söylemedim. Senin bu işe dahil olmanı istemiyorum."

"Çoktan dahil oldum."

"Bu düzeyde değil."

Albay, büyük balık akvaryumlarının patladığı, tüm balıkların, timsahların, kurbağaların ve köpekbalıklarının dosdoğru yemeklerine doğru yüzdüğü düzeyi kastediyordu. Calvino onların önünde duruyordu.

"Fikrimi değiştirmedim."

"Danielson işinden paranı aldığın zaman kenara çekil, Vincent."

"Ve de Weerawat'ın küçük dağından bir sümük vadisine kaydığını görme şansını kaçırayım mı? Mümkünü yok." Kişisel bir konu haline gelmişti bu. Adamlarını bürosuna göndermesi, işi kişiselleştirmişti ve Calvino'nun adamların Weerewat'ın emriyle geldiklerine hiç kuşkusu yoktu.

Albay Pratt'in yüzünden bir gülümseme geçti. "Kendine dikkat et, Vincent."

"Kendimi koruyabilirim." İçgüdüsel olarak ceketinin altındaki 38'liğe dokundu. Eski bir dost gibi oradaydı, doğru anı bekliyordu.

*

Sukhumvit Yolu'ndaki pub'ın dışında trafik iki yönde de tıkanmıştı. Calvino köşeyi dönüp bir şişe Mekong viskisi ve biraz ekmekle krem peynir almak için Villa Market'e gitti. New York kalitesinde ekmekler değildi bunlar, ama Mekong'la ıslatıldıklarında yeterince lezzetliydiler. Sarı plastik sepetlerden aldı. Alkollü içecekler bölümüne giderek raftan bir şişe Mekong indirdi, elinde çevirerek etiketini okudu. Omzunda bir el hissetti. Ruth Gould yanında durmuş, sessizce yüzünü inceliyordu.

"Sizsiniz," dedi. "Vincent Calvino. Beni hatırlamıyor musunuz?"

Sanki ona iki bin dolar nakit ödemeyi kabul etmiş bir müşteriyi unutacak kadar çok müşterisi varmış gibi. Kocası Noah Denver'a transfer olana kadardı bu: adamın gömülmesini sağlamıştı, kendi tarzında katlanılabilir ölçüde acı veren farklı bir işkence şekli.

"Ruth, bu şişenin etiketini okumama yardım eder misin? İyi bir yıl mı?"

"Bir Mekong şişesi mi? Üzerinde yıl yok, yalnızca barkodu var." Sonra gülmeye başladı. "Neredeyse size inanıyordum. Çok iyiydi."

"Ben de neredeyse sana inanıyordum. Ve arkadaşlarına. Çok iyisiniz. Ama herhalde epeyce deneyiminiz var. Neydi? Benden önce tuttuğunuz iki-üç özel dedektif mi vardı? Evet, iyi, çok iyi. Hepiniz," dedi. Mekong şişesini plastik sepete atmıştı.

"Bakın, Bay Calvino. Altüst olduğunuzu biliyorum. Herhalde benden nefret ediyorsunuz, ben de sizi suçlayamam. Bu da her şeyi daha da komik hale getiriyor. Mekong ve imal edildiği yıl..." Tekrar gülmeye başladı. İki market görevlisi fısıldaşmaya, gülen *mem-farang*'a doğru işaret etmeye başladılar. Böyle bir şeye çok sık tanık olmadıkları, hiç değilse şarap ve içki bölümünde tanık olmadıkları izlenimini veriyorlardı.

"Komik olan nedir?"

"Kocam geçen gece geç saatte eve geldi ve Tanrım, nasıl da altüsttü. Yatak odasına fırtına gibi girdi, ışığı yaktı ve yatağın ucunda deli gibi titreyerek durdu. Alt dudağı küçük çocuklar gibi titriyordu. Sonra sizinle benim bir şeyler yaşadığımız sözlerini söyledi boğulurcasına. İlişkimiz varmış, öyle dedi. Ben bir şey söyleyemeden dizlerinin üstüne çöktü, başını ellerinin arasına gömdü. Çok tuhaftı. Bazen eve sarhoş gelirdi. Ama hiç böyle bir şey yapmamıştı. Bu şekilde devam ederse çocukları uyandıracağından korkuyordum. Tam diyecektim ki, Vincent Calvino, benim sevgilim öyle mi, şaka mı yapıyorsun. Ama Noah neden yaptığımı anlamakla kalmayıp beni affettiğini de söyledi. Layığımı buldum, dedi. Arkamdan iş çevirdiğini, Ölü Ressamlar Sokağı'ndaki barlardan kızlarla çıktığını söyledi."

Calvino, "Ölü Sanatçılar barları," dedi.

"Ölü kısmını doğru anlamışım. Ayrıca Noah, seninle ilişki yaşamak konusunda her tür hakka sahip olduğumu, artık eve döndüğümüze göre işlerin farklı olacağını da söyledi. Normal yaşamlarımızı geri alacaktık. Size teşekkür etmek için fırsat kolluyordum." Çantasını açıp içinden bir zarf çıkardı ve Calvino'ya uzattı.

"Nedir bu?"

"Kocama her ne dediyseniz onun teşekkürü. Onun aklını başına getirmek için inisiyatif kullandığınız için. Benden çok fazla nefret etmediğinizi gerçekten umut ediyorum."

Kasaya doğru yürüdü. Calvino zarfa baktı. Onları izleyen satış elemanları şimdi de onu izliyordu. Zarfın içinde ne olduğunu öğrenmeye can atıyorlardı. Calvino onlara doğru başını kısaca salladı, omzunu silkti ve dişleriyle zarfın kenarını yırttı. Zarf parçasını yere tükürdü. Sonra zarfın içine üfledi, sol gözünü kapattı ve sağ gözünü kısarak içine baktı. Başını kaldırdı ve sevimli üniformaları, kısa gömlekleri ve ağır makyajlarıyla yaklaşmış satıcı kızlara göz kırptı. Bir tanesi şarap şişelerinin tozunu almak için bezini kaldırır gibi yaptı. Calvino elini zarfın içine atıp beş tane yüz dolar çıkardı.

Paraların üzerinden Ben Franklin ona bakıyordu, politikacı, bilim adamı, diplomat, devlet adamı ve kadın satıcısı. Alacağının on beş Ben'i eksikti. Ama Ruth'u hayal kırıklığına uğratacak değildi. Ben'i seviyordu. Sevmeyecek ne var ki? Franklin Fransız, İngiliz ve Amerikan genelevlerini ziyaret etmişti. Bir almanak icat etmişti; *İhanet Riski Rehberi*'ni de o icat etmiş olabilirdi. Gerçi Ben'in döneminde kimse bunu risk olarak görmüyordu.

Calvino onlara paraları gösterince iki satış elemanı sırıttı. Calvino, kasada kuyruğa girmiş Ruth'a başıyla selam verdi.

Parmağını göğsüne götürerek, "oyuncak bebek," dedi. Mekong'u rafa geri koydu, iki *ying*'in yanından geçerek ilerledi ve bir 1996 Merlot alarak sepetine attı. Calvino yasalarından birini hatırladı: annesi yalvarsa bile bir sumo güreşçisinden kuru temizleme işi alma. Ve yabancı eşlerinden aldatma işi kabul etme. Yasayı ihlal etmiş ve acısını çekmişti. Aşağılanma ve onursuzluk birinci dereceden kuzenlerdi ve Calvino tüm zavallı aileyi tanıyordu. Onu evlatlık almış olup olmayacaklarını merak etti.

OTUZ BİR

Calvino, Villa Market'ten çıkınca, müşteriler için kırmızı güller ve mor orkidelerden demetler yapan bir sokak çiçekçisinin önünden geçti. Aynı satıcıyı yıllardır görüyordu ve beyaz çizmeleri ve güzel gülümsemesiyle genç bir kadın olduğu halini hatırladı. Orta yaş kadının üstüne çökmüş, güzelliğini ve gençliğini alıp götürmüştü. Orta yaş Calvino'yu da esir almıştı. Herkes gibi yıllar onu da soymuştu. Kadının onu gördüğünde aynı şeyleri düşünüp düşünmediğini merak etti.

Sukhumvit Yolu'na bakan Starbucks'ın büyük penceresindeki masalar hıncahınç doluydu. İnsanlar kahvelerini almış konuşuyor, okuyor ya da pencereden dışarıya bakıyordu. Calvino, Sukhumvit'te yavaşça yürüyerek oyalandı, Tayland'da *kalmakiçinneden*'lerden dördünü sayıyordu.

Yeşil tişört ve mini kot etek giymiş bir *ying* yanına yaklaştı. "Beni hatırlıyorsun?"

Aslında Mint'i gerçekten de hatırlıyordu. Bir otelin barında garson olarak çalışmıştı. "Nasılsın, Khun Mint?"

Kadın onun elini tutarak, "*Saabai dee*'yim,"* dedi. "Alışverişe gidiyorsun?"

---

* Mutluyum –yn.

Kadın plastik torbadaki şarap şişesinin biçimine bakarken Calvino da başını salladı.

"Ben seninle gidiyorum, tamam?"

Calvino'nun Mint'le ilgili hatırladığı şey, hiçbir zaman kalacak bir yeri yokmuş gibi görünmesiydi. Arkadaşlarının yanında kalıyordu, ama nedense işler hiçbir zaman yolunda gitmedi, o da başka yere geçti. Mint bir yüzücüydü, işlerin arasında, evlerin arasında yüzerdi, ama vücudunun sunduğu ticari olasılıklar onun başını suyun üstünde tutmasına yetiyordu.

Calvino kendisine bir Calvino yasasını daha hatırlattı: Bir *kalmakiçinnedeni* kendi evi yoksa asla evine götürme. Mint'in gitmek için bir nedeni olmazdı. Bu da sorun yaratırdı.

"Bir randevum var. Olmaz."

Kadının yüzü asıldı bir an. "Tamam, kısa süre gideriz."

"Olmaz bebek. Bir dahaki sefere." Calvino geriye bir parça da olsa onur kalsın diye ona umut bıraktı.

Mint, beklenmedik ödeme ve torbadaki pahalı şarap şişesinin yarattığı keyfi kaçırmıştı neredeyse. Soi 33'e doğru sağa döndü. Hayatın güzel olduğunu düşünerek *soi*'ye girerken kendini toplamıştı. Manhattan'da trafik sıkışmasına neden olabilecek yirmi üç yaşındaki bir *ying*'i geri çevirmiş bir orta yaşlıydı. Cebinde para, elinde kaliteli bir şarap vardı. Kendini özgür ve temiz hissediyordu. Weerewat aklından çoktan uçup gitmişti.

*

Calvino orta sınıftan bir yerli ailenin Pan Pan lokantasına girmesini izlerken kendisi de *sub-soi*'ye döndü. İki şey dikkatini çektiğinde *sub-soi*'de çok yol almamıştı.

Tek Elle Alkış'ın önündeki neon ışıklı tabela sönmüştü. Masaj salonunun önündeki alan boştu. Tek bir *ying* ya da plastik iskemle görünmüyordu. İçeride tek bir ışık açık değildi. Terk edilmiş, umutsuz bir görüntüsü vardı, yalnızca kapanmış değil, sonsuza kadar terk edilmiş gibi.

Calvino'nun dikkatini bir şey daha çekti –Weerewat'ın Lexus'u, motoru çalışır halde masaj salonunun yanına park edilmişti. Calvino bir an durdu, gözleri kapalı masaj salonundan Lexus'a gidip geliyordu. Kırmızı stop lambaları yandı. Sürücü frene basmış olmalıydı. Lexus'un içindeki iç ışık yandı. Calvino içeride üç kişi gördü.

Calvino kalp atışlarının aşırı hızlandığını hissetti. Elini 38'lik tabancasında gezdirdi. Bir Taylandlı sürücü koltuğuna oturmuştu, ikincisi yolcu koltuğundaydı, üçüncü adamsa arkada oturuyordu. Calvino Lexus'un yanından adımlarını hızlandırarak geçti. Araba kapılarının kapandığını duyduğunda merdivene gelmişti. İlk merdiven katını çıktığı sırada Weerewat'ın "Vincent, konuşmamız gerekiyor," diye seslendiğini işitti.

Weerewat'ın iş giysileri, gece kulübü kıyafetinin bir alt versiyonu gibiydi. Gemici mavisi ipek gömlekle beyaz keten ceket ve gri pantolon giymişti, çorapsız şık loafer'larla.

Calvino merdivende durup, elinde torba, Weerewat'a baktı. Yanında öteki iki Taylandlı adam vardı. Bürosuna gelmiş olan üç kişiden ikisiydi. Daha önce Pattaya'dan olduklarını ve bir cinayet soruşturması için geldiklerini söyleyen aynı ikili. Kutu gibi kafası ve kara delikler gibi gözleri olan ile, biraz göbekli Çinli'ye benzeyeni. Kutu Kafa ile Şiş Göbek. Kepçe Kulak belli ki aralarında yoktu.

"Geç oldu, neden yarın konuşmuyoruz?" Bu oyun Mint'te işe yarayabilirdi, ama Weerewat bir şey istiyordu ve almadan gitmeyecekti.

"Ben şimdi konuşmak istiyorum."

Calvino pek fazla seçeneğinin olmadığını tahmin etti. "Büroma gidelim," derken, merdivenlerde Albay Pratt'e telefon edebileceğini düşünüyordu.

Weerewat bir anahtar zinciri çıkardı, anahtarları tıkırdattı ve başını iki yana salladı.

Weerewat, "Yukarıya çıkalım," dedi. Calvino'yu sertçe iterek kendi önüne kattı. Bu darbe cep telefonunun elinden düşmesine neden oldu. Kutu Kafa tepesine binmiş, basamaklara yapıştırmıştı. Calvino'nun ceketine uzanıp omuz askısından 38'lik tabancayı çıkardı. Sonra cep telefonunu alıp cebine attı. Yüzünde pis bir gülümseme vardı, birilerini böyle itip kakmak derin bir kişisel ihtiyacı tatmin ediyormuş gibi.

Calvino, "Büro kapalı," diyerek silahına ve üç adama baktı, Kutu Kafa'yı ötekilerin üzerine itip bürosuna hızla çıkma şansını hesaplıyordu. Yukarıya çıkınca durup kapının kilidini açması gerektiğinde ne yapacaktı? Tepesine binerlerdi. Her şeyi ortalıkta yaparsa şansı daha yüksek olurdu, komşular dükkan vitrinlerinden bakarak merdivendeki adamları görebilirlerdi.

"Yürümeye devam et."

Calvino çenesini gıcırdattı. "Biliyorum ve 'aptalca bir şey denemeye kalkma'."

"Ağzın hareket etmese iyi olur."

Calvino makas tekmenin Bangkok versiyonunu yaparmış gibi basamaklara kollarını açarak uzandı. Ne var ki suyun içinde değildi. Üçe karşı bir, iyi bir bahis olmazdı. Kendi silahı şimdi göğsüne dayalıydı, Kutu Kafa'nın parmağı tetikteyken üstelik. Kutu Kafa'nın elindeki telefonu çaldı. Adam telefonu Weerewat'a verdi, o da açtı.

"Vincent bir toplantıda. Sizi daha sonra arar."

Şiş Göbek, "Ayağa kalk," dedi. Kırık İngilizcesi daha çok "Ayakalk" şeklinde çıkıyordu.

Calvino gülümsemememesi bile gerekmezken güldü.

Kutu Kafa ve Şiş Göbek'e bakarak, "Siz çocuklar Daeng'in katilini bulamadınız," dedi. Şiş Göbek arkadaşından yarım omuz daha kısaydı ve Calvino'nun uyluklarına tekme attı. Bürosuna geldiklerinde daha ufak tefek görünmüşlerdi. Ama Calvino sırtüstü yatmıyordu o zaman. Yavaş yavaş doğruldu.

"Şu namluyu çeker misin? Silahın tetiği çok hassas."

Kutu Kafa silahı Calvino'nun üzerinden çekmedi.

"Vincent, bu işi temizleyebiliriz." Weerewat, Calvino'ya merdiveni çıkması için işaret etti. İki adam bürosunda sert görünmüşlerdi; şimdi karanlıkta söyleyecek hiçbir şeyleri yokmuş gibi duruyorlardı, bu da kaygı vericiydi.

Calvino, *elinde tabanca olan iki sumo güreşcisi var yanımda,* diye düşündü. Hayır deme şansı ona tanınmayacaktı.

Şiş Göbek önde, Weerewat ile Kutu Kafa arkada, Calvino merdivenden bir kat yukarıya çıktı. Sahanlıkta durarak Weerewat'ın boş büro kapısını açmasını beklediler.

İçerisi geniş, kullanılmayan ve açık plan bir büroydu. Tahta döşeme ve pencerelerde jaluziler. Calvino'nun bürosu bir kat yukarıdaydı; masaj salonu ise bir kat aşağıda. Tek Elle Alkış'ın *mamasan*'ı neredeydi? Bütün o *ying*'ler neredeydi?

Kutu Kafa ve Şiş Göbek, kot ceketleri ve pantolonlarıyla, sigara ve sarımsak kokarak, kapıda nöbete geçti. Calvino'nun 38'lik özel polis tabancası artık Kutu Kafa'nın elinde değildi. Bu rahatlatıcı bir şeydi hiç değilse. İçeride Weerewat düğmeye basınca tepedeki ışıklar yandı.

Calvino boş odanın ortasında, sarı Villa Market plastik torbasıyla durdu. Şarap şişesinin bütün bu olaylara dayanması mucizeydi. Calvino bunu bir şans işareti olarak yorumladı.

Calvino, "Ne istiyorsun?" diye sordu.

Weerewat, "Beni hayal kırıklığına uğrattın," cevabını verdi. "Senden bir şey istedim. Ama sen beni dinlemiyorsun. Bu da beni kızdırıyor."

"Atlatırsın." Güçlü birini öfkelendirmek hiçbir zaman iyi bir şey değildi. Calvino bunu biliyordu ve on dördüncü yüzyıla göre döndüğü o zaman tünelinden geçtiğini de kavradı.

Weerewat pencerelerin önünü arşınladı, döndü, düşünüyormuş gibi elleri iki yanında geri geldi. Başını iki yana sallayıp içini çekti.

"Birçok açıdan büyük bir hayal kırıklığı oldun."

"Ben de senin yanında çalışmanın fazla tatmin yarattığını söyleyemem."

Weerewat derin derin içini çekince Kutu Kafa, Calvino'nun böbreklerine yumruk attı. Yumruk büyük bir ustalıkla atıldığını belli ediyordu. Daha sonra Şiş Göbek harekete geçerek vücudunun tüm ağırlığını kullanıp Calvino'yu duvara yapıştırdı. Calvino yere yığıldı. Merdivendeki saldırıdan kurtulan şarap şişesi bu kez kurtulamamıştı. Calvino plastik torbayı yere düşürdü, şarap şişesi silah patlaması gibi bir sesle parçalandı.

Koyu kırmızı şarap, Calvino'nun dizlerinin üstünde oturduğu yerden döşemeye yayıldı. Fransız şarabı pantolonunu sırılsıklam etti.

Weerewat, "Ayağa kalk, şimdi," dedi.

Calvino elini uzattı, bir parmağını yukarıya kaldırarak biraz daha zaman istedi. Zar zor ayağa kalkmaya çalışırken kırık şişeye baktı ve kan tükürdü. "Kırdığınız kaliteli bir şaraptı. Üç kuruşluk bir şey değil."

"Hiç de komik değil. Ama sen anlamıyorsun, değil mi, Vincent?"

Calvino şarap gölünde oturarak, "Bana Khun Vincent desen daha çok hoşuma gider," dedi.

İki adam Calvino'yu kollarından tutarak ayağa kaldırdı, duvara yasladı. "Silahımı geri alabilir miyim sence?" Kutu Kafa ona bir yumruk salladı. "Bundan *hayır* anlamını çıkarıyorum."

Kutu Kafa ile Şiş Göbek'in patronlarından bile daha az mizah duyguları vardı. Kutu Kafa'nın yumruğu büyük bir güçle midesine indi. Calvino'nun gözleri döndü, yere düşerken pub'daki balık ve cipsle biraları çıkardı.

"Bu akşam Liverpool kazandı. Bahse girerim siz bunu bilmiyorsunuzdur."

Weerewat başını sallayınca Kutu Kafa, Calvino'nun kafasına bir yumruk daha indirdi. Calvino başını kaldırdı, oda ve adamlar dönüyordu. Gözlerini, tepesinde yumrukları sıkılı duran Kutu Kafa ile Şiş Göbek üzerinde odaklamak istiyordu. Onları dört kişi olarak görüyordu. Kendini bayılmamaya şartladı. Onları bulanık bakış açısının içinde tuttu. Kutu Kafa yarım zihin-okuyucu olmalıydı, şarap şişesinin kırık ağzını bir tekmede öteye fırlattı. *Bu çifte gitmekiçinneden olarak sayılır.* Adamlardan biri kaburgalarını tekmelerken dört iyi *kalmakiçinnedene* tutunmaya çalıştı. Sabit adresleri olmayan *ying*'leri almama yasasını ihlal edip Mint'le saatle kiralanan bir otel odasına gitmeliydi. Calvino dosyalanmak üzere bir not koydu: Yasaları uygularken daha esnek ol.

"Hâlâ her şey size komik mi geliyor, Bay Vincent? Hâlâ gülüyor musunuz?"

Feodal derebeyi hayatta kalabilmek için alçakgönüllü ve edilgin bir kişilik gösterdi. New York'dan gelen Calvino alçakgönüllüğünün üzerinde tökezledi, edilginin üzerinden fırtına gibi geçti ve başını kaldırıp Kutu Kafa ile Şiş Göbek'e bakınca on dördüncü yüzyılın onun gibi biri için çok sert bir yer olduğunu kavradı.

Calvino yere dökülenlerle kuşatılmıştı –pis kokan balık ve cips, uzun bir tatilin ortasında bir köy sağlık ocağının mide bulandırıcı kokusu. Pisliğin ortasında oturuyordu, her yanı içki, pis kokular, tiksintiye bulanmıştı. Weerewat'ın pahalı İtalyan ayakkabılarının uçları dokunma mesafesindeydi.

Kutu Kafa yumruklarını sıkıp sıkıp açtı, harekete geçmek için Weerewat'ın işaretini bekliyordu. Calvino artık pes demeye hazırdı. Alçakgönüllülük ve edilginlik birden cazip gelmeye başlamıştı.

"Sizin için ne yapabilirim?"

Weerewat gülümsedi. "İşte duymak istediğim buydu." Calvino'nun önünde ileri geri yürümeye başladı. Calvino ise yerde otururken sırtını duvara yaslamıştı, bacakları kırık cam, dökülmüş şarap ve kusmuk içinde uzanmıştı. "Danielson için çektiğin orijinal dijital kaseti istiyorum. Başka kopya varsa onları da."

Calvino, "Neden söz ediyorsun hiç anlamadım," dedi.

Weerewat adamlarından birine baş salladı, o da Calvino'nun yüzüne okkalı bir tokat yapıştırdı.

"Columbus Amerika'yı keşfedince beni uyandırın. 1492'lerde olmalıyız." Calvino ejderhanın Galileo Chini'nin resminden çıkarak sokakta süzüle süzüle geldiğini gördü, ziller çalıyor, gökyüzü kızıla boyanmış, ejderha dosdoğru üstüne atıldı ve bir an gökyüzü kapkara oldu.

Şiş Göbek, Calvino'nun sol tarafına çalışıyordu ve sağlam bir sol yumrukla vurdu. Calvino başını kaldırıp Weerewat'a baktığında kulakları hâlâ çınlıyordu.

"Öğrenme sorunun mu var?"

Calvino yavaşça gözlerini açtı, çenesini oynattı ve başını iki yana salladı. O ana kadar kırılmış bir yeri yoktu. Ancak birkaç kişi kaseti biliyordu. Zihninden kısa listeyi geçirdi. Bir keresinde Pratt kaseti polis merkezine götürmüştü, birkaç polis kaseti biliyor olmalıydı, buradan da yayılmıştı.

"Bu iş bitti. Yok oldu."

"Lovell sana vaka dosyalarını verdiğini söyledi. İlaç üreten bir fabrikanın kasetinin elinde olduğunu da söyledi."

"Yani New Road'da yaptırttığın o sahte boktanlıklar mı demek istiyorsun?"

Kutu Kafa ona elinin tersiyle tokat attı. Duvara kan sıçradı. Calvino gözlerini kapattı, kulakları uğulduyordu.

Çocuğa ne yapmışlardı? Yoksa Weerewat'ın gömlek yakasını, Şiş Göbek'in gözlüğünü düzeltmiş ve Kutu Kafa'nın favorilerini eşitlemiş miydi? Bunlar pek mümkünmüş gibi görünmüyordu. Oğlanı eşek sudan gelinceye kadar dövmüş olmaları daha akla yakındı.

Gözlerini açınca Weerewat'ın yüzünü gördü. "Lovell bize her şeyi anlattı."

Calvino, "O halde benim elimde olmadığını da söylemiştir," dedi.

Weerewat başını sallayıp bir sigara yaktı. "Ayrıntılara girmedik."

Weerewat çömelip Calvino'nun gözlerinin içine baktı. Kutu Kafa bir sigara yaktı, Şiş Göbek de jaluzilerden birini açıp *soi*'ye baktı. Calvino dengesini bulmaya çalışırken oda dönüp duruyordu. "Seni yok edebilirim. Bunu anlaman gerek. Kimse seni asla bulamaz. Bir cinayet suçlamasından kaçtığına inanırlar. Ülkeden çekip gittiğine. Sana söylediklerime inanmalısın."

Calvino ürperdi, her yeri ağrıyordu: omzu, midesi, başı, kulakları ve kaburgaları. Ağrımayan bir yerini bulmaya çalıştı. İnsanlar gerçekten de kayboluyordu. Güneyde Müslümanlar'ı temsil eden ünlü bir avukat kaybolmuştu. Yüzü her gün gazetede çıkıyordu. Bir gün ortalığa çıkmamıştı ve kimse onun nereye gittiğini bilmiyordu, ama herkes kaybolmak zorunda kaldığını biliyordu. Somchai bile kaybolmuşsa, herkes bir arabanın arkasına tıkılıp bir yerlere götürülebilir, vurulabilir, yakılabilir, külleri savrulabilirdi.

"Video nerede?" Weerewat'ın sesine panik yerleşmiş, bir oktav daha yüksek ve tiz çıkıyordu.

"Bir arkadaşımda."

"Adı ne?"

Calvino, "Onu bu işin içine sokmak istemiyorum," dedi ama sol kulağına da yumruğu yedi. Çınlama tsunami gibi her yanını kapladı.

"Neden arkadaşına verdin?"

"Bilgisayarcı. Çekimde bazı yerler fazla karanlık. Düzeltiyor."

"Adı nedir?"

Kutu Kafa ile Şiş Göbek iki yanında harekete geçmeye hazır bekliyordu.

"Tamam, tamam. Bekle. Yeter artık. Adı Khun Prachai." Albay Pratt'in cep telefonu numarasını söyledi. Albay Pratt, *başın derde girerse bu numarayı kullan,* demişti. Durum albayın dert tanımına uyuyordu.

Weerewat numarayı çevirmek için Calvino'nun cep telefonunu kullandı. İkinci çalışta Albay Pratt telefonu açtı. Weerewat telefonu Calvino'ya verdi ve konuşması için işaret etti.

"Khun Prachai, affedersin, *pee,** ben Khun Vincent ve kasetimi geri

---

* Yaşça büyük biriyle konuşurken kullanılan bir hitap –yn.

almam gerekiyor. Gerçekten çok ihtiyacım var. Hayal kırıklığına uğratmak istemediğim bazı insanlar var. Kaseti büroma getirebilir misin?... Ne zaman mı? Şimdi olsa iyi olur. Kusursuz bir zaman... Sesim komik çıkıyor biliyorum. Düştüm. Ama iyiyim."

Konuşma bittikten sonra Kutu Kafa cep telefonunu Calvino'dan çekti aldı. Weerewat odayı arşınladı, jaluziyi hafifçe aralayarak *soi*'ye baktı.

"Kasetle birlikte mi geliyor?"

"Yolda."

Weerewat, "İyi bir arkadaşın mı?" diye sordu.

"En iyi arkadaşım."

Weerewat bu kez *farang*'ın ağzından doğruya yaklaşan bir şeyler çıktığını anladı. "Çok iyi, Vincent. İnsan hayatta dostlara ihtiyaç duyuyor."

Calvino gülümserken dişlerinin arasından kan sızıyordu.

OTUZ İKİ

Albay Pratt, Calvino'nun *soi*'sine otuz dakika sonra vardı. Şiş Göbek kuytu bir yerden açığa çıktı. "Vincent yukarıda," dedi. "Önce sizi arayacağım."

Şiş Göbek, Albay Pratt'in üstünü aramak üzere yaklaşırken gözlerini bir an Pratt'den öteye çevirince şiş göbeğine bir sağ kroşe yedi. Şiş Göbek dizlerinin üzerine çökerken bir su kovasındaki sazan gibi ağzını sessizce oynatıyordu. Dört sivil polis yanlarına gelerek Şiş Göbek'e kelepçe taktı ve onu Pan Pan lokantasının önüne park etmiş minibüse götürdü.

Pratt öteki iki polise merdiven başında durmalarını işaret etti. İkinci katın ışıklarının açık olduğunu gördü. O boş odada hiç ışık olmaması gerekiyordu. Kutu Kafa jaluzileri açmıştı. Albay Pratt, Calvino'nun yerde oturduğunu gördü. Onun yaklaşmasını izliyorlardı. Penceredeki adamın elinde silah olduğunu gördü. Albay Pratt, Kutu Kafa'nın görebilmesi için kaseti yukarıya kaldırdı. Weerewat kadraja girdi, kaseti gördü ve başını sallayarak Albay Pratt'e yukarıya çıkmasını işaret etti. Kutu Kafa açık kapının yanında duruyordu. Albay Pratt içeriye girdi, Kutu Kafa'nın silahı albayın karnına dönüktü.

Calvino, "Merhaba, Khun Prachai," dedi.

"Vincent kaseti getireceğinizi söyledi. Lütfen kaseti bana verin," dedi Weerewat.

Albay Pratt merdivende göstermiş olduğu kaseti dikkatle uzattı. Pencere kenarında mevzilenmişti. Başını önce sağa, sonra yavaşça sola eğdi. Weerewat kaseti elinde çevirdi, gülümsedi ve beyaz keten ceketinin cebine soktu.

"Artık eve gidebiliriz," dedi.

Albay Pratt'in destek kuvvetleri sinyali görmüştü. İki sivil polis açık kapıdan içeriye daldılar, silahlarını çekmişlerdi.

Weerewat cebindeki kaseti sıkı sıkı tuttu. Albay Pratt, Kutu Kafa'ya, "Bana silahını ver," dedi. Weerewat başını salladı, Kutu Kafa da Albay Pratt'e 9 mm'lik tabancayı verdi. Calvino gözlerini kırpıştırarak yaşları engelledi. En sonunda bitmişti.

Albay Pratt, "Gözaltındasınız," dedi. Kelepçe çıkartmıştı.

Weerewat sırıttı. "Ben bir suç işlemedim. Burada bir yanlış anlaşılma var."

Calvino, "Bunu samimiyetle yapılan bir yanlışlık olarak düşün," dedi. "İş anlaşmamızın bir silah maddesi de olduğunu sanmış. Ben olmadığını sanıyordum. İşte böyle." Kusmuğunun arasından Kutu Kafa'nın yanına gitti, gülümsedi ve hayalarına tekme attı.

"Şimdi bana silahımı geri ver, götlek."

Weerewat, Calvino'nun Kutu Kafa'ya yaptığından kesinlikle hoşlanmadı.

"General Theparak'a telefon etmek istiyorum."

Albay Pratt, Weerewat'ın cep telefonunu aldı. "Sizi kaydettikten sonra istediğiniz kişiye telefon edebilirsiniz."

"Sen benim kim olduğumu biliyor musun?"

"Kim olduğunuzu unuttuysanız, kimliğinizden buluruz."

"Beni neyle suçluyorsunuz?"

"Taciz, yasadışı silah, haneye tecavüz, bir kişiyi yasadışı alıkoyma, bunlar başlangıç."

Weerewat, "Bu adamla aşağıdaki adam polistir," dedi.

Calvino, Kutu Kafa'nın kot ceketini aradı ve içinden bıçaklar, tabancalar ve muşta çıkardı. Kutu Kafa yerde iki büklümdü, ellerini hayalarının üzerine kapatmıştı. Calvino onun yanına çömeldi, cebinde bulduklarına baktı. "Baksana, adam ayaklı silah deposu."

Albay Pratt de çömeldi, tabancalardan birini aldı.

"Bu senin mi?"

Calvino 38'lik polis tabancasına gözlerini kısarak baktı, başı dönüyordu. Pratt tabancayı sanki sıcakmış gibi elinde çevirip duruyordu. Gözlerini silaha odaklamak isteyince başı döndü. En sonunda elini dur, tamam, Pratt, demek için kaldırdı. "Bana ver." Albay Pratt silahı verdi, Calvino da kılıfına soktu.

Calvino, "Nasıl görünüyorum?" diye sordu.

"Dayak yemiş gibi." Albay Pratt, Kutu Kafa'ya kelepçe taktı.

"Genellikle öyle görünürüm zaten."

Bir polis daha gelip Weerewat'a kelepçe taktı.

"O kadar çok fark yok." Albay Pratt elini uzattı. "Elimi tut."

Üç adamı karakola götürme zamanı gelmişti.

Weerewat ile Kutu Kafa minibüse götürüldü, Şiş Göbek sürücü koltuğundaki polisin içtiği sigara dumanının ve Pan Pan'dan gelen kokuların keyfini çıkarıyordu. Albay Pratt, Weerewat'ın kim olduğunu çok iyi biliyordu; Weerewat'ın telefon etmek istediği generalin karanlık taraf adına çalıştığını ve yeterli nüfuz ve gücünün olduğunu da biliyordu.

*

Albay Pratt karmakarışık odayı inceledi. Kırık şarap şişesini alıp etiketini okudu.

"Sınıf atlamışsın, Vincent."

"Şansımın döndüğünü sanmıştım."

"Dönmüş, çok belli."

Calvino'nun pantolon paçaları yerde duran keskin bir cisme takıldı, ayağa kalkarken pantolon paçası yırtıldı. Calvino pat diye yere oturdu. Kırık camlardan kaçınarak elini dikkatle döşemenin üzerinde gezdirdi. Şarabın düz bir çizgi halinde aşağıya aktığını gördü. "Çok tuhaf."

Albay Pratt dizini koymak için kuru bir yer buldu. Döşemeye gizlenmiş bir sürgü keşfetti, sürgüyü açınca bir kapak ortaya çıktı. Albay Pratt ile Calvino eğildiler, Tek Elle Alkış'ın bir odasına bakıyorlardı.

Calvino, "Bu da nedir?" diye sordu.

Bakıştılar. Calvino kendini yavaşça odaya sarkıttı, ayağı tek kişilik bir yatağa bastı. Yataktan yere indi ve pencere kenarında durarak Weerewat'ın Lexus'una baktı. Albay Pratt de onun ardından geldi. Yatağın üzerinde durmayı sürdürdü. Kapağa baktı. Odadaki kimse tavandaki kapağı göremezdi. İnşaatçılar kapağı saklama konusunda iyi iş çıkarmışlardı.

Calvino kapıya gitti. Elini iç kısmında ve menteşelerde gezdirdi. Ağaçta hâlâ yarıklar vardı. Kırdığı kapıydı bu.

Calvino, "Bu olanlardan ne çıkarıyorsun?" diye sordu.

Oda artık ona tanıdık geliyordu. Kızın öldüğü odaydı burası. Birkaç ayrıntı dışında –kırık kapı, tavandaki gizli kapak ve ölü bir *ying*- şehirdeki benzer binlerce oda gibi.

Albay Pratt pencereden başını çevirdi. "Karakola gitme zamanı geldi."

Calvino, "Weerewat'ın arkası kuvvetli," dedi. Yavaş hareket ediyor, birkaç adımda bir duruyor, omuzlarını, başını oynatıyor ve kaburgalarında keskin bir acı hissediyordu. Bir yeri kırılmıştı.

"Beni aramakla doğru olanı yaptın."

Albay Pratt'in ses tonundan Calvino on dördüncü yüzyılın içine çekilmeye ne kadar yaklaşmış olduğunu anladı. Her tarafı ağrıyordu ve bazı yerleri kırılmış, eğilip bükülmüş, mümkün olduğunu sanmadığı açılarda burulmuş gibi geliyordu. Noah Gould bu yüzden korkmuş kaçıyordu. Weerewat'ın adamlarının neler yapabileceği konusunda bir fikir edinmişti. Denver birden hiç hayal etmediği kadar çekici bir yer haline gelmişti.

OTUZ ÜÇ

Calvino, Honda City'sini Lovell'ın apartmanının ziyaretçi park yerinde bıraktı. Bina başka lüks binalarla çevriliydi. Lovell refah içindeki yabancı nüfusun tam göbeğinde oturuyordu, kişisel serveti olanlarla ya da kirasını şirketin ödedikleriyle birlikte. Aslan ağzı şeklinde yapılmış çeşmeden su akıyordu, sanki donmuş hayvan sürekli kusmaya mahkum edilmiş gibi.

Calvino kendi şişmiş yüzünü sildi ve dudağına dokundu. Dudakları kurumuş ve dayaktan şişmişti.

Apartmana giden yolda soluk ışıklar iki kenarda bakımlı çitleri aydınlatıyordu. Binanın cephesi mavi camdandı. Bir güvenlik mensubu girişte Calvino'yu durdurdu. Güvenlikçiye Lovell'ın arkadaşı olduğunu söyledi, o da onun geçmesine izin verdi. Bir *farang*'ın bir *farang*'ı görmek istemesi güvenliği geçmek için yeterli bir sebepti. Lobi lüks içinde yüzüyordu, koyu renk lambrilerde altın rengi rölyefler vardı. Tel, çelik ve bambudan yapılma gümüş rengi heykeller bir kenarda duruyordu. *Birilerinin yeğeni bunu sihirli mantarların etkisi altında tasarlamış,* diye düşündü Calvino. Tavan vardı, onun üstünde bir tavan daha vardı. Lobi tavanın da üstüne çıkan bir alan kaplıyordu.

Calvino asansörle onuncu kata çıktı. Her katta yalnızca iki daire vardı, koruma ona sağa dönerse Lovell'ın dairesini bulabileceğini söylemişti. Calvino kapıya birkaç kez vurduktan sonra Lovell kapıyı açtı. Üzerinde bol bir pantolon ve bir Los Angeles Lakers tişörtü vardı. Calvino'yu, daha doğrusu şiş yüzünü görünce şaşkınlık belirtisi göstermedi. Calvino da, Lovell'ın yüzünün sağ tarafındaki yaraları ve çizikleri görünce şaşırmadı. Lovell büyük bir kediyle güreşmiş de maçı kaybetmiş gibi duruyordu.

Calvino, "Pek iyi görünmüyorsun," dedi.

"Aynaya bakmaya çalışın."

"Weerewat saygılarını sunuyor. Kutu Kafa ile Şiş Göbek de, onlar da seni özlediklerini bildirmek istediler."

"Aslında o kadar da komik değil, Bay Calvino."

"Onlara hukuk şirketindeki dosyaları ve video kaseti anlattın."

Lovell kusursuz katlanmış gömlek yığınından başını kaldırdı. "Üzülmem gerektiğini düşünüyorsanız, boş verin. Dayaktan canımı çıkardılar."

"Bu her zaman gitmek için nedendir," dedi Calvino. Üç sözcük halinde söylemişti.

"Cameron'ın bana verdiği uçak biletini biliyorlardı. Beni döven o köpek herif."

Calvino gülümsedi. "En sonunda Cameron'ı anlamışsın."

"Siz de bunu doğru anladınız."

"Senin için büyük şans, Weerewat kusursuz belleğini bilmiyor."

"Bunu bilmediğimi mi sanıyorsunuz?"

Lovell oturma odasında dolaşarak masanın üzerinde açık duran iki büyük bavula gömlekleri koydu. Turuncu duvarlar, pembe kanepe ve iskemleler ve duvarda çerçeveli mavi, tombiş bir fil. Odada eksik olan tek şey mutfaktan arkalarında çayır çimen izleri bırakarak çıkan bir Hobbit ailesiydi.

Calvino, "Biraz hırpalandın, şimdi de kaçıyorsun," dedi.

Lovell kahkahalara boğuldu. "Söyleyene de bakın. Weerewat'ın yanında çalışan biri. Bunu yaptığınıza inanamıyorum. Dedenizin üç adamın baskınına uğradığı gibi inanılmaz bir hikaye anlattınız bana. Kendini nasıl savunduğunu. Onuru için savaştığını. Onun cesareti ailenizde devam etmemiş galiba, Dedektif."

"Nereye gidiyorsun?"

Lovell omzunun üzerinden baktı, uçak biletini alıp salladı. "Bu bileti görüyor musunuz? LA diyor. Ama önemli değil, bu cehennemden uzak olsun da neresi olursa olsun."

Calvino duvara yaslanmış onun toplanmasını izliyordu. "Bir sorundan kaçıyorsan önemli olan budur. Nereye kaçtığın bu kadar önemli değildir.

Lovell başını iki yana salladı. Valizinin yanında durmuş, ellerine yaslanmıştı. Calvino'ya baktı.

Calvino, "Ben seni savaşçı sanmıştım," dedi. "Doğru olanı doğru nedenle yapmak istediğini sanmıştım. Patronunun katilini bulmak istediğin için kaldığını sanmıştım."

"Andrew'un katilini bulmama gerek yok. O beni buldu zaten."

"Demek sen de Noah Gould gibi kaçacaksın."

"Noah Gould gibi hayatta kalmayı planlıyorum. Bu kötü bir oyun planı değil, Dedektif. Bunu siz de düşünseniz iyi olabilir."

*

Karakolda Weerewat ile iki adamı, Kutu Kafa ile Şiş Göbek silahları geri verildikten sonra salındı. Vincent Calvino'nun boş ikinci kata haneye tecavüzden tutuklanmasını istemişlerdi. Albay Pratt emniyet müdürüne bizzat giderek Calvino'yu suçlamak için hiçbir kanıt olmadığını söylemişti.

Müdür, "Onun Pattaya'da bir adam öldürdüğünü söylüyorlar," dedi.

"Bu konuda hiçbir kanıt yok."

Müdür başını salladı. Kutu Kafa ve Şiş Göbek gerçekten de Pattaya polisleriydi. Her durumda cinayet Tonglor polisinin yetki alanının dışındaydı.

"Bu Calvino'nun, Khun Weerewat'ın bürosuna zorla girdiğini keşfettikten sonra polislere saldırdığını söylüyorlar."

Albay Pratt parmaklarını birbirine yapıştırmış, dinliyordu. "O da adamların onu zorla büroya soktuklarını ve dövdüklerini söylüyor."

"O onu dedi, bu bunu dedi vakası bu. Ne var ki Khun Weerewat adamın söylediklerinden pek hoşnut değil. Ben derim ki orta yolu seçelim. Bir uzlaşma noktası bulalım."

Kimse kimseden şikayetçi olmadı ve bir saat sonra iki taraf da serbest bırakıldı. Weerewat karakoldan çıkarken polislere *wai* yaptı. Birkaç dakika sonra da Calvino bırakıldı. İki polis memuru ona beladan uzak durması için sert bir uyarıda bulundular. Albay Pratt yakınlarda durmuş, bir şeylerle uğraşıyordu. *Wai* yok, Calvino'nun dikkatli olması için sert uyarı dışında hiçbir şey yok. Polislerin başını epeyce ağrıtabilecek önemli bir insana sıkıntı yaratmamalıydı.

*

Calvino, Lovell'a karakolda olanları anlattıktan sonra Lovell toplanmaya tekrar geri döndü. "Böyle bir yerde nasıl kalabiliyorsunuz? Yozlar ve kötüler asla, asla cezalandırılmıyor. Weerewat'ın kuklaları beni dövebilir, sizi dövebilir ve onlara bir şey olmaz. Neden burada kalmak isteyesiniz ki?"

"Hiçbir şeyin değişmemesinin nedeni kaçan insanlardır."

"Ben kaçmıyorum."

"Noah Gould'un bunu söylemesini, sonra da kirişi kırmasını beklerdim. Ama senden beklemezdim, Lovell."

"Bir işim yok. Kız arkadaşım yok. Aslında düşününce, hiç kız arkadaşım olmamış. O benim bebek bakıcımdı. Buraya geldiğimden beri yirmi dört saat gözlem altındaydım. Burada kalmak istememe neden olabilecek tek bir şey aklıma gelmiyor şimdi. Hukukun olduğu bir yerde yaşamak istiyorum. Serserilerin beni dövmediği bir yerde. Normal bir yaşam kurabileceğim bir yerde. Söylediklerimi anlamanızı beklemiyorum. Çok uzun zamandır buradasınız. Sizin için olumlu ölçüde normal görünebilir her şey. Bunun benim başıma gelmesini falan istemiyorum. Şimdi, toplanmamı bitirmeme izin verirseniz, yakalamam gereken bir uçak var."

Calvino oturma odasının öteki tarafında duran pembe kanepelerden birine oturdu.

"İçecek bir şeyler bulunmaz mı?" diye sordu.

"Mutfakta, sağ üst dolapta. Kendiniz alabilirsiniz."

Calvino her tarafı beyaz ve krom mutfağa gitti. Bir ara bir dergide gördüğü lüks bir geminin içi olabilirdi bu mutfak. Dolabı buldu, içinden on beş yıllık bir Johnnie Walker şişesi çıkardı ve kendisine iki parmak koydu. Dolapta buz da buldu ve bardağa üç küçük buz kalıbı attı, bardağı çevirdi ve oturma odasına geri döndü.

"Oxford ve Cambridge yemeği gecesi, Danielson'ın masasında kimler olduğunu hatırlıyor musun?"

Lovell bir kravatı katlayıp valizin içine koyduktan sonra başını kaldırdı.

"Polise anlatmıştım. Raporlarında var. Raporları saklıyorlarsa tabii. Ya da belki adları raporlarda çıkan insanlara satıyorlardır. Hiçbir fikrim yok."

"Danielson o gece tuvalete geldiğinde bir eşekarısı ya da arı tarafından sokulduğuna dair bir şey söyledi mi?"

Lovell ayağa kalktı. "Sokulmayla ilgili hiçbir şey söylemedi."

"Bazı insanlar arı sokmalarına karşı ağır alerjik reaksiyonlar gösterir. Buna anaplaksis deniyor. Kalp krizine yol açabilir. Bildiğin bir alerjisi var mıydı?"

Lovell, yan sehpanın üzerinde bronz bir atla kalem inceliğinde bir balerin biblosu arasında duran Siri'nin çerçeveli fotoğrafını aldı. Fotoğrafı çıkarıp çerçeveyi paketledi. Siri'nin fotoğrafı yaprak gibi süzülerek yere düştü. Lovell, "Alerji kalıtsal olabilir," dedi.

Calvino, "Herhalde olabilir," cevabını verdi.

"Bunun gibi bir şeyden ölen bir erkek kardeşi vardı. Ondan üç yaş büyüktü. Bir tarlada oynuyorlardı ve bir eşekarısı yuvasını devirdiler. Erkek kardeşi kaçtı ama yeterince hızlı koşamadı. Sırtından ve boynundan altı eşekarısı iğnesi çıkarıldı. Birkaç saat sonra öldü."

"Millie bu erkek kardeşin ölümünü biliyor muydu?"

"Pek aile sırrı sayılmazdı. Tabii ki biliyordu."

"Millie'nin, Tek Elle Alkış'ta çalışan *ying* ile Danielson arasındaki ilişkiyi bildiğini düşünüyor musun?"

Millie ile arkadaşlarının birkaç özel dedektif tuttukları bilgisini açık etmedi. En beceriksiz dedektifin bile Millie Danielson'a koşup anlatmaması olanaksız bir şeydi. Millie biliyordu. Elbette ki Jazz ile ilgili her şeyi biliyordu.

Lovell omuzlarını silkti. "Kocasının ailesiyle ilgili ne bildiğini ya da bilmediğini ben nereden bileyim? Neden ona sormuyorsunuz?"

Calvino viski bardağını bırakıp yan sehpanın yanına gitti. Eğilip

Siri'nin fotoğrafını yerden aldı. Kız tam bir *kalmakiçinneden* olarak duruyordu. "Burada yalnız mı yaşıyorsun?"

Lovell valizlerden birini kapattı ve kilit şifresini girdi. "O da *bir zamanlar* burada yaşıyordu. Ama bu bana çoktan uzun zaman önceymiş gibi geliyor."

Calvino odaya bakındı. Mutfağa gitmiş ve incelemişti. Tüm ev pırıl pırıldı, yalnızca temiz değil, düzenli, organize ve akılcı.

Calvino, "Hizmetçin var, değil mi?"

Lovell kaşlarını çattı. "Hayır, hizmetçim yok. Bu sömürüdür."

"Evini kendin mi temizliyorsun?"

"Normal olan bu. Biz farklı bir kuşağız, efendim."

"Benim de hizmetçim yok. Üstelik sana bir üstünlüğüm de var: Ben saçımı da kendim kesiyorum."

Fotoğrafa bakarken Siri'nin gülümsemesine hayran kaldı.

"Ne zaman ayrıldı? Bir hafta önce mi?" diye sordu Calvino. "Güzel bir kadın." Aklından, *Bu tür bir kadın evleri temizlemez. Tırnaklar gerçek hikayeyi anlatır ve Siri'nin hikayesi de fiziksel emekten kaçındığı. Toz alma, yıkama ve pişirme işlerinden uzak durmaktan gurur duyuyor. Onun tarzı değil,* diye geçirdi.

Lovell, "Yaa, güzellik kraliçesi," dedi.

"Benim hiç böyle güzel bir bakıcım olmadı,"dedi Calvino.

Lovell açık valizdeki iç çamaşırlarını karıştırıp bazılarını pembe iskemlelerden birinin üstüne koydu. "Şanslısınız. Bu kadın Cameron için çalışıyor. Bunu çok açık seçik söyledi."

"Danielson sende farklı bir şey buldu. Yalnızca belleğin değil. Ben de bir şey gördüm ya da gördüğümü sandım, ilk kez büroma geldiğinde." Calvino viskisini yudumlarken ev sahibini selamlıyormuş gibi bardağını kaldırdı. "Sen bunun ne olduğunu biliyorsun, Danielson'ın seni işe almasının nedeni bu. İçine işlemiş bir dürüstlük olduğunu gördü. Kendisinde bulmak istediği bir şey. Bu yüzden Noah Gould'a yardım etmeyi kabul etti bence. İşin risklerini biliyordu. Ama gene de riski aldı. Weerewat ya da belki Danielson'ın eşi onu öldürttü. Weerewat, Noah Gould'u korkutup ülkeyi terk etmesine neden oldu. Sen de kaçmak üzeresin. Seni suçlayamam. Birçok insanın oyunda kalacak cesareti yoktur. Çekip giderler. Kaçarlar. Weerewat gibi insanlar birçok insanın kaçacağını bilerek oynar oyunu."

Calvino içkisini bitirdi ve buzu emdi, soğuk buz ağzının içini uyuşturdu ama hoşuna da gitti. Şişip kapanmamış olan gözünü yavaşça açtı. Bardağını göz hizasına kaldırdı. "Ama biliyor musun, Danielson bir hata yaptı herhalde. Orada olmayan bir şey gördü."

Lovell'ın dudakları titredi, gözleri yaşardı ve dönüp oturma odasından çıktı. Yatak odasının kapısını küt diye kapadı. Calvino evden çıktı. Ağzından sonsuz okyanus suyu akan aslanın yanından geçerek Lang Suan'da durdu. Lovell'ın yapmak istediği şeyi yapacak zenginlerle dolu yüksek binalara baktı. Kaçmak. Kurbağalar böyle yapardı. Hoplayarak çekip giderlerdi. Neden bir an olsun Lovell'ın farklı olduğunu düşünmüştü?

Hindistancevizi kabuğu akreplerle kaynıyordu, kuyrukları saldırmaya hazır şekilde kalkmış, öldürücü darbeyi indirmek için zaman kolluyor. Mahalle kuralı büyük bir örümceğin ısırığından kaçmak ve eve canlı dönmek olmuştu her zaman. Kabuğa bir iki örümcek daha koy, daha fazla zehir yani, oyunun heyecanını artır.

OTUZ DÖRT

Merdivenleri yavaşça çıkarken Calvino'nun başı çatlıyordu –yüzü şişmiş, bir gözü yarı kapalı, şiş ve mosmor. Durup uzaktan ruh evine baktı. Ratana'nın anısı, yüzünde sabah güneşinin aydınlığı, çiçek ve tütsü sunarkenki hali aklından şimşek gibi geçti, eski bir şarkının yankısı gibi aklına bir girip bir çıkarak. Ratana yıldızlardan dilek tutmuştu –bebek sahibi olmak için, masaj salonunun kapanması için, yeni işler için ve Calvino'nun New York'taki annesi için. Tek Elle Alkış gerçekten kapanmışsa, Ratana masasının üstünde dans ediyor olmalıydı. Dilek listesinden bir şeyin gerçekleşmesi de bir şeydir, diye düşündü Calvino. İki uzun merdiveni yavaş yavaş çıkarken eliyle tırabzana tutunuyor, her basamakta kendini yukarıya çekiyordu. Sabahleyin ağrılar geceye oranla çok daha kötüydü. Bürosuna vardığında Ratana masasının üzerinde dans etmiyordu, masasında bile değildi. Kapıda durmuş onu bekliyordu.

Onu tepeden tırnağa süzdükten sonra ilk sözleri, "Özür dilerim, Vinny," oldu, ağlamamak için mücadele ediyordu.

"Özür mü diliyorsun? O kadar da kötü görünmüyorum."

Ama Ratana'nın kast ettiği Calvino'nun fiziksel görünüşü değil, bürosunun darmadağın olmuş haliydi. Masasındaki tüm çekmeceler çıkarılıp odanın ortasına fırlatılmıştı. Kağıtlar, kitaplar ve dosyalar yeri kaplıyordu. Bilgisayar ekranı kırılmış, hard disk bilgisayardan alınmıştı. Ana belleğin üzerinde tepinilmişti. Calvino dağınıklığın arasında yürüdü, kırık camların ve tersyüz edilmiş iskemlelerin. Çömelip Andrew Danielson'a yazdığı on bin dolarlık irsaliyeyi aldı. Kağıdı buruşturup duvara fırlattı. Aynı irsaliyeden düzinelerce bilgisayar çıkışı vardı. İçeriye girenler irsaliyeyi defalarca basmış ve odanın dört bir tarafına dağıtmıştı. WHO başvurusu da yerdeydi. Eğildi, başvuruyu aldı, iki parçaya ayırdı, sonra tekrar yırtarak odanın ortasına fırlattı. Odaya bakındı. Galileo Chini'nin *Bangkok'ta Çin Yılının Son Günü* resmi artık duvarda asılı değildi. Kanvas defalarca kesilmiş, geriye parlak kırmızı, sarı ve turuncu şeritler kalmıştı. Ejderha gitmişti. 1912'de Bangkok sokağında pijamaları ve kuyruklarıyla duran ince Çinli figürler artık tanınmaz haldeydi.

Belki de yalnızca tek bir kişinin işiydi –örneğin özel talimatlar alan Kepçe Kulak'ın. Yağlıboya resim de dahil olmak üzere her şeyi kır dök. Kepçe Kulak Pattaya'ya geri dönmemiş, arkada kalıp Calvino'nun bürosunu yakıp yıkmak için fırsat kollamıştı. Calvino, Kepçe Kulak'ın bilgisayar ekranında Weerewat'ın şirket raporlarından birini görmüş olduğuna emindi.

Ratana kollarını kavuşturmuş kapıda duruyordu.

"Benim bilgisayarın hard disk'ini de almışlar," dedi.

Calvino omzunun üzerinden geriye baktı. "İyi bir iş çıkarmışlar."

"Benim bilgisayarım için de seninki için de yedek CD'ler yapmıştım, Vinny."

"Polisi aradın mı?"

Ratana başını iki yana salladı. "İyi," dedi Calvino. "Önce burayı Pratt'in görmesini istiyorum." Ratana, polisi aramanın en iyi ilk hareket olmayacağını bilecek kadar akıllıydı.

Manee telefon edip bir gece önce neler olduğunu anlatmıştı. Calvino'nun feci dövüldüğü halde hastaneye gitmeyi reddettiğini. Weerewat'ın onu tutuklatmaya çalıştığını ve Albay Pratt'in bir uzlaşma noktası bulmak için amirine gittiğini. Bir gece önce pek fazla uyumamış gibi yorgun çıkıyordu sesi. "Sana bir şey söylemek istiyorum."

Calvino, *İstifa edecek,* diye düşündü.

"Son günlerde kafam karışıktı. Kim *khon dee* ve *khon phan* diye düşünürken bir hata yaptım. İyileri kötülerden ayıramadım. Başka kimseyi suçlamıyorum. Gözümün önündekini görmeliydim. Khun Weerewat'ı gördüğüm haliyle kabul ettim. Zengin ve güçlü, dolayısıyla elbette iyidir, diye düşündüm. Nasıl zengin olduğuna hiç kafa yormadım. Gösterilerdeki insanlar bu soruyu soruyordu. Ben o kadar körüm ki sorunu göremedim. Kendime nasıl böyle kötü bir hata yapabilirim, diye soruyorum. Kendimi çok aptal hissediyorum. Çok üzgünüm, Vinny."

Calvino yerdekilerin arasından geçip onu kucakladı ve, "Ben de onun için çalışacağımı düşünmesi konusunda Weerewat'ı aldatabileceğimi sandım. Bundan daha büyük aptallık olur mu? Beni moron sınıfının tepesine koyuyor."

Ratana başını salladı, gözyaşlarını engellemek isterken çenesi titriyordu.

"Haydi bu büroyu toparlayalım," dedi. "Yürütmemiz gereken bir işimiz var."

Ratana onu kendine çekti. "Seni korkutmak istiyorlar. Bu yüzden büroyu bu hale getirdiler."

Calvino bazı kağıtların altında telefonunu gördü. Ayakkabısının ucuyla kağıtları çekti. Telefon paramparça olmuştu. "Dosyalarımı istiyorlardı. Şimdi Lovell'ın bana ne verdiğini biliyorlar." Calvino, *Aynı ekip Lovell'ı dövmeye gitmiş olmalı,* diye düşündü.

Gömlekli, kravatlı ve boynunda bir stetoskop olan orta yaşlı bir Taylandlı büroya geldiğinde ortalığı epeyce toplamışlardı. Kraterleri olmayan yuvarlak bir ay yüzlü Çinli. Calvino onun kırk yaşlarında olduğunu tahmin etti. Adam bir gözlük camını ağzının kenarına değdirerek saatine baktı.

"Bu Dr. Somchai. Ona seni muayene etmesini söyledim."

"Muayene etmek mi? Benim bir şeyim yok." Doktorlardan, bulacaklarından, verecekleri hükümden nefret ediyordu. Kemik deriyi delmediği sürece, içerideki hasarlar en sonunda iyileşirdi. Ya da iyileşmezdi.

Doktor odanın haline baktı, ama hiç tepki göstermedi. "Gömleğinizi çıkarın." Yaklaşım çok ciddiydi –yumuşak muameleyi unut gitsin.

Calvino omzunun üzerinden baktığında Ratana çoktan bölmenin ardındaki yerine dönmüştü. Gömleğini masanın üstüne koydu. "Şimdi ne yapacağım?"

Doktor kaburgaların üzerindeki morlukları ve bereleri inceleyince kaşlarını çattı.

"Yapabilirseniz masanın üstüne oturun."

"Karışıklık için özür dilerim. Hizmetçim kaçtı da," dedi Calvino.

Doktor, "Konuşmayın," dedi. "Nefes alın ve tutun. Ben söyleyene kadar tutun."

Dr. Somchai steteskopunu Calvino'nun göğsüne koydu ve oraya buraya koyarak dinledi. En sonunda başını kaldırdı. "Nefes verin. Ciğerlerinizde sıvı var."

"Öyle mi? Bu iyi bir şey mi?"

"Yo, genellikle kötüdür."

"Ciğerler kendilerini temizlerler, değil mi?"

"Bildiğim kadarıyla hayır," dedi doktor.

Doktor iki parmağını Calvino'nun bir kaburgasının üstüne bastırdı. Gözlerini şaşkınlıkla açtı, boğazının derinliklerinden keskin bir havlama benzeri ses çıktı. Bir kez daha bastırdı, ama bu kez daha yumuşak bir şekilde. "Burada, bu yani..."

Doktor başka bir kaburga kemiğine bastırınca Calvino bağırdı. "Kırılmış olabileceğini düşünüyorum. Röntgen çektirmeniz gerek. Durumunuz ciddi olabilir."

"Gömleğimi giyebilir miyim?" Gömleğine uzanırken Calvino'nun yüzü acıyla buruştu.

Doktor stetoskopuyla gösterdi. "İki kaburganızda kesin olarak küçük kırıklar var. Bir tanesi daha kırılmış olabilir. Emin değilim." Calvino'nun çenesini avuçlarında tutarak aşağı yukarı oynattı.

Calvino kendisini geri çekti. "Bu sizin yaptığınızdan daha çok mu canımı acıtacak?"

Doktor stetoskopunu çantasına koydu ve masaya Calvino'nun yanına oturdu.

Calvino, "Ratana'ya hiçbir şey söylemeyin," dedi. "Doktorların da avukatlar gibi hastalarının sırlarını saklaması gerekir. Bunu benim için yapabilir misiniz?"

Doktor gözlerini kırpıştırdı, dudaklarını hafifçe araladı, gözlerinde onaylamayan bir bakış vardı.

"Benim için bir mahzuru yok. Ama hastaneye gitmelisiniz."

"Ölmüş olmam gerekir."

Dr. Somchai bu değerlendirmeyle aynı fikirde değildi, en azından fazla değildi. Doktor, *tedavi görmezse bu özel dedektif kendini öldürebilir,* diye düşündü.

Calvino gömleğini giyerken acıyla dondu kaldı. Kolunu indirdi, derin bir nefes aldı ve tekrar gömleğini giymeyi denedi, bu kez başardı. Bu küçük başarıdan gurur duydu. "Üzerinizde ağrı kesici var mıdır acaba?"

Doktor ilk kez gülümseyerek siyah çantasını açtı. Bir şırıngayla küçük bir şişe aldı. İğnenin başlığını çıkardı, şişeye sokarak şırıngaya ilacı çekti. "Pantolonunuzu indirin ve yüzünüzü masaya dönün."

Calvino gözlerini devirdi, ama doktorun istediğini de yaptı. Dr. Somchai iğneyi Calvino'nun kalçasına batırdı ve şırıngayı yavaşça çekti. "Bu işe yarar. Pantolonunuzu çekebilirsiniz."

Calvino kemerini sıkarken yüzünü buruşturdu. "Daha sonra ağrı kesici alabilirim. Bu iğnenin etkisi birkaç saat içinde geçer. Bana yardım edebilirseniz memnun olurum."

Dr. Somchai çantasını ağrı kesici bulana kadar karıştırdı.

"İlaçlara alerjiniz var mı?"

Calvino başını iki yana salladı. "Ama sorduğunuza memnun oldum. Size sormak istediğim bir şey var. Arı ya da eşekarısı sokmaları hakkında ne biliyorsunuz? Bir arı sokmasına karşı reaksiyondan ölen hasta gördünüz mü hiç?"

"Sokmadan ölünmez. Öldüren şey zehre karşı reaksiyondur. Her yıl olur bu tür şeyler. Birçok açıdan güçlüyüz, ama zayıf yanlarımız da var. Bütün bu DNA olasılıkları arasında bir dizim hatası yapılması çok kolay oluyor. Bu küçük hata da basit bir arı sokmasının öldürücü olması için yeterli."

Calvino'ya iki paket ağrı kesici verdi.

"Teşekkürler, Dr. Somchai. Size arı sokmalarıyla ilgili bir soru daha sorabilir miyim?"

Doktor saatine bakıp başını salladı.

"Arının zehrini iğnesinin dışında bir yerden almak mümkün olabilir mi?"

Doktor kaşlarını çattı. "İğneden başka bir yerden mi?" Soru onun kafasını karıştırmıştı.

İğnenin etkisi kendisini göstermeye başladı, Calvino kendisini rahatlamış ve dövüldüğünden beri ilk kez ağrısız hissetti. Normalde hiç aldırış etmediğimiz ağrısızlık geri dönmüştü. "Şöyle. Bir insanın arı sokmasına alerjisi var, ama arı sokmamış. Ama arının zehri başka bir yolla ona verilmiş. Onu öldürecek kadar yüksek bir dozda."

Doktor gözlüğünün üzerinden Calvino'ya baktı.

"Zehri iğne enjekte etmiyorsa, ne ediyor?"

"Bilmiyorum. Belki de kahvesindedir."

"Yo. Kahve olmaz. Fazla sıcak."

"Normal su o zaman."

"Sulanmış olur."

Calvino masasına oturdu. "Bir yolu olmalı. İcat ve cinayet eski arkadaşlardır. Bunu iyice düşünürseniz bir yolunu bulacağınızdan eminim."

"Bunu yapacak zamanım olursa. Ama zamanım yok, Bay Calvino."

"Siz olsanız nasıl yapardınız?"

Doktor iğneyle şırıngayı çöp sepetine attı. "Köylerde insanların fazla havlayan ya da insanları ısıran köpekleri nasıl öldürdüğünü biliyor musunuz? Ete arsenik koyarak zehirlerler. Köpeklerin kullandığını bildikleri bir yola bırakırlar. Köpek eti bulduğu zaman, yemek ya da yememek ona kalmıştır. Zehir kendini sunar, ama seçimi köpek yapar. Seçmek köpeğin *karma*'sıdır."

"Röntgeni yarın çektireceğim, doktor."

Doktor çantasını aldı. "Bu gerçekten size kalmış, Khun Vincent."

"İngilizce'yi bu kadar iyi konuşmayı nereden öğrendiniz?"

Dr. Somchai bir kaşını kaldırdı. "Bizim kuşağımızın İngilizce konuşma konusunda hiç sorunu olmadı. Bizi kendiniz gibi eski kuşaklarla karıştırmayın."

Bu sözler iki kırık kaburga kadar acı verdi. "Hangi kuşak sizin adaşınızı çekip aldı, Khun Somchai'yi, Müslüman avukatı? Eğitimli Taylandlılar'ın bile kırık İngilizce konuştuğunu sanan yaşlı ahmaklar mı, yoksa İngilizce'yi akıcı konuşan, aç, istediklerini istedikleri zaman almak isteyen genç kuşak mı?"

Dr. Somchai sessizlik içinde başını çevirdi. "Kimse bilmiyor."

"Bilen kimse söylemiyor. Arada fark var."

Dr. Somchai çıktıktan sonra Ratana bürosuna girip oturdu.

"Dr. Somchai senin neyin olduğunu söylemiyor bana," dedi.

"İyice muayene etti. O kadar ciddi bir şey değil. Ona yarın röntgen çektireceğimi söyledim." Bilgisayarından geriye kalanların yanına giderek ana karttan büyük bir parçayı kaldırmak için ayağını kullandı. Bürosuna herkes karakola gittikten sonra girilmiş olmalıydı. Zamanlama kusursuzdu. Weerewat her şeyi düşünmüştü, bir destek ekibi gönderip bürosunu aratmayı ve yakıp yıktırmayı bile. Ratana onun yüzündeki üzüntüyü gördü. Calvino gözlerini kapatıp başını öne eğdi.

"Lovell'ın tüm dosyalarının olduğu hard disk'i almış."

Ratana ağlamaya başladı. "Hepsi benim hatam. Weerewat'la çalışman için baskı yapmasaydım bunların hiçbiri olmayacaktı."

"İyi haber şu ki, dosyalar şifreli. Kodu kırmak bir miktar zamanlarını alacak." Yalnızca fatura dosyasıyla WHO başvurusu dosyası şifreli değildi. Bürosuna giren her kimse, Calvino'ya bir mesaj göndermek için bu dosyaları kağıda basmıştı. Ama şu ana kadar ellerinde iki hard disk ve istedikleri bilgiye ulaşmak için kolay olmayan bir yol vardı.

Calvino masanın üzerinden bir avuç kağıt mendil aldı. "Weerewat'ın parayla satın aldığı adamları şifreli dosyaları açmanın bir yolunu bulurlar. Fazla zamanımız yok."

Burnunu temizleyen Ratana başını iki yana salladı. Tayland lanetiyle gözleri kör olmuştu –para, statü ve gücün otomatik olarak Weerewat'ın "iyi bir insan" olduğu anlamına geldiği inancı. Weerewat gücünü suçlamalardan kaçmak için kullanmış ve Calvino'yu yıllarca içeriye tıkabilecek delillerle suçlamanın kıyısına gelmişti. Ratana'yı hatası konusunda en çok rahatsız edense, Weerewat masasının yanında dururken ona fiziksel bir çekim hissetmesiydi. Servetinin, ününün ve genç görünüşünün çekiciliği karşı konulmazdı. Ratana onun istediği her şeyi yapabilirdi. Şimdi korkunç bir utancın ağırlığını hissediyordu.

"Haberlerin hepsi o kadar da kötü değil. Tek Elle Alkış kapanmış. Dün gece tekrar buraya geldim, tüm ışıkları sönüktü. Bugün de kimseyi görmedim, üstelik kapıya kilit takılmış. Öyle görünüyor ki burada işleri bitmiş. Duaların kabul oldu."

"Artık o kadar önemli değil."

Manee'den polisin Weerewat'ın anlattıklarına inandığını öğrenmişti. Calvino'nun ikinci katta yakalandığına ve aralarında kavga olduğuna inandığını. Masaj salonunda kapıyı kırdığını ve içeride ölü bir kız bulduğunu poliste kabul etmesi de Calvino'nun iddialarına yardımcı olmamıştı. *Mamasan* işyerine zarar verdiği için onun hakkında şikayette bulunmuştu. Calvino kırdığı kapının parasını ödemeyi reddediyordu. Hepsi dosyada mevcuttu.

Ölü bir masajcı *ying,* polis için her zaman bir sorundu. Karakolda kimse Calvino'nun kapıyı neden kırdığına aldırmıyordu. Kafalarında yalnızca tek bir şey kalmıştı: kapının menteşelerinden sökülmüş olması. Calvino kapıya omuz atmıştı. Polis, *mamasan*'ın masaj salonunu kapattığını ve Hua Hin'e gittiğini, orada güzellik salonu açmayı planladığını duymuştu. Weerewat, Kutu Kafa ve Şiş Göbek masaj salonunun durumuna bakmaya gitmişlerdi. Weerewat orayı kiralamak istiyordu, ama önce durumunu görmesi gerekti. Üst kattaki boş bürodan ses geldiğini duydukları sırada masaj salonuna girmek üzereydiler. Sonra, Weerewat ve adamlarına göre, Calvino tekrar saldırarak bu kez masaj salonunun üstündeki büroya zorla girmişti. Albay Pratt o büroda gizli bir kapak olduğunu polise bildirmişti. Polis notlar aldı. Calvino kapağı bir kağıdın üzerine çizdi. Polis kağıdı elden ele gezdirdi, her biri iyice inceledikten sonra yanındakine veriyordu.

Polisler, "Demek daha önce bu odaya girmiştiniz," dedi.

"Hiçbir zaman. Bu kapağı keşfettiğim sırada yerdeydim."

"Yerde ne yapıyordunuz?"

"Dayak yiyordum."

"Ama bu kapağı bulacak zamanınız oldu."

"Yüzüm buldu." Calvino şiş yüzünün yanını gösterdi. "Şunun botunu bulduğum sırada kapağı da buldum." Kutu Kafa'yı işaret etti.

"Bu geceden önce gizli kapıyı bilmiyor muydunuz?"

"Orası benim bürom değil. Binanın sahibine sormanız gerek. Hemen burada duruyor işte."

Polislerin hiçbiri *farang*'a inanmadı.

Albay Pratt sorgusundan sonra Calvino'ya karakolun dışına kadar eşlik etti. Calvino'nun hiçbir suçlama yapılmadan serbest bırakılmasını sağlamak hiç de kolay olmamıştı. Karakoldaki bütün süre içinde Weerewat'ın sözüne karşı Calvino'nun sözü vardı ve olaylar normal akışına bırakılmış olsa Calvino şu anda hücreye konulmuş olurdu. Weerewat da gücünü göstermiş olurdu. Evrenin uyumu yeniden tesis edilirdi. Ama işler bu şekilde olmamıştı.

Weerewat sorgu odasında Albay Pratt ile Calvino'ya gözlerinde öfke şimşekleriyle bakmıştı. Seninle işim bitmedi diyen bir bakıştı bu. Dikkatli ol, çok dikkatli ol. Sorguyu yürüten polisler *farang*'ın elini kolunu sallayarak gitmesinden pek hoşlanmadılar. Hiç kuşku yok, polis Vincent Calvino'nun haneye tecavüz etmekten suçlu olduğuna inanıyordu ve onun serbest bırakılması hoşlarına gitmemişti.

Boş büroya zorla girme konusunda hiçbir kanıt bulunmaması Calvino'yu kurtarmıştı. İçeriye girmek için bir anahtar kullanılmıştı. Calvino'nun üzerinde büro kapısının anahtarı çıkmamıştı. Komiser, Albay Pratt'e, Calvino hakkında masaj salonunda bir kapıyı kırdığı yolunda yazılı bir şikayet olduğunu söylemişti. Hiçbir kanıt olmasa da, Calvino –ya da herhangi biri– ikinci kata zorla girmişti; Calvino, Weerewat ve iki adamı tarafından (ifadelerine inanılacak olursa) boş büronun içinde bulunmuştu. Komiser, Calvino'ya, "Orada ne işiniz vardı?" diye sormuştu.

Calvino, "Weerewat'ın ne işi vardı?" diye karşılık vermişti.

"Binanın sahibi. Yukarıdan gelen sesler duymuş. Araştırmaya gidince sizi görmüş."

Binanın sahibinin kim olduğunun ortaya çıkmasından itibaren işler sarpa sarmıştı.

Lovell'ın veri tabanında Weerewat'ın şirketler listesinde binanın sahibinin o olduğunu gördüğü zaman Calvino çok şaşırmıştı. Büroyu yıllardır kullanıyordu. Kira parası bir şirketin banka hesabına yatırılıyordu. Binanın sahibinin kim olduğu hakkında hiç fikri yoktu, Bang-Na'da yerleşik bir özel Tayland şirketi olduğundan başka.

Polis Weerewat'ın tutarlı, akılcı hikayesine, bir de o an görevli olmayan iki polis memuru tarafından da desteklenince inandı. Üç adam da, Calvino'nun ikinci kattaki bürodan gelen seslerini duyduklarını ve araştırmaya gidince de kavganın patlak verdiğini söylediler. Weerewat'ın hikayesinin en iyi yanı, son derece sade olmasıydı. Karmaşık açıklamalar ya da iddialar yoktu. Bina sahibi, daha önce bir kat aşağıya zorla girmiş olduğunu kabul eden *farang*'ı yakalar ve *farang* öfkeye kapılıp ona karşı koyar. Polis memurları daha önce onu Pattaya'daki bir kişinin öldürülmesi konusunda sorguya çekmişti. Onu tekrar sorgulamak üzere gelmişler, ama kendi bürosunda değil ikinci katta bulmuşlardı.

Çok iyiydiler. Hikayeleri birbirine o kadar uyuyordu ki, böyle olmadığına inanmak çok güçtü. Özel dedektifler kilitli kapıları zor kullanmadan açmakta mahirdi, gerçi Calvino'nun binadaki sicili bu yetenekten yoksun olduğunu gösteriyordu. Calvino, Weerewat'ın olayları anlatmasını dinlerken gösteriyi izledi, polisin Weerewat'ın her sözüne inandığını gözlemledi. Weerewat konuşurken Kutu Kafa ve Şiş Göbek de tam doğru yerlerde baş sallayarak ya da homurdanarak onu destekliyordu.

Polis sorgusu için Calvino yasası: Hikayeni basit, aptalca tut. Olayların neden böyle olduğu konusunda çok fazla açıklama yaparsan, çok geçmeden karmaşık bir hikaye haline gelir ve polis ipin ucunu kaçırır. Weerewat usta bir hikaye anlatmıştı.

*

"Millie Danielson'ı ara. Numarası dosyada var."

Ratana yüzünü sildi, başını salladı ve kağıt yığını arasında telefon numarasını aramak üzere masasına gitti. Bir an sonra geri geldi. "Doktorun söylediklerini bana neden anlatmadığını anlayamıyorum," dedi. "Doktor hoşnutsuz görünüyordu."

"Büronun benden daha kötü durumda olduğunu söyledi."

"Bunu söylemediğini biliyorum."

Başını sallayan Calvino uzanıp kendi büro telefonundan çevir sesi almaya çalıştı. Bunu başaramayınca, Millie Danielson'ı aramak için cep telefonunu kullandı. Uzaktan bir tenor saksafonun çaldığını duydu. Andy Snitzer'in "Only With You" şarkısının baldan tatlı melodisi. Müzik sesi aşağıdan geliyordu, Tek Elle Alkış'ın ses sisteminden. Calvino numarayı çevirmeyi bırakıp aşağıya indi, masaj salonunun penceresinden içeriye baktı. Kapıya sertçe vurdu. Birkaç saniye sonra Metta kapıya geldi; başını uzatınca Calvino'nun orada durduğunu gördü.

"Git buradan. Açık değil."

"Kapıyı aç, Metta."

İçeride çalan caz parçasını ve kadının ağırdan aldığını hissetti. En sonunda Metta kapıyı açtı, Calvino da içeriye girdi. Kadının saçında taze bir çiçek vardı. Kırmızı ruju dudaklarını Calvino'nun hatırladığından daha dolgun hale getirmişti. "*Mamasan* nerede?"

Metta'nın elinde küçük beyaz bir tavşan dertop olmuş duruyordu. Metta omuzlarını silkti. "O gidiyor."

"Ne zaman geri gelecek?" Calvino kadının sinirli sinirli tavşanı okşamasını seyretti.

Gene omuz silkme. "Bilmiyor. Belki gelmez. Korkuyor."

"Sen korkmuyor musun?"

Tavşan Metta'yı rahatlatıyordu. Tavşanı kollarında yumuşak hareketlerle salladı, müziğin temposuna uyarak. "Jazz bu şarkıyı çok sever. Son bir kez çalmak istiyor. Benden bu şarkıyı çalmamı istediği rüya görüyor. Arkadaşı Andy de şarkıyı seviyor. Defalarca çalmasını söylüyor. Asla unutmadım." Gözlerinde yaşlar belirdi.

Bu kadar basitti. Metta ölmüş arkadaşı için son bir şarkı çalmaya gelmişti. Çünkü rüyasında rica edilmişti. Calvino eliyle kadının gözlerindeki yaşları sildi. Metta onun yüzüne baktı. "Biri sana vurdu?"

"Evet, çok kötü vurdular."

Metta içini çekti. "Çok acıyor olmalı."

Calvino onun eline bin baht sıkıştırdı. "*Mamasan*'dan haber alırsan bana bildir. Onunla konuşmak istiyorum."

Metta paraya baktı ve öne eğilip Calvino'nun yanağını öptü.

"Seni ilk gördüğüm zaman, iyi bir insan diye düşünüyorum."

Calvino kadının onu öptüğü yere dokundu. "Kapıyı nasıl açtın?"

Metta bir an tereddüt ettikten sonra kotunun cebinden bir anahtar çıkardı. Anahtarı uzattı.

"Alabilir miyim?"

Kadının gözleri Calvino'nun mor ve siyah yüzünde dans etti. Tavşanının gözleri gibi, aynı anda hem meraklı, hem masum, hem de korkulu.

Calvino, "Neler olduğunu biliyorum," dedi. "Jazz kendini öldürmedi. Bu konuda üzülme artık. Kimin yaptığını da bulacağım. Anahtarı bana ver. Onun katilini bulmamda bana yardımcı olur."

Metta anahtarı onun uzanmiş eline bıraktı.

"Jazz'a yardım ediyorsun, yapabileceğini biliyorum."

Kapıda kollarında tavşan, çıplak ayakla durdu, başı bir yana eğik, küçük tavşana Tayland dilinde bir şeyler fısıldayarak. Başka bir hindistancevizi kabuğu türü; şapkadan çıkarılmış bir tavşan daha.

OTUZ BEŞ

McPhail, Yalnız Şahin'de oturmuş sek Jameson içiyordu. Bir eli garson kadının belindeydi, öteki sigarasının külünü silkiyordu. Calvino güneş gözlükleri ve şapka takmış halde kapıdan içeriye girdi. Kılık değiştirme İhtiyar George'u bir an bile kandıramadı. "Hangi içine ettiğimin süt vagonundan düştün, Calvino? Bombok görünüyorsun."

Calvino, "Bir cücenin saldırısına uğradım," dedi. "Küçük ama güçlü."

İhtiyar George gülümsedi. "İşte benim oğlum."

Calvino, McPhail'in bölmesine oturdu. "Sana ne oldu lan böyle? Bunu yapan Muhteşem Dörtlü kocalarından biri mi?"

Bir garson kadın mutfaktan iki tabak taco ve fasulyeyle gelip iki müdavimin önüne koydu. Müdavimlerden biri, "Spesiyalin altmış baht olduğu zamanı hatırlıyorum," dedi.

Öteki, "Ben kırk baht olduğunu hatırlıyorum, salata ve çorba da dahil üstelik," dedi.

İhtiyar George duysun diye bağıra çağıra konuşuyorlardı. George cevap verdi: "Ben de 1945'de Berlin'de iki yüz karton sigaraya bir bina aldığımı hatırlıyorum. Bilin bakalım o binanın şimdi değeri ne kadar? O binanın parasıyla bir sigara şirketini satın alabilirim. Çıkarılacak ders şudur –siz moronlar buna hazır mısınız?- boktan fiyatlar yükseliyor. Siz ikiniz eğitim için hangi boktan okula gittiniz?"

Tabaklarına eğilmiş iki adam gülümsedi, taco'lar parmaklarının arasında kırılıyor, ellerine sos, et, yeşil salata ve peynir dökülüyordu. Biri George'a göz kırptı, ellerinden sos akıyordu. "Peki neden spesiyalin fiyatını artırdın? Sen zaten zengin bir Yahudisin."

Calvino başını bölmenin arkalığına yasladı. Elleri bardağı sıkı sıkı tuttu. McPhail, "Sakın yapma," dedi.

Calvino'nun boynundaki damarlar kalınlaştı, başını kaldırıp masadan kalkarken ortaya çıktı. Bara gitti.

Calvino müşterinin tabağından bir taco alıp adamın yüzüne sertçe bastırırken, "Bu kadar yeter," diye fısıldadı.

İhtiyar George, "Hey, hey," dedi. "Git yerine otur, Calvino."

Calvino müşterinin yanında dururken yumruklarını sıkıp sıkıp açıyordu. "Duyduklarım hoşuma gitmedi."

"Hoşuna gitmeyen şeyler söyleyen herkesin yüzüne taco yapıştıracaksan, Meksika'da taco işine giriyorum. Şimdi git de otur be."

George, yüzünden yeşil salata ve sosu temizleyen müşteriyi gösterdi. Bir garsona, "Ona benden bir Singha ver," diye gürledi. Artık çok geçti. Adam çoktan cüzdanını çıkarmış, hesap çanağına para tıkıyordu. Biralar gelirken çıkıp gitti.

Müşteri önünden geçerken George, "Siktir git," dedi. Müşteri gittikten sonra DJ'e dönüp bağırdı, "Johnny Cash'in 'A Boy Named Sue' şarkısını kaç kere daha çalacaksın be adam? Değiştir şu müziği be!"

Calvino çenesini ovuşturdu. Bir yumruk daha yemiş olsa çenesi ikiye ayrılacaktı. Eski müşterilerden biri bardan seslendi: "Calvino Yahudi adı falan değil. Kafayı mı yedin?"

İhtiyar George, "Hey, insanı Yahudi yapan sadece ad değildir," dedi. "Annen Yahudi'yse sen de Yahudi'sindir. Adının Vincent Calvino olması önemli değildir. Onun annesi Yahudi." New York'ta bir huzurevinde kaldığını ve Calvino'nun oranın faturalarını ödeyecek parası olmadığını söylemedi. Üstelik tek sorunu da bu değildi. Bir gemi yükü kadar sorunu vardı, İspanya'da yeni bir başlangıç yapmaya çalışanlarla dolu, Afrika'dan kalkan o geminin üzerindeki açlardan biri gibi. Kurtçuk kutusu değildi sadece; ufka kadar uzanan kurtçuklardı.

Lovell kapıdan içeriye girdi. Karanlık, loş bara bakındı. Herkes yıpranmış, kırılıp dökülmüş, kullanılmış görünüyordu. Calvino, McPhail ile oturmuş, ağrı kesiciyi bir Mekong ve kolayla yutuyordu. Cep telefonunu kulağına götürmüştü, ama Lovell'ın içeriye girdiğini görünce konuşmayı kesti. Lovell polo tişört, kot ve tenis ayakkabıları giymişti ve bu spor kıyafetler onu olduğundan çok daha genç gösteriyordu. Yüzü, Weerewat ve hempalarının attığı dayaktan şişmişti ve yara bere içindeydi.

McPhail, "Siz ikiniz aynı boks kulübüne mi üyesiniz?" diye sordu.

Calvino, "Kavga eden ortaklar," dedi.

Garson kadınlar Lovell'ın etrafına üşüşmüş, siparişini almak için itişip kakışıyorlardı. Lovell şekersiz buzlu kahve söyledi.

Calvino, "Senin Amerika'da olduğunu sanıyordum," dedi.

Lovell bölmenin karşısındaki bar taburesine oturarak, "Ben de sizin ölmüş olacağınızı sanıyordum," cevabını verdi.

"Şu ana kadar ikimiz de yanılmışız."

"Sekreteriniz sizi burada bulacağımı söyledi. Bana büroya yapılan saldırıyı da anlattı. Bilgisayarlarınızın hard diskler'ini almışlar."

"Şifreliydiler. Bu da bize biraz zaman kazandırır," dedi Calvino.

Lovell buzlu kahvesini yudumlarken reklam levhaları, bir Yalnız Şahin bayrağı, tahtadan oyma kertenkele, soluk renklerde çeşitli kovboy posterleri, uzun zaman önce ölmüş müdavimlerin tozlu fotoğraflarıyla dekore edilmiş duvarlara baktı. Devasa bir doldurulmuş su bufalosu kafası, İhtiyar George'un başının tam üstündeki lambri duvarı kaplamıştı. Su bufalosu da, İhtiyar George da başlarını kapıya doğru eğmişler, birini bekliyorlardı. Lovell bardağını barın üstüne koydu, bölmeye gitti ve Calvino'nun yanına oturdu. Uzanıp şaşırtmaca yaparak Calvino'nun kravatını çözüp yeniden bağladı. "Kusura bakmayın, ama beni deli ediyor."

McPhail gözlerini devirdi. Profesyonel güreşçi boyunduruğuna aldığı garson kadın masanın üzerinden Lovell'ın eline dokundu. Lovell irkilince Calvino'nun içkisini devirdi. Garson kadın, "Taco ister misin?" diye sordu.

McPhail, "Hileli bir soru değil," dedi, "buranın spesiyalidir."

"Ben girerken taco giymiş birinin çıktığını gördüm galiba."

"Yenilseler daha iyi olur. Ama Calvino taco'yu aksesuar olarak kullanmanda sana yardımcı olabilir."

Lovell polo tişörtünün yakasının içine elini sokup altın bir zincir çıkardı. McPhail'in garsonu bayılacak gibiydi. Lovell yalnızca yakışıklı değildi, altın da takıyordu. Bu onu barda çalışan her *ying*'in gözünde bir kalmak için nedene dönüştürürdü. Zincire taşınabilir küçük bir hard disk tutturulmuştu. Calvino hemen tanıyıp gülümsedi, başını salladı.

"Burada kalmaya karar vermene sevindim," dedi. McPhail'e baktı. "Lovell, Rhodes bursuyla okumuştur."

"Hadi be, yani gerçekten çok akıllı. Arnold'ı hatırlıyor musun, sondaj kulesinde çalışan ve otuz günlüğüne gelen adamı? Zeka düzeyini artıramıyorsan, ortalama IQ'nun 70 civarında olduğu şu küçük Afrika ülkelerinden birine taşın, derdi. O zaman dahi olursun."

İhtiyar George masasına güm diye vurdu. "McPhail, sen bir çöl adasında bile dahi olamazdın."

"Siktir git, George, seni bunak Yahudi." McPhail arkasına yaslandı. "Şakaydı, Calvino." Calvino, McPhail'e tepki veremeyecek kadar hard disk'le meşguldü.

Lovell hard disk'i altın zincirden çıkardı ve Calvino'ya verdi. "Ratana size verdiğim dosyaların yedeklerinin olduğunu söyledi. Ama belki lazım olur, bir yedek daha olsun. Bunu güvenli bir yere koyun."

Buzlu çayının parasını ödedi ve gitmek üzere ayağa kalktı.

Calvino, "Nereye gidiyorsun?" diye sordu. Tam o sırada cep telefonu çaldı. Hatta Albay Pratt vardı. Önemliydi –önemliden de öte, acil.

Lovell, "Size daha sonra telefon ederim," dedi.

Su bufalosu başının önünde durup tam bir dakika baktı.

"Eeee?" diye sordu İhtiyar George. "Daha önce hiç su bufalosu görmedin mi?"

Lovell, "Huzurlu görünüyor," dedi.

George başını çevirip su bufalosuna baktı.

"Evet, bence de öyle."

OTUZ ALTI

Calvino, Aşçıbaşı Elmo'yu gece lokantada hiç görmemişti. Her insanın bir zamanı ve yeri vardı ve bir kişi başka bir zaman ve yere kayarsa tuhaf bir şey oluyordu, sanki o insanın yeni bir benliği varmış gibi. Yemek kursunu veren adamla gece gördüğü adam farklı kişilerdi. Gece Aşçıbaşı Elmo'su masalar arasında dolaşıyor, müşterilerle gülüşüp şakalaşıyor, nazik tavsiyelerde bulunuyor, onların hikayelerini, isteklerini ve şikayetlerini sonsuz bir sabır ve bilgelikle dinliyordu. Gece daha olgun, daha bilge duruyordu.

O akşam lokantanın park yerinde yürürken Calvino ciğerlerinden ses geldiğini duydu. Nefes alıp verdiği her seferde kaburgaları acıyordu. Aşçıbaşı Elmo'nun küçük imparatorluğunun dışında park etmiş pahalı otomobillere baktı. Gölge ve ışık oyunu park yerine egzotik, öteki dünya tarzı bir tuhaflık veriyordu. Başka bir zamana ait. Kısmen ışıktan kaynaklanıyordu bu –ağaçların dağıttığı ışık huzmeleri, mehtapsız gökyüzünü tarayan bir spot ışığı ve yolla bahçe arasına yerleştirilmiş tek tek ışık kaynakları. Bahçenin ortasında aydınlatılmış bir çeşme, arka ayakları üzerine kalkmış bir filin ağzıyla burnundan su fışkırtıyordu.

Gündüz vakti Calvino çeşmeyi fark etmemişti ya da ettiyse bile filin tam ayırdına varamamıştı. Öğleden sonra burası makyajsız, bol şortlar giymiş ve saçını bağlamış bir *ying* gibiydi. Ama akşam dumanla kaplı bir kabarede aynı kadın kusursuz bir makyajla, tırnaklar yapılı, dapdaracık bir elbise giymiş olarak sahneye çıkıyor ve ön sırayı eriten bir balada başlıyordu. Büyüsü her yeri kaplayana kadar masaları dolaşıyordu.

Calvino yol boyunca yürüdü. Arazinin çevresinde üç metre yüksekliğinde taş duvarlar vardı. Yeşil bölgede, özellikle de arka yollarda yüzlerce kez görmüş olduğu bir şeydi bu. Büyü ele geçirdiği kadar hızlı şekilde yok oluyordu. Lokanta herhangi bir semtte ve herhangi bir büyük şehirde olabilirdi. Heykelleri ve resimleriyle, zevk ve ihtişam kokan süsleriyle Lovell'ın dairesi gibiydi, kimliğini kaybediyordu.

Lokanta onun sınıfında değildi. Bir yemeğin fiyatı bir aylık büro harcamalarına, altı aylık Yalnız Şahin öğle yemeklerine eşdeğerdi. Muhteşem Dörtlü'nün yemek egzersizlerinin sonuçlarını yemek, lokantada yemek yemek sayılmazdı. O yemeği kadınlar pişirmişti. Aşçıbaşı Elmo onları gözlemişti. Yönlendirmişti. Elinden geleni yapmıştı. Ama kadınlar İtalyan değildi. Yemek, kanlarında yoktu. Kadınlar İtalyan yemeği pişirdiklerini sanıyorlardı, ama bir şeyi unutuyorlardı. İtalyan yemeğini ancak İtalyanlar pişirirlerdi. Herkes bunu bilirdi.

Millie Danielson, Aşçıbaşı Elmo'nun lokantasında yemeyi önermişti. Kadının hikayesini, Albay Pratt'in öğrenmek istediği ama başaramadığı hikayeyi duymanın tek şansı gibi göründüğü için Calvino kabul etmişti. Calvino kapıdan girdiğinde Millie masada onu bekliyordu. Başgarson Calvino'yu masaya götürmeden önce ona işaret etti. Millie Danielson saatine baktı ve tam bir şey söyleyecekti ki Calvino'nun yüzünün halini gördü.

"Geç kaldığımı biliyorum. Özür dilerim." Otururken her an düşecekmiş gibi duruyordu.

Masanın üzerinde bir Fransız şarabı açıktı. Şişenin üçte biri içilmişti. Calvino ekmek kırıntılarından kadının ikinci ekmek sepetini istediğini çıkardı. Kadın istim almış gibiydi. Ama biraz da sarhoşa benziyordu.

Millie, "Sizinle görüşmeyi kabul etmemin tek nedeni, Ruth'a yardım etmiş olmanız," dedi.

"Ruth çok tatlı, Noah çok tatlı. Onlar oraya gidince Denver daha iyi bir yer olacak." Bir garson kucağındaki peçeteyi düzeltiyordu. "Bize biraz daha ekmek getirebilir misiniz?" diye sordu Calvino.

Millie Danielson bardağını yeniden doldurduktan sonra uzanıp Calvino'nunkini de doldurdu. Üzüntüden harap olmuş bir dula benzemiyordu. Biraz sarhoş, sinirli ve sıkılmış, ama hiçbir şekilde derin bir yas tutuyor havasında değil. Elbisesinin derin dekoltesi, "Hazırım. Başvuruları doldurmak için ön masaya geçin. *Kuyruğa riayet et, bebek*" diye bağırıyordu. Bu tür bir elbiseydi bu, kocasının ölmesinden hiç de altüst olmuşa benzemeyen bir kadının tavrına uygundu.

Calvino garsona, "Bu her neyse, bundan bir şişe daha getir," dedi.

Millie, kadehini Calvino'ya kaldırmadan şarabını içti, Calvino ise hiç gelmeyen tokuşturma için kadehini kaldırmıştı. Gülümseyip bardağın yarısını içti. Hava almak için dudaklarını kadehten çektiğinde Millie gözlerini dikmiş ona bakıyordu.

"Susamışsınız," dedi. "Biraz su ister misiniz?"

"Şarapta kalayım daha iyi. Ama sorduğunuz için teşekkürler."

Calvino şarabın pahalı olduğunu biliyor, ama aldırmıyordu. Ona acıyla başa çıkma yöntemini bildiğini göstermek istiyordu. Kadına uzun uzun baktı. Yapılı saçları, cilalı tırnakları, marka giysisiyle bu görüşme için epeyce zahmete katlanmış olduğu açıktı. O tırnaklar kristal kadehin üzerinde tap dansı yapıyordu, konuşma yapacak kişinin dinleyicilerin dikkatini çekmek için yaptığı gibi. Her zaman işe yarardı. Calvino'nun dikkatini çekmeyi başarmıştı.

"Noah –biliyorsunuz, Ruth'un kocası– o kadar da kötü değildir ama zayıftır. Birçok erkek açısından bu böyledir. İyi olmak, iyi şeyler yapmak isterler. Sonra bir etek önlerinden geçer, zayıflaşırlar. Bir de bakarsınız ki bütün iyilikler pencereden uçup gitmiş."

Calvino, "Kadınların kendi çıkarlarına kullandıkları bir zayıflık," dedi.

"Erkeklerin pek de teşvike ihtiyaçları yok."

Calvino, bunların ihanete uğramış bir kadının acı sözleri olduğunu anlamıştı. Noah, Ölü Artistler barlarının önünde iki *ying*'le duruyor, zihninde bir ses duyuyordu: iki *kalmakiçinneden*. Müziğin ritminden kendini ayrı tutamadığı için bu durum Ruth'un kocasını zayıf kılıyordu; bu doğruysa, bütün erkekler zayıftı. Gülümsedi, kadehindeki şarabı sonuna kadar içti ve tekrar doldurdu.

"Kocanız da zayıf mıydı?"

Her şeyi açık açık konuşmak en iyisiydi. Garson aynı şaraptan bir şişe daha getirdi, açtı ve Millie'nin kadehini doldurdu. İkisinin de yemekle pek ilgilenmediklerini anlamış görünerek başka masaya geçti.

Millie şarabını yudumladı ve cevap vermedi. "Ayartma karşısında zayıf olmayan bir *farang* koca gördünüz mü hiç? Yoksa sizin istisna olduğunuzu mu söyleyeceksiniz, Bay Calvino?" diye sordu.

Calvino, "Bangkok'un evlilik açısından zor bir yer olduğunu söylüyorlar," dedi. Millie *Rehber*'i okumuştu. Oranları biliyordu; yükselen bir eğilim olduğunu biliyordu. Evlilik dışı ilişkiler için pazar Bangkok'ta tavana vurmuştu.

"Batı evliliği için zor demek istiyorsunuz herhalde. Burada kadınların erkekleri çitin içinde tutmak için yeterli araçları olmadığını gördüm. Bir zamanlar bahçe kapısının sürgüsünü açmayı öğrenen bir köpeğim vardı. Bir daha ona bunu unutturamadım. Bir erkek de, çitin öteki tarafına çıkmasını sağlayan hileyi unutamayan bu köpek gibi."

"Tek Elle Alkış'daki masajcı kızı biliyor muydunuz?"

Millie başını salladı. "Jazz," diye fısıldadı. "Kadınlara melodik isimler verilmesinden hoşlanır mısınız, Bay Calvino?"

Calvino, "Onun cesedini gördüm," dedi.

"Güzel miydi?"

"Ölüydü. Bilekleri kesilmiş, her yerde kan, çarşafta, yatakta ve yerde. Kan duvarlara ve perdelere sıçramıştı. Görmek isteyeceğiniz bir şey değildi. Bol bol kan."

Millie bu görüntüden kurtulmak ister gibi omuzlarını silkti. Kafasında Jazz'ın odadaki ölü halinin bir resmi varsa bile, hiçbir duygu belirtisi göstermiyordu. "Anladığım kadarıyla bu kızların çoğu en sonunda hayatlarını bitirmeye karar veriyorlar. Onları kim suçlayabilir ki?"

Calvino ona uzun uzun baktı. Bir öksürük nöbeti geldi. Başını çevirip peçeteye kan tükürdü. Öteki müşterilerin fon gürültüsü ölü bölgeyi kaplamıştı. *Sesinde tek bir sempati belirtisi yok,* diye düşündü. Kadın satranç tahtasında Kutu Kafa'nın şahına karşı veziri oynayacak kadar sertti.

"Bazen bitirmezler. Bazen onlara başkaları yardım eder."

"Ne demek istiyorsunuz?"

"Olasılıklardan söz ediyorum. Polis, Jazz'ın olası ölüm nedeninin intihar olduğunu açıkladı. Diğer bir olasılık da öldürülmüş olması. Kocanızın ölümünden yalnızca birkaç saat önce öldü. Bir rastlantı mı? Belki. Belki de değil."

"Kocamın da öldürüldüğünü mü düşünüyorsunuz?"

"Evet, bundan eminim. Yalnızca küçük bir sorunum var."

Millie bir kaşını kaldırdı. "Ne olabilir?"

"Elimde doğrudan kanıt yok."

"Bu da düşündüğünüz şeyi inanç alanına sokuyor, değil mi? Peki bu inancın sizi nereye götüreceğini düşünüyorsunuz?"

Calvino omuzlarını silkip yemek siparişi verdi. Garsona spesiyal yemeği istediğini söyledi. Garson nasıl istediğini sordu. Calvino'nun spesiyalin ne olduğu hakkında hiçbir fikri yoktu, dolayısıyla garsona söyleyecek bir şeyi de yoktu. "Aşçıbaşı Elmo'ya yemeğin Calvino için olduğunu söyleyin."

Millie Danielson, "Nüfuzla iş görme," dedi. Şarap etkisini göstermeye başlamıştı. Yüzü kızarmıştı, dudakları öpücük verirmiş gibi büzülmüştü. Ama öpücük değildi. Tırnakları kadehin kenarını tırmalıyordu.

"Jazz'ı ne kadar zamandır biliyordunuz?"

"Ağzınızın kenarında kurumuş kan var."

Calvino peçeteyle ağzını sildi. "İşte, böyle daha iyi," dedi kadın.

Lovell masada olsaydı uzanıp ağzını o silerdi. Calvino kadına baktığında, bir erkeğin uğruna kendini mermiye siper edeceği kadınlar olduğunu, bir de bir erkeğin kolaylıkla mermi atabileceği kadınlar olduğunu hatırladı.

"Teşekkürler. Şimdi bana Jazz'ı anlatın."

"En son kız arkadaşını mı?" Pis pis sırıttı. "Birkaç aydır. Onları genellikle kocamın bir apartman dairesi bulmasından sonra bulurum."

"Bu kaç kez oldu?"

Millie Danielson gözlerini devirdi, dilini şaklattı. "Ebedi bir tekerrür."

Calvino şaşkın şaşkın baktı.

"Nietzsche, Bay Calvino. Elbette ki onu duymuşsunuzdur."

"İyilik ve kötülüğün ötesinde."

"Çok iyi." Millie'nin yüzü aydınlandı. "Nietzsche, efendilerin ahlakıyla kölelerin ahlakı arasında fark olduğunu da söyledi. Taylandlı olabilirdi, sizce de öyle değil mi?"

"Nietzsche bana efendilerin her zaman ahlakı gözeterek davranmadıklarını hatırlatır."

"Ruth sizin akıllı bir insan olduğunuzu söylemişti."

Calvino masanın üzerine eğildi. "Kocanızı seviyor muydunuz?"

Millie bu soruyu bekliyordu. Gülümsemesi yok oldu, dudakları biraz büzüştü. "Evet, seviyordum. Onu çok seviyordum." Bunu bir hayal kırıklığı ve pişmanlık karışımıyla söyledi, biraz da öfke vardı. Çantasını karıştırarak bir sigara paketi çıkardı. "Bir sakıncası var mı?"

Bir lokantada sigara içmek kurallara aykırı değil miydi? *Mai pen rai*'nin* duvarlarına çarpıp geri dönen birçok yasa vardı. Calvino başını iki yana salladı.

"Ben normalde sigara içmem."

Calvino, *Bu yüzden çantasında paket taşıyor,* diye düşündü.

"Ama siz ve kocanız yavaş yavaş birbirinizden uzaklaştınız."

Millie sigaranın dumanını üfledi. "Andrew bana HIV taşıdı."

Calvino uzanıp kadının sigarasından bir tane aldı. Komünistleri devirmek için plan yapan bir çift Beyaz Rus'a benziyorlardı. "Ne kadar zamandır biliyorsunuz?"

"Birkaç aydır sadece. Böyle bir şeyin başına geleceğini asla düşün-

---

* Boşver, dert etme vb –yn.

mez insan. Geldiğinde de dünya başına yıkılır."

"Kocanız nasıl kapmış?"

"Jazz. Ya da benim ona taktığım isimle Dünyaya Jazz."

"Jazz olduğundan emin miydi?"

Millie başını salladı. "Oturup kendime üzülebilirim. Ama neden yapayım ki? İlaç tedavisiyle HIV insanın birlikte yaşayabileceği bir şey."

"Bazı insanların ilaca alerjisi vardır." Millie hemen tepki vermedi. Calvino, "Andrew'un alerjileri var mıydı?" diye sordu.

Millie sigarasını söndürdü. "Vardı."

Calvino'nun yüzündeki şaşkınlığı gördü. Yüzünün her tarafı mosmor olmuş, ölü kocasına ve ona üzülmüş görünen bir erkeğin görüntüsü insana dokunuyordu.

"HIV ilaçlarına karşı mı?"

Millie'nin burun deliklerinden gri dumanlar çıktı. "Andrew'un alerjileri çocukluktan geliyordu. Ana babasından aldığı en büyük miras olduğunu söylerdi. Onlarda da alerji varmış. Erkek kardeşi eşekarısı sokmasından öldüğünde henüz çocuktu. Andrew'un alması gereken bazı ilaçlara karşı reaksiyonu vardı. Doktorlar kafalarını kaşıdılar ve en sonunda etkili olmuş görünen bir bileşimde karar kıldılar. İşin ironik yanı şu ki, Andrew AIDS'den ya da ilaca alerjik reaksiyondan ölmedi; kalp krizinden öldü. Andrew'un cinayete kurban gitmiş olduğunu nasıl söylüyorsunuz, gerçekten anlamıyorum. Bunu destekleyecek bir kanıtın olduğunun farkında değilim."

Danielson HIV pozitifti, Jazz'dan ona geçen bir hediye. O da Millie'ye geçirmişti. Ayrıca alerjileri de vardı. Kardeşi eşekarısı sokmasından ölmüştü. Bu her gün olan bir şey değildi. Calvino'nun bardağını tekrar doldurmasına yetecek kadar çılgıncaydı. Daha da kötüsü vardı;

Danielson'ın HIV ilaçları bile alerjileri yüzünden değiştirilmişti.

"Bir taneyi daha kaldırabilir misiniz?" diye sordu.

"Kan tüküren bir insan olarak biraz yavaş gitmelisiniz."

"Haklısınız. Azaltmam gerekiyor. Yarından itibaren."

Millie ikinci şişenin yarı yarıya boşalmış olduğunu gördü. Kocasının ailevi sağlık tarihini anlatırken, Calvino da etiketin bir kısmını söküyordu.

"Bir şişe daha harika olur." Millie'nin eli tekrar çantasına gitti. Bu kez plastik bir kutu çıkardı, kapağını açtı ve hapları eline boşalttı. Ağzına attıktan sonra biraz su aldı, başını arkaya eğip hapları yuttu.

"Kocanızın durumunu kim biliyordu?"

"Janet'e anlattım, o da Ruth'a, o da Debra'ya söyledi. Aslında önemli değildi. Ama onlar için kalk zili gibi oldu. Bu yüzden arkadaşınıza sizi derse getirmesini söylediler."

"McPhail'e mi?" Calvino sırıttı. McPhail'i kullanmışlardı. Muhteşem Dörtlü'nün iknaya ihtiyacı yoktu; kocalarının aynı havuzda yüzüp yüzmediğini ve Millie'nin kocası gibi büyük bir balık yakalayıp yakalamadığını keşfetmek için bir özel dedektif arayışına girmişlerdi.

"Adını hatırlamıyorum."

Calvino, kendisi resmin içine girmeden önce kadınların kişisel yaşamlarından geçen öteki özel dedektifleri düşündü. Artık bunların hiçbiri önemli değildi. Albay Pratt onu hapisten kurtarmak için normal kanalların dışına çıkmıştı. Millie'yle geçirilen bu akşam Pratt içindi.

"Weerewat adını hatırlıyor musunuz? Bir işadamı."

"Onunla tanıştım," dedi Millie.

Yandaki masada şişman bir adam kahkaha patlattı. Millie'nin dikkati dağıldı, sigarasıyla şaraba geri döndü. Duygusal saatte soğuk, temkinli tarafa doğru bir iki saniye geçmişti. Calvino'nun sorusu onu tokat gibi kendine getirdi, tam kendini güvenli ve iyi hissederken kapana kıstırdı. Yandaki masadan gelen kahkaha ona konuşmayı kesmek için mazeret vermişti.

Garson şarap şişesini açarken Calvino bir darbe daha indirdi. "Weerewat kocanızın sağlık durumunu biliyor muydu?"

Şişman adamın arkadaşı, orta yaşlı bir Taylandlı kadın, yüksek sesle cep telefonuyla konuşuyordu. Calvino döndü. "Hanımefendi, burada sohbet etmeye çalışıyoruz."

Kadın, Calvino'nun yüzünü fark edene kadar düşmanca baktı. Sonra sesini alçalttı, şişman adam da başını tabağından kaldırmadan yemeğini yedi. Tam garson temiz bir şarap kadehine biraz şarap koyarken Calvino, Millie'ye döndü. Calvino şarabı yüzündeki ifadede hiçbir değişiklik olmadan denedi. "Tam ilk iki şişe gibi," dedi. "Size Weerewat'ı soruyordum."

Millie, "Andrew'un alerjisini bilip bilmediğini," dedi. "Şu yüksek sosyete moda gösterilerinden birinde Weerewat ile tanıştım. Kocamın nereye kaçmış olduğunu hatırlamıyorum, ama arkamı bir döndüm ki oradaydı, Weerewat. Kendisini tanıttı. Dergilerde resimlerini defalarca görmüştüm, ama kim olduğunu bilmiyormuş gibi yaptım. Bana şirketinin hükümet için ambalajında üreticinin adı/markası bulunmayan ilaçlar yaptığını anlattı. Sadece ona ait bir lisansı vardı. Ne tür ilaçlar diye sorunca HIV hastası olan kişiler için olduğunu söyledi. Sanıyorum yüzüm kızardı. Ölmek istedim. Ama gülümsedim ve kendimi toplamaya çalıştım. Ona bazı insanların HIV ilaçlarına karşı alerjileri olduğunu duyduğumu anlattım. Kendimi öğle yemeğine davet ettirdim. Andrew ile Weerewat arasında bir gerilim olduğunu fark ettim, daha sonra kocama bunu sorunca Weerawat'ın karanlık bir işadamı olduğunu söyledi."

"Weerewat'ın sahte ilaçlar üreten bir şirketi olduğunu da söyledi mi?"

Millie tabağına baktı. "Söyledi."

Dürüstlüğü Calvino'yu şaşırttı. "Weerewat ile yemeğe çıktığınızda, Andrew'un alerjilerinden söz ettiniz mi?"

Millie başını salladı. "Weerewat bir yeğeninde her tür alerji olduğunu anlattı. Ne kadar konuşursak o kadar rahatlamış görünüyordu. Yemeğin sonunda onu ikna ettiğime çok emindim."

"Jazz'ın adı konuşmada geçti mi?"

Kadının yanakları kızardı, tıpkı moda gösterisinde olduğunu söylediği gibi. Şaşkınlık, üzüntü ve suçluluk karışımı, tıpkı sarhoşlarınki gibi boynunun pençe pençe kızarmasına neden oldu. İçini çekti, başını iki yana sallayarak üst dudağını ısırdı. "Geçti."

"Peki Jazz'ı anlattığınızda Weerewat ne dedi?"

"Yarı sarhoştum. Ağzımdan kaçtı. O da aslında bir şey söylemedi. Her türlü yorumlayabileceğiniz o Tayland gülümsemelerinden biri vardı yüzünde. Tarot kartlarını okuyan bir sahtekar gibi."

"Jazz'ın masaj salonunun adını da söylediniz mi?"

"Doğrusunu söylemek gerekirse konunun açılması da böyle oldu. Weerewat bana kötü bir fıkra anlattı, gülmediğimi görünce de nedenini sordu. Ona bazı alışılmadık görüntülere güldüğümü söyledim, tek elle alkış gibi Zen zırvası. Weerewat tek elle alkışlamanın olanaksız olduğunu söyledi. Ben de ona bunun bir masaj salonunun adı olduğunu ve kocamın orada çalışan Jazz adlı bir kıza yakınlık duyduğunu söyledim."

Weerewat öğle yemeğinde Jazz'ı ve çalıştığı yeri öğrenmişti. Millie, Danielson'ın alerjilerini de anlatmıştı. Bütün bu bilgiler Weerewat için mutluluğa dönüşmüştü ve o meşhur gülümsemerinden biriyle karşılık vermişti. Bir türlü yapamadığı bulmacanın parçalarını birleştirmişti. Millie Danielson ona en büyük armağanı vermişti: bir düşmanın yaşamı üzerinde güç sahibi olma. Ona bu bilgileri vermenin yol açacağı sonuçları bilmiş olsaydı gene de bu kadar kişisel ayrıntıları anlatır mıydı? Calvino bu kadını tanımıyordu. Ama yemekte bunları anlatmanın ne anlama geleceğini çok iyi bildiğini seziyordu.

Calvino, "Bana bunları neden anlatıyorsunuz?" diye sordu.

"Weerewat'ın ne kadar güçlü olduğunu tam anladığınızı sanmıyorum."

Calvino da onun hakkında aynı şeyleri düşünüyordu. Artık kadının doğrunun saplarını tıraşlayıp tıraşlamadığını, fincanı kâse gibi gösterip göstermediğini merak etmeye başlamıştı. "İhanete uğramış bir kadına birçok açıdan yardımcı olabilir," dedi.

"Kocamın ölü olması bana yardım etmez."

"Hayat sigortası yok mu?"

Millie bu fikre güldü. Calvino onun yalan söylemek zorunda kalmamak için yanıt vermekten kaçındığını gözlerini kaçırmasından anladı. Garson, kapkara yer mantarlarıyla dolu spesiyal tabağını Calvino'nun önüne koydu. Mantarlar doğranmış üç kara penise benziyordu. Daha sonra garson Millie Danielson'a *foie* otundan bir yemek getirdi. Calvino başını mantarlardan kaldırınca, Millie'nin onu bir canlı cenazeymiş gibi süzdüğünü gördü.

"Sizi yer mantarı yiyen biri olarak düşünmemiştim," dedi.

"Nasıl bir insan olarak düşündünüz?"

"Haklı olduğunu ve işlerin bu yüzden her zaman yoluna gireceğini düşündüğü için olaylara bodoslama dalan biri. Biliyor musunuz? Gerçek yaşamda pek böyle olmaz."

Calvino, "Gerçek yaşamda sizce nasıl olduğunu bana anlatır mısınız?" diye sordu.

Millie bir sigara daha yaktı, dumanı ağzının kenarından üfledi. "Onunla savaşabilirsiniz. Ama Weerewat'ı yenmeyi başaramazsınız. Dünyadaki bütün arkadaşlarınızı bir araya getirseniz bile. Bunu size söylüyorum, çünkü arkadaşlarıma yardım etmek için çaba harcadınız. Sizinle kedinin fareyle oynaması gibi oynadıklarını, habire fikir değiştirdiklerini biliyorum. Ama siz gene de onlara yardım ettiniz. Benim kitabımda buna saygı duyulur. Ayrıca görüyorum ki biri sizi dövmüş." Sigarasını söndürdü, yemeğine dokunmadı bile.

"Ruth, Janet ya da Debra değildi."

Millie gülümsemedi.

"İyiliğinizin karşılığını vermek ve öğütte bulunmak istedim."

"Nasıl bir öğüt?"

Millie bir kaşını kaldırdı. "Akıllı bir adamsınız. Telaffuz etmem gerekir mi?" Calvino'nun ifadesinden telaffuz etmesi gerektiğini anladı. "Dosdoğru havaalanına gidip geldiğiniz yere dönmek sizin için akıllı bir hamle olurdu."

"Size söylemiştim. New York'luyum."

"O halde geri gidin. Ben olsam fazla da oyalanmazdım."

"Bana fazla zamanımın olmadığını mı söylüyorsunuz?"

Gülümseme geri döndü. "Çabuk kavrıyorsunuz."

"Bana bir mesaj mı iletiyorsunuz?"

Millie'ye, Tayland'da yaşadığı yıllar içinde New York City'nin çok değişmiş olduğunu ya da belki kendisinin değiştiğini anlatmadı. Bildiği tek şey, artık oranın bıraktığı New York gibi gelmemesiydi. Ya da aynı ülke gibi. Haritada tuhaf, yabancı bir yerdi. Artık New York'u annesinin ikinci sınıf bir huzurevinde ölmeyi beklediği bir yer olarak düşünüyordu.

Millie, "Geri dönmek o kadar da kötü bir fikir değil," dedi. Sigarasını söndürür söndürürmez başkasını yaktı. Elleri biraz titriyordu. Calvino eğilip onun ellerini tuttu, çakmağın alevini sigaranın ucuna götürdü. Millie sigaradan derin bir nefes çekti. Sigara onu sakinleştirdi.

"Öyleyse siz neden buradasınız? Yerel politika berbat bir hal almaya başladı."

"HIV'seniz, sağlık bakımının ucuz olduğu ve hizmetçilerin temizlik ve alışveriş işlerini yaptığı yerde kalırsınız. Politikanın berbatlığından endişe duymazsınız. Politika her zaman berbattır. Her yerde. Özgürlük ve demokrasi için yapılan bütün bu gösteriler, HIV'seniz ne anlamı var? Pek yok."

OTUZ YEDİ

Aşçıbaşı Elmo mutfaktan yemek salonuna geçti. Beyaz bir aşçı önlüğüyle şapka takmıştı, bu da onu tombul, cinsiyetsiz ve kan çanağı gözleriyle daha da ay suratlı kılmıştı. Calvino'yla göz göze gelince yüzünde suçlu bir gülümseme belirdi. Bir politikacı gibi el sallayarak Millie Danielson'ı selamladı. Aşçıbaşı Elmo masalarının kenarında durup dilini şaklatarak el sürülmemiş yemeklerine baktı.

"Yemeğinize dokunmamışsınız. Güzel değil mi?"

"Konuşmakla çok meşguldük, Aşçıbaşı Elmo, yemeğe başlamadık." Millie öpmesi için elini kaldırdı.

Millie'nin elini öptükten sonra Elmo, Calvino'ya bir not verdi. "Müşterilerinize benim postacı olmadığımı söyleyin."

Bakıştılar. Calvino, Aşçıbaşı Elmo'yu daha iyi tanımış olsa, stres altında bir adamın tüm işaretlerini görmüş olurdu. Ünlü bir aşçının kişiliği karakteristik tiklere dayalıydı. Aşçıbaşı Elmo'ya bakınca mutlu müşteriler yüksek derecede gerilimin aşçıbaşı rolüne uyduğunu düşünüyordu.

Aşçıbaşı Elmo, Millie ile yemek kursu üzerine konuşurken, Calvino da McPhail'in el yazısıyla yazılmış notu okudu. Not şöyleydi: "Aşçıbaşı Elmo'yla mutfağa gel. Arkada bekliyorum. Gülümsemeye devam et ve her şey yolundaymış gibi davran." Calvino notu katlayıp cebine koydu. Şarap kadehini kaldırıp Aşçıbaşı Elmo'ya şerefe yaptı. Millie de kadehini kaldırdı.

Calvino, "Aşçıbaşıya," dedi. Bir yudum aldıktan sonra kadehini masaya koydu. "Bir kız arkadaş sorunu var. Bir dakikanızı rica edeceğim. Aşçıbaşı Elmo'yla biraz konuşmamız gerekiyor."

Millie, Aşçıbaşı Elmo'ya yüzünde çok bilmiş bir bakışla baktı. "Hiç bitmez, değil mi?"

Calvino iskemlesini geriye çekti ve Aşçıbaşı Elmo'nun ardından mutfağa gitti. Elmo ona hiç bakmadı. Mutfaktan hızla geçti, fırınların, tezgahın, iki sanayi tarzı buzdolabının ve evyelerin arasından geçerek büyük plastik çöp konteynırlarının olduğu bir koridara girdi. Calvino krom buzdolabı kapısında kendisini bir an görür gibi oldu. Hoş bir görüntü değil, diye düşündü. McPhail'i iki konteynır arasında çömelmiş, bir kediyi okşarken buldu. McPhail, bir eli kedinin kulaklarında, Aşçıbaşı Elmo ile Calvino'ya baktı.

McPhail, "Buradan çıkman gerekiyor," dedi.

"Millie'ye söyleyeyim."

McPhail doğruldu, elinde bir bıçak vardı. Kedi Aşçıbaşı Elmo'nun bacaklarının arasından mutfağa kaçtı.

McPhail, "İyi bir fikir değil," dedi. Bir elini Aşçıbaşı Elmo'nun omzuna koydu. "Teşekkürler Elmo. İyi iş çıkardın."

"Neler oluyor, McPhail?"

McPhail kolunu Calvino'nun omzuna sardı. "Tam bir bok çukuruna düştün."

Aşçıbaşı Elmo bir anahtar tomarı çıkarıp arka kapıyı açtı. Burası bir bahçeye açılıyordu. Dış kapının üstündeki ışığı söndürdü. Çevre evlerden gelen ışıklar palmiye ağaçlarının, muz ağaçlarının gölgeli siluetlerini ve bahçenin sonunda iki metre yüksekliğindeki duvardan daha yüksek bir bambu ağacını aydınlatıyordu. İçeriye girmek isteyecekleri engellemek için duvarın üzerine metal sivrilikler takılmamış, ellerini ve dizlerini kesmeleri için kırık cam parçaları konulmamıştı. Ama duvarın üzerine çıkmak da tam bir marifet gerektiriyordu. Duvarla bahçe arasında çalılar, bambular ve ağaçlar vardı. McPhail bıçağını kullanarak bambuların arasından dar bir koridor açtı.

McPhail'in yüzünden ter boşanıyordu. "Birazcık daha yaparsak, duvarın üzerinden atlayabiliriz."

"McPhail, neden duvarın üstünden atlıyoruz?"

McPhail kesme işini bıraktı. Bıçağıyla lokantayı göstererek, "Çünkü bazı götlekler önde seni bekliyor."

Calvino kalbinin güm güm attığını hissetti. Kodeinin etkisi yok olmuştu ve kaburgalarıyla başı zonkluyordu. "Kaç kişi?"

"İki ya da üç. Ve bazı polisler de var."

Calvino, "Duvarın üzerinden öyleyse," dedi. Kutu Kafa ile Şiş Göbek'in ikinci raunt için dışarıda beklediklerini düşündü. Karakoldan çıktıktan sonra yeniden bir araya gelmelerinin kısa süre sonra gerçekleşeceğini açık seçik belirtmişlerdi.

Havada yeni kesilmiş bambu kokusu belirdi. McPhail bıçağını kaldırıp bambuyu kesmiş, yoğun çalılar arasında küçük bir alanı temizlemişti. "Adamım, hiç bu kadar çok bambu gördün mü? Kirişi kırdığını fark etmelerinden önce birkaç dakikamız var."

"Nasıl anlayacaklar?"

McPhail bıçağı bırakıp kolunu Calvino'nun omzuna sardı.

"İyi şanslar, moruk," dedi. "Pratt seni bekliyor."

Ellerini birleştirerek köprü yaptı. Calvino ellerinin üstüne basarak kendini yukarıya çekti. Bir enerji patlamasıyla duvarın üzerine çıktı. Soluğunu tutup aşağıya baktı.

"Sağ ol, McPhail."

Duvarın öteki tarafında sokak köpekleri havlıyordu ve onun aşağıya baktığını görünce hırladılar. Köpekler bunu kişisel bir tehdit olarak görmesini istiyordu. Calvino yere atladı. Uzanıp bir taş alıyormuş gibi yaptı ve bir beyzbol atıcısı gibi gerindi. Tehdit yeterli oldu. Köpekler kaçtı, kaçarken de havlıyorlardı. Calvino çevresine bakınarak tanıdık bir işaret bulmaya çalıştı. Hiç yoktu. Hiçbir yere çıkmayan küçük bir *soi*'ye inmişti. Albay Pratt'i göremedi. *Soi* sessizdi, zengin insanların yaşadığı türden bir sokaktı. Bir otomobilin yaklaştığını gördü, gıcır gıcır bir metalik gri BMW bir eve girdi. BMW gözden kaybolunca ortada trafik falan kalmadı. Ancak orada yaşayanların kullandığı bir *soi* idi burası. Solunda *soi*'nin bittiği yeri görebiliyordu. Sağında, yüz metre uzakta sokak bir T çizerek daha büyük bir *soi* ile kesişiyordu. Calvino kavşağa doğru seyirtti. Bir motosiklet geçti. Sürücü frene bastı, durdu ve omzunun üstünden Calvino'ya baktı, motosikletini park etti.

Albay Pratt kaskını çıkardı ve eliyle Calvino'ya işaret etti. Calvino bir koşu tutturdu. Yolun kenarında durup eğildi, kaburgalarını tutuyordu. Sonra yavaş yavaş doğruldu. Pratt'in yüzünü görmekten hiç bu kadar mutluluk duymamıştı.

Calvino, "McPhail seni burada bulabileceğimi söyledi," dedi. "Üç yüz dolarlık hesaptan kaçtım."

Pratt yedek bir kask uzatarak, "Hanımefendi bunu karşılayabilir," dedi. "Şunu tak."

Albay Pratt kot pantolon, sandalet ve gömleğinin üzerine turuncu motosiklet yeleği giymişti. Calvino, Pratt'in yüzünde korku ifadesi gördüğünü hiç hatırlamıyordu. Bu kadar korkmasına yalnızca New York'taki Çin çetesi neden olmuştu.

"Bana bilmek istemeyeceğim bir şey anlatacaksın."

Albay Pratt'in yüzünde kıl kıpırdamıyordu, neredeyse sakindi. "Lovell öldü."

Büyük bir ürperme ciğerleriyle boğazından geçerken kaburgalarına bıçak gibi bir ağrı saplandı. Başını iki yana salladı ve öteki tarafa çevirdi. *Soi*'de yürümeye başladı. Fısıltılı bir sesle, "Ne zaman?" diye mırıldandı.

"Vincent, gitme zamanı. Bunu daha sonra konuşuruz."

Calvino durdu, hafifçe döndü. "Eve gitmek istiyorum."

"Gidemeyeceğini biliyorsun. Büronla daireni gözaltında tutuyorlar. Yeraltına geçeceksin."

Tek söz. Calvino'nun durumu tam olarak anlamasına bu tek söz yetti. "Yeraltı", işlerin Albay Pratt'in denetleyebileceğinin ötesine geçtiği yolunda acil ve güçlü bir mesaj taşıyordu. Yeraltı, bir uyuşukluk ve yararsızlık hissi de taşıyordu. İhtiyar George ona, savaş sırasında önemli bir hayat dersi öğrendiğini anlatmıştı. Bir acil çıkışa ihtiyaç duyuyorsan, bu çıkışı yapacak zamanın olmaz.

İhtiyar George, "Akıllıca düşünmelisin, Calvino," demişti. "Bu kadar uzun süre hayatta kalmana şaşırdım. Er ya da geç seni yakalayacaklar, sonra ne olacak?"

Calvino ona, "Sen olsan ne yapardın?" diye sormuştu.

İhtiyar George sağına soluna bakmış, sonra eğilerek Calvino'ya fısıldamıştı. "Benim bir yerim var. İhtiyacın olursa."

O zaman şimdi gelmişti.

Calvino kaskı alıp şiş kafasının üstüne taktı. Ağrı ayak uçlarına kadar her yerini dolaştı. Kaskın dar açıklığından çevresine bakındı. Kaskın içinde soluk almak zordu. Bir bacağını motosikletin arkasına attı. Albay Pratt motosikleti döndürdü; *soi*'nin arka tarafına giderek sola döndü, başka bir *soi*'ye açılan dar bir patikaya girdi. Asoke yakınlarına çıkana kadar dantel gibi birbirine dolanmış küçük *soi*'lerden geçti.

Lokanta çok uzakta kalmıştı. Pratt motosikleti Asoke'ye soktu ve düzinelerce öteki motosikletlinin arasına karıştı. Bir *farang* yolcu taşıyan yüzlerce motosiklet-taksi sürücüsünden biri olabilirdi. Dakikada yüzlerce böyle sürücü geçiyordu. Sukhumvit'in Washington Meydanı'na açıldığı yere varmak sadece birkaç dakika sürdü.

Meydanda Mambo adlı eski bir sinemanın yakınlarındaki park yeri bir kaos halindeydi. Makinelerle vücutlar birbirine karışmıştı, dirsekler dar alanda birbirine değiyordu. O akşam 8:30'da başlayan Mambo matinesi sona ermiş, Çin, Hong Kong ve Tayvan'dan yüzlerce turist dışarıya fırlamıştı. Mambo kalabalığı Albay Pratt'in motosikletini kuşattı. Alanı tıkayan, kalabalık Çinliler'di. Bol, ucuz giysiler ve sandalet giymiş, zımpara gibi yüzler güneşte çok fazla kalmış gibi duruyor. Yüzlerce insan birbirine sürtünüyordu, sanki biri devasa bir arı kovanına çomak sokmuş gibi kaynıyor, hepsi dişlerini göstererek gülüyor, tüm trafiği tıkıyor. Albay Pratt santim santim ilerledi. En sonunda kaskını çıkarıp motosikletten indi. Kalabalık onu sürüklüyordu. Calvino önce bir, sonra iki, üç adım ardında kalırken onu gözden kaçırmamaya çalışıyordu, ama en sonunda o da kalabalığa yenik düştü.

Birkaç tur operatörü Mambo'nun merdivenlerinden aşağıya iniyor, megafonlarla bağırıyordu. Ortama biraz düzen getirmek birkaç dakikalarını aldı. Turistler rehberlerinin ardından dev otobüslere giderken biraz kaybolmuş gibi duruyorlardı, kendilerini gece meydanda, bir dizi harap dükkan arasında bulunca çok şaşırmış gibiydiler. Kültür Devrimi'yle ilgili bir filmde bir çete sahnesi olabilirdi bu. Çinliler beklerken sigara içtiler. Bazılarında geniş kenarlı bambu şapkalar vardı. Ötekilerin ay parçası gibi yüzleri vardı ve saçları bir makas ve aynayla şekil verilmiş gibi duruyordu. Calvino kendi saçını kendisi kesiyordu. Bu kafaların arasında tıpkı onlar gibi denizde balık gibi göründüğünü biliyordu. İki yaşlı kadın sağa sola sallanarak otobüslerine bindi. Calvino onların büyük yuvarlak gözlerinin otobüsün penceresinden kendisine baktığını gördü. Büyük dedesinin neredeyse yüz yıl önce bu insanların atalarının resmini yaptığını düşündü. O zaman da gülümsememişlerdi; şimdi de gülmüyorlardı. Taylandlılar ise sürekli gülümsüyordu.

Calvino, bu gülümseme iyi bir şeye işaret ediyor olmalı, diye düşündü. Kutu Kafa ile Şiş Göbek bile onu dayaktan öldürürken gülümsüyordu. Calvino, Lovell'ı öldürdükleri sırada da gülmüşlerdir, diye geçirdi içinden. Acı çektirmenin verdiği hazdan kaynaklı bu gülümsemeleri hatırlıyordu.

Calvino kalabalığın arasından çıkarken Pratt'le göz göze geldi. Pratt, Calvino'ya kendisini takip etmesini işaret etti. *Katoey* gösterisinden sonra keyifleri yerinde olan Çinliler'in arasından geçtiler; Çinliler otobüslerine giderlerken gülüşüp şakalaşıyordu. Otobüsler dar sokakta hareket etmeye başlayınca Calvino ile Pratt yoldan çekilmek zorunda kaldılar. Yalnız Şahin'in girişini geçince, Albay Pratt on adım daha yürüdü, iki tarafa birden baktı, sonra kapıyı açtı. Üst katta dört otel odası vardı. Gündüz burası saatle kiralanıyordu. Üçüncü kata çıktıklarında İhtiyar George'u merdivenlerin başında bastonuna yaslanmış halde buldular. Kül rengi yüzü, içine çekilmiş omuzları, gözlerini bulanıklaştıran kalın camlı gözlüğü –uzaktan bile, timsahların tekrar Florida bataklığına attığı parçalardan bir araya dikilmiş bir vücut gibi görünüyordu.

İhtiyar George, "Amma da oyalandın lan," dedi.

Calvino, "İki kırık kaburgayla içine ettiğimin bir duvara tırmanmak zorunda kaldım," karşılığını verdi.

"Her zaman tırmanacak bir duvar vardır. Hayatın anlamı bu. Siktiğimin tırmanmasını öğrenmek ve gene de zamanında varmak." İhtiyar George, saatle kiralanan odalardan birinin kapısını açmak için zincirde doğru anahtarı ararken bir yandan da konuşuyordu. Işığı açtı, Albay Pratt ile Calvino'nun içeriye girmesini bekledi, sonra kapıyı kapattı.

"Görüyorsun ya, fazla bir şey değil. Ama kalabileceğin bir yer," dedi İhtiyar George. Karşı taraftaki tuvaleti göstererek, "Tuvalet kağıdını klozete atma, yoksa tıkanır. Bu da tesisatçı demektir. Bu da sorun demektir. Oriental Hotel olmadığını biliyorum. Ama burada olduğunu kimse öğrenemez." İhtiyar George, önce Calvino'ya sonra Albay Pratt'e baktı. "Sana yemek göndereceğim. Bu arada siz ikiniz konuşmak istersiniz. Bu gece karşı tarafta kalacağım. Geri dönmek için saat geç oldu." Bastonuna yaslanıp odayı gözden geçirdi.

Bangkok yeraltısı böyleydi.

İhtiyar George odanın kapısını kapatıp kilitledikten sonra Calvino kanepeye oturdu. "Bana Lovell'ı anlat."

"Kötü durum, Vincent." Albay Pratt'in elinde olay yerinden fotoğraflar vardı, onları Calvino'ya verdi. Calvino fotoğrafların üzerinden hızla geçti. Lovell'ın kanının ve beyninin, dairesindeki pembe duvar kağıdına ve mobilyalara sıçramış görüntüsünü sindirmeye çalıştı. Heykeller, cam ve krom kanla kaplanmıştı. Lovell yan yatmış duruyordu, kameraya bakarmış gibi başı kanepenin kenarındaydı. Onu dövmüşlerse bile yüzünden bu pek belli olmuyordu. Lovell uyuyor olabilirdi, ama alnında kara bir delik vardı.

"Ne zaman oldu?"

"Birkaç saat önce, biri silah seslerini duyup polisi aramış. Polis geldi. Lovell'ın cesedini bulduktan sonra ilk keşfettikleri şey kimsenin bir şey görmediği oldu," dedi Pratt. "Arkadaşlarımdan biri olay yerindeydi. Bana telefon etti. Fotoğraflar çekip evime gönderdi." Bir an durdu. Penceresiz, havasız sığınak ona büyük sıkıntı veriyordu. "Weerewat'ın adamları seni arıyor, Vincent. Polis de arıyor."

"Lovell'ı öldürdüğümü mü düşünüyorlar? Deli mi onlar? Ben yemekteydim."

Calvino yatağın kenarına oturunca yatak çöktü. Şifonyerin üzerindeki aynada yüzüne baktı. Bu odadan binlerce yüz gelip geçmişti. Calvino'nun yüzü acı ve pişmanlık dolu canavar maskelerinden biriydi yalnızca.

Albay Pratt, "Lovell sen lokantaya gitmeden önce öldürüldü," dedi. "Millie Danielson ile yemeği nerede olduğunu kanıtlamak için kullandığını söylüyorlar. Lovell'ı da, Danielson'ın sana borçlu olduğu parayı vermediği için öldürdün. Önemli olan onların ne düşündüğü değil. Önemli olan, ne düşüneceklerinin söylenmiş olması."

"Onlar, onlar, onlar. *Onlar* her kimse, hangi boktan şeyi söylediklerini kim takar?"

Pratt, "Vincent, işler daha da kötüye gidiyor," dedi.

"Ne kadar kötüye?"

"Polis senin 38'lik tabancanı Lovell'ın kanepesinin yanında buldu. Lovell'ı öldüren mermi senin tabancandan çıkmış."

Calvino, "Kutu Kafa benim lanet silahı almış olmalı," dedi. "Ama sen tabancayı karakolda bana geri vermiştin."

"Ben sana, bana karakolda verilen 38'liği verdim. Senin silahın olmadığını fark etmiş olman gerekirdi." Vincent Calvino onun böyle ter içinde kaldığını uzun zamandan beri görmemişti. Pratt alnını sildi. "Kontrol ettin, değil mi, Vincent?"

"Dayak yemiştim, Pratt. Bir göz şişmekten kapanmış, öteki yarı açık. Ne yapmamı bekliyordun, seri numarasını kontrol etmemi mi?" Calvino 38'lik özel polis tabancasını kılıfından çıkardı. "İşte burada."

"Seri numarasını kontrol et."

Calvino kaşlarını çattı, kafası karışmış görünüyordu.

Albay Pratt, "Olay yerindeki silahın seri numarası, senin adına kayıtlı olanla aynı," dedi.

Calvino elindeki silaha uzaydan gelmiş bir cisimmiş gibi baktı. "Silahları mı değiştirdiler?"

Albay Pratt başını salladı. "Ben bunu biliyorum. Weerewat da biliyor. Ama önemli değil. Adamlarının senin silahını hiç görmediğini söyleyecektir. Bu hükümetin en üst düzeylerinde arkadaşları var. Ona dokunamazsın."

Calvino namluyu kontrol ederken işaret parmağını ucunda gezdirdi. "Bir yerlere silah yerleştiren dokunulmaz kişi."

"Her silahın farklı bir dokunuşu vardır. Bu silahın farklı olduğunu hissetmedin mi?" diye sordu Pratt. 38'lik polis tabancasını Calvino'dan alarak seri numarasını kontrol etti.

"Hissettiğim tek şey birkaç kırık kaburga, sızım sızım sızlayan bir omuz ve karpuz gibi şişmiş yüzümdü. Silahı hissetmek mi? Geriye hiç his falan kalmamıştı ki. Peki kime inanırlar?" Calvino aynada yüzüne baktı. Gördüğü yüz, düşmeyi bekleyen bir ölüye benziyordu. İnancın doğasını ve yerçekimine bağlı olarak nasıl ışık gibi kırıldığını anladı. Weerewat devasa bir yerçekimi mıknatısıydı.

Albay Pratt başını salladı. "Anlıyor musun, Vincent?"

"Neyi, Pratt?"

"Dün kızağa çekildim."

"Artık polis değil misin?"

"Buza konulmuş bir polisim."

Calvino, "Dondurucu soğuk," dedi.

Weerewat iyiden de öte olduğunu ortaya koydu. Kendi klasına sahip, diye düşündü. Weerewat onunla, New York'taki Canal Sokağı'nda karton kutu üzerinde oyun oynayan adamlar gibi oynamıştı. Calvino gardını indirmiş ve Weerewat'ın oynadığı oyunu anlamayı başaramamıştı. Onu güvenlik şefi olarak işe almak, Calvino'yu Pattaya'daki ustabaşı cinayetinde kullanmak açısından çok parlak yoldu. Weerewat, Calvino'yu bu cinayetle bağlantılandırmıştı. Ne olursa olsun dayanacak bir şey vermişti bu ona. Weerewat onu gafil avlamış, silahını almış, dövmüş, silahları değiştirmiş ve Calvino'nun üzerine kayıtlı silahı Lovell'ı öldürmek için kullanmıştı.

Weerewat bir şey daha kazanmıştı: Jazz'ın öldürülmesi Calvino'nun davranış tarzına uyuyordu. Weerewat her bir cinayeti polis açısından planlamıştı. Vincent Calvino çok tehlikeli bir katildi. Ona kalırsa Calvino bir polis mafyası kaynağı tarafından korunuyordu –Albay Pratt. Devreye giren, Weerewat'ı ve adamlarını kendilerine ait bir yerde gözaltına alan ve iki cinayete adı karıştığı halde Calvino'yu gözaltından çıkaran aynı adam. Şimdi, "Görüyorsunuz ya, onu bıraktınız, o da gitti bir cinayet daha işledi," diyebilecekti.

Calvino, "Ya Ratana?" diye sordu.

Albay Pratt, "Ratana güvende," karşılığını verdi.

Calvino onu düşünüp duruyor ve olanları nasıl açıklayabileceğini merak ediyordu. "Elbette güvende," dedi.

"Manee'yle birlikte kırsal kesime geçti. Nerede olduklarını bilmene gerek yok. Ama güvendeler." Albay Pratt kırsal kesimde kimsenin asla bulamayacağı yerlere sahipti. Calvino, Ratana'nın Weerewat'ın kişiliğiyle ilgili yaptığı hatayı anlatırkenki yüzünü hatırladı.

Albay Pratt, "Weerewat'ın hükümette bir göreve atanması yarınki gazetelerde çıkacak," dedi.

Calvino içini çekerek başını iki yana salladı. "Bunun olabileceğini öngörmüş müydün?"

Albay Pratt, "Henüz her şey bitmedi," dedi. "Bir şeyler oluyor, Vincent. İşler fazla ileriye gitti."

"Tayland'da bir daha asla darbe olmaz diyorlar. O günler bitti, diyorlar."

"Hükümeti, kendi yanlışlarını görebilen bir Prospero yönetmiyor," dedi Pratt. Son günlerde, en sevdiği Shakespeare oyunlarından biri olan *The Tempest*'ı tekrardan okuyordu.

Calvino sırıtarak, "Prospero oyunun sonunda günah çıkarıyordu," dedi. "Weerewat gibi adamların günah çıkaracağını düşünebiliyor musun? Belki bir sonraki yaşamda akşamüstüne doğru."

Pratt başka bir şey söylemeye davrandı, ama sonra vazgeçip başını çevirdi, derin bir soluk aldı. "Sana söyleyebileceğim tek şey, Weerewat'ın fotoğrafının ve hükümete özel danışman olarak atanması haberinin yarın bütün gazetelerde yer alacağı."

Weerewat bir tutum belirlemiş ve hükümetin yanında yer almıştı. Bu göreve atanması ötekilerin ondan korkmasına neden olacaktı. Atamanın söylentileri bir süredir ortalıkta dolaşıyordu, ama bu tür dedikodular ucuz şeylerdi. Kimse bu atamanın olacağından emin değildi. Albay Pratt ve amiri, Weerewat'ın elinin nereye kadar uzanabileceğini ilk anlayanlar arasında oldular. Her ikisi de kızağa çekildi. Jazz ve Pattayalı ustabaşı Daeng cinayetleri için Vincent Calvino adına yakalama emri çıkarıldı, şimdi de listeye John Lovell eklenmişti. Calvino'yu Pattaya'da ölen adamla gören, Calvino'nun ona para verdiğini gören tanıklar vardı. Jazz'ın odasının kapısını kırmıştı. İkinci katta yakalanmış ve ölü *ying*'in bulunduğu masaj salonu odasına inmek için bir kapak kullanmıştı. Şimdi de Calvino'nun silahının olay yerinde bulunmasıyla Lovell cinayetine adı karışmıştı.

Calvino, "Bir kez Gulag'a doğru ortadan kaybolduğum zaman iş biter. Bir daha asla ortaya çıkmam," dedi.

"Bir süre ortalıkta görünme. Weerewat senin ona zarar verebileceğinden korkuyor, bu yüzden ilk hamleyi o yaptı."

Pratt motosiklet yeleğinden bir torba ucuz telefon kartı çıkarıp Calvino'ya verdi. "Her kartta ayrı bir numara var. Bir kartı bir kez kullan, fırlat at, sonra yenisini kullan. Kartların bitmesine yakın beni ara, sana yeni kartlar getiririm. Bir numarayı iki kez kullanma. Telefon ettiğin zaman bir sonraki telefonun için yeni bir numara vereceğim. Bu yolla konuşmalarımızın izini süremezler."

Albay Pratt odadan çıktı. Calvino yatağa oturarak çevresine bakındı.

Televizyonu açtı. Tüm kanallar Tayland dilindeydi. Bir koltukta oturmuş, ellerini kavuşturmuş, kameraya gülümseyerek bakan Weerewat'ı gördü bir an. Röportajı yapan kişi ona Tayland dilinde Sukhumvit Yolu'nun en gözde alanları anlamına gelen yeşil bölge için planlarını sordu.

Weerewat kameraya gülümseyerek, "Yeşil bölgede Taylandlılar için makul fiyatlarda evler olmasını sağlamak en iyisi olur," dedi. "Yabancılar bu bölgede oturmak ve yaşamak istiyorlarsa önce bir iş vizesi almalılar. Ülkemizde çok fazla sakıncalı *farang* var. Vize kısıtlamalarını daha da sıkı hale getirerek daha dikkatli davranmalıyız. Herkes *farang*'ların zengin olduğunu sanıyor. Ama bu doğru değil. Herkese baş belası olan yoksul *farang*'lar da var. Yani benim düşüncem yeşil bölgeyi Taylandlılar'a ve işadamlarına ayırmak."

Calvino, televizyonda yüz ifadelerini yorumlayan Cameron'ı düşündü.

Yalancı.

Calvino televizyonu kapattı. Doğru olanı savunmak üzerine hoş bir nutuk atarak Lovell'ın toplanmasını engellemişti. Lovell onu dinlemiş ve havaalanına gitmemişti. Şimdi de polis onu Lovell'ı öldürmekten köşe bucak arıyordu.

Weerewat polis soruşturmasının ardında ipleri çekiyordu. Amcası Suvit'le birlikte hükümetten destek ve teşvik sağlamak için çok çalışmıştı. Galileo Chini büyük dedelerini uçan domuz kuyruklarıyla, ejderhanın devasa başının önünden kaçarken resimlediğinden beri çok yol kat etmişlerdi.

Hükümet ve medyadaki herkes onu memnun etmek için deli divane oluyordu. Weerewat'ın tersine gelmek istemiyorlardı, çünkü o kazanan kişi gibi görünüyordu ve herkes kazananları desteklerdi.

Weerewat'ın beni bulması gerek. Bu işi sona erdirmesi gerek, diye düşündü Calvino. Sırtüstü yattı, gözlerini kapattı ve cebinde ağrı kesici aradı. Şişeyi salladı ve içindekileri avcuna boşalttı. Geriye iki hap kalmıştı. Gözlerini kırpıştırarak ikisini de ağzının gerisine yerleştirdi ve yutkundu. *Bana geceyi geçirt yeter,* dedi kendi kendine.

Calvino'nun içi geçerken Lovell'ın cesedini kanepenin üzerinde gördü. Weerewat'ın ona televizyondan baktığını gördü. Weerewat yumruklarını sıktı ve dosdoğru kameraya bakarak yeşil bölgenin sakıncalı yabancılardan temizlenmesi gerektiğini bağırdı. Bir iş vizesine sahip değilsen, yeşil bölgeden çık bakalım. Washington Meydanı'ndaki tur otobüslerini gördü. Kuyruktakiler Çinli turistler değil, *farang*'lardı. Zincire vurulmuşlardı ve çevreleri silahlı kişilerle doluydu. Fısıltıyla konuştuklarını duydu, ağladıklarını duydu. Başka bir yere nakledildiyorlardı. Sakıncalı yabancıların, muhaliflerin, sapıkların, yola gelmezlerin ve mali açıdan işe yaramazların kökünü kazımak için yapılan programın bir parçasıydı bu. Sürücü koltuğunda tanıdık bir yüz gördü. İhtiyar George'du, bir Singha birası içiyor ve eski bir II. Dünya Savaşı şarkısı söylüyordu. Motoru çalıştırdı ve gecenin karanlığında yola koyuldu.

OTUZ SEKİZ

Odanın içine bir ışık doldu, ardından gök gürültüsü gibi bir patlama geldi. Calvino sıçrayarak uyandı. Yatakta ter içinde doğruldu. Ayağında hâlâ ayakkabıları vardı. Şimşek odayı bir kez daha aydınlattı. Rüya görüyordu ve İhtiyar George'un kapı ağzında bastonuna dayanmış siluetini gördüğü zaman, uyanmış olduğundan emin olamadı.

"Avaz avaz bağırıyorsun."

"George, saat kaç?"

"Gecenin üçü, sen de beni uyandırdın. Burada kalan başka insanlar da var. Sessiz olmalısın."

Calvino, "Ne yapmamı istiyorsun ki?" diye sordu. "Rüya görüyordum."

İhtiyar George kapıyı arkasından kapattı ve şifonyere yaslandı. Calvino yana dönerek yüzünü yastığa dayadı. Yavaşça doğrulurken elinde Lovell'ın ona verdiği yedek dosyalarla dolu küçük hard disk'i tutuyordu.

"Senin neyin var ulan?"

"Bir Tayland mahkemesindeydim."

"Mahkemede ne yapıyordun?"

Calvino başını iki yana salladı. "Rüyaydı, George. Savcı, Daeng adlı bir Taylandlı işçiyi ve Jazz adlı bir masajcı *ying*'i nasıl öldürdüğüm konusunda uzun bir iddianame okuyor. Okumayı bitirdikten sonra oturuyor. Herkes bana bakıyor. İki gardiyan beni zincirlere bağlanmış olarak bir kulübeye götürüyor. Ayaklarım çıplak ve zincirlerin bacaklarıma battığını hissediyorum. Duruşma salonuna bakıyorum, ama kimseyi tanımıyorum. Taylandlı yargıç kürsüden bana bakıyor ve ifade vermeden önce yemin etmem gerektiğini söylüyor. Ona 'Ne tür bir yemin?' diye soruyorum. Yargıç sıkılmış. İşlemleri bir an önce tamamlamak istiyor. 'Müslümansan Kuran'a el basarak yemin et. Hıristiyansan İncil'e ya da Budistsen Buda öğretilerine,' diyor. Savcı ve mahkemede bulunanlar bekliyor."

İhtiyar George, "Sen ne dedin?" diye sordu.

"Ben, 'Yahudiyim,' dedim. Yargıç mutsuz. Öfkelendiğini ve duruşmanın bir an önce sona ermesini istediğini yüzünden anlayabiliyorum. Savcı masasında bir infazcı oturuyor ve devasa bir kılıcı biliyor. Yargıç bana diyor ki, 'Bir Müslüman, Hıristiyan ya da Budist olarak yemin etmelisin.' Ben de diyorum ki, 'Bir anlamı olmasa bile mi?' Yargıcın yüzü öfkeden kızarmış. 'İsa'ya inanmıyor musun?' Başımı iki yana sallıyorum. 'Ya da Muhammed'e?' Yavaşça başımı iki yana sallarken kılıcın ucundan çıkan kıvılcımları seyrediyorum. 'Ya da Buda'ya?' 'Affedersiniz,' diyorum, 'ben bu dinlere inanmıyorum.' Yargıç arkasına yaslanıyor, yüzü şok ve öfkeden bulutlanmış. 'Öyleyse İngilizce yemin et,' diyor. Birkaç kez gözümü kırpıştırıyorum. 'Mahkum Calvino, senden ne istediğimi duymadın mı? İngilizce neye inanıyorsan onun üzerine yemin et. Yemin et yeter. Bu duruşmada yol almamız gerek.' Savcıya bakıyorum, sonra infazcıya, sonra tekrar savcıya. Omuzlarımı silkiyorum, kulübede ayağa kalkıyorum, ellerimi ağzımda huni gibi yapıp bağırıyorum: 'Siktirin gidin'!"

Calvino, Lovell'ın hard diskiyle oynayarak, "Sonra uyandım, sen de kapıda duruyordun," dedi.

İhtiyar George, "Senin yerinde olsaydım, rüyamda bir yolunu bulur sıvışırdım," dedi. Gözleri kısıldı. "Klong Toey'den kalkan bir ticari gemi ilgini çeker mi? Öbür gün Hong Kong'a doğru yola çıkıyor. Orada güvende olursun."

Calvino yüzünü ve boynunu ince ve beyaz bir havluyla silip yataktan kalktı. Havluyu boğazına sararak odayı arşınladı. Yürürken de havlunun uçlarını tutuyordu. "Buraya gelirlerse senin için kötü olur."

"Sen beni merak etme. Kendin için endişelen. Rüyanda olduğu gibi onlara siktir git de. Ben bir savaştan geçtim. Seksen dört yaşındayım. Doğanın daha yapmadığı ne yapabilirler ki bana?"

Calvino havluyu fırlatıp attı. "George, bu insanlar senin yaşlı olup olmadığına zerre değer vermeyen tipler. Bu insanlar senin canını acıtır."

"Bırak gelsinler. Hayatımda biraz heyecan işe yarar. Ama dur sana bir şey söyleyeyim, delikanlı. Seksene vurunca cinsel güdün teklemeye başlar, arızalanır, sonra toptan duruverir. O zaman süzülerek yürürsün. Yetişkin yaşamının çoğunu bu büyük arayışta düzüşerek geçirdiğini kavrarsın. Peki bu kadar seneden sonra ne buldun? Düzüşmek, seks, bunu. Gençken, bununla yaşaman gerekir. Kolay değildir. Günün yirmi dört saati bir Jack Russell'ı hızlı yürüyüşe çıkarmak gibidir."

Bastonunu kaldırdı ve duvardaki bir Florida haritasını işaret etti. "Bir hafta içinde Florida'ya gidiyorum. Ama sen burada istediğin kadar kalabilirsin." Odaya bakındı, aynada görüntüsünü yakalayıp içini çekti. "Bu odaya girmeyeli uzun yıllar oldu. Sana kaç yıl olduğunu söylemeyeceğim. Bu yüzden sorma zahmetine katlanma."

Geçen kış düştüğünden beri George yavaş hareket ediyordu.

Kimse onu öğle yemeğinden sonra görmezdi. Yirmi yıllık bir Toyota'sı vardı ve Yalnız Şahin'in önünde park etmiş olarak dururdu. Aynı zamanda yarı-zamanlı DJ'i de olan şoförü, İhtiyar George'u eve götürme zamanı gelene kadar ortalıkta dolanırdı. Sonra onu arabaya indirip bindirirdi. O gece bir taksiyle gelmiş ve yavaşça taksiden inmişti. Durup bastonuna yaslanmıştı. Calvino'ya vereceği odanın anahtarını çıkarmıştı. Bu, George'un özel odasıydı. İçindeki Jack Russell köpeği yukarıya kız attığı zaman kullandığı oda. Yıllarca kullanılmıştı. George'un odasıydı. İçeriye kilitlenmiş bütün anılarıyla dolu oda. Birkaç kez yatağa oturup hatırlamaya çalışmıştı. Ama bir bastonla dar ve eski tahta basamakları çıkmak zor oluyordu.

"Neler olduğunu bilmen gerekiyor, George. Durum ciddi. Polis bu gece birini öldürdüğümü düşünüyor."

"Öldürdün mü?"

Calvino başını iki yana salladı.

"Bu bana yeter. Bir günah keçisine ihtiyaç duydukları zaman neden her zaman Yahudiler'i gösteriyorlar?"

Calvino'nun buna verecek bir cevabı yoktu. Kendisine bir bardak su koyup içti. Peşine düşülmesinin ne demek olduğunu asla anlayamamıştı. Avcıların bir avı işaretledikleri zaman, zekaları ve kaynakları yeterliyse genellikle başarılı olduklarını biliyordu. Kendini yorgun ve korkmuş hissediyordu. Umutsuzluk içini üşüttü. Weerewat devletin tüm gücünü harekete geçirmişti. Tek bir insana yöneldiği zaman kimse bu tür güçlerin kudretini görmezden gelemezdi.

"Üzücü olan nedir, biliyor musun, George?"

"Dünya üzücü bir yer zaten."

"Üstüne üstüne gittim. Gözlerim açıktı, ama tam önümde olanı göremedim. Burada yıllardır yaşıyorsun ve tam zımbaladım diyorsun.

Görmediğin ya da tahmin etmediğin hiçbir şey yok. Sonra bir gün uyanıyorsun ve önemli hiçbir şey bilmediğini kavrıyorsun. Bildiğini sandığın her şey, kalın bir kitabın bir sayfasından daha azmış. Sonra o kitabı sana fırlatıyorlar. Kitap hâlâ havada. Hâlâ bana doğru geliyor. Kaçmaya çalışıyorum, ama kaçacak bir yol bulamıyorum." Weerewat'ın çitinin varlığını hissetti, onu içinde tuttuğu çitin.

İhtiyar George, "Bu yağmurdan nefret ediyorum," dedi. "Eklemlerimi ağrıtıyor."

Calvino yatağın kenarına oturdu. "Bağırıp çağırmak yok, söz veriyorum."

İhtiyar George gülümsedi. "O *ying*'le birlikte olsan, anlaşılır bir şey olurdu. Ama rüyalarında çığlık atmak, bu kötü karma. Ve de öteki konukları korkutuyor."

İhtiyar George koridorda gözden kaybolunca Calvino giyindi ve tabanca kılıfını taktı. Yanıt rüyalarındaydı. Taylandlılar göz önünde yapılan her tür patlamadan nefret ederdi. Onların sinirlerini bozar, öfkeden deliye dönmüş, şiddetli ve nefret dolu hale getirirdi. Patlama ne kadar göz önünde olursa, halk sahnesinde duran kişiye darbe indirme konusunda da o kadar az seçenekleri olurdu ama. Sahne ışıkları parladığı sürece gölgelerin arasında kalırlar, yaralarını yalayıp ışıkların sönmesini beklerlerdi.

Saklanabileceğini düşünmekle aptallık etmişti. Weerewat'ın adamları er ya da geç onu bulurlar, köşeye sıkıştırırlar ve başladıkları işi bitirirlerdi. SIM kartlarından birini kullanıp Pratt'i aradı. Weerewat'ın üzerine çok parlak bir ışık tutmak için bir yol bulduğunu söyledi.

"Ama önce bir şeye ihtiyacın var."

"Lovell'ın binasındaki güvenlik kaydını istiyorum."

Albay Pratt, "Bakalım ne yapabilirim," dedi.

"Danielson vakasındaki kasetimi alma şansı var mı?" Bunun ardından uzun bir sessizlik geldi. "O zaman yalnızca Lovell'ın binasındaki güvenlik görüntüleri. Bu kadarı da yeter."

OTUZ DOKUZ

Albay Pratt otomobilini sokağa park edip Lovell'ın binasına doğru otuz metre kadar yürüdü. Saat sabah 8'di ve trafik bir özel okul yakınlarında bir kilometre tıkanmıştı. Pahalı arabaların direksiyonlarındaki anneler durmuştu, çocuklarını ön kapıda bıraktıktan sonra gideceklerdi. Bu durum, Albay Pratt'e, Don Muang'da uçakların havada yere inmeyi beklemelerini hatırlattı. Çocuklarının okullarını çoktan bitirmiş olmasına memnun oldu. Çocuklar iyi yetişti, dedi kendi kendine. Geleceği olan bir polis memuru olarak kariyerinin bitmiş olduğunu bilmek tuhaf geliyordu. Kararı açıklayan amiri, bir dosyadan başını kaldırarak, Vincent Calvino'ya yardım etmesinin yalnızca profesyonel olmamakla kalmadığını, bazılarının bunu bir kaçağın adalatten kaçmasına yardım yataklık etmek olduğunu düşünebileceğini ve bu yolda devam ederse bir sonraki adımın disiplin cezası olacağını beklemesi gerektiğini söylemişti. Tehdit içinde tehdit, Rus bebekleri gibi. Binaya girerken yeni amirinin tehditlerini düşündü. Eski amiri çoktan keşiş olmuştu. Bu her zaman kabul edilebilir bir sondu.

Bahçe kapısının önünde üniformalı bir muhafız duruyordu. Muhafız bir Mercedes Benz'in sürücüsünü selamladı ve araba yolunun üstündeki engeli kaldırmak için bir düğmeye bastı. Benz geçip gitti. Arkada okula giden küçük bir oğlan çocuğu vardı. Ana bahçeye bakınan Albay Pratt, Lovell cinayetinin olay yerini incelemeden dönen polis memurlarını aradı. Tek bir memur bile ortalıkta yoktu. Cinayet yerinde polisin olmaması onu şaşırttı. Gerçi sabahın erken saatleriydi, sabahın ilerleyen saatlerinde ya da öğleden sonra gelecek bir ekip organize etmiş olabilirlerdi.

Lovell cinayeti bir gece önce işlenmişti ve soruşturma ancak birkaç saatlikti. Soruşturmayı kendisi yönetiyor olsaydı, adamları olay yerini tıklım tıklım doldurur, güvenlikçileri, komşuları, temizlikçileri ya da binada bulunan herkesi sorguya çekiyor olurlardı. Konuk park yerleri, polislerle kaynamak yerine kırmızı bir BMW ve gri bir Camry dışında bomboştu. Muhafıza polis kimlik kartını gösterdi ve güvenlik kameralarının nerelere yerleştirildiğini sordu. Muhafız önce kimliğe, sonra Albay Pratt'e baktı ve kimliği geri verdi. Güvenlik kulübesinin çatısına yerleştirilmiş kamerayı gösterdi. Asansörde ve her katta da kameralar vardı ayrıca.

"Dün gece 6:30'dan itibaren video kasetlerini görmek istiyorum."

Muhafız ayaklarını sürüyüp başını çevirdi, gülümsüyordu. "Veremem."

Pratt cüzdanından bin baht çıkardı. "Bakmak istiyorum. Ben bir polis memuruyum."

Muhafız paraya birkaç saniye baktıktan sonra aldı, parayı ikiye katlayıp üniformasının cebine tıktı. Albay Pratt'i küçük bir büroya soktu. Kasetler bir masanın üzerinde kutular içinde duruyordu. Muhafız kasetleri inceleyerek birini albaya verdi. "Dün gece, 18:00'de başlıyor, 20:00'de bitiyor."

Albay Pratt, "Birkaç saat içinde geri getireceğim," diyerek döndü ve ana girişe doğru yürüdü.

Muhafız, elleri ceplerinde, itiraz etmedi. Albayın araba yolundan yürüyüp bina arazisinden çıkışını izledi. Durdu, ziyaretçi kısmındaki iki otomobile baktı. BMW, Chiang Mai plakalıydı. Otomobilin sahibi her kimse, evinden çok uzaktaydı ya da burası eviydi de otomobilini Bangkok dışından almak için özel nedenleri vardı. Pratt otomobiline doğru yürürken, Lovell'ı öldüren kişinin kasette görüneceğini düşünüyordu. Soruşturmanın sallapatiliğini düşününce tiksinti duydu. Güvenlik kamerası kasetlerini almamak büyük bir ihmaldi. Ama iyi bir yanı da vardı. Cinayet yerine gitmiş olan polis, işini iyi yapmış, gereken kurallara uymuş ve kanıtlara el koymuş olsa, kasetler Pratt'in eline geçemeyecekti.

Albay Pratt evine döndü ve çalışma odasında bilgisayarın başına oturdu. Bilgisayarına bağlı bir video vardı. Kaseti videoya taktı ve start düğmesine bastı. Ekranın sağ alt köşesinde bir dijital saat belirdi: 18:06:37. Ayarlama öyle yapıldığı için imajlar yavaşça hareket ediyordu. Her doksan dakikada bir kaset değiştirmek yerine bu yolla saatler kaydedilebilirdi.

Lovell'ın binasının dışına bakmak, zamanı yavaş geçen bir filme bakmak gibiydi. Kamera, yüz seksen derece açıyla dönen bir platformun üzerine yerleştirilmişti ve sokaktan girişi, lobiye yürüyüş yolunu ve park yerini kapsıyordu. Fazla bir şey olmadı. İmajlar boş girişte ve lobide hareket ediyordu. Otuzlu yaşlarda bir Taylandlı kadın, yönetici gibi giyinmiş, elinde bir evrak çantası, güvenlik kartı kullanarak giriş kapısını açtı. Bir otomobil ziyaretçi yerine girdi. Chiang Mai plakalı BMW'ydi. Spor giysili genç bir Taylandlı otomobilden çıkarken cep telefonunu kullanıyordu. Bir güvenlik elemanı çerçevenin içine girdi, adamı selamladı ve çerçeveden çıktı. BMW'nin sahibi otomobilini kilitledi ve girişe doğru yürüdü. Biri otomatiğe basarak onu içeriye aldı. 18:48:42'de bir pizza motosikleti çerçevenin içine girdi. Güvenlik elemanı motosiklet sürücüsüyle konuşurken görüldü, adam kaskıyla birlikte pizzacının üniformasını giymişti, elinde büyük bir kırmızı termo kap vardı. Güvenlik elemanı pizzacıyı ana kapıya götürdü ve kendi güvenlik kartını kullanarak onu içeriye soktu.

18:52:19'da kamera Vincent Calvino'nun ana kapıdan girdiğini gösterdi. Güvenlik elemanı ona selam verdi, biraz konuştular. Albay Pratt resmi dondurdu ve dikkatle inceledi. Bu kişinin Vincent olduğundan hiç kuşkusu yoktu. "Play" düğmesine tekrar bastı, 19:06:44'de pizzacı tekrar ortaya çıktı, motosikletine bindi ve sokağa çıktı. Birkaç dakika sonra Vincent Calvino çerçeveye tekrar girdi. Dijital saat 19:11:28'i gösteriyordu. Calvino dairenin içinde yirmi dakikadan az kalmıştı. Lovell'ı vurmak, dışarıya çıkmak ve Millie Danielson'la randevusuna gitmek için yeterli bir süre.

Albay Pratt iki saat boyunca kaseti defalarca oynattı.

Evrak çantalı kadın çerçeveye girip çıktı. Lobide gözden kayboldu.

BMW geldi ve sahibi bir cep telefonuyla konuştu.

Pizzacı motosikletinden kırmızı termo kapla indi.

Güvenlik elemanı girişin önünde kollarını gerip esnedi.

Güvenlik elemanı düdüğünü çalıp bahçeden çıkan bir otomobile el salladı.

Vincent Calvino bahçeye girdi.

Albay Pratt, Calvino'nun gelişini ve gidişini kare kare inceledi. Calvino'nun 38'lik özel polis tabancası cinayet yerinde bulunmuştu. Lovell'ı öldüren, onun adına kayıtlı olan silahtı. Ve de cinayetin işlendiği sırada güvenlik kamerasının önünden Calvino geçiyordu.

Otomobiller ziyaretçi alanında park etmişti.

Pratt kaseti dondurup ziyaretçi yerindeki otomobillere daha yakından baktı. Calvino bahçeye tam 18:52:19'da girmişti, güvenlik kamerası çevreyi tarayarak yalnızca Calvino'yu değil otomobilleri de çekmişti. Chiang Mai plakalı kırmızı BMW sondan üçüncü sırada park halinde değildi. Park yerinin hiçbir yerinde kırmızı bir BMW yoktu. Albay Pratt videoyu 19:13:12'ye, yani Calvino'nun binadan çıkmasından iki dakika sonraya ileri sardı. Kameranın gözü ziyaretçi park yerindeki otomobilleri taradı. Kırmızı BMW ve gri Camry park yerindeydi. Otomobiller bir sihirbazın şapkasından çıkan tavşanlar gibi bir görünmüş bir kaybolmuştu.

Calvino'ya telefon etmek için güvenli cep telefonu numarasını kullandı.

"Bir saat," dedi.

"Elinde ne var?"

Pratt aynada kendi görüntüsünü yakaladığı zaman yorgun ve bitkin görünüyordu. Fazla zamanı olmadığını ve takip edileceğini biliyordu.

"Bir saat içinde sana göstereceğim."

"Odadan çıktım. Ama bölgeden çıkmadım."

Albay Pratt, "Bana nerede olduğunu söyleme," dedi.

Polisin meydanı gözlemek üzere oraya yerleştirilmesi çok mümkündü. Calvino yüzünü gösterir göstermez biri onun yerini telsizle bildirirdi.

Albay Pratt, "Seninle çatıda buluşacağım," dedi. "Dördüncü katta çatıya çıkan bir merdiven var. Küçük sığınağa bak. İçinde tahta bir sıra var."

"Bunu nereden biliyorsun?"

"Biliyorum."

"Pratt, dizüstü bilgisayarını getir. Onu ödünç almam gerekiyor."

*

Calvino çatıdaki sığınağı buldu. McPhail'e telefon etmek için başka bir kart kullandı.

Calvino, "Başka telefon kartlarına ihtiyacım var," dedi.

McPhail, "Olur," dedi.

"Yan kapıdaki Wi-Fi bağlantısına hâlâ girebiliyor musun?"

McPhail güldü. "Bedava internet. Hoşa gitmeyecek şey mi? Ama George seni korumuyor mu?"

"Artık korumuyor."

Sığınak meydanın park tarafındaki dükkan sırasının üstündeydi. Pratt'in önceden planladığı bir B Planı yeriydi, acil durumda sığınılacak bir yer, sokaktan saklanılacak ve birden fazla çıkışı olan bir yer. Bu hakim tepeden Sukhumvit Yolu'ndaki trafiği görebiliyordu. Polisin meydana geldiğini görmüştü. Her zamankinden daha fazla polis, ayrıca çevreye bakınıyor ve Taylandlılar'la *farang*'lara sorular soruyorlardı.

*

Albay Pratt evinin dışındaki sirenleri duydu. Resmi, kayıtlı cep telefonu çaldı. Yeni patronu hattaydı, ona evden çıkıp teslim olmasını söylüyordu. Pratt dizüstü bilgisayarını ve video kaseti bir çantaya koydu. Hattaki kıdemli polis, bir cinayet mahallinden güvenlik kasetini aldığını ve bunun da soruşturmada önemli bir ihlal olduğu yolunda bilgi sahibi olduklarını söylüyordu.

"Güvenlik elemanı vuruldu."

Albay Pratt, çenesine sıkı bir yumruk yemiş gibi sarsıldı. "Ne?"

"Kaseti sana veren güvenlik elemanı vurularak öldürüldü."

Güvenlik elemanı zayıf halkaydı. Weerewat'ın yazdığı hikayeye sokmayı başardıkları bir halka. Lovell'ı Calvino öldürmüştü ve polis albayı arkadaşı Pratt olayı örtbas etmek isterken güvenlik elemanını vurmuş ve güvenlik kamerasından kaseti almıştı. Çember daralıyordu.

"Dışarıya çık, şimdi."

Amirinden gelen kesin bir emir.

Albay Pratt motosiklet-taksi sürücüsü gömleğini, pantolonunu ve turuncu yeleği giydi. Evinin arka kapısından sezdirmeden ortalığa bakındı. Kendisini almaya gelmişlerdi, ama arkada polisin varlığını gösteren bir şey yoktu. Hızla bahçe kapısının kilidini açtı ve araba yoluna çıktı. Metal bir kulübeye giderek bir kilit daha açtı, panjurları açtı. Bir Honda 200cc motosikleti çalıştırmadan yürüttü. Çıkarken kapıyı kapattı ve asma kilidi tekrar taktı. Motoru çalıştırmadan motosikleti elli metre kadar sürükledi ve ana sokağa çıktı. Yanından şehir otobüsleri sürü halinde gürültüyle geçti. Sonra bir çimento kamyonu karıştırıcısı çalışır halde yolda belirdi. Kaskı kafasına geçiren Pratt trafiğe karışarak çimento kamyonunun önüne geçti. Güvenlik kasetini değiştirmek için kimin fırsatı, nedeni ve uzmanlığı olduğunu düşündü. Kasetle kim oynamışsa, ziyaretçilere ayrılmış park yerindeki iki otomobili unutmuştu. Diğer bir deyişle beceriksizlik, *muk ngai* –bir şeyi doğru yapma konusunda büyük bir pervasızlık göstermişlerdi. Amiri ona evinin ön kapısından çıkması için kesin emir vermişti. Şimdi, dizüstü bilgisayar çantası omzunun üzerinde asılı halde, o da kaçaktı.

KIRK

Mambo'nun girişi üç ya da dört motosiklet-taksi sürücüsü dışında bomboştu. Adamlar ön basamaklarda uyuyor, konuşuyor ya da Chang bira şapkalarıyla satranç oynuyordu. Meydana giren ya da çıkan bir *farang* ile ilgili bilgi isteyen yetkililerin gözü ve kulaklarıydılar aynı zamanda. Resmi olmayan bir erken uyarı sistemi olarak gözlüyor ve rapor ediyorlardı.

Albay Pratt Mambo'nun önünden geçerken sürücüler onu süzdü, kedi gibi gerindi, başlar hafifçe kalkmış, meydanın dışından gelen bu sürücünün kim olduğuna meraklı gözler. Pratt, Mambo ile Bourbon Sokağı lokantası arasındaki geçide park ederken çöplerden uzak durmaya çalıştı. Fareler su yolunda kaçıştı. Geçit idrar ve çürümüş sebze kokuyordu.

Albay Pratt omzunun üzerinden baktı. Kimse onu takip etmemişti. Meydanın arka tarafına geçerek binaların en sonuna gelene kadar yürümeyi sürdürdü. Hiç durmadan son binanın arkasına geçti, dar bir geçitten ilerledi ve başını kaldırarak bir gece önce tespit ettiği yangın merdivenini gördü. Merdiveni aşağıya çekti ve tırmanmaya başladı. Tırmanırken evini düşündü, orayı son kez görüp görmediğini merak etti.

Birkaç dakika sonra çatıya çıkmış, eğilerek kenarından yürüyordu.

Meydandakiler artık onu göremezdi. Calvino, parka ve Emporium'a bakan sığınağın altındaki küçük tahta bankta bekliyordu. Çok huzurlu, diye düşündü. "Yeşil bölge"nin yeşili bir lüks, bir şımarıklık, çılgın bir kazaydı, çünkü bazı müteahhitler aralarında öyle kavga etmişlerdi ki, kan dökmesini engellemenin tek yolu park yapmak olmuştu.

Calvino, "Bu taksi yeleğine çok alıştın," dedi.

"Dün gece Lovell'ın dairesine gittin mi?" Albay ciddi ve kesindi, sohbet etmeye yer yoktu.

"Lovell'ın dairesinin yakınına bile gitmedim."

"Elimdeki güvenlik kamerasında senin, ölüm saatine uyan zamanlarda daireye girip çıktığın görülüyor. Bir de güvenlik elemanı var." Albay Pratt derin bir soluk aldı.

"Güvenlikçiye ne olmuş?"

"Vurulmuş."

"Ne zaman?"

"Ben onu ziyaret ettikten kısa süre sonra."

Pratt dizüstü bilgisayarını açtı ve çalıştırdı. Bir dakika sonra Lovell'ın binasını gösteren kasedi oynatmıştı. Calvino kaseti izlerken hiç konuşmadı. Albay Pratt'e bir daha oynatmasını söyledi. "Burada dur."

Kamera pizzacının üzerinde dondu.

"Büyütebilir misin?"

Albay Pratt pizzacının görüntüsünü büyüttü. Büyütülmüş resimde yüz hatları bulanık görünüyordu. Kutu Kafa'nın yüzünün şekli hemen tanınabilirdi. Ama kafasında bir kask vardı. O olabilirdi de olmayabilirdi de.

"Şuna bak. Onu hatırlamıyor musun?" Calvino onun Kutu Kafa olduğunu anında anladı.

Albay Pratt iyice yaklaştı, video karesini birkaç saniye ileriye aldı. Lovell'ın binasının güvenlik kamerası Weerewat'ın adamlarından birini, Calvino'nun kaburgalarını en çok kıran polislerden birini yakalamıştı. Gözleri kasktan görünüyordu. Calvino bu gözleri yakından görmüştü. Kutu Kafa onu tekmelerken yüzündeki vahşi keyfi hiç unutmayacaktı.

Kutu Kafa'nın boynunda mavi bir Khmer dövmesi vardı. Antik Khmer dilinde yazılmış olan bu dövme, onu şanssızlık, mermiler ve bıçaklardan koruyacak bir tılsım görevi görecekti. Tam tersine onu ele vermişti.

Calvino, "Dövme," dedi. "Bu dövmeyi hatırlıyorum."

Kutu Kafa, pizzacı üniforması giymiş, pizzayı sıcak tutmak için büyük bir termo kap taşıyordu. Kameranın önünden geçti, güvenlik elemanına başıyla selam verdi. Birkaç dakika sonra tekrar kameranın önünden geçerek binadan çıktı.

"Silahın Lovell'ı öldürmek için kullanıldı. Doğru zamanda güvenlik kamerasında görünüyorsun. Mahkemeler dövmeye ya da ziyaretçi park yerindeki otomobillerin birbirine uymadığına aldırış etmezler."

Calvino, "Tek kopyanın sende olması olasılığı nedir?" diye sordu.

"Bilmiyorum. Weerewat ne gerekiyorsa yapıyor."

"Kasedi nasıl aldın?" Calvino, yere düştüğünde onu tekmeleyen videodaki Taylandlı'ya gözlerini dikti.

"Binanın güvenlik elemanından."

Calvino başını ekrandan çevirerek, "O da öldü," dedi. "Kaset için gideceğini tahmin ettiler."

Albay Pratt, Calvino'ya baktıktan sonra başını çevirdi. Parktaki bir çift koşucu dikkatini çekti. Öne doğru eğildi, sıkıntılı, savaşçı ruhu kalmamış.

"Bir tuzak olduğunu bilmenin hiç yolu yoktu."

Albay Pratt dudağını ısırdı. Başını iki yana salladı. "Beceriksiz olan bendim, Vincent. Bu insanlar boşluk bırakmaz."

Calvino öne eğildi. Albay Pratt'in bakışını izleyince parkta göl çevresinde koşanları gördü. O kadar rahat, başlarına kolayca herhangi bir şey gelebileceği konusunda o kadar kaygısız görünüyorlardı ki.

Calvino, "Weerewat çok akıllı," dedi. "Neredeyse kusursuz bir iş çıkardı."

"Zamanlama çok önemli, Vincent. Tuzağın öncesinde ve sonrasında başka bir yerde olsaydın işe yaramazdı."

"Millie Danielson," dedi Calvino. Weerewat'a bir iyilik yaparak masada karşısına oturmuş pahalı şarabı yudumlamıştı.

Albay Pratt gözlerini ileriye dikti. "Onun Weerewat'la bağlantılı olabileceğini düşünmüştüm."

"Çok iyi iş çıkardı, Pratt. Weerewat için çalışıyordu, ama klası farklıydı."

Klong Toey limanında duran yük gemisini ve İhtiyar George'un ona gemiye binmesi önerisini düşündü. Pratt bir konuda haklıydı: zamanlamayı doğru yapmak çok önemliydi.

Weerewat, Kutu Kafa'nın Lovell'ı, Calvino'nun nerede olduğunu kanıtlayamayacağı bir zamanda öldürmesini nasıl başarmıştı? Birçok soru, görüntülü cevabıyla birlikte gelir. Calvino, Millie Danielson'ı masada şarabını bitirirken, onun masaya dönmesini beklerken gördü. Albay Pratt ile konuşmayan dul kadın, onunla yemeğe çıkmayı kabul etmişti. Akşam yemeği randevusu Calvino'yu o semtte ve büyük olasılıkla bürosunda, tek başına çalışmaya zorluyordu. Şiş Göbek binayı gözetlemişti herhalde.

Şiş Göbek, Weerewat'a telefon ederek Calvino'nun bürosunda olduğunu söylemiş, Weerewat da Kutu Kafa'ya başını sallamıştı. Çok iyi organize olmuşlardı. Calvino'nun bulunduğu yer konusunda tahminlere ya da bahislere ihtiyaçlara yoktu. Binanın geri kalanı boştu. Calvino yemek zamanına kadar tek başına bürosunda çalışmış, dosyaları inceleyerek Millie'ye yemekte soracağı soruları planlamıştı.

Millie, Weerewat'ın yardımıyla yeri ve zamanı planlamıştı.

Calvino, "Arkadaşı Ruth'a telefon ettim," dedi. "Millie'nin beni görmesi gerektiği konusunda onu ikna ettiğini söylediği arkadaşına. Millie'nin Ruth'la konuştuğu masalının yalan olduğunu öğrendim. Bir haftadan uzun zamandır Millie ile hiç konuşmamış."

Sessizce koşucuları izlediler, koşucular parkın çevresini dönen küçük biblolar gibiydi. Calvino, "Bu işten nasıl sıyrılacağız?" diye sordu. "İhtiyar George beni Hong Kong'a giden bir yük gemisine bindirebilir."

Albay Pratt başını iki yana salladı. "Hiç de fena bir fikir değil, Vincent."

"Ben de öyle düşünmüştüm."

Pratt bir elini Calvino'nun omzuna koydu, ama hemen geri çekti. "Geri vitese takmış gidiyoruz. İyi bir zaman değil. Herkes arkasını kolluyor."

"Bunlar pek Shakespeare'e benzemiyor."

"Shakespeare şöyle derdi: 'Vicdan hepimizi korkaklaştırıyor gerçekten de.' Bir de şöyle yazdı: 'İnsanların yaptığı kötülükler onların arkasından yaşar. İyilik çoğunlukla kemikleriyle birlikte gömülür'," dedi Albay Pratt.

"Bir gemiye gizlice binip kaçmak korkaklıktır. Lovell'ı kaçmak istediği için korkak olmakla suçladım. O da beni dinledi."

"Lovell kendi seçimini yaptı, sen de kendininkini yapacaksın."

Albay Pratt'in kaçacak bir yeri yoktu. Karısı ve çocukları şehre mahkumdu, kendisi de amirinin kesin emrine uymamıştı. Tekerlekler harekete geçmişti –daha doğrusu tank paletleri- dosdoğru üstüne geliyordu. Ama Tiananmen Meydanı'nda tanklara bakan bir insanın fotoğrafı gibi değil. Bu yol Tayland'da işe yaramazdı. En öndeki tankın sürücüsü hızını artırır ve otoritelere karşı çıkan kişiyi ezerdi. Kimsenin yapmasına izin verilmeyen bir davranıştı bu. Pratt ayağa kalktı.

"Nereye gidiyorsun?"

"Bu işi bitirmek istiyorum. Yanlarına gidebileceğim iyi insanlar var. Yardım edeceklerdir."

Calvino, "Pratt," dedi.

Albay Pratt dönüp ona baktı.

"Teşekkürler."

"Kendine dikkat et, Vincent."

Albay Pratt, dizüstü bilgisayarı omzunda, çatının kenarından yürüyerek merdivende gözden kayboldu. Calvino tek başına oturarak gökyüzüne bakarken korkudan ürperdiğini hissetti. Galileo, dünyanın güneşin etrafında döndüğünü yazmış, Engizisyon'un karşısında bulmuştu kendisini. Galileo Chini, cinsellik etrafında dönen insanlığın cehennemvari bir görüntüsünü resmetmişti. Calvino'nun dünyası durmuş ve suskunlaşmıştı. Dans eden ejderhalar yok, çınlayan çanlar yok, gonglar, davullar yok. Tıpkı Chini'nin nü'ler çizdiği akşam seanslarında kendini kaybettiği gibi, Calvino da kendini kaybetmişti. Chini gündüz saraydaki freskler üzerinde ter dökerdi. Gece yağlıboyalarını karıştırmaya kaçar, küçük, sıcak odada yatağa uzanmış çıplak modeli seyrederdi, vücutları terle ıslak. Sivrisinekler vızıldar, kanallar boyunca köpekler uzaktan havlardı. Geceler boyunca gözleri bulanıklaşıncaya kadar kanvas üstüne kanvas boyar, kaşındaki teri siler, fırçayı temizler, tan ağarana kadar çalışır, sonra tekrar freskler üzerinde çalışmak üzere kalkana kadar birkaç saat kestirirdi.

Chini, Cito'ya Siyam'ın büyük bir mistik çekiciliği olduğunu anlatmıştı. Kralın davetini kabul ettiğinde otuz sekiz yaşındaydı. Siyam'da kimseyi tanımıyordu. "İki yıl sonra kudretli güçlerin beni yavaşça Bangkok'a zincirlediğini hissettim," diye anlatmıştı oğluna. "Hemen kaçmazsam asla ayrılamayacağımı biliyordum. O zaman, Siyam'a doğru yola çıkan genç adamın böyle bir karşılaşmadan sonra asla kendini toplayamayacağını anladım. Siyam onu ince cinsel lüks, ipek gibi geceler, orkidelerin kokusu, kanallardaki ay ışığı, onu çağıran haşhaş pipoları ve hiç ses çıkarmadan hareket eden, hep dikkatli, hep özenli, sonsuza dek keyif veren Siyamlı kadınlara hapsetmişti. Benim öğüdüm, yerleşik bir düzen kurmadan önce ya da hiç yerleşik bir düzen kurmak istemezsen, bir de emekli olduktan sonra Siyam'a gitmen. Yoksa buraya yapışıp kalır, hiçbir yere gidemezsin, sonra da Corrado Feroci gibi kaçarsın."

Ünün ağırlığı Galileo Chini'yi Floransa'ya, Vito'nun annesiyle tanışmaya, bir çocuğa babalık yapmaya, çıplak modelini Corrado Feroci'ye kaptırmaya göndermişti. Feroci de kadını terk etmişti. Kadın, cebinde Galileo Chini'nin seramiklerinin ağırlığıyla, Arno Nehri'ne dalmış, cesedi sürüklenip gitmişti. Corrado Feroci de ün ve servet peşinde Siyam'a gitmiş ve bir daha Floransa'ya dönmemişti. Vincent Calvino kendini daha çok Corrado'ya benzetti, o Siyam'ın büyüsünden hiç kurtulamamıştı. Galileo bu çizginin hemen önünde durmuş ve Floransa'ya dönmüş, ama Corrado yürümeye devam ederek çizgiyi geçmiş, bir daha da arkasına bakmamıştı. Vincent Calvino, her iki erkeğin ulaştığı çizginin kendi ardında kaldığını hissediyordu. Adımlarını asla geri alamazdı. Üşüme duygusu, önünde duranın

Weerewat'ın bir sonraki hamlesini beklediği yerde bulunabileceğini söyleyen kanından geliyordu.

New York'ta bir su tesisatçısı olmak, ünlü bir Floransalı ressamın oğlunun kusursuz bir intikamı olmuştu.

Bangkok'ta özel dedektif olmak da, New York'un şekillendirdiği ünlü bir adamın oğlunun kusursuz bir intikamı olmuştu.

KIRK BİR

Spesyal öğle yemeği mutfaktan eski, kenarları kırılmış tabaklarda geldi. Mısırlı hamur, fasulye ve karides. McPhail yanından geçen tabaklardan birine baktı.

"UFO'lar," dedi. Ufak Fasulyeli Objeler. Garson kadın tabağı bir müşterinin önüne koyarken iki üniformalı polis kapıdan içeriye girdi. İhtiyar George oturmuş, elleri bastonunun üzerinde, su bufalosunun kafasının altındaki her zamanki yerinden barı izliyor. Bir polis aşırı kiloluydu, üniforması göbeğinin üzerinden taşmıştı. Şişko Adam'ın yanında bir polis daha vardı, o eski Amerikan western filmlerindeki kovboylar gibi hızlı silah çeken birine benziyordu. Hızlı Silahçı'nın gür siyah saçları ve kaba, sert elleri vardı. Hızlı Silahçı'ın elleri epeyce kemik kırmış gibi duruyordu.

Şişko Adam, "Vincent Calvino'yu gördünüz mü?"

"Hiç duymadım."

Polis gülümsemedi. "Neden herkes onun senin arkadaşın olduğunu söylüyor?"

"Neden onlara sormuyorsun?"

Yaşlı bir adamdı, polisler onu süzerek, her şeyi gören *farang*'larla dolu bir barda ne yapıp ne yapmayacaklarına karar verdiler. İki polis birbirlerinden ayrılarak at nalı şeklindeki barın ters taraflarına gittiler. Müşteriler konuşmayı bırakıp tabaklarına eğildiler. Hızlı Silahçı bir müşterinin yanında durarak kemik kıran ellerinin birini adamın omzuna vurdu. "Sen, Khun Vincent'i tanıyor musun?"

Calvino'nun yüzünü taco'ya soktuğu *farang*'dı bu. Adam UFO'sundan başını kaldırarak iki yana salladı. "Hiç duymadım."

Hızlı Silahçı adama ters ters baktı, sol gözü seğiriyordu. Barın kenarına iyice yaklaşmış, iki tabure arasında sıkışmıştı. "Ülkeme gelip de büyük bir bela açan *farang*'ları sevmem. Böyle bir *farang*'a yardım edenleri de sevmem."

Farang başını tabağından kaldırmadı. "Onu tanımadığımı söyledim ya."

Sonra Hızlı Silahçı bardan uzaklaştı. İki polis barın içinde bir tur atarak İhtiyar George'un önünde durdular. Şişko Adam klimalı ortamda bile terlemeye devam ediyordu. Kollarının altında ter lekeleri belirmişti.

Şişko Adam kartını çıkardı. "Khun Vincent'i görüyorsun, bana telefon ediyorsun, tamam?"

İhtiyar George karta bakıp masanın üzerine koydu, bir UFO tabağının altına tıktı. "Ne yaptı? Politikacılarınızdan birini mi soydu?"

İki polisin de İngilizce "politikacı"nın anlamı hakkında bir fikri yoktu. Başlarını sallayarak İhtiyar George'u, bastonunu, bira şişesini ve saçlarını tarayan garson kadını süzdüler. Onlar kapıdan çıkarlarken kadın atkuyruğunu örmeye başlamıştı. George, "Fazla germe be kadın. Çok sıkı olursa başım ağrıyor," diye bağırdı havlar gibi. "Ayrıca biri şu içine ettiğimin müziği değiştirecek mi? Bana o şişko polisi ve hempasını hatırlatıyor."

McPhail, "George, sen o polisten daha şişkosun," dedi.

"Siktir git."

McPhail, "Seni gözlüyorlar, George," dedi.

"Siktirsinler. Bırak gözlesinler. Görmelerini istemediğim bir şey yapmayacağım."

Müdavimlerden biri bardan bağırdı, "Geri geleceklerdir."

"Ben seksen dört yaşındayım. Yozluktan şekilsizleşmiş bir çift polisten korkacak değilim."

Bardaki müdavim, "Yoz olduklarını nereden biliyorsun?" diye sordu.

"Barın dışında duruyorlar. Polislerin suçluları yakalaması gerekmiyor mu? Bu ikisi en son patronlarından beyaz zarftan daha tehlikeli ne yakaladılar sanıyorsunuz?"

*

Calvino yeraltına geçeli beş gün olmuştu, önce İhtiyar George'un otel odasında, sonra terk edilmiş bir sığınakta, en sonunda da McPhail'in boş odasında. McPhail, Calvino'yu gece üçte oraya kaçırmıştı. Yük gemisi Hong Kong'a hareket ettikten iki gün sonra Calvino yatağa uzanmış televizyon seyrederken, oda kapısının çalındığını duydu. Pratt'in dizüstü bilgisayarı masanın üzerinde Wi-Fi bağlantısı açık olarak duruyordu. Lovell'ın küçük hard disk'i bilgisayara takılıydı. Calvino üç gündür bilgisayar üzerinde çalışıyordu.

Bekledi. Kimseyi beklemiyordu. Ama öteki taraftaki her kimse, gitmeye niyeti yoktu. Ellerin boğumları tahta kapıya vurdu, durdu, tekrar vurdu. Üç vuruş, bir duruş, sonra üç vuruş daha. Kapıda gözetleme deliği yoktu. Calvino yataktan kalkıp kapıya gitti.

"Vinny, benim. Kapıyı aç lütfen. Seninle konuşmam gerek."

Ratana'nın sesini her yerde tanırdı. Kapının kilidini çevirerek kapıyı hafifçe araladı, onun koridorda durduğunu gördü, o zaman kapıyı hemen açarak Ratana'yı içeriye aldı.

"Sana buraya gelmemeni söylemiştim. Senin için tehlikeli." Birkaç kez gözlerini kırpıştırdı. Onu gördüğü için hem mutlu hem de kızgındı. Calvino, Ratana'ya iki gün önce telefon ederek iyi olduğunu bildirmişti. Ratana, McPhail'in odasını ilk kez görünce ağzı açık kaldı. Tavan, buruşturulmuş alimünyum folyo ile kaplanmış ve Noel ağacı süsleri sallandırılmıştı. Buzdolabının kapısına ve yanlarına çıplak kadın resimleri yapıştırılmıştı. Burma'dan tahta tatarcık heykelleri ve duvarın her santimetrekaresini kaplayan düzinelerce egzotik yağlıboya resim vardı.

Calvino, koridorda durmuş Ratana'yı görünce ne kadar mutlu olduğuna inanamıyordu. Onu içeriye çekip kapıyı kapattı. Sonra kendisini de şaşırtan bir şey yaptı: Onu kucakladı, ayaklarını yerden kesti. Ratana'nın yanaklarından yaşlar süzülüyordu. "İyi olduğuna o kadar sevindim ki."

Ratana onun sırtını okşayarak, "Bitti," dedi. "Beni indir, Vinny. Anlamıyorsun. Dur açıklayayım."

"Harika görünüyorsun."

Ratana, onun yüzüne dokunarak, "Sen berbat görünüyorsun," dedi. "Bu oda da, beni ürpertiyor."

"McPhail'in cenneti."

Ratana'nın ayakları yere değdi, Calvino geriye çekilerek şifonyere yaslandı. Tayland haberlerini izliyordu. Olağanüstü bir şey yoktu. En iyi haber, Ratana'nın sağ salim kapısında belirmesiydi. Ratana her zaman bilmece gibi konuşurdu. Tayland alışkanlığıydı bu, olasılıkları açık tutmak, bir çıkış yolu bulmak için. Ratana odada dolaşır ve ona tepeden tırnağa alçıya alınmış bir hasta gibi acıma ve sempatiyle bakarken eski endişeleri geri geldi. Belki de Ratana veda etmeye gelmişti. Onu hiç suçlayamazdı. Patronu cinayet zanlısıyken onun kirişi kırmaması mucize olurdu.

"Anlıyorum," dedi. "Veda etmeye geldin."

Ratana başını iki yana salladı. "Yo, bir yere gitmiyorum."

Calvino parmağını ona doğru uzattı. "Öyleyse neden buradasın?"

"Otur da dinle."

Calvino şifonyerden uzaklaşarak bir iskemleye oturdu. Ratana boş sayılabilecek odaya baktı. Duvarda bir aslan flüt çalarken çıplak bir kadın da dans ediyordu. Aynalı bir şifonyer, bir iskemle, bir banyo ve halka açık tuvaletlerinki gibi buzlu camdan bir pencere vardı. Gazetelerle giysiler yere yığılmıştı. Şifonyerin üzerinde yarı boş bir Mekong şişesi, viski bardakları ve dibinde üç santimlik su olan bir buz kovası vardı. Albay Pratt'in dizüstü bilgisayarı açıktı ve çalışıyordu.

"Senin Manee ile kırsal kesime gittiğini sanıyordum."

"Geri döndüm."

"Yapacak işlerim var. Gitmelisin. Burada bulunman senin için güvenli değil." Bunun Pratt'le ve güvenlik kasetiyle ilgili olması gerektiğini düşündü. Pratt, Manee'ye söylemiş, o da Ratana'ya telefon etmiş olmalıydı. "Güvenlik kasetiyle oynanmış. Birileri bir gece önce Lovell'a gittiğim zamanki görüntüleri araya sokmuş. Lovell'ın öldürüldüğü gecenin kasetine koymuşlar."

"Kasetle ilgili değil. Lovell'ın dosyalarıyla ilgili."

Calvino içini çekti, başını eğdi, parmaklarını saçlarının arasında gezdirdi. "Onun başına gelenlerden kendimi sorumlu hissediyorum. Ülkesine dönmek üzereydi. Evine gittim ve onu gitmemeye ikna ettim. Bütün o büyük fikirleri söyledim, onur, namus, bütünlük ve doğru olanı yapma konusunda olanları. Bak bu onu nereye götürdü. Öldü be!"

Ratana onun yanına geldi. "John ne yaptığını çok iyi biliyordu, Vinny. Benim yüzümden burada kaldı."

"Benim yüzümden derken ne demek istiyorsun?"

"Görüşmeye başlamıştık."

Calvino başını bir yana yatırdı. "Onunla mı çıkıyordun?"

"İster inan, ister inanma, benim de bir hayatım var."

"Sen ve Lovell, ha?" Onları yatakta bir arada düşünmeye çalıştı. Kafası karıştı, başını çevirip bilgisayarına baktı. Üç günde beş yüz otuz altı e-posta göndermişti. Bir iki gün içinde bini bulacağını tahmin ediyordu.

Ratana onun arkasında durup tuşlara vurmasını izledi. "Test yaptırmıştım. Çocuğum olacak." Böyle söylemişti. Sesinde bir yumuşaklık, bir şarkı gibi, zihninde çaldığını duyduğunu bir ezgi gibi.

"Bana hamile olduğunu söylemeyi mi geldin?" Calvino iskemleden kalktı, pencereye gitti ve yumruğunu duvara vurdu. Yatağa biraz alçı döküldü. Bir Mekong şişesini aldı, ama şişe boştu. Şişeyi yere attı. Yatağa oturdu, başını ellerinin arasına aldı.

Ratana dikkatle yanına gelip elini sıktı. "Beni dinle. Başardın, Vinny."

"Neyi başardım?"

"Dünya Weerewat'ı biliyor. John, Khun Weerewat'ın tehlikeli olduğunu biliyordu. Ama onunla nasıl başa çıkacağını bilemiyordu. Ama bana 'dedektif'in bir yol bulacağını söyledi."

Calvino, polisin Weerewat'ın korsanlık işini kapatacağı konusunda yanılsama duymuyordu. Weerewat'ın nüfuzu çok fazlaydı. Yasanın üzerinde bir efendiydi. Calvino işi çözmüştü. Lovell'ın küçük hard disk'inde tüm dosyalar, gizli yazışmalar, şemalar, e-postalar, şirket yapıları ve birbirleriyle bağlantılı müdürler ve hissedarlar, adlar, tarihler, yerler vardı. Bunları birbirlerine bağlantılı dosyalar haline getirmiş, çift sarmallı DNA şeklinin güzelliğini ve zerafetini vermişti. Weerewat imparatorluğunun yaşam suyunun şifresiydi bu.

Calvino tüm dosyaları bir Yahoo adresine yüklemiş ve güvenliği sağlamak için de ayrıca bir Gmail adresi açmıştı. McPhail'in buzdolabındaki çıplak resimlerin yanında çalışırken, büyük ilaç şirketleri, otomobil şirketleri ve film yapımcıları için çalışan avukatların web sitelerine girmişti. Yüzlerce ad içeren bir veri tabanı oluşturmuştu. Calvino hukuki araştırma yapmayalı uzun zaman olmuştu. Tüm baroların sitelerine, sanayi gruplarına ve kongre kayıtlarının sitelerine girmişti. New York City'de Cameron'ın eski hukuk şirketinin web sitesini bulmuştu. New York Barosu'nun Etik Komitesi de başka adlar ve e-posta adresleri sağlamıştı.

Calvino bazı adları eski hukuk fakültesinden ve New York'tan ayrılmadan önce katıldığı konferans ve seminerlerden hatırlıyordu. Eski sınıf arkadaşları şirketlerde ve büyük hukuk firmalarında iyi pozisyonlara gelmişlerdi. Yargıç ve politikacı olmuşlardı; gerçek kariyerler yapmışlardı. Bazı eski sınıf arkadaşlarının sisteme bu kadar entegre olduklarını hiç bilmiyordu. Hükümet kurumları ve elçiliklerde çalışan insanlardan bir veri tabanı daha hazırladı ve başına bir şey gelirse bu listedeki herkese e-mail göndermelerini söyledi. John Lovell'ın nasıl öldürüldüğünü ve bu cinayetten kimin sorumluğu olduğunu anlattı. Tüm dosyalara Yahoo ve Gmail adreslerinde linkler göndermişti, böylece bilgileri yükleyebilirlerdi. Yirmi dört saat içinde Washington D.C.'nin her yerinde telefonlar çalıyor olacaktı.

E-postasında hikayesini, gerçek hikayeyi anlatmıştı. Weerewat üzerine gerçeğin parlak ışığını tutmuş, Weerewat'ın ülkenin dört bir yanındaki fabrikalarının sahte ürünler yaptığının ve Asya ile Avrupa'ya gönderdiğinin kanıtlarını sunmuştu. Weerewat'ın girişimleri Isle of Man, British Virgin Island ve Hong Kong'a kadar izlenebilirdi. Gelirler muazzamdı, Weerewat'ı yasanın üzerine çıkacak kadar güçlü kılıyordu. Kimse ona meydan okumaya cesaret edemiyordu.

Calvino bürosundaki tüm dosyalara sahipti ve notlar almış, haritalar çizmiş, insan adları eklemişti. Onlara bir avukatın dava açmak için ihtiyacı olan kanıtları göndermişti. Mesajı iletmenin yeni yolu, söz konusu kişilere doğrudan mail göndermekti. Bunlar güçlü insanlardı. *Bırakalım işleri onlar yapsın, manivelaları oynatsın, etkilerini göstersin,* diye düşünmüştü Calvino. Bu insanlar doğru gazetecilerle, kongre üyeleriyle ve telefon rehberindeki hükümetin her düzeyinde insanlarla ilişkiliydi. Bu şirketler siyasal partilere devasa bağışlar yapıyordu. Çatıdan tek bir yüksek sesle bağıracaklardı. Kimse onların çenesini kapatamayacaktı.

Ratana yatağın üzerine *The Nation* gazetesini açtı. Ön sayfada Weerewat'ın bir fotoğrafı vardı. Hiçbir şey ele vermeyen o gülümseyen fotoğraflarından biri. Fotoğrafın altındaki haber kısa ve hemen konuya giren türdendi. Weerewat sağlık sorunları nedeniyle Tayland'dan ayrılarak bilinmeyen bir yere gitmişti. Haber, Weerewat'ın bir süre Tayland'dan uzakta kalacağını ve önerilen danışmanlık görevini kabul edemeyeceğini hükümete bildirdiğini yazıyordu.

Ratana dördüncü sayfayı açtı, orada da birkaç cinayeti para karşılığı işlediğini itiraf eden bir polisle ilgili haber vardı: Pattaya'da bir işçi, Sukhumvit Yolu'nda bir masajcı kız ve John Lovell adlı bir *farang*. Kutu Kafa'nın bir resmi de vardı. Dayak yemiş gibi görünüyordu. Calvino, ondan itiraf almak için polisin üzerinde kaç saat çalıştığını merak etti. Bir de Weerewat'ın ailesinin Kutu Kafa'nın ailesine para ödeyip ödemediğini. Gazete haberi, eski polisin biri adına çalışıp çalışmadığı üzerine spekalüsyon yapıyordu. Ama Weerewat'ın adından hiç söz edilmiyordu.

Calvino gazeteden başını kaldırdı.

"Polis beni aramıyor mu?"

"Artık aramıyor."

"Pratt bunu gördü mü?"

Ratana başını salladı. "Sana söyleyen kişinin ben olmamı istedi."

Albay işleri denetim altına almış olmalı, diye düşündü Calvino, yoksa Ratana'yı göndermezdi. Kendi gelirdi. Haber çıkınca Pratt'in ne kadar rahatladığını düşünmek Calvino'yu gülümsetti. Ama haber hangi yöne gidecekti? Hükümetin kötü haberlerden kurtulmak gibi bir yeteneği vardı.

Calvino, *Her şey bir yanlış anlama, bir iletişim eksikliği, samimi bir hata olmuş,* diye düşündü. Sistem hazımsızlık çektiğinde gazını her zaman böyle çıkarırdı. Utandırıcı suçlamalar karşısında otoritelerin takındığı tavır buydu. Hileler ve aldatmalar ortaya çıkınca hiçbir zaman "Kusura bakmayın," denmezdi. Her zaman, "Kimse sorumlu değil. Bir bakmışsın varmış, bir bakmışsın yokmuş," denirdi.

Ratana çantasından bir 9mm'lik Beretta çıkararak, "Albay Pratt bunu sana vermemi söyledi," dedi.

"Başka ne dedi?"

"Polisten senin 38'lik polis tabancasını almak için biraz zaman gerekebilir," dedi.

"Başka bir şey söylemedi mi?" Calvino, Beretta'yı eline aldı.

"Bir kenara atılmış bir şey, dedi. Bu ne demekse. Ayrıca saat ondan sonra sokağa çıkmamak akıllıca olur."

Silahların, tıpkı kadınlar gibi, bir tarihi vardı. Yanına gittikleri vücutlar, geride bıraktıkları vücutlar.

"Silahı geri verme konusunda endişelenme." Ratana çantasına

uzanıp ona kalın bir zarf verdi. "Bunu da alman gerektiğini söyledi." Albay Pratt zarfın içinde ne olduğunu söylememiş, Ratana da sormamıştı.

Calvino zarfa baktı. Üzerine büyük bir el yazısıyla şu sözler yazılmıştı: "Oyun bitti." William Shakespeare, *Cymbeline*, Bölüm 3, Sahne 3. Calvino başını salladı ve zarfı ceket cebine koydu.

Ellerindeki silahın ağırlığını hissetti. İlk dokunuş yumuşak ve tutkuluydu. *Bir kenara atılmış silah, bir kenara atılmış kadın gibidir; iyi temizlenmiş olarak gelirler.* Beretta'nın elindeki ağırlığı güzeldi. *Bir kenara atılmışlar başka insanlara aittir, ama kimse onun daha önceki sahiplerini, ondan ne istediklerini, ona ne yaptıklarını ya da onu neden bir kenara fırlattıklarını bilmez.* Şarjörü kontrol etti. Doluydu. *Kadınlar ve silahlar –bir kenara fırlatılmışlarsa kimse onların eski izlerini süremez, hikayelerini kontrol edemez, daha önce olanlara dayalı olarak uzlaştırıcı sorular soramaz. Hiçbir zaman öncesi yoktur, yalnızca sonrası vardır.* Calvino bir kenara atılmış silahı kılıfına soktu.

"Onu benden daha önce görürsen Pratt'e Vinny teşekkür ediyor, de."

Ratana dışarıya çıkarken kapıyı arkasından kapatınca, Calvino zarfı açtı. Susturucuyu çıkarıp Beretta'nın namlusuna taktı. Kusursuz bir uygunluk. Mermileri inceledi; Pratt şarjörü subsonik mermilerle doldurmuştu. Ses hızından çok az daha yavaş olan bu mermiler saniyede üç yüz kırk metre gidebiliyordu, öldürme için fazlasıyla hızlı. Susturucuyla birlikte subsonik mermiler mutlak sessizlik sağlardı.

Calvino dizüstü bilgisayarının önüne oturup Beretta'yı klavyenin yanına koydu ve Lovell'ın Sığınak adlı alt dosyasını açtı. Sığınak, Lovell'ın bir beyin jimnastiği, bir oyun, parlak bir zekanın aylakken otomatik olarak oynayacağı bir şey olarak icat ettiği bir yazılım programıydı.

Lovell, "Weerewat nerede?" diye soracaktı. Bilgisayar da ona başka sorular soracaktı: "Weerewat bir kadın mı arıyor? Weerewat bir iş anlaşması mı yapıyor? Weerewat bir sosyal etkinliğe mi katılıyor?" Weerewat korktuğu zaman, diye merak etti Calvino, nerede saklanır? Diğer bir deyişle, Weerewat'ın sığınağı neresi? Gazete, Weerewat'ın kaçmış olduğunu yazmamıştı, çünkü yazar bunu bilmiyordu. Lovell'ın Sığınak oyunu tek bir yer gösterdi: New Road'da, Chao Phraya Nehri yakınlarında. Calvino daha önce oraya gitmiş, sahte ilaç fabrikasını videoya almıştı. Burası Weerewat'ın sığınağıysa, demek ki Danielson arkadaşı Noah'a yardım etmekle çok büyük bir yanlış yapmıştı.

Calvino karanlık çökene kadar bekledi, Beretta'yı kılıfına, susturucuyu da ceketine koydu ve Skytrain'e binerek Saphan Thaksin istasyonunda indi. Turist, öğrenci ve büro çalışanları kalabalığının arasına karıştı. Skytrain merdivenlerinden inerek New Road çıkışına yöneldi. Çitteki bir delikten geçip kaldırımdan bir oyun parkına çıktı. Bir kenarda bir grup Taylandlı, tişörtler bellerinde düğümlenmiş, yüzlerinden ter akıyor, Fransız *boules* oyunu oynuyordu. İki çarpışma arasında Roma askerlerinin eğlenmek için oynadığı şu antik oyunlardan biriydi bu. Calvino birkaç dakika onları seyretti, atıcı yerdeki topu gözlüyor, ağırlığını ayaklarının tabanına veriyor, mesafeyi ölçüyor, sonra el altından bir atış yapıyor. Duran toplardan birine isabetle vurarak topu çemberin dışına atıyor. *Oyun bitti,* diye düşündü Calvino. Sokakta ilerlemeye devam etti.

Lovell'da Weerewat'ın gizli, özel yerlerinin listesi vardı. Calvino bu yere giden yolu biliyordu; daha önce de buraya gelmişti. Hızlı hızlı yürüdü, başını eğerek. Kimsenin fark etmeyeceği silikliği yaratarak yolda hızla ilerledi.

Soi'ye vardığında ahmak ıslatan tam bir yağmura dönüşmüştü. Bir alışveriş torbasını açarak içinden siyah bir yağmurluk çıkardı ve delikten kafasını geçirdi; yağmurluk omuzlarıyla kollarına indi. Başlığı kafasına çevirdi. *Soi*'de birkaç adım atınca, buraya son kez geldiğinden beri bazı şeylerin değiştiğini fark etti. Sokakta CCTV kameraları doluydu, güvenlik noktasından yürüyerek ya da arabayla geçen herkesi çekiyordu. İki üniformalı güvenlik elemanı bir masaya oturmuş, masanın iki bacağı sokağa taşmıştı. Televizyonda bir drama seyrediyorlardı.

Calvino geri dönüp ana sokağa geçti. On beş dakika sonra nehir kenarındaki yan *soi*'ye geçmişti. *Soi*'nin sonuna kadar yürüdü, balık satıcılarının kamyonlarını limana kadar götürmek için kullandığı geçidi buldu. Arka kapıdan varmak istediği yere varmıştı. Liman tarafında hiç güvenlik elemanı yoktu, yalnızca parıl parıl parlayan ıslak yüzeyler, gri çimentoyu yıkayan neon ışıkları, kaçışan fareler ve balıkçı motorlarının doldurmasını bekleyen kasa yığınları. Ölü balık, balık artıkları ve pis kan kokusu havayı kaplamıştı. Karşı köşede dizlerine kadar çizmeleriyle kadınlarla erkekler balıkları kamyonlardan alıyor, büyük plastik kaplara koyuyordu. Uzaktaydılar ve onun limanın öteki tarafında olduğunu görmediler. Gölgede kalan Calvino sokağa çıktı, binaların yakınında durdu, siyah yağmurluğu karanlığa karışmıştı. Beyaz bluzları ve mavi etekleriyle iki okul öğrencisi gülüşerek bisikletleriyle geçtiler. Onu karanlıkta fark etmemişlerdi. Calvino yağmurluğun altında sırtından ter damladığını hissetti; bu yağmurluklar tropikal bölgeler için yapılmamıştı.

Köşeyi dönünce yolun ortasında fabrika girişini gördü. Kamyonların gelip gitmesine ve işçilerin kamyonları yüklemeye başlamasına daha çok vardı. Şimdi sokakta hiçbir şey hareket etmiyordu, yola kendini atan ve liman tarafındaki çitlerin arasında gözden kaybolan bir deri bir kemik kedi dışında. Korsanlık operasyonu durdurulmuştu. Öteki binalar da boş görünüyordu; ışık yok, hareket yok. Nehirden esen rüzgar yağmur getiriyordu. Ağır hava artık balık değil katran ve benzin kokuyordu. Uzakta uzun kuyruklu bir bot nehrin üst tarafına doğru yol alıyordu. Yol kenarlarındaki su oluklarından beyaz buharlar kıvrılarak çıkıyor, sokakta yağmurla yok oluyordu. Sokak, perdelerin çekili olduğu bir pencereden sızan ışık dışında karanlıktı. Nehirden gelen bir düdük sesi önce bir kez uzun, sonra iki kez kısa çaldı, ardından *soi* gene sessizliğe büründü. Calvino boş *soi*'de ilerleyerek iki katlı büyük, açık bir binanın birkaç adım uzağında durdu. Bina taş ve ahşaptan yapılmıştı. Girişin içinde küçük ışıklarla süslenmiş bir türbe vardı.

Yağmurluğun yan açıklıklarından kollarını çıkardı, ceketinin cebinden susturucuyu çıkardı ve Beretta'nın namlusuna taktı. Yavaş yavaş ilerleyerek binanın yan tarafına geçti. Pencereye küçük bir taş atmayı düşündü. Bu hareket yalnızca filmlerde işe yarardı. Sonsuzluk gibi gelen bir süre bekledi. Sonra Kepçe Kulak kapıyı açtı. Dizlerini eğerek iki büyük valizle doğruldu. Dosdoğru Calvino'nun gözlerine baktı. Beyninin gözünün önündekini kaydetmesi bir saniye sürdü. Siyahlar içinde bir adam. Bu yüzü daha önce görmüştüm. Calvino adlı bir *farang*. Bir keresinde kaburgalarını kırmıştım. Valizleri yere indirmeye başladı, sağ eli omuzluğundaki tabancaya doğru hareket etti.

Calvino onu vurduğunda valizler yere değmemişti. Calvino'nun Beretta'sından çıkan mermi, Kepçe Kulak'ı sağ gözünün birkaç santim üstünden vurdu. Ne silah ne de Kepçe Kulak ses çıkardı. Kemik ve beyin parçaları Calvino'nun yağmurluğuna sıçradı ve Kepçe Kulak yere çöktü, zemine değmeden önce ölmüştü bile.

Calvino cesedi içeriye, girişten öteye itti. Sonra üzerinden atladı, yağmurluğunun üzerinden kan damlıyordu. Girişte çömeldi. Birini bu kadar yakından vurursan tabii ki kan sıçrayacak. Kanın büyük kısmı ince bir fıskiye gibi dağılmıştı.

Yukarıda hareket vardı. Şiş Göbek çınlayan davul ve gong seslerinin arasından seslendi, *"Mee arai rue plao wa?"**

Calvino yukarıdan müziğin sesinin açıldığını duydu, ses açık bir kapıdan geliyordu. Davul, büyük zil ve gong sesi merdivenin üstünden yankılanıyordu.

Calvino merdivenin bir kenarına geçip bekledi. Şiş Göbek küfredip basamakları inmeye başladı. Şiş Göbek ile Kepçe Kulak alt kata valiz taşıyorlardı. Gitmek üzere olmalıydılar. Calvino, Şiş Göbek'in gölgesini duvarda görebiliyordu, elindeki silahın siluetini de görüyordu. Şiş Göbek merdivenin yarısında durdu. Calvino onun soluk alıp verişini duyuyordu, korktuğu zaman soluğu boğazında tıkanan insanlar gibi. Tekrar Kepçe Kulak'ın adını seslendi. Calvino, Şiş Göbek son basamağa gelene kadar bekledi, sonra gölgelerden çıkıp ona yakın mesafeden ateş etti. 9 mm'lik mermi Şiş Göbek'in boğazını deldi; ikinci mermi kafatasının önünden girip arkasından çıktı. Kan fışkırarak tırabzana ve duvara sıçradı, yeri kapladı. Şiş Göbek yere yığıldı, silahı mermer döşemede kaydı. Susturucu yere düşen bir silahın sesini susturamazdı, ama ejderha dansı CD'si silahın sesinden daha yüksekti.

Calvino cesedin üzerinden atlayıp merdivenleri çıkarken kan gölcüklerinin üzerine basmamaya çalıştı. İkinci kat karanlık ve boştu. Calvino merdivenden üçüncü kata çıktı. Koridorun sonunda aralık bırakılmış bir kapıdan ışık sızıyordu. Calvino, sağ elinde Beretta, kapıyı sol eliyle açtı. Eğilerek ve hızlı hareket ederek odaya girdi, sırtı duva-

---

* Sokak dilinde "N'oldu?" –yn.

ra dayalı, silahı Weerewat'a doğrultulmuş. Weerewat'ın sırtı ona dönüktü. Bir tarafta dört tekerlekli el arabasına yüklenmiş iki düzine büyük valiz vardı. Weerewat ayrılmayı planlamıştı, ama küçük çantalarla seyahat etmiyordu.

Odanın içinde davul ve gongların sesi duvarlarda yankılanıyordu. Siyah spor giysileri giymiş Weerewat, tapınağın önündeki bir mindere diz çökmüştü, parmakları arasında tütsü çubukları vardı. Büyük bir Çin tapınağıydı bu, atalara tapınmak için kullanılan türden. Türbenin üzerinde yaşlı Çinli yüzlerinin olduğu bir dizi eski soluk fotoğraflar vardı. Duvar Galileo Chini resimlerinin yağlıboya reprodüksiyonlarıyla kaplanmıştı. En göze çarpanı da *Bangkok'ta Çin Yılının Son Günü* resminin aynı boyutlarda kanvasıydı. Odada, Chini'nin olduğunu bildiği düzinelerce çerçeveli nü resim vardı. Bunlar orijinal yağlı boya resimlerdi. Calvino, Weerewat'ın dudaklarının oynadığını, ilahi okuduğunu görecek kadar yaklaştı. Yansıyan kırmızı ışıkta Weerewat'ın tabanlarını görebiliyordu.

Beretta'sını Weerewat'ın başının arkasına doğrulturak eğilip müziğin sesini kapattı. Weerewat dondu kaldı, başı yavaşça hareket etti. Hiç şaşkınlık belirtisi göstermedi, yüzü sakindi, hatta bir transtan çıkıyormuş gibi huşu içindeydi. Calvino kapının kenarında durdu, siyah yağmurluğu ayaklarının dibine küçük gölcükler halinde su ve kan damlatıyordu. Weerewat'ın gözleri gölcüklerden kapının ardındaki alana kaydı. Calvino, "Alt kattalar," dedi. "Müzik onlara fazla yüksek geldi."

Weerewat'ın dudaklarının bir imparator gibi kıvrılışı, heykel gibi halinden sıyrıldığını düşündürüyordu. "Büyük deden büyük bir ressamdı," dedi. "Bir gün sana büyük dedelerimizin bir zamanlar nasıl arkadaş olduklarının hikayesini anlatmalıyım."

"Lovell'ı öldürttün."

Weerewat'ın başı yavaşça sunağın üzerindeki resme döndü.

"*Bangkok'ta Çin Yılının Son Günü*'nün ön kısmındaki figürü fark ettin mi? O benim atam. Ressamı tanıyordu. Tanımaktan da öte. Büyük dedem, Galileo Chini'ye haşhaş sağlıyordu. Galileo haşhaş bağımlısı olmuştu. Eski zamanlarda böyle şeyler çok sık yaşanırdı. *Farang*'lar tek bir haşhaş piposuyla başlar, ardından biri daha gelir, çok geçmeden doldurup içilecek bir sürü pipo olurdu. Galileo ile büyük dedemin ortak ilgileri vardı. Haşhaştan başka ilgiler. Büyük dedem, Galileo'nun model olarak kullandığı kadınları bulurdu. O dönemde Galileo'nun resmini yapması için Bangkok'taki en güzel, en istenir kadınları buldu. Bazıları onlara fahişe diyebilir. Ama ben bunun kırıcı olduğunu düşünüyorum. Sen olsan ilham almış demez miydin? Yağlıboyayla yapılmış haşhaş düşleri. Her resim orijinaldir. Bir tanesi bile bu odadan çıkmadı. Büyük dedem bunları, yaptığı hizmetlerin karşılığında senin büyük dedenden aldı. Gördüğün gibi ailelerimizin çok eskilere giden bir tanışıklığı var. Büyük dedelerimiz birlikte iş yapmış, arkadaş olmuşlarsa, neden biz de aynı şeyi denemeyelim?"

"Büroma geldiğin ilk gün Galileo'nun duvarımdaki resmini gördün. Huzursuz oldun. Neden?" diye sordu Calvino. Tütsü çubuklarını dikkatle bir beyaz kum kavanozuna koyan Weerewat'ın ellerini dikkatle izliyordu.

"Bir reprodüksiyondu."

"Kopya olduğunu biliyorum."

"Ressam ejderhanın başına ihanet ve hainlik anlamına gelen Çin harflerini yazmıştı. Büyük dedemin başının hemen üstüne gözlerle ağzın bir parçasıymışlar gibi kurnazca çizilmiş. Bunu görmek onurumu zedeledi. Anılarıma ve onuruma yapılan bu hakaret benim tepki göstermeme neden oldu. Sen bir yabancısın ve bir Çinli ailenin onurunun ne demek olduğunu anlayamazsın."

"Lovell da aile onuruna hakaret mi etti? Bu yüzden mi öldürttün onu?"

Weerewat tütsü çubuklarını elinde tutmaya devam ederken yüzünde tek bir korku, tek bir duygu belirtisi yoktu. "Sempati, Bay Calvino, iyi bir şeydir. Sözlükte anlamına bakmalısınız."

Calvino, Beretta'yı onun üzerine doğrultmayı sürdürdü. "Baktım bile. 'Sempati' [sympathy], 'bok' [shit] ile 'sifilis'[syphilis]* arasında duran kelimelerden biri." Yağmurluğunun kapşonunu başından çekti. Calvino'nun yüzü ter içindeydi, saçları ıslanmış, kafasına yapışmıştı. Gözleri kan çanağı gibiydi, öfke ve acıdan vahşileşmişti.

Weerewat onun sakinleştirmesi zor, öldürmesi daha da zor bir adam olduğunu düşündü.

"Soldaki resmi görüyor musun?" Calvino'nun çıplak kadın resmine bakmasını bekledikten sonra devam etti. "Bir erkek bir kadını böyle duygularla resmederse, kadının ona dokunduğunu, yüreğini kazandığını anlarsın. Kız on yedi yaşındaydı ve Çinli'ydi."

Kız yüzü ileriye bakar, bacaklarını arkaya atmış, ellerinin üzerine yaslanmış, parmakları kapalı, ince kollarıyla omuzları davetkar halde duruyordu. Cinsel organında kıl yoktu. Dizler dışarıya dönük. Gözler kapalı, saçlar yüzünden geriye taranmış, dudaklar dolgun ama ifadesiz, sanki bir düşte kaybolmuş gibi. Hiçbir kadın doğal olarak bu pozda oturamazdı. Modelin vücudundaki her ayrıntı dikkatle yerleştirilmişti. Gözleri üzerine çeken, dikkatleri üzerine alan bir resimdi bu.

Dudaklarında birden geniş bir gülümseme belirdi. Calvino gözünün kenarından Weerewat'ın sağ elinin minderin altına kaydığını gördü. Calvino resimlere bakana kadar el orada durmuştu, ama ar-

* Frengi –yn.

dından el tekrar ortaya çıktığında küçük, siyah, metal cismi görmek zordu. Weerewat'ın eli 9 mm'lik bir Glock tutuyordu, spor giysisi gibi siyah. Minderde yarı dönerek Glock'u ateş etme konumuna getirdi. Dönerken ayağı türbenin yan kısmını devirdi. Calvino arkaya baktı ve yan tarafa devrildi. Weerewat'ın gözleri çılgın gibiydi, dudakları birbirinden ayrılmış. Bir atış isabetsiz oldu. İkinci mermi onun çok yakınından geçerken Calvino pozisyon aldı ve Beretta'sından iki mermi attı. Her iki mermi de Weerewat'ı göğsünden, kalbinin tam üzerinden vurdu. Mermilerin etkisi Weerewat'ı sırtüstü devirdi. Calvino'nun üçüncü mermisi Weerewat'ın kafatasını, saç çizgisinin iki santim üstünden parçaladı.

Weerewat öne devrildi. İlk mermi Weerewat'ı türbeye yaslamıştı. Noel ağacı ışıkları bir ışık gösterisi halinde yere dağıldı. Calvino, Glock'u Weerewat'ın elinden tekmeyle uzaklaştırdı. Eğildi ve silahı inceledi, avuç içinde tutulacak kadar küçük; on atışlık şarjörü vardı. Model numarası 26'ydı, adını büyük harflerle haykıran bir tavırla podyumda yürüyen boyalı bebekler gibi bir silah modeli.

Calvino yağmurluğunun altına elini sokarak bir kerelik kullanımı olan kart yüklü bir cep telefonu çıkardı ve Albay Pratt'i aradı. "Bir minibüs getir. Burada tonlarla yük var." Albay Pratt bir şey söylemedi. Konuşma sona ermişti.

Albay Pratt'in soruşturma ekibi oraya geldiğinde silahı inceleyecekler, model numarasını not edecekler ve işten sonra sonu 26 ile biten bir piyango bileti alacaklardı. Calvino birçok insanın batıl inançlı olduğunu düşünüp gülümsedi ve işi sağlama bağlamak için bir piyango bileti almayı hatırlattı kendine. Cesedin yanına çömeldi, Beretta hâlâ sağ elinde, resimlere birer birer baktı.

Nemli, kapalı odada barut kokusunu içine çekti. Atışlar odanın havasını barutla doldurmuştu, ama çoğu sessiz atışlardı, duyulmamışlardı. Calvino duman kokusunu derin derin içine çekti. Galileo Chini'nin torununun çocuğundan çok babasının oğluydu. Ama kan kandı ve asla inkar edilemezdi. Glock'tan çıkan iki merminin sesi dışarıdan duyulmuş olmalıydı. Saatine baktı. Polisin gelmesi çok sürmezdi.

Calvino, Vito'yu ve on dört yaşındayken ilk kez Floransa'ya gidip de dedesiyle birlikte Pitti Sarayı'nda Galileo Chini'nin başyapıtına bakışını düşündü. Vito olsa bu oda hakkında ne düşünürdü? Weerewat'ın anlattığı hikayeler, haşhaş, sanat için toplanan fahişeler hakkında ne hissederdi?

Calvino cevapları bilmiyordu. Derin bir soluk aldı, yağlıboya nü resimlerine baktı –Weerewat'ın büyük dedesi bunları haşhaş karşılığında mı almıştı? Galileo Chini nasıl bir adamdı? Bir keresinde, Calvino'nun ailesi üzerine uzun bir konuşmadan sonra Pratt, Shakespeare'in *Veronalı İki Beyefendi*'sinden alıntı yapmıştı: "Mahrem yara en derinidir." Calvino namludan susturucuyu çıkardı ve ceketinin cebine attı. Silah sesleri hiç dikkat çekmemişti ve çevre binalarda hiç ışık yanmamıştı. Calvino kapının ağzında durup uzun yıllar önce Galileo Chini'nin resmettiği Siyamlı çıplaklara son bir kez baktı. Kalmak için de gitmek için de nedenini bulmuştu.

Arno Nehri'ne kendini atarken üzerinde resimler olan fayansları cebine koymuş olan büyük babaannesini düşündü. Bunların hepsi çok uzun zaman önce olmuştu; hepsi bir an önce olmuştu.

Calvino valizlerden birini açınca dosyalar, anlaşmalar ve sözleşmeler yere döküldü. Uzanıp belgelerden birini aldı. Düşük maliyetli devlet konut projesiyle ilgiliydi. Belgelerin çoğu Tayland dilindeydi. İngilizce yazılan bir tane bulana kadar belgeleri karıştırdı. Bir hükümet kurumuna yetmiş üç *rai*[*] toprak satışıyla ilgiliydi. Başka bir bölüm binlerce arsa almıştı. Rakam dudak uçuklatıcıydı –özel bir şirkete ödenecek milyarlarca Tayland bahtı. Calvino belgeleri tekrar valize tıktı.

Valizlerde, Lovell'ın beynine depolanmış binlerce belge vardı. Calvino odaya son bir kez baktıktan sonra merdivenden aşağıya indi ve dükkan-eve geri döndü. Bir pencere açıp tırmandı, oradan bir avluya, oradan da bir geçite çıktı. Nehrin oradan bir gemi düdüğünün uzun ve kısa sinyallerini duydu. Polis araçlarının sirenlerini duymak için kulak kabarttı. Siren falan yoktu. Boş depodan geçip limana çıktığında ortalık tuhaf ölçüde sessizdi. Gemiler yüklenmişti. Bazı işçiler oturmuş sigara içiyordu, geçerken onu süzdüler. Calvino, gemilerden birinin Weerewat'ı beklediğini tahmin etti. Biraz daha bekledikten sonra gidecekti.

İskelenin ucunda çok beklemesi gerekmedi. Serbest çalışan botlardan biri yanaştı. Taylandlı gemici ona nereye gideceğini sorarken Calvino da çömeldi. "Klong Saen Saep, İtalyan Tayland Kulesi," dedi. Gemici üç yüz baht istedi, ama iki yüz bahta da razı oldu.

Calvino bota tırmandı ve ön tarafa geçti. Gemici iskeleden ayrılırken motor büyük ve gri bir duman çıkardı. Birkaç saat önce vapur seferleri bitmişti. Calvino'nun botu kanala girince tek ışık kanal boyunca sıralanan evlerden ve dükkanlardan geliyordu. Calvino çevresine bakındı. Bot karanlık suları yararken Calvino gemiciyi zorlukla görüyordu. Yağmurluğunu botun yan kısmına sermişti. Beretta'sını kılıfından çıkarıp botun kenarından aşağıya attı; *klong*'un yüz metre kadar ilerisinde de susturucuyu attı. Motorun gürültüsü, suyun çıkardığı ses ve karanlık, silahtan kurtulmak için gereken kılıfı sağlamıştı.

---

[*] 400 m^2'lik bir ölçü birimi –yn.

Eskiden *klong*'da yüzen genelevler vardı. Şimdi gece trafik azdı; bir evden gelen televizyon sesini bot motorunun gürültüsü bastırıyordu.

Botun motoru sustu ve gemici botu bir köprünün altındaki iskeleye yanaştırdı. Bot iskeleye çarparken tutunan Calvino ön kısımdan orta kısma geldi, oradan da iskeleye çıktı. Gemiciye parasını ödedikten sonra ellerini cebine sokarak köprünün üstüne çıkana dek yürüdü, yağmur yüzünden aşağıya akıyordu.

Trafik hafiften de azdı. Bir taksi, sonra bir motosiklet, iki otomobil, sonra da Bangkok'ta nadiren görmüş olduğu bir şey: boş bir sokak. Solundaki Petchaburi Yolu'na baktı ve yüzündeki yağmur damlalarını sildi. Gözlerini kırpıştırarak büyük, gri, yüksek binaya, çelik ve camdan yapılma keskin köşeler kanyonuna bir daha baktı. Üst katlardaki neon büro ışıkları binanın çevresini yatay bir ızgara gibi sararak ağzı oluşturuyor, iki taraftaki iki katın ışıkları da göz yerine geçiyordu. Calvino sokakta durup binaya baktı. Işık ve gölgeden oyulma bir canavar yüzü, tiksindirici, tehditkar, insanın üstüne üstüne gelen. Sokakta insan olmayan tek yüz oydu.

Albay Pratt, *Oyun bitti,* demişti. Sukhumvit Yolu'na geri döndüğünde, kamuflajlı savaş üniformaları giymiş, M16 taşıyan ilk askerleri gördü. Televizyon ve radyo askeri marşlar çalıyordu. Bir daha asla olmayacağını söyledikleri darbe olmuştu. Saatine baktı; akşam 10:45 olmuştu. Weerewat ölmüştü; hükümet devrilmişti; dünya değişmişti. *Soi*'sinin sokağının girişinde birkaç asker duruyordu. Calvino dönüp onların yanından geçti.

Dairesine dönünce televizyonu açtı. Bütün kanallar yurtsever müzikler çalıyordu. Giysilerini çıkardı, gömleğiyle pantolonunu küvete attı ve küveti suyla doldurarak giysileri iyice ıslanmaya bıraktı. Yatak odasına gitti, yatağa uzandı ve uyudu. Rüyalarında genç bir kadın gördü, mantosunun cepleri Siyamlı çıplakların görüntüleri resmedilmiş fayanslarla dolu, Arno Nehri'nin üstündeki köprüde durmuş. Livia'nın kollarının iki yana kalktığını ve gökyüzüne baktığını seyretti. Livia başını yukarıda tutarak atladı, kollar açılmış, bir an melek gibi havada asılı kaldı, güneşin kenarları şafak vakti gökyüzünde belirmeye başlamış, sonra Livia aşağıdaki hızlı akıntıda kaybolup gitti.

*

Onu telefon uyandırdı. Hatırladığı şey rüya değil, bir gece önce üç kişiyi öldürmüş olduğuydu. Ertesi sabah hiçbir şey hissetmediğini söyleyenler ya da bir zihinsel içgörü sahibi olanlar hayatlarında hiç kimseyi öldürmemişlerdir –öfkenin köpekbalığı dişi gibi keskin ısırığını, nefretin acı sokuşunu ya da boğazda biriken safra tadını almamışlar, hissetmemişlerdir.

"Moruk, dün gece neredeydin?" Hatta McPhail vardı. "Ordu iktidarı aldı."

"Kaçırmışım."

"Sukhumvit Yolu'nda tanklar vardı."

Calvino telefonu kapattı. Hong Kong'a giden o yük gemisine binmediği için İhtiyar George'un ona aptal dediğini hatırlayarak gülümsedi. Weerewat o gemide ya da limanda duran gemilerden birinde olmalıydı. Düzinelerce valizi hazırdı. Aile sunağına son kez veda etmesi yeterliydi. Kaçıyordu. Lovell kaçabilecekken kalmıştı. Lovell'ın hakkını veriyordu: Kaçanlardan değildi o.

Geldiğinde büro boştu. Sokakta askerler varken orada Ratana'yı bulmayı beklemiyordu. Ama kendisinden kısa süre sonra Ratana da geldi ve masasının karşısına oturdu.

Calvino, "Evde kalmalıydın," dedi.

Ratana, "Ordunun iktidarı almasına sevindim," dedi. "Senin iyi olmana da sevindim. Kaygı duyuyordum."

Bacadan duman halinde çıkan Lovell değil de kendisi olabilirdi. Daha adil bir dünyada Bangkok gökyüzünde kaybolan gri dumanın kendisi olması gerekirdi. Ama dünya ne adildi ne doğru, ne akılcıydı ne de öngörülebilir. Bazıları tanrı haline geliyordu; bazıları da tanrılara karşı çıktığı için öldürülüyordu.

Calvino, "Sana söylemem gereken bir şey var," dedi.

Ratana boynundaki sarı eşarbı çıkararak gözlerini kuruladı.

"O gece dairesine gittiğim zaman toplanıyordu. Kalması gerektiğini söyledim. Söylediklerime inandığı için öldü. Üstelik söylediklerime ben inanıyor muyum, onu da bilmiyorum."

Ratana'nın yüzünden bir gülümseme geçti. Başını iki yana salladı. "Sen istediğin için kalmadı. John benim yüzümden kaldı. Ona hamile olduğumu söyledim. Bu yüzden kaldı. Yanlış olduğunu, başının dertte olduğunu biliyordum. Neden bu kadar idealist olmak zorundaydı? Neden göremiyordu?"

Ratana'nın gözleri, yanıtı Calvino biliyormuş gibi onun yüzünü inceledi. Calvino bu yanlışı yapmayacaktı. Bu yanlışı yapmamıştı; patronu ne zaman yeraltına geçeceğini biliyordu.

Ratana hıçkırığını güçlükle engelledi. "Korkunç bir şeyin olacağını hissediyordum. Ona gitmesini söyledim. Ama o reddetti. Beni dinlemedi bile. Vurulduğunu duyduğum zaman ağlamadım. Her tarafım uyuşmuştu. Zihnimde yüzlerce kez ölümünü düşünmüştüm zaten."

Ratana, Lovell'a en büyük "kalmak için neden"i vermişti. Ancak bir çocuğun yaratabileceği, birbirinden ayrı üç sözcük.

Ratana, Calvino'nun yanından ayrıldı. Çok geçmeden Albay Pratt telefon etti. "Weerewat ülkeden ayrıldı. Tek kaçan da o değil."

Calvino konuşmanın dinlendiğini varsayıyordu. "Darbe boyunca uyumuşum."

Albay Pratt genzini temizledi. "Son günlerde pek iyi değildin. İyice dinlen. Bir doktora git."

"Olur, albayım."

Albay Pratt, "Ölenler tüm borçlarını öder," dedi.

Calvino, "Shakespeare," dedi.

Pratt'in telefona gülümseyerek baktığını düşündü. Borç ödenmişti.

Calvino, *Soi* 22'den Washington Meydanı'na giderken, Pratt'in cevap vermek için seçtiği sözcükleri düşündü. Meydanın dışında güneş tam tepedeydi. Birkaç dağınık, puf gibi bulutlar sıcağı dağıtmaya yeterli değildi. İhtiyar George'un Toyota'sı tam yola çıkmak üzereydi. Sürücüyü arabayı durdururken İhtiyar George penceresini açtı. "Sen ne cehenneme gittiğini sanıyorsun?"

"Kurtuluş Günü, George."

"Dün seni soran polisler vardı barda."

"Yaptıkların için teşekkür ederim."

"Sen amma delisin be. Singapur'a giden tankere bin, Calvino. Hazır mümkünken bu yerden çek git. Bu tür şeyler hiç sona ermez, biliyorsun. Yalnızca bir mola olur, sonra her şey tekrardan başlar. Bunun bir parçası olmak istemezsin. Yoksa ister misin?" İhtiyar George penceresini kapatırken dudaklarını yaladı.

"Darbe oldu, George. Yeni bir gün doğdu," dedi Calvino.

"Yeni günmüş, kıçımın kenarı. Şimdi ne gelecek bilmiyorsun. Gidip Shakespeare'den durmadan alıntı yapan ahbabına sor. O sana asla yeni bir gün olmayacağını söyleyecektir. Eski sahneleri oynayan yeni aktörlerle aynı oyun sadece."

Calvino, antik Toyota'nın meydanın köşesinden sağa dönerek gözden kaybolmasını seyretti.

KIRK İKİ

Albay Pratt, Calvino'nun bürosunda otururken kahvesine şeker atıyordu. Tek bir şeker; sonra süt ekledi ve tekrar yavaşça karıştırdı. Calvino iskemlede arkasına yaslandı, elleri başının arkasındaydı. Darbe sırasında çok sayıda ateş edilmişti. Calvino'nun ettiği ateşler ve Weerewat'ın isabetsiz iki atışı. Cesetleri ve valizleri kaldırmak Albay Pratt ile meslektaşlarının iki saatini almıştı, temizlik, raporları dosyalamak ve Weerewat'ın cesedinden kurtulma işini ayarlamak da gene iki saat sürmüştü. Olay yerinden birkaç dakika ötede Calvino'nun aramasını bekliyorlardı.

Albay Pratt, "Ölü arkadaşlarının fotoğrafları vardı bende," dedi.

"Ama gazetelere göre zaten itiraf etmişti."

Albay Pratt durdu. "Avukatları itirafın baskı altında alındığını iddia etti."

Gazetelerde Kutu Kafa'nın yaralı bereli yüzünü gösteren fotoğraftan bu iddiayı mahkemede bastırmanın çok zor olmayacağı anlaşılıyordu. "Kutu Kafa itirafını geri almak istiyordu. Weerewat gittiğine göre kaybedecek bir şeyi olmadığını düşünüyordu."

Albay Pratt, Kutu Kafa'nın bir sonraki sorgusunu anlatırken Calvino dinledi. "Resimleri masanın üstüne koydum. Ölü adamlara baktı. Birkaç dakika sonra güvenlik kamerasında pizzacı olarak görünen kişinin kendisi olduğunu ve Lovell'ın dairesine giderek onu vurduğunu kabul etti. Onu çöktüren de boynundaki Khmer dövmesinin yakın plan fotoğrafı oldu." Pratt, Kutu Kafa'ya atılan dayağın ayrıntılarını anlatmadı.

Calvino, "O dövmenin onu kötülüklerden koruması gerekmiyor muydu?" diye sordu. "Öyle görünüyor ki tılsımlar her zaman en iyi dostun değilmiş. Ama bazen de oluyor." Weerewat'ın sıkı sıkı tuttuğu tılsımı düşündü.

Albay Pratt içmeden önce kahvesini üfledi. "Yarın olay yerinde tatbikat yaptırılacak. İtiraf ederse ölüm cezası almayacağını söyledik. İndirim yapılacak. Weerewat'ın ailesinden biri onu ziyarete geldi. O görüşmeden sonra ötmeye başladı ve kimse onu susturamadı. Ona Weerewat'ın ülkeden kaçtığını ve iki adamının öldüğünü söylediler. Bir saat sonra Pattaya'da Daeng adlı bir işçiyi öldürdüğünü itiraf etti. Başına bir şeyle vurmuş ve cesedi havuza atmıştı. Jazz'ı da o öldürdü. İki ekip bu cinayetlerin ardındaki büyük beyni almak için onu iyice hırpaladı. Hepimiz kim olduğunu biliyorduk. Ama adam Weerewat'ın adını söylemiyor. Zaten ölüm cezasına çarptırılmayacak. Ağzını mühürledi. Gözlerinde bir şey gördüm sanıyorum. Belki de korkudur ya da tereddüt. Sadakat ya da saygı, bilmiyorum. Gördüğüm her neyse, onu istediğimiz yöne çekmeye yeterli değildi. Başka günler de olacak. Bize zaten bildiğimiz şeyi anlatacak." Albay Pratt'in ses tonundaki mutlak kesinlik, Kutu Kafa'nın henüz son şarkısını söylemediğini gösteriyordu.

"Weerewat'ın hayatta olduğunu düşünüyorlarsa eski hükümet mensupları ne yapacak?"

Albay Pratt ensesini kaşıdı –ısıran bir sıcak vardı. "Birçok insan kaçak. Ama Weerewat farklı. O bize bir fırsat verdi. Bir de ihtiyaç duyduğumuz tüm kanıtları. O öldüyse, o zaman olaya dahil olanlar bazı fırsatların açık olduğunu bilirler. Ama Weerewat kayıpken ölü de olabilir, hayatta olup saklanıyor da olabilir. Bu da durumu karmaşıklaştırıyor; seçtikleri yolun yanlış olmayacağından emin değiller. Weerewat ile anlaşma yapmaya çalıştığımızı anlatarak sıkıştırabiliriz. Onları birbirlerine ihanet etmeye zorlayabiliriz."

"Valizlerden birinde gördüğüm kadarıyla bazı önemli insanlarla ilgili epeyce soru olacak. Bu işten kurtulabilecekler mi?" diye sordu Calvino.

Albay Pratt iskemlede arkasına yaslandı. "Çok fazla kanıt var."

Calvino gülümsedi. "Ama yeterliler mi?" Her ikisi de belgelerin kaybolduğunu ve belgelerin yeniden yazılabileceğini, değiştirilebileceğini ya da sahtesinin yapılabileceğini biliyordu. Tanık ifadeleri ve aile adı en suçlayıcı belgeyi bile boşa çıkarabilirdi.

Pratt çenesini oynatıp omuzlarını silkti. "Belki öteki taraftan dokunulmadan çıkmak üzere bir açık nokta bulurlar, belki de bulmazlar. Weerewat'ın kaderini belirsiz tutmak, onları tetikte tutmanın yollarından biri."

Arka planda inşaat anlaşmaları, sahte toprak transferleri, havalimanı yolsuzlukları ve direksiyonda Weerewat ailesinin olduğu şirketler. Komiteler kurulacaktı; soruşturmalar, raporlar, tavsiyeler olacaktı; uzlaşmalar yapılacaktı.

Calvino, "Ya sen?" diye sordu.

"Kızağa alınma kararı geri çekildi." Albayın dudaklarından bir gülümseme gölgesi geçti. "Bu da bir deneyimdi, Vincent."

Calvino'ya göre insanın dünyanın gidişatını anlamasını sağlayan iki deneyim vardı –ilk kez biri onu vurduğu zaman, ikincisi de ilk kez para bulmak zorunda kaldığı zaman.

"Sana yaptıkları konusunda ne diyorlar? Bir bürokrasi hatası mı?"

"Sorunları düzeltmenin senin anlayamayacağın yolları var. Ama çatışmadan kaçınmamız gerekiyor. Düzen tekrar kurulmalı. Bunu sağlamak için darbe gerekiyorsa, darbe yapılmalı. Weerewat ile hükümet ortadan çekilmişken poliste kimse onunla ilgili bir anı bulamaz. Kimse onun arkadaşı olmamıştır, onunla yemeğe çıkmamıştır ya da bir sosyete sayfasında birlikte resmi çıkmamıştır. Ya da onunla iş yapmamıştır. Weerewat artık bir insan değil. Darbe gecesi, gücü buhar olup uçtu. Birkaç hafta içinde kimse onu hatırlamayacak ya da hakkında konuşmayacak. Kaçışı eski haber olacak."

"Büyük ilaç ve film yapım şirketlerine yüzlerce e-posta gönderdim. Otomobil şirketlerine de. Weerewat hava yastıklarının ve frenlerin de sahtelerini yapıyordu."

"Fabrikalar çoktan kapandı. Biz harekete geçince, hızlı geçeriz. *Farang*'ların istediği de bu. İstediklerini yaptık. Olayın afişe olmasını istemiyorlar. Korsanlık operasyonunun kapanmasını istiyorlar. İstediklerini yaptık."

"Gazeteciler sorular sormaya başlayabilir."

"Soracakları tek soru darbeyle ilgili olacaktır. Weerewat çoktan tarih oldu. Yeni hükümet bu konuda hiçbir şey bilmeyecek. Eski hükümetten kimse bir şey söylemeyecek. Hiç kimse hiçbir şey söylemeyecek."

Soru her zaman şudur, partiye sen ne getirdin? Nadiren sorulur, ama her zaman sorulduğu varsayılır. Calvino'ya sessizliğini getirmesi söylenmişti. Toplumsal uyum ve saygınlık tanrılarına onun hediyesi buydu. Partiye bu ödülü getirebilirse orada kalabilirdi.

Calvino, "Ya Danielson?" diye sordu.

Albay Pratt omuz silkti. "Kalp krizi."

"Evet ve hayır." Ratana'ya bir dosya getirmesini söyledi.

Ratana büroya gelip dosyayı Calvino'nun masasının üstüne koydu. "Albay Pratt'e, Lovell'ın Oxford-Cambridge yemeğinde olanlar konusunda sana anlattıklarını açıkla."

Ratana, Lovell'ın ona söylediklerini anlattı. "Apisak içeriye girdiğinde tuvalette papyonunu bağlıyordu. Birkaç dakika sonra Khun Andrew içeriye girdi. Yüzü kül rengi olmuştu ve boynundan ter damlıyordu. Başta her şey yolundaymış gibi rol yaptı. Ama doğruyu söylemediğini anlamak için bir bakış bile yeterdi. Az önce kötü bir haber aldığını söyledi. Titriyor ve terliyordu.

"Khun Andrew tam bir panik atak geçiriyordu. Bunu önce Apisak gördü. Khun Andrew'a açıkça bir anksiyete atağı geçirip geçirmediğini sordu. 'Panik' kelimesini kullanmamıştı. Apisak belirtileri gördüğünü söyledi –kendisinde de aynı sorun vardı– ve bir ilaç şişesi çıkardı. Avucunun içine bir hap çıkardı, hapı ağzına atıp yuttu. Lovell'a da ilaç önerdi, ama o almadı, sonra Khun Andrew'a önerdi. O sırada Khun Andrew normal nefes alıp vermekte sıkıntı çekiyordu. Hapı alıp yuttu."

Albay Pratt'in elinde darbeden sonra tekrar ortaya çıkan ilk otopsi raporu vardı. Bu raporda alışılmadık maddeler vardı, büyük miktarda sentetik eşekarısı zehri gibi. Danielson'ın alerjisi vardı. Apisak'ın ona verdiği hap ölmesinin nedeniydi.

"John neler olduğunu bilmiyordu."

Albay Pratt parmaklarını kavuşturmuş, yüzünde hiçbir değişiklik olmadan dinliyordu. Ratana konuşmasını bitirdikten sonra dosdoğru albaya baktı. "John size söylerdi. Bundan eminim."

"Danielson yakıldı. Lovell öldü. Ama bu konuyu doğrudan Weerewat ya da Apisak'la bağlantılandıran bir kanıt yok."

Ratana yumuşak bir sesle, "Bu demek değil ki hiçbir şey yapılamaz."

"Karışık bir iş. Adil ya da doğru değil. Ama Weerewat'ın dünyası çöktü. Ama onun hayatta olabileceğini düşünenler, amcasının ona yardım edemeyeceğini ve Cameron'ın şirketinin ondan uzak durduğunu görebilirler. Yeni hükümet, Weerewat'ın vatandaşlıktan çıkarılmasına çalışacağını açıkladı. Resmi açıklama, onun kaçtığı. Apisak'a gelince, bazı önemli insanların olayı unutmayacağını görecektir. Zaman alacak, ama en sonunda onu suçlayacak bir şey yapacak, ben de bunu bekliyor olacağım."

Calvino, "Er ya da geç Weerewat'ın darbe gecesi öldürüldüğünü öğreneceklerdir," dedi.

"Böyle bir şey olmayacak."

Albay Pratt'in sesinde en küçük bir kuşku kırıntısı yoktu. Olaylar nasıl sonuçlanırsa sonuçlansın Weerewat'ın cesedi asla bulunamayacaktı. Calvino'nun Pratt'in olay yerini temizleme ve Weerewat'ın cesedinden kurtulma yeteneği konusunda hiç kuşkusu yoktu. Nasıl ve nerede diye sormadı; bilmek istemiyordu.

Büro telefonu çaldı. Ratana masasına geçip telefonu açtı. Telefondaki kişiyi Calvino'ya bağladı. Calvino arkasına yaslanmıştı. *Bugün hayatımın ilk günü,* diye düşündü. Hong Kong'a ya da Singapur'a kaçabilirdi. Ama Bangkok'ta gene işinin başına dönmüş, haftasonunu düşünüyordu. Pratt işine geri dönmüştü ve amiri keşişlikten döner dönmez o da görevine dönecekti. Kızağa çekilmeler bir yanlış anlaşılma, bir bürokrasi hatası olarak açıklanmıştı. Herkese saygınlığını koruma fırsatı verilmişti.

Calvino telefonu kulağına götürdü. "Senle Noah'ın Denver'da olduğunuzu sanıyordum."

"Transfer iptal oldu. Noah, Bangkok'taki bir bankada iş buldu."

Ruth'un sesini bir balık varilinin dibinden de gelse tanırdı.

Calvino, Albay Pratt'e göz kırparak, "Burada mı kalıyorsun?" diye sordu.

"Elbette kalıyorum. Sizi tekrar tutmak istiyorum."

"Seni araya sıkıştırabilirim sanırım, ama bir avansa ihtiyacım olacak."

"Sorun değil, Bay Calvino."

"Hepsini en başta alırım."

Ruth onu tam olarak anlıyordu. Birkaç papel uzun vadeli bir savaşı finanse etmek için ancak küçük bir ödeme olabilirdi. Ruth'un kocası cepheye geri dönmüştü ve Calvino da onu takip etmek için para alacaktı. Noah Gould, Bangkok'ta kalmakla, saklambaç oynamaya, kibriti yakmaya, pisliğin içinde çömelmeye, kibritleri teker teker bir benzin bidonuna atmaya karar vermişti. Weerewat resimden çıkmıştı. Artık korkmuyordu.

Ratana öğle yemeğinden önce Calvino'nun masasına bir mektup koydu. Gelen birçok mektup fırlatıp atılacak türden ya da faturaydı. Bu mektupta ise WHO'nun New York bürosunun adresinin bulunduğu matbu bir zarf vardı. "Araştırma müdürü pozisyonu için adaylar arasında olduğunuzu size bildirmek isteriz. Lütfen New York'ta bir görüşme için beni arayınız."

Calvino başvuru formunu yırtıp atmıştı. Kopyasını bulup Ratana göndermiş olmalıydı. Onun için her şeyi yapardı Ratana. Calvino, yaşamını sarsılmaz bir sadakatle onunla ilgilenmeye adadığını düşünerek mektubu masaya koydu. Ratana'nın öteki tarafta mektupla ilgili bir şey söylemesini beklediğini hissetti.

Mektubu buruşturarak, "WHO'nun aradığı adam ben değilim," dedi.

Bir an suskun kaldıktan sonra Ratana, "Özür dilerim, Vinny," cevabını verdi. Sesinde hiç üzüntü belirtisi yoktu.

Calvino onun yüzünü göremiyordu. Gülümsüyor muydu? "İşe dönme zamanı geldi. Üzülecek bir şey yok."

Ratana köşeden başını uzatıp baktı. "Başvuruyu gönderdiğim için kızgın değil misin?"

"Sen doğru olanı yaptın."

Şimdi Ratana gerçekten de gülümsüyordu.

KIRK ÜÇ

Yalnız Şahin'de öğle yemeği 10:30 sularında, ilk sıkı içiciler gelip de bira ya da ucuz viski istediğinde başlardı. Garson kadınlar pencereye yakın olan köşedeki bölmede durur, makyajlarını yaparlardı. Bu müşteriler aç değil, susuzdular. İlk kadehi, hızlı ve müthiş bir şiddetle boğazlarından aşağıya indirme isteği, onları yiyecekten daha çok yiyip bitiriyordu. Son kullanma tarihleri çoktan geçmiş garson kadınlar onları hiç ilgilendirmiyordu. Bir müşteri bara yaslanırken, barmen dönüp, "Canım, sana takma diş satın alan o adamın adı neydi?"

Kadın, "Khun Dan," dedi.

Barmen konuşmaya geri döndü. "Adamın adı Dan idi. İyi bir yüreği vardı. Ee, Dan dün gece, darbe sırasında Nana Plaza'da dansçıların askerlere çiçek verdiğini gördüğünü söyledi. Herkes gülümsüyordu ve büyük bir aile gibi hepsi çok mutluydu."

İlk biradan sonra kendilerini iyi hisseden müşteriler çevrelerine bakıp ötekilerin de kendilerini iyi hissettiğini, erkenden sarhoş havasına girdiğini gördüler. Bar geçmişten kalan bir sığınağa, karşılıklı anlayış, paylaşılan deneyimler yerine ve alkolün tetiklediği bir tarihe, biraz denetimleri varmış gibi yaptıkları bir pencereye dönüşmüştü. Kim olduklarını bildikleri ve sabah sabah bira içmenin ne demek olduğunu bildikleri bir yere.

İhtiyar George kollarını deli gibi sallayarak bardan şoför-DJ'e lanet olası müziği, altıncı kez çalan "I Left My Heart in San Francisco"dan başka bir şeye değiştirmesini bağırdı. "İçine ettiğimin Tony Bennett'ından nefret ediyorum. Bu müziği değiştiremez misin? Yoksa bizzat benim mi yapmam gerekiyor?" Bastonunu yere vurdu.

Calvino kapıdan içeriye girdi.

"Hele bakın kim gelmiş. Vincent Calvino. Kendini kızgın demirle dağlanmaktan kurtarmışsın. Şimdi nereye atlamaya çalışıyorsun? Kızgın tavaya mı? Bu kadar da kendini beğenmişlik yapma. Bir kez seni düzebileceklerini anlayınca gidebilirler, ama her zaman geri döneceklerdir."

"Teşekkürler, George." Calvino onu kucaklayıp alnını öptü.

"Çekil üstümden be! Yahudiler düzdüğümün nonoşu diyecekler sonra."

McPhail, "Vinny darbe boyunca uyumuş," dedi.

Calvino başını bir o yana bir bu yana çevirdi. "Yorgundum."

Müdavimlerden biri bardan bir Singha şişesini kaldırdı. "Hiç de şaka değil. Bütün o tanklarla kötü yaralanabilirdi insan."

McPhail, "Beni hayal kırıklığına uğratıyorsun, moruk," dedi. "Senin işin tam ortasında olacağını sanırdım. Sukhumvit Yolu'nda koşarak bir tankın üstüne atlayacağını."

Calvino, "Işık gibi sönmüştüm. Tek bir şey bile duymadım," dedi.

McPhail bir bölmede Jameson içiyor ve duvarda küçük bir platformun üzerine yerleştirilmiş televizyonu izliyordu. BBC haberleri, hâlâ atan bir kalbin başka birinin göğsüne yerleştirilmesiyle ilgili bir haber veriyordu.

"Hey, Vinny. Bunu gördün mü? Adamın göğsüne canlı bir kalp

koydular. Eski bir motoru çıkarıp yerine yenisini koymak gibi. Bu yavrucağa bu konuda ne düşündüğünü sordum."

McPhail yanında oturan garson kadını sıkıştırdı. "Altüst olmuş durumda. Ben de ona sordum, 'Bebeğim, hey, neden bu kadar üzgünsün?' O da bana dedi ki, 'Kalbi durmuyor.' Moruk, Taylandlılar'ın, ölümü kalbin durması olarak tarif ettiklerini düşünüyorum. Kalp hâlâ atıyorsa, o kalbi almak için adamı öldürmüş olmaları gerek. Beyin ölümüne karşılık gelen bir kelime yok Tayland dilinde –kalp hâlâ atıyor, ama beyin öteki tarafa gitmiş."

Calvino'nun saklanmadan bara nasıl geldiği konusunda hiç soru yok.

Calvino bir Mekong ve cola ile spesiyal siparişi verdi, köfte. Calvino köfteden, İhtiyar George'un Tony Bennett'ın "I Left My Heart in San Francisco" şarkısının altı kez çalmasından nefret ettiği kadar nefret ediyordu.

"Sos istemez," dedi.

"Bu yeni hükümetin Weerewat gibi birini atamayacağını umut ediyorum. Yeşil bölgede *farang*'ların sayısının sınırlanmasıyla ilgili bütün o konuşmaları çok ürkütücüydü."

İhtiyar George, tünediği yerden, "Bundan sonra Sarı Davud Yıldızı gelir," diye bağırdı.

Bardaki müşterilerden biri, "Hiçbir zaman hiçbir şey değişmez aslında," dedi. "Onlar yalnızca paramızı istiyorlar. Bizi istemiyorlar."

Bardaki başka biri, "Generaller kırdaki insanlarla konuşuyor," dedi. "Onları sakinleştirmeye çalışıyor."

McPhail, "Onlara para gönderin, para onları sakinleştirir," karşılığını verdi. "Para gönderin. Öğrendikleri ilk İngilizce kelime bu."

Gazetelerden birinde yeşil bölgeyle ilgili bir yazı vardı ve bu adla ilgili çeşitli teorileri açıklıyordu. Birincisi, yeşil (Amerikan dolarına teşekkürler), paranın evrensel rengiydi. İkincisi, Soi 4 ile Soi 55 arasındaki bölgede daha fazla park ve ağaç vardı. Üçüncüsü de, dünyanın tehlikeli yerlerinde yeşil bölge zenginlerin güvenlik alanı, korkunç şiddet olaylarının daha az olabileceği bir sığınaktı.

Kavşaklarda askerler, sokaklarda tanklar varken bu haber eski, münasebetsiz, başka bir zaman ve yerden gelmişe benziyordu. Kimse hangi politikaların ya da şahsiyetlerin hayatta kalacağından emin değildi, bu da yeşil bölge düşüncesinin solup gideceği umuduna büyük bir şans kazandırıyordu.

"Şu oğlanlar sıkışıp kaldılar, herkes onlardan ileriye atılmalarını ya da geriye çekilmelerini bekliyordu. Beklemediğim ya da geleceğini görmediğim tek şey, ordunun iktidarı almasıydı. İnsan yan saflardan bir pusu geleceğini öngöremez. Öyle değil mi, George?"

"Haklısın. Berlin'i nasıl aldık sanıyorsun?"

"Berlin'i Rus ordusu aldı, George. Bu herkesin bildiği bir şey," diye bağırdı bardan biri.

"Sen ne bok biliyorsun ki? 1945'te Berlin'de miydin? Siktir et Rus-lar'ı."

Calvino bölmeden çıkarak bara gitti. Eğilip barmene bir şeyler fısıldarken bir müşteriyi gösterdi. Adama kendi hesabından içki göndermesini söyledi. Barmen başını salladı. Calvino, barmenin bir Singha şişesi açıp müşterinin önüne koymasını izledi. Adam şaşırarak başını kaldırdı. Barmen fısıldayıp Calvino'yu işaret etti. Yüzüne taco buladığı adamdı bu. Polislere Calvino adını hiç duymadığını söyleyen müşteri. Adam birasını kaldırıp "Teşekkür ederim," dedi, sessizce dudaklarını oynatarak.

Bölmesine geri dönen Calvino servisin üzerindeki köfteye baktı.

McPhail, "Bu da neydi böyle? Şu kertenkeleye içki almak?" diye sordu.

"Albay Pratt bana düşmanım olup olmadığını sordu. Ben de özel dedektiflerin düşman kazanma, düşmanlarla uğraşma, düşmanlara karşı çıkma işinde olduklarını söyledim; ama düşmanlar onları nadiren öldürür. O da buranın Tayland olduğunu, burada farklı kuralların olduğunu söyledi. Düşmanlar asla unutmaz ya da bağışlamaz. Birbirlerini mezara kadar takip ederler."

Calvino albayın öğüdünü ciddiye almıştı. Elmalı turtanın tatlı kokusu mutfaktan içeriye kadar geldi. Aşçı kapıları açarak dumanı tüten turtayı bölmeye getirdi. Bir garson kadın köfteyi alıp götürdü. Aşçı fırın eldivenleri takmıştı ve turtayı masaya koyarken yüzünde dişsiz bir sırıtma vardı. Bölmenin yanında ayakta dururken sırıtmaktan vazgeçemiyordu. Onun hayali, bir gün Dan'in dönmesi ve ona takma diş almasıydı.

Calvino, "Bu da nedir yahu?" diye sordu.

Aşçı göz kırptı. "Sekreterin için. Lütfen bunu ona ver." Bambu telgrafı fazla mesai yapıyordu.

Tayland'da düşmanlar da vardı, dostlar da. Calvino hesap yaptığında arkadaşların sayısı her zaman kazanıyordu. Dostların sayısının fazlalığı iyi bir *kalmakiçinneden*'di.

McPhail, "Günün adamı sensin," dedi.

"Yanlış anlamışsın, McPhail. *Günün* adamı Lovell'dı."

Lovell, kafasını papyonlara takmış, ona dedektif diyen o çocuk. Ratana'nın çocuğunun babası. Günün adamı oydu.

Lovell, sudan çıkmış balık, eşleşmek ve ölmek için nehrin yukarısına çıkan balık.

Ama ardında iz bırakmıştı. Kuma bir çizgi çizmişti. İyi insanları kendine çeken türden bir çizgi, iyi insanların hangi tarafı tutacağını anladığı türden. Lovell bunu yapmıştı. Vito bunu yapmıştı. Kaç adam gökyüzüne son kez bakıp da bunu söyleyebilirdi ki? Fazla değil, diye düşündü Calvino. Hiç fazla değil.

YAYINLARIMIZDAN

Yıllar sonra sana geri dönüyorum Tenedos... Geçmişimle barışmama yardımcı olman için...
Anayurt 70'li yılların başına kadar Bozcaada'da (Tenedos) yaşayan ve daha sonrasında göç etmek zorunda kalan bir Rum ailesinin yerinden yurdundan kopuşunun belki de aslında kopamayışının hikayesidir.
Roman tüm politik gerilimler ardında aşklarla, umutlarla, beklentilerle birlikte yaşanan zorlu yılları bir çocuğun gözünden anlatıyor. Ve o çocuk, Dimitri, geçmişiyle barışmak için yıllar sonra hem Türkiyeli hem de Avustralyalı kimliğiyle Bozcaada'ya geri dönüyor...
Karşı karşıya değil yan yana, birbirinden kopuk değil iç içe iki kültürün hikayesi.

Ben bir hayaletim. Şimdiye kadar size kimse söylemedi mi?
Bütün hikaye anlatıcıları, hayaletlerin gözleridir aslında. Siz ne sanmıştınız?
Büyük sırları isteyerek ya da istemeyerek öğrenen birçoğu gibi, öldürülmek istendim.
Beni öldürmeye karar veren adam, kafamı vücudumdan bir baltayla ayırmaya niyetlendi. Ama nedendir bilinmez, bunu yapamadı. Oysa yapacağını düşünmüştüm; yapmasını istemiştim de...
KOZANIN TEREDDÜTÜ zihninde ve tininde yaşattıklarına haksızlık etmeyen, sapkın bir aşk üçgeninin kahramanlarını canlı kılan genç bir kadının kozasını çatlatıyor.

Julian Vega, daha on yedisinde, Doktor Allison Wallis cinayetinden suçlu bulunuyor ve hayatının son yirmi yılını cezaevinde geçiriyor. Francis X. Loughlin, Julian Vega'yı sorgulayan ve mahkeme önüne çıkaran hem gerçek hem de **Peter Blauner**'in müthiş zekasıyla mecazi anlamda da görme yeteneğini giderek yitirmeye başlayan bir polis. Debbie Aaron ise Vega'nın yüksek kariyeri hedefleyen hırslı avukatı. Yirmi yıl sonra yeniden görülmeye başlanan bir dava... Bir yaşamı yeniden yaratmanın dayanılmaz açlığı ve sadece herkes gibi basit bir yaşam kurmak için bile ödenmesi zorunlu bedeller. Herkese açık gibi duran ama aslında hep belli bir sınıfın özelinde olan alanlar ile suçluysan hep suçlu kalırsın diyen çürümüş bir sistem içinde empati yoksunluğundan karanlıkta yönünü bulamayan, iyi ve kötünün geçersiz kılındığı gerçek hayatlar...

...İşte o büyücülerin, rahiplerin, şamanların, velilerin, pirlerin filozofların, seçilmişlerin ve erginlenmişlerin en yücelerinin, en ulularının taa eski zamanlardan beri çok iyi bildikleri ve kıskançlıkla sakladıkları en önemli gizemlerden biri, belki de en ulaşılmaz sır, 'Büyük Yapıt'tır. Çünkü, bilmenin ötesinde bir bilgelik, aklın ve duyuların ötesinde bir bilinç, dünyevi arzuların ve sıradan yaşamların ötesinde bir adanmışlık ve arınmışlık gerekmektedir 'Büyük Yapıt'a ulaşabilmek ve onu koruyabilmek için...

Düşünmeye ve anlamaya başladığı ilk çağlardan beri insanoğlunun hasretle peşinde koştuğu 'Büyük Yapıt'ın formülü şöyledir: